HISTOIRE DES JUIFS
DE TUNISIE

Collection
« Histoire et perspectives méditerranéennes »

dirigée par Benjamin STORA et Jean-Paul CHAGNOLLAUD

Dans le cadre de cette collection, créée en 1985, les éditions L'Harmattan se proposent de publier un ensemble de travaux concernant le monde méditerranéen des origines à nos jours.

Derniers ouvrages parus :

Antigone MOUCHTOURIS, *La Culture populaire en Grèce pendant les années 1940-1945*.
Abderrahim LAMCHICHI, *Islam et contestation au Maghreb*.
Yvelise BERNARD, *L'Orient du XVIe siècle*.
Salem CHAKER, *Berbères aujourd'hui*.
Dahbia ABROUS, *L'Honneur face au travail des femmes en Algérie*.
Danièle JEMMA-GOUZON, *Villages de l'Aurès — Archives de Pierres*.
Vincent LAGARDÈRE, *Le Vendredi de Zallâga*.
Yvette KATAN, *Oujda, une ville frontière du Maroc (1907-1956)*.
Paul SEBAG, *Tunis au XVIIe siècle. Une cité barbaresque au temps de la course*.

Collection
Histoire et perspectives méditerranéennes

Paul Sebag

HISTOIRE DES JUIFS DE TUNISIE

DES ORIGINES A NOS JOURS

*Publié avec le concours du
Centre National des Lettres*

Éditions L'Harmattan
5-7, rue de l'École-Polytechnique
75005 PARIS

ISBN : 2-7384-1027-8

AVANT-PROPOS

Il n'existe pas aujourd'hui d'ouvrage qui donne une vue d'ensemble de l'histoire des Juifs de Tunisie. L'Essai sur l'histoire des Israélites de Tunisie, publié par David Cazès en 1888, s'arrête à l'établissement du protectorat français, et, sur les siècles qui l'ont précédé, il ne nous apprend que le peu que l'on en savait il y a cent ans. Il est vrai qu'une place a été faite à l'histoire des Juifs de Tunisie dans l'Histoire des Juifs d'Afrique du Nord d'André Chouraqui, publiée en 1952, et dont des éditions revues et augmentées ont vu le jour en 1972 et en 1985 ; comme dans l'Histoire des Juifs en Afrique du Nord de H.Z. Hirschberg, publiée en hébreu en 1965 et dont une traduction anglaise a été donnée en 1974-1981. Mais ces deux ouvrages appelaient des développements plus amples et plus détaillés sur chacun des pays du Maghreb. Nous avons été ainsi amené à composer cette Histoire des Juifs de Tunisie, depuis les origines jusqu'à nos jours.

Ayant fait appel aux sources les plus variées, nous nous sommes efforcé de tenir compte des recherches les plus récentes, en mettant à contribution un certain nombre de travaux inédits dont nous avons repris les conclusions. Nous nous sommes attaché à embrasser l'histoire des Juifs de Tunisie dans sa totalité, en la replaçant, à chaque étape, dans l'histoire du pays, et en traitant de ses divers aspects : démographiques, économiques, sociaux, culturels et religieux. Remontant aux temps les plus reculés, nous avons essayé de faire le départ entre la légende et l'histoire. Sur toutes les époques antérieures à l'époque contemporaine, nous nous en sommes tenu à l'essentiel, pour nous étendre plus longuement sur l'histoire des cent dernières années, en étudiant l'ensemble des mutations en chaîne qui ont amené une partie de la population juive à s'acculturer et à s'occidentaliser, alors que, loin de la capitale et des grandes villes, une autre partie se montrait plus fidèle à un mode de vie et à une culture hérités d'une longue tradition. Nous avons tenté naturellement de rendre compte du mouvement qui, à la veille et au lendemain de l'accession du pays à l'indé-

pendance, a amené une communauté de près de cent mille âmes à s'arracher à une terre où elle était enracinée depuis la plus haute antiquité pour aller s'établir en Israël ou en France. Nous avons ainsi conduit notre histoire jusqu'au point où elle s'achève, dès lors que presque tous les Juifs qui vivaient en Tunisie l'ont quittée et que tous ceux qui n'y sont plus partagent désormais l'histoire du pays qui les a accueillis.

Nous avons voulu satisfaire aux exigences des plus savants, en n'avançant rien qui ne fût étayé de nombreuses références. Mais nous avons voulu aussi présenter un ensemble clair et concis qui soit accessible au plus grand nombre. Nous sommes évidemment le dernier à pouvoir juger si nous avons atteint ce à quoi nous avons visé. Malgré notre effort pour être complet, nous n'avons pas pu tout dire. La bibliographie sélective que nous avons dressée permettra à tous ceux qui le voudront de parfaire leur information et d'entrer dans le détail d'une histoire dont on ne trouvera ici qu'un précis. Faut-il ajouter que nous ne prétendons pas avoir fait œuvre définitive ? Nous savons que de nombreuses recherches sont en cours qui compléteront, voire corrigeront, tel ou tel de nos développements. Nous serions déjà heureux si notre ouvrage, malgré ses imperfections, donnait une idée exacte d'une communauté partagée entre deux conceptions du judaïsme — confession ou nation — et deux destins : s'intégrer résolument à une société moderne ou prendre part à la restauration d'un État sur le sol de l'antique Judée. A l'heure où les Juifs de Tunisie, dispersés entre les pays et les continents, s'interrogent parfois sur leur identité, ce livre les aidera peut-être à se pencher sur leur passé, et, en leur rappelant ce qu'ils ont été, à mieux comprendre ce qu'ils sont.

* Nous tenons à remercier notre vieil ami Robert Attal, dont nous avons si souvent mis à contribution les travaux, d'avoir bien voulu lire notre ouvrage, sur épreuves, et de nous avoir suggéré nombre de corrections et d'additions.

CHAPITRE PREMIER

LES ORIGINES

Les origines des Juifs de Tunisie sont enveloppées d'obscurité. Des historiens ont cru pouvoir faire remonter plus ou moins haut dans le temps la présence de Juifs dans la Berbérie orientale. Mais au cours de la longue période qui va de la création des premiers établissements phéniciens sur les côtes d'Afrique jusqu'à la fin de la puissance de Carthage, il n'est pas un seul texte que l'on puisse produire comme une preuve décisive de l'existence de groupes, ou même d'individus, partageant les croyances et observant les pratiques du judaïsme. Cependant, sans pouvoir être jamais affirmée comme une réalité, la présence de Juifs dans l'Afrique punique n'a rien d'impossible et elle est d'une probabilité de plus en plus grande au fur et à mesure que l'on descend le cours des siècles et que l'on se rapproche du début de l'ère chrétienne.

1. Hébreux et Phéniciens

Parmi les douze tribus d'Israël, il y en eut qui s'établirent au nord-ouest de la Palestine, en bordure du rivage, et se livrèrent à des activités maritimes. Des textes bibliques, plus ou moins précis, le laissent entendre. Sur le point de mourir, Jacob révèle que Zabulon occupera le littoral des mers, qu'il offrira des ports aux vaisseaux, et que sa plage atteindra Sidon (1). Aux fils de Zabulon, Moïse souhaite d'être heureux dans leurs voyages (2). Au temps des Juges, les fils d'Aser semblent fixés sur le littoral, et les fils de Dan répugnent à s'éloigner des ports où relâchent leurs vaisseaux (3). De ces textes, des historiens

7

modernes ont tiré argument pour émettre l'hypothèse que les Hébreux purent s'associer aux entreprises des marins de Sidon et de Tyr et jouer un rôle dans l'expansion phénicienne en Méditerranée. Ainsi, D. Cazès estimait qu'il était probable que des Israélites aient été mêlés aux Sidoniens lorsqu'ils firent leur première apparition sur les côtes africaines (4). Le savant N. Slouschz a été plus affirmatif en estimant qu'aux alentours du premier millénaire avant Jésus-Christ, il était impossible de séparer Phéniciens et Hébreux, et qu'ils prirent part ensemble au mouvement qui devait aboutir à la création de nombreuses colonies sur tous les rivages de la Méditerranée (5). Le Père J. Mesnage, qui a exposé fidèlement les thèses de N. Slouschz, n'a pas hésité à s'y rallier (6).

Mais les textes dont nous avons fait état permettent tout au plus de penser que des tribus d'Israël établies sur le littoral pourraient avoir eu des activités maritimes. Qu'elles se soient associées aux entreprises des marins de Sidon et de Tyr n'est qu'une conjecture que l'on ne saurait considérer comme un fait établi.

2. Les flottes de Salomon

Au Xe siècle avant notre ère, des relations étroites et confiantes s'établirent entre les villes phéniciennes et le royaume d'Israël. Le roi de Tyr, Hiram, envoya à David du bois de cèdre et des artisans pour la construction de son palais (7). C'est le même roi de Tyr, Hiram, qui envoya à Salomon du bois de cèdre et des artisans pour la construction du premier temple de Jérusalem (8).

Les noms de Hiram et de Salomon sont associés à l'occasion d'autres entreprises. Des textes, dont nous n'avons aucune raison de mettre en doute la véracité, font état de lointaines expéditions maritimes dans lesquelles ils partagèrent risques et profits. Nous lisons dans le premier livre des Rois que Salomon fit construire une flotte à Esion-Gaber, près d'Elath, sur la mer Rouge, que Hiram mit à sa disposition des matelots experts dans la navigation et qu'avec leur concours des serviteurs de Salomon firent une expédition vers le pays d'Ophir, dont ils rapportèrent quatre cent vingt kikkars d'or (9). Nous lisons encore dans le même livre des Rois que Salomon avait une flotte à destination de Tarshish, qu'elle naviguait de conserve avec la flotte de Hiram et qu'elle revenait de ses voyages, tous les trois ans, avec une cargaison d'or, d'argent, d'ivoire, de singes et de paons (10).

L'identification de Tarshish est un problème sur lequel s'est exercée la sagacité des exégètes et des historiens. Nous y consacrerons plus loin un long développement (11). Mais nous pouvons dire déjà que, selon toute vraisemblance, le nom de Tarshish n'est pas celui d'une ville ni même d'une région exactement définie. Il faut y voir, plutôt, un terme général qui englobe tous les pays de la Méditerranée occidentale en direction desquels s'était déjà faite l'expansion maritime et commerciale des Phéniciens. De fait, les textes bibliques, que recoupent de nombreux textes des auteurs classiques, autorisent à penser qu'au début du premier millénaire avant notre ère, l'expansion phénicienne s'était étendue jusqu'à ce qui était alors l'Extrême Occident puisqu'ils avaient déjà créé, au-delà des Colonnes d'Hercule, les établissements de Lixus sur la côte marocaine (12), et de Gadès sur la côte espagnole (13). C'est à toutes les contrées que l'on atteignait au terme d'expéditions lointaines vers l'ouest que correspondait le nom de Tarshish.

Du texte faisant état de la flotte de Salomon, naviguant de conserve avec la flotte de Hiram à destination de Tarshish — identifié avec les pays de la Méditerranée occidentale — on a pu tirer argument pour affirmer que les marins-marchands d'Israël ont dû prendre part aux voyages qui devaient aboutir à la création des premières villes phéniciennes sur les rives africaines et européennes de la Méditerranée occidentale et, entre autres, à la plus célèbre d'entre elles, Carthage, fondée en 814 avant J.-C.

C'est sans doute en se fondant sur ce texte du premier livre des Rois, et en comprenant Tarshish comme nous le comprenons, qu'au VIᵉ siècle après J.-C. les Juifs de Borion, en Tripolitaine, faisaient remonter leurs origines au Xᵉ siècle avant notre ère et attribuaient au roi Salomon la construction d'un temple très ancien qui était l'objet de leur vénération (14). C'est sans doute en se fondant sur le même texte, et en comprenant Tarshish comme nous le comprenons, que les Juifs d'Espagne, soucieux d'affirmer l'antiquité de leur établissement dans la péninsule ibérique, se plaisaient à dire que leurs ancêtres y avaient été amenés par les flottes marchandes de Salomon (15).

Il n'est pas interdit de penser que les premiers noyaux de population juive sur les côtes de la Berbérie orientale remontent à l'époque où les flottes de Hiram et de Salomon, associées, cinglaient en direction de Tarshish. Mais il ne s'agit là que d'une possibilité. On ne saurait affirmer, comme l'a fait A. Delattre, que des troupes d'Israélites suivirent les Tyriens qui fondèrent Utique, puis Carthage, et qu'ils se fixèrent dans ces cités (16).

3. Le premier exil

Au début du VIᵉ siècle, en l'an 586 avant J.-C., l'empereur chaldéen Nabuchodonosor s'empara de Jérusalem, en détruisit les remparts et livra aux flammes le temple de Salomon, le palais royal, comme les maisons de la ville. Les enfants du roi de Judée, Sédecias, furent égorgés et une partie de la population, la plus aisée semble-t-il, fut envoyée en exil en Babylonie (17). Sans doute avant cette date, des groupes de Juifs, plus ou moins importants, s'étaient établis hors du pays d'Israël. Mais la prise de Jérusalem, qui entraîna la captivité de Babylone, marqua le début de la grande dispersion qui s'amplifiera de siècle en siècle et s'étendra de proche en proche jusqu'aux limites du monde antique, de l'Extrême Occident à l'Extrême Orient.

Au lendemain de la prise de Jérusalem et de la destruction du temple par Nabuchodonosor, l'émigration des Juifs en Babylonie est celle qui est le plus souvent évoquée dans les textes bibliques. Mais elle ne fut pas la seule. De nombreux Juifs, en effet, allèrent chercher un refuge en Égypte, en emmenant avec eux les prophètes Baruch et Jérémie (18). Ces exilés se dirigèrent vers Daphné, près de Péluse, où ils s'établirent. La petite colonie de Daphné rayonna aux alentours, à Migdol, à Memphis dans la Haute-Égypte (19). Elle s'ajouta à une colonie juive plus ancienne, la colonie militaire et agricole d'Eléphantine, sur laquelle nous ont abondamment renseignés les papyrus araméens découverts au début de ce siècle (20).

Outre la Babylonie, l'Égypte fut-elle le seul pays où des Juifs émigrèrent après la prise de Jérusalem par Nabuchodonosor ? N'y en eut-il pas qui, de Judée ou d'Égypte, passèrent en Cyrénaïque ou plus loin encore, sur les côtes de la Méditerranée occidentale où les Phéniciens avaient multiplié leurs colonies ? Un texte biblique, sans le prouver d'une façon rigoureuse, donnerait quelque raison de le croire.

L'auteur des chapitres LVI à LXVI d'Isaïe, c'est-à-dire le Troisième Isaïe, écrivait à coup sûr après que le Grand Cyrus eut autorisé les Juifs de Babylonie à revenir au pays de leurs pères, au plus tôt vers la fin du VIe siècle, au plus tard au début du Ve siècle avant J.-C. Le prophète, inspiré, n'hésite pas à annoncer le rétablissement d'Israël dans toute sa gloire et le retour des exilés de toutes les contrées de la terre où ils sont dispersés. Enfin, s'adressant au peuple d'Israël, il s'écrie :

> Qui sont ceux-là qui volent comme une nuée
> Comme des colombes vers leurs colombiers ?
> Ce sont les navires qui s'assemblent pour moi
> Et d'abord les vaisseaux de Tarshish
> Pour ramener de loin tes fils (21).

Ce texte laisse entendre qu'il y a alors des Juifs jusque dans la lointaine Tarshish et que des navires au long cours ne sauraient plus tarder à les ramener vers leur terre natale (22).

Si, comme nous l'avons déjà indiqué, par Tarshish il faut entendre l'ensemble des pays de la Méditerranée occidentale vers lesquels s'était faite l'expansion maritime et commerciale des Phéniciens, on pourrait en induire qu'à l'époque du Troisième Isaïe, c'est-à-dire à la fin du VIe siècle, ou au début du Ve siècle, des Juifs étaient établis dans les villes que les Phéniciens avaient créées, à l'ouest, sur les côtes africaines et européennes de la Méditerranée.

4. Le pays de Tarshish

Les présomptions d'une présence juive en Berbérie orientale, d'abord au temps du roi Salomon, puis à l'époque du premier exil, dépendent de l'identification de la Tarshish biblique. Il nous faut donc rappeler l'essentiel sur cette question de géographie historique qui a fait l'objet d'études très poussées (23).

Le nom de Tarshish se rencontre dans de nombreux livres de l'Ancien Testament, et il n'est pas sûr que sous la plume de leurs auteurs, dans des contextes variés, il ait toujours le même sens. Il ne faut donc pas s'étonner qu'il ait embarrassé les traducteurs et donné lieu à des interprétations discordantes (24).

Les Septante ont traduit Tarshish par *Karkedôn* (= Carthage) et par *Karkedonoi* (= Carthaginois), dans Isaïe XXIII, 1, 10, 14 et dans Ezéchiel XXVII, 12 et XXXVIII, 13, tandis que partout ailleurs, ils ont reproduit simplement le nom sous la forme Tarsis ou Tarseis. La Vulgate a traduit Tarshish par *Carthaginienses* dans Ezéchiel XXVII, 12, que les anciennes versions italiques avaient évidemment emprunté au grec et que saint Jérôme a fait disparaître de tous les autres passages (25). Le Targoum araméen rend Tarshish par *Aphrika* dans I Rois XXII, 49 et Jérémie X, 9. Mais Tarshish a été pris aussi dans le sens général de mer. Déjà, les Septante ont adopté la version *Thalassa* dans Isaïe II, 16. Au Iᵉʳ siècle de l'ère chrétienne, cette interprétation était très répandue chez les Juifs. Saint Jérôme écrit dans son commentaire d'Isaïe : « *Hebraei putant lingua propria sua mare Tarsis appellari, quando autem dicitur iam non hebraico sermone appellari sed syriaco* ». Aussi rend-il Tarshish par *mare* dans I Rois XXII, 49, Isaïe XXIII, 1, 10, 14, LX, 9 et LXVI, 19. Le Targoum araméen adopte la version *yamma* (= la mer) dans Ezéchiel XXVII, 12 et XXXVIII, 13, Jonas I, 3, et rend l'expression *Aniot Tarshish* (= les vaisseaux de Tarshish) par *sefine yamma* (les vaisseaux de la mer) toutes les fois qu'elle se rencontre dans les Prophètes, alors que dans les Psaumes, il retient la version *sefine Tarshish* (= les vaisseaux de Tarshish) (26).

Cependant, dans l'Antiquité, Eusèbe de Césarée avait placé Tarshish dans le sud de l'Espagne (27). Cette interprétation a été reprise par la critique moderne, pour laquelle Tarshish aurait été la forme punico-hébraïque du nom de *Tartessos* par lequel les Grecs désignaient l'Espagne méridionale où, dès la fin du deuxième millénaire, les Phéniciens avaient créé des comptoirs et exploitaient de riches gisements miniers (28). Mais l'identification de Tarshish à *Tartessos* ne cadre pas toujours avec le contexte où l'on rencontre le nom de Tarshish. S'il fallait considérer Tarshish comme synonyme de Tartessos, comment comprendre que les flottes de Hiram et de Salomon aient pu en ramener, non seulement de l'argent, mais encore de l'or et de l'ivoire et même des singes et des paons, d'après I Rois X, 22 ? Comment comprendre que lors du siège de Tyr par Nabuchodonosor, de 586 à 573 avant J.-C., il soit conseillé aux habitants de la ville d'aller y chercher un refuge, d'après Isaïe XXIII, 6 ? Pourquoi, entre toutes les colonies des Tyriens, c'est à elle et non à la plus prestigieuse des créations tyriennes, Carthage, que le prophète aurait songé ? N'est-ce pas à Carthage que, lors du siège de Tyr par Alexandre en 331 avant J.-C., les Tyriens ont envoyé les vieillards, les femmes et les enfants qui étaient autant de bouches inutiles (29) ? De plus, si l'on voulait restreindre le pays de Tarshish au sud de l'Espagne et même à l'Espagne entière, il faudrait s'étonner que les auteurs des divers livres de l'Ancien Testament n'aient retenu de toute l'expansion phénicienne que sa pointe extrême au sud-ouest de l'Europe.

En fait, le pays de Tarshish avait une extension plus vaste que la région de Tartessos. Les Septante n'ont pas eu tort de traduire Tarshish par *Karkedonoi* pas plus que saint Jérôme de l'avoir fait par *Carthaginienses negotiatores* et le Targoum araméen par *Aphrika*. Les interprétations diverses que l'on a données, loin de s'exclure se complètent. En dernière analyse, par Tarshish, il faut entendre l'ensemble des pays d'Afrique et d'Europe en bordure du bassin occidental de la Méditerranée auxquels s'était étendue la colonisation phénicienne. Il faut y voir un terme générique correspondant à l'Extrême Ouest des Anciens, tout comme, pendant trois siècles, les Indes occidentales ont correspondu à la totalité du continent américain (30).

Faisant partie de l'ensemble des pays désignés sous le nom de Tarshish, la Berbérie orientale pourrait donc avoir accueilli des Hébreux mêlés aux Phéniciens au temps du roi Salomon, au seuil du premier millénaire, comme au lendemain de la prise de Jérusalem par Nabuchodonosor au VIe siècle avant J.-C. (31).

5. Baal et Yahveh

Que la Berbérie orientale ait accueilli, au temps du roi Salomon au Xe siècle, ou au lendemain de la destruction du premier temple au VIe siècle, des groupes ou des individus partageant les croyances et observant les pratiques du judaïsme est une possibilité que l'on ne saurait exclure. On ne peut pour autant, sans forcer sur les textes, affirmer la présence de Juifs dans les villes créées par les Phéniciens sur les côtes d'Afrique, de nombreux siècles avant le début de l'ère chrétienne. Encore moins imaginer qu'en ces temps plus ou moins lointains ils aient pu s'efforcer de gagner à la religion d'Israël les populations d'origine phénicienne au milieu desquelles ils se seraient établis.

Il est vrai que le prosélytisme juif auprès des populations de l'Afrique punique aurait été considérablement facilité par les affinités de race qui existaient à coup sûr entre les Phéniciens et les Hébreux, par l'étroite parenté de leurs langues qui étaient deux variantes de la langue cananéenne, ainsi que par la pratique commune de nombreux usages (32). Cependant, la transformation du judaïsme, de religion nationale qu'elle fut d'abord, en religion ouverte à tous les peuples, est un fait relativement récent, qu'il est difficile de faire remonter au-delà du VIᵉ siècle avant J.-C. Les proclamations universalistes qui ont trouvé place dans les livres des Prophètes sont généralement postérieures au premier exil. Il est fort douteux qu'au Xᵉ siècle, et même au VIᵉ siècle, des Juifs aient pu s'attacher à gagner d'autres peuples à leurs croyances et à leurs pratiques. On peut même se demander si, en ces temps lointains, des Juifs, loin de leur terre natale, auraient pu conserver intacte leur individualité ethnique et religieuse. Loin de gagner les Phéniciens au judaïsme, ils leur auraient emprunté nombre de leurs croyances et de leurs pratiques.

Il a fallu des siècles avant que ne s'affirme le monothéisme pur et intransigeant, prôné par les grands prophètes d'Israël. Le roi Salomon, auquel on a prêté la sagesse des plus sages, ne fut pas sans faiblesses. Ayant épousé des femmes étrangères, il se laissa entraîner à adorer les divinités qu'elles adoraient. Il bâtit des hauts lieux pour les idoles des Moabites et des Ammonites et servit Astarté, déesse des Sidoniens (33). Les mesures édictées au VIIᵉ siècle par le roi Josias montrent à quel point la religion d'Israël fut pénétrée par les croyances et les pratiques des peuples païens les plus proches. Il y avait autour de Jérusalem des sanctuaires en l'honneur des divinités païennes, des prêtres voués au service des idoles, et dans la vallée de Ben Hinnon un *tophet* où l'on faisait passer ses fils et ses filles par le feu (34). On eut beau détruire les hauts lieux, souiller les autels, briser les idoles, brûler les objets destinés au culte, destituer les prêtres au service de dieux qui n'étaient pas Dieu, le peuple d'Israël continua de faire ce qui est mal aux yeux de l'Éternel. Jusqu'à la veille de la prise de Jérusalem par Nabuchodonosor, des femmes prenaient part à des lamentations sur la mort de Tammouz et honoraient de leurs offrandes Astarté, la reine des cieux (35). Si la religion d'Israël se laissa contaminer par les religions païennes sur le sol national, dans Jérusalem même, comment aurait-elle pu ne pas se laisser altérer sur les terres de la première Diaspora où les Juifs vivaient mêlés à des peuples étrangers ? Les Judéens qui, au lendemain de la prise de Jérusalem par Nabuchodonosor, se réfugièrent en Égypte, persistant dans des erreurs impies, honorèrent la phénicienne Astarté, brûlant de l'encens et versant des libations sur ses autels (36). Les informations dont nous disposons sur la plus vieille communauté de la Diaspora, la colonie militaire et agricole d'Eléphantine, montrent encore à quel point la religion d'Israël fut perméable aux influences étrangères. Les colons juifs, qui avaient été autorisés à élever un sanctuaire à leur dieu Yahou (Yahveh), ne laissaient pas de rendre un culte à des divinités égyptiennes, assimilées à des divinités phéniciennes (37). On ne saurait douter que la vie religieuse de cette communauté n'ait été fort éloignée du yahvisme intransigeant d'Isaïe, de Jérémie et d'Ezéchiel.

13

Tout ce que nous savons de l'histoire de l'ancien Israël doit donc nous inciter à une prudente réserve. S'il y eut des Juifs dans l'Afrique punique en des temps lointains, loin de convertir les Phéniciens à la religion de Yahveh, ils durent être entraînés par ceux au milieu desquels ils vécurent à sacrifier aux divinités du panthéon carthaginois, à Baal et à Tanit, sa parèdre, qui correspondait à l'Astarté du panthéon phénicien.

6. Hellénisation et expansion juive

La conquête d'Alexandre, à la fin du IVe siècle, a signifié pour le monde antique une révolution non seulement politique, mais encore et surtout culturelle. Amorcée sous le règne d'Alexandre, l'hellénisation s'est poursuivie au lendemain de sa mort dans les grandes monarchies issues du démembrement de l'empire macédonien, celle des Séleucides dans le Proche-Orient, et celle des Lagides, au pays des Pharaons. Par le plus étrange des paradoxes, cette hellénisation qui, en Judée, sous le règne d'Antiochus IV Épiphane, devait aboutir à l'un des conflits les plus dramatiques de l'histoire juive, s'est accompagnée dans toute l'aire où s'épanouit la civilisation hellénistique d'une expansion du judaïsme. Tout au long du IIIe comme du IIe siècle, se poursuivit et s'amplifia la diaspora juive.

Les Juifs qui se répandirent alors dans tous les pays riverains de la Méditerranée n'étaient pas seulement des négociants entreprenants et des financiers habiles, comme on l'a souvent écrit sous l'influence d'un stéréotype répandu au Moyen Age, mais aussi des soldats de métier recrutés par les souverains soucieux de s'assurer des troupes fidèles, comme l'attestent de nombreux documents, ou encore des esclaves, hommes, femmes et enfants faits prisonniers, au terme d'une bataille perdue, enchaînés, déportés et mis à l'encan sur tous les marchés de main-d'œuvre servile du bassin méditerranéen (38).

Le pays dont la population juive connut le plus grand développement fut l'Égypte. Dès sa fondation en 331, Alexandrie accueillit un grand nombre de Juifs (39). Ptolémée I Soter (305-283), le fondateur de la dynastie des Lagides, ayant envahi la Palestine, transporta dans son royaume cent à cent vingt mille Juifs, dont les uns allèrent occuper un nouveau quartier de la ville d'Alexandrie, d'autres furent chargés de la défense des forteresses grecques du delta et d'autres furent répartis entre diverses régions d'Égypte (40). Au temps des Macchabées, alors que Antiochus IV Épiphane (175-164) opprimait les Juifs de Palestine, nombre d'entre eux vinrent s'établir en Égypte. Parmi les réfugiés, il y avait le dernier rejeton de la famille des grands prêtres, Onias IV. Ptolémée IV Philometor (181-145) lui réserva le meilleur des accueils en lui permettant de s'établir avec une nombreuse colonie à Léontopolis et d'y élever un sanctuaire sur le modèle du temple de Jérusalem (41).

Important par le nombre, le judaïsme de l'Égypte hellénisée le fut plus encore par ses prestigieuses créations intellectuelles. C'est sous le règne de Ptolémée II Philadelphe (285-247) qu'à l'usage des Juifs hellénisés, pour lesquels le grec était plus familier que l'hébreu, on commença à traduire en grec l'Ancien Testament. On admet généralement aujourd'hui que la célèbre version des Septante fut l'aboutissement des nombreuses traductions partielles réalisées entre le IIIe et le Ier siècle avant notre ère (42). L'effort de traduction se doubla d'un effort de création dont témoignent des œuvres aussi diverses que le deuxième livre des Macchabées, la lettre d'Aristée ou les oracles de la Sibylle juive (43). Ainsi, devait naître un jour, à la confluence de l'orthodoxie juive et de la philosophie grecque, l'œuvre de Philon d'Alexandrie.

A la même époque, les Juifs étaient aussi nombreux en Cyrénaïque. Des colons juifs s'y seraient établis au temps de Ptolémée I Soter (44). Il y avait assurément des Juifs à Cyrène au temps des Macchabées, puisqu'une lettre leur fut adressée (45). C'est un Juif de Cyrène, Jason, vers la fin du IIe siècle, qui rédigea l'ouvrage en cinq livres dont dérive le deuxième livre des Macchabées (46). Ainsi, bien avant le début de l'ère chrétienne, le judaïsme s'était solidement implanté dans une Cyrénaïque aussi hellénisée que l'Égypte, et il s'était sans doute infiltré en Tripolitaine (47).

Il n'est pas de texte qui permette d'affirmer l'existence de Juifs dans l'Afrique punique avant la destruction de Carthage en 146 avant J.-C., mais elle est assez probable. Le judaïsme, qui s'est répandu dans tous les pays grecs, a sans doute pénétré les pays hellénisés. La civilisation carthaginoise, qui fut fortement influencée par celle de la Sicile grecque, le fut aussi par celle de l'Égypte des Ptolémées. On a pu établir et mettre en lumière les influences helléniques dans les arts, la religion et la pensée de l'Afrique punique. On ne peut douter que le grec n'y ait été largement parlé dans les villes côtières par les classes cultivées (48). Cette langue, qui fut à coup sûr la première langue internationale, facilita les liaisons commerciales et les contacts humains. Aussi peut-on croire que des Juifs d'Alexandrie ou de Cyrène sont venus s'établir dans l'Afrique punique et d'abord à Carthage, sa capitale. Ceux-ci, à la différence de ceux qui seraient venus s'établir en des temps plus anciens, ne se laissèrent pas séduire par les croyances et les pratiques de la religion carthaginoise pour sacrifier à Baal et à Tanit. On peut tenir pour assuré qu'ils observèrent dans leur intégralité les pratiques du judaïsme orthodoxe. Mieux, s'ils étaient fidèles à l'esprit du judaïsme alexandrin, ils durent même tenter de convertir à un monothéisme intransigeant des populations d'origine cananéenne, dont la langue nationale était si proche de celle de leurs Saintes Écritures (49).

7. Le témoignage de la Sibylle

L'une des créations les plus remarquables du judaïsme alexandrin fut un livre d'oracles prêtés à la Sibylle. Cet ouvrage, écrit en hexamètres grecs, ne se propose rien moins que de convertir les païens à la religion du vrai Dieu, en reprenant les grands thèmes de l'apocalyptisme palestinien, et l'on s'accorde à le dater de la deuxième moitié du IIᵉ siècle, puisqu'il y est question de la ruine de Corinthe et de la ruine de Carthage qui eurent lieu, l'une et l'autre, en 146 avant J.-C. (50).

Or, un vers de ce poème nous fournit, sur l'étendue de la diaspora juive, une précieuse indication. La Sibylle, s'adressant au peuple juif, lui dit en effet : « Tu es partout, dans tous les pays et dans toutes les mers » (51). On peut, croyons-nous, tirer légitimement argument de ce texte pour affirmer qu'au IIᵉ siècle avant notre ère, le peuple juif était déjà pour une large part un peuple dispersé. Présent dans tous les pays et dans toutes les mers, il devait nécessairement être représenté par des groupes plus ou moins importants dans les villes de l'Afrique punique, à la veille de la conquête romaine. De la Sibylle juive, la liturgie catholique a retenu l'annonce du jour redoutable où la colère de Dieu s'abattrait sur les impies : « *Dies irae, dies illa, Solvet saeclum in favilla. Teste David cum Sibylla* ». Il n'est pas interdit d'en retenir le témoignage qu'elle fournit sur l'étendue de la diaspora juive, à l'heure où ce livre étrange fut composé par un Juif d'Alexandrie.

8. Les Juifs dans l'Afrique punique

Nous nous sommes fait un devoir d'examiner avec ordre, d'âge en âge, tous les textes que l'on pouvait invoquer en faveur de la réalité d'une présence juive dans l'Afrique punique. Bien que l'on ne puisse jamais l'affirmer d'une manière catégorique, elle nous est apparue comme probable. Précisons. D'une probabilité de plus en plus grande au fur et à mesure que l'on descend le cours des siècles, et que l'on se rapproche du début de l'ère chrétienne. L'extension de la diaspora juive fut telle qu'on ne peut croire que le peuple juif ait été partout — dans tous les pays et dans toutes les mers, disait la Sibylle — hormis l'Afrique punique. La probabilité peut être si forte qu'elle équivaut à une certitude. Sans s'aventurer, on peut conclure que dans les derniers temps de la puissance carthaginoise existaient déjà, ne fût-ce qu'à l'état embryonnaire, quelques-unes des communautés qui seront attestées dans l'Afrique romaine (52).

(1) *Genèse*, XLIX, 13.

(2) *Deutéronome*, XXXIII, 18.

(3) *Juges*, V, 17.

(4) D. CAZES, *Essai sur l'Histoire des Israélites de Tunisie*, Paris, 1889, pp. 14-15.

(5) N. SLOUSCHZ, *Hébréo-phéniciens et judéo-berbères. Introduction à l'Histoire des Juifs et du judaïsme en Afrique*, dans *Archives marocaines* (XIV), 1908, pp.86-88.

(6) J. MESNAGE, *Le Christianisme en Afrique. Origines, développement, extension*, Alger, 1914, pp. 19-20.

(7) II *Samuel*, V, 11.

(8) I *Rois*, V, 15-25 ; cf. FLAVIUS JOSEPHE, *Antiquités judaïques*, VIII, 151 ; S. MOSCATI, *L'Épopée des Phéniciens*, Paris, 1971, pp. 32-33.

(9) I *Rois*, IX, 26-28 ; cf. S. MOSCATI, *op. cit.*, p. 35.

(10) I *Rois*, X, 22 ; II *Chroniques*, IX, 21 ; cf. S. MOSCATI, *op. cit.*, p. 35.

(11) Cf. *infra*.

(12) PLINE L'ANCIEN, *Histoire Naturelle*, XIX, 63 ; cf. S. MOSCATI, *op. cit.*, pp. 137, 144, 308.

(13) VELLEIUS PATERCULUS, I, 2, 3 ; PLINE L'ANCIEN, *Histoire Naturelle*, XIX, 63 ; S. MOSCATI, *op. cit.*, pp. 137, 143, 307.

(14) PROCOPE, *De aedificiis*, VI, 2 ; cf. J. MESNAGE, *Le Christianisme en Afrique. Déclin et extinction*, Alger, 1915, p. 70.

(15) J. MESNAGE, *op. cit.*, p. 162, n. 2.

(16) A. DELATTRE, *Gamart ou la nécropole juive de Carthage*, Lyon, 1895, p. 48 : « La Méditerranée était la grande voie commerciale qui avait amené les Tyriens à Utique puis à Carthage. Des troupes d'Israélites la suivirent et s'arrêtèrent dans l'opulente cité ».

(17) *Jérémie*, XXXIX, 6-10 ; cf. A. LODS, *Les Prophètes d'Israël et les débuts du judaïsme*, Paris, 1935, pp. 46-54.

(18) *Jérémie*, XLIII, 5-7.

(19) *Jérémie*, XLIV, 1.

(20) A. LODS, *op. cit.*, pp. 231-232.

(21) *Isaïe*, LX, 8-9, (trad. A. Causse).

(22) Dans un autre chapitre, le Troisième Isaïe annonce la conversion prochaine à la religion d'Israël des peuples de Toubal et de Yavan, de Pout, de Loud et de Tarshish (LXVI, 19). On peut y voir la preuve de l'existence alors d'une large diaspora juive, qui permettrait de croire à la présence de Juifs dans les villes de l'Afrique punique.

(23) Contentons-nous de citer l'étude la plus complète : F. LENORMANT, « Tarshish, étude d'ethnographie et de géographie bibliques », dans *Revue des Questions historiques*, 1882, II, pp. 5-40.

(24) Pour la commodité du lecteur, nous donnons ici les références de tous les textes bibliques sur lesquels l'historien moderne doit exercer sa sagacité : *Genèse*, X, 4 ; I *Rois*, X, 22 et XXII, 49 ; II *Chroniques*, IX, 21 et XX, 36 ; *Isaïe*, II, 16, XXIII, 1, 6, 10, 14 ; LX, 9 et LVI, 19 ; *Jérémie*, X, 9 ; *Ezéchiel*, XXVII, 12, 25 et XXXVIII, 13 ; *Jonas*, I, 3 et IV, 2 ; *Psaumes*, XLVIII, 8 et LXXII, 10.

(25) Voici le texte d'*Ezéchiel*, XXVII, 12, traduit littéralement de l'hébreu : « Tarshish trafiquait avec toi (= Tyr) grâce à l'abondance de tes richesses, approvisionnant ton marché d'argent, de fer, d'étain et de plomb » ; et la version qu'en a donnée saint Jérôme : « *Carthaginienses negotiatores tui a multitudine cunctarum divitiarum argento, ferro, stanno plumboque repleverunt mundinas tuas* ».

(26) Sur ces diverses traductions, cf. F. LENORMANT, *art. cit.*, pp. 5-6.

(27) *Ibid.*, p. 8.

(28) HERODOTE, IV, 152 ; STRABON, III, 2, 11, 14 ; POLYBE, III, 24 ; cf. S. MOS-CATI, *op. cit.*, pp. 307-314.

(29) DIODORE DE SICILE, XVII, 41 ; cf. F. LENORMANT, *art. cit.*, p. 15.

(30) Sur cette interprétation, cf. F. LENORMANT, *art. cit.*, pp. 39-40. Elle a été retenue par un historien récent : P. CINTAS, *Manuel d'Archéologie punique*, Paris, 1970, t. I, p. 276. Dans quelques textes, *aniot Tarshish* a sans doute le sens de « navire au long cours » (ex. *Psaumes*, XLVIII, 8), car c'était des navires au long cours qui reliaient les côtes de Phénicie à la lointaine Tarshish.

(31) La communauté juive de Djerba fait remonter ses origines à l'époque du premier exil qui a suivi la prise de Jérusalem par Nabuchodonosor en 586 avant J.-C. Selon une tradition en vogue parmi la population de l'île, dans les fondations de la vieille synagogue de la Ghriba se trouverait enfouie, qui dit une pierre, qui dit une porte du temple de Salomon. Mais il n'est pas de texte, d'inscription ou de trouvaille archéologique qui ait apporté une preuve de la haute antiquité de l'établissement de Juifs à Djerba. (Cf. N. SLOUSCHZ, *Un voyage d'études juives en Afrique*, Paris, 1909, pp. 21 sqq. Voir aussi : Y. LE BOHEC, « Inscriptions juives et judaïsantes de l'Afrique romaine », dans *Antiquités Africaines* (XVII), 1981, pp. 165-207, v. p. 172, n. 1.

(32) Comme les Phéniciens orientaux, les Carthaginois pratiquaient la circoncision, et ce rite n'aurait pu constituer un obstacle à la conversion des populations puniques à la religion mosaïque ; cf. S. GSELL, *Histoire ancienne de l'Afrique du Nord*, t. IV, pp. 188-189, cité par M. SIMON, « Le judaïsme berbère dans l'Afrique ancienne », dans *Recherches d'Histoire judéo-chrétienne*, Paris - La Haye, 1962, pp. 30-87, v. p. 59, n. 2.

(33) I *Rois*, XI, 5-7.

(34) II *Rois*, XXIII, 4-5 et 10.

(35) *Ezéchiel*, VIII, 14 ; *Jérémie*, XLIV, 17 ; cf. *Jérémie*, VII, 18, cité par M. SIMON, *op. cit.*, p. 59.

(36) *Jérémie*, XLIV, 15-19 ; cf. A. LODS, *op. cit.*, p. 231.

(37) A. LODS, *op. cit.*, pp. 344-353.

(38) Cf. J. ISAAC, *Genèse de l'antisémitisme*, Paris, 1956, pp. 54-58.

(39) FLAVIUS JOSEPHE, *Ant. jud.*, XIX, 5, 2 ; *Bell. jud.*, II, 18, 7 ; *Contre Apion*, II, 4 ; cf. J.B. FREY, *Corpus Inscriptionum Judaïcarum II, Asie, Afrique*, Città del Vaticano, 1952, p. 349, n. 4.

(40) FLAVIUS JOSEPHE, *Ant. jud.*, XII, I, 1 ; *Contre Apion*, I, 22 ; PSEUDO-ARISTEE, pp. 12 sqq. ; cf. J.B. FREY, *op. cit.*, p. 349, n. 5.

(41) FLAVIUS JOSEPHE, *Ant. jud.*, XII, 9, 7 ; XII, 3, 1-3 ; *Bell. jud.*, I, 9, 4 ; VII, 10, 2-4 ; cf. J.B. FREY, *op. cit.*, p. 350, n. 2.

(42) E. JACOB, *L'Ancien Testament*, Paris, 1967, pp. 15-16.

(43) A. LODS, *Histoire de la littérature hébraïque et juive*, Paris, 1950, pp. 884 sqq.

(44) FLAVIUS JOSEPHE, *Contre Apion*, II, 4 ; cf., J.B. FREY, *op. cit.*, p. 352, n. 2.

(45) I *Macchabées*, XV, 23 ; cf. J.B. FREY, *op. cit.*, p. 352.

(46) II *Macchabées*, II, 23.

(47) S. MOSCATI, *op. cit.*, pp. 180 et 204.

(48) S. MOSCATI, *op. cit.*, pp. 180, 194, 195, 202, 220, 222, 231, 234.

(49) Le père A. Delattre considérait comme probable que des Juifs d'Alexandrie se soient fixés à Carthage comme en d'autres ports méditerranéens. Cf. A. DELAT-TRE, *op. cit.*, p. 48.

(50) Il existe douze livres d'oracles sibyllins. C'est le livre III qui est le plus ancien et dont on attribue la paternité à un Juif hellénisé d'Alexandrie ; cf. A. LODS, *op. cit.*, pp. 886-898.

(51) *Carmina Sibylla*, III, v, 271, cit. par E. RENAN, *Histoire du peuple d'Israël*, dans *Œuvres complètes*, Paris, 1953, t. VI, p. 1395.

(52) Avec toute l'autorité que lui donnait son grand savoir, P. Monceaux écrivait dans les premières années de ce siècle : « Il est vraisemblable que des Juifs étaient

déjà établis dans la Carthage punique, mais on ne peut actuellement l'affirmer » : « Les colonies juives de l'Afrique romaine », dans *Revue des Études Juives*, 1902, p. 18. Le père J. Mesnage s'est rallié à son point de vue : « Carthage a eu vraisemblablement une colonie juive à l'époque punique, bien qu'on n'en ait pas la preuve absolue ». (J. Mesnage, *Le Christianisme en Afrique. Origines, développements, extension*, Alger, 1914, pp. 14-15). Plus récemment, Marcel Simon a exprimé la même conviction : « Les Juifs sont arrivés dans le Maghreb à la suite des Phéniciens, dans leur sillage et vraisemblablement avant les Romains ». (M. SIMON, « Le judaïsme berbère dans l'Afrique ancienne », dans *Recherches d'Histoire judéo-chrétienne*, Paris - La Haye, 1962, p. 48). Cependant, Y. Le Bohec, se fondant sur le fait que l'on n'a découvert ni vestige ni objet qui puisse être assigné à une époque antérieure au IIe siècle après J.-C., estime qu'il faut abandonner l'hypothèse d'une présence juive en Afrique avant la conquête romaine. (Y. LE BOHEC, « Les sources archéologiques du judaïsme africain sous l'Empire romain », dans C. IANCU et J.-M. LASSERE, *Juifs et judaïsme en Afrique du Nord, dans l'Antiquité et le Haut Moyen Age*, Montpellier, 1985, p. 24).

CHAPITRE II

DE ROME A BYZANCE

C'est seulement à partir du IIe siècle après J.-C. que l'existence de communautés juives dans l'Afrique romaine se trouve incontestablement prouvée. Dès lors, nous sommes en mesure d'en entrevoir la distribution dans le pays et d'en esquisser l'histoire jusqu'à la fin de la domination byzantine et la conquête arabe. Mais avant d'exposer brièvement ce que nous savons du judaïsme africain, nous devons nous interroger sur ses origines.

1. La formation des communautés juives

Le judaïsme africain a ses siècles obscurs. Avant que l'existence de communautés juives soit attestée de façon certaine par des textes ou des vestiges, il faut bien admettre une assez longue période de formation que nous devons tenter de reconstituer par conjecture. En faisant appel à tout ce que nous savons de l'histoire du peuple juif, un siècle avant et un siècle après le début de l'ère chrétienne, nous arriverons sans trop de peine à nous représenter ce qui a dû très vraisemblablement se passer avant que le judaïsme africain ne surgît en pleine lumière.

Diaspora juive et prédication chrétienne

Au premier siècle de l'ère chrétienne, il n'y avait pas un seul pays qui n'eût été atteint par la dispersion juive. Le témoignage de Strabon, qui vaut pour le temps d'Auguste, est décisif : « Ils [les Judéens] se sont répandus dans toutes les villes, et il n'est pas facile de trouver un seul lieu dans la terre entière, où ce peuple n'ait pas été reçu et n'ait été dominé par lui » (1). Si, d'après cet auteur, on ne pouvait trouver un seul lieu au monde où il n'y eût des Juifs, il y en avait, à coup sûr, dans toutes les grandes villes échelonnées sur la côte africaine, où la domination romaine s'était substituée à la domination punique.

Il est bien établi aujourd'hui que la diffusion du christianisme s'est faite à partir des communautés juives dispersées à travers tous les pays situés sur les rives de la Méditerranée. Les tenants d'une conception providentielle de l'histoire voient dans la dispersion du peuple juif l'accomplissement d'un plan divin. Au début de ce siècle, un historien chrétien écrivait : « Dieu qui tient le fil des événements entre ses mains a pour lui le temps aussi bien que l'espace. Depuis l'aurore de la période historique, il a jeté les Juifs sur tous les rivages de la terre, et les y a établis en vue de l'arrivée plus ou moins éloignée de ceux qu'il devait choisir pour être les apôtres de son Verbe incarné » (2). Pour celui qui ne voit dans l'histoire qu'un enchaînement de causes et d'effets, il est évident que la propagation du christianisme dans le monde antique suppose l'existence d'un réseau serré de communautés juives et que le développement du christianisme sur la terre d'Afrique n'a pu se faire qu'à partir des communautés juives qui y existaient de plus ou moins longue date.

Il en fut à Carthage comme à Rome, et dans toutes les villes d'Afrique comme à Carthage. C'est dans les synagogues que fut d'abord annoncée la Bonne Nouvelle, et ce sont des Juifs qui ont cru les premiers que le Messie qu'ils attendaient était enfin venu (3). Le Père Delattre a écrit : « Il y a tout lieu de croire que les premières conversions, à Carthage comme à Jérusalem, eurent lieu parmi les Juifs » (4). Mais ces communautés juives, à partir desquelles le christianisme s'est propagé dans l'Afrique romaine, comment s'étaient-elles formées ?

Migrations et déportations

Des communautés juives existaient déjà, sans doute, dans l'Afrique punique et elles ont dû survivre à la fin de la puissance carthaginoise (5). On a tout lieu de penser qu'au lendemain de la conquête romaine, elles ont su s'adapter aux temps nouveaux, continuant à se conformer aux prescriptions de la religion mosaïque, mais adoptant les usages et les mœurs de ceux qui semblaient déjà promis à l'empire du monde, et joignant à la connaissance de la langue punique celle de la langue latine. Quelle qu'ait été son importance, ce fonds primitif de population juive n'a pas tardé à être grossi par des apports extérieurs :

a) Des Juifs purent venir de Rome où leur présence est très anciennement attestée. Nous savons en effet qu'à la fin du IIe siècle avant J.-C. ils y étaient déjà assez nombreux pour faire du prosélytisme et un préteur punit leur zèle en les expulsant de la ville pour un temps (6). Le nombre de Juifs à Rome s'accrut après la prise de Jérusalem par Pompée, qui fit figurer de nombreux captifs juifs à son triomphe en 63 avant J.-C. (7). César s'assura la reconnaissance du peuple juif en autorisant les Judéens à reconstruire les murs de Jérusalem et en octroyant une véritable charte aux Juifs dispersés dans le monde romain. Aussi sa mort fut-elle très sincèrement et très sensiblement déplorée par les Juifs de Rome (8). Jouissant d'un statut spécial qui leur permettait de vivre « selon leurs lois », les Juifs essayèrent de répandre leurs croyances et leurs pratiques parmi les païens, et attirèrent sur eux les foudres du pouvoir. Sous Tibère, les Juifs pérégrins furent expulsés de Rome et quelque quatre mille jeunes gens jouissant de la citoyenneté romaine furent envoyés servir comme soldats en Sardaigne (9). Mais ils bénéficièrent à nouveau d'une large tolérance, et, sous le règne de Claude, ils se multiplièrent. La propagande chrétienne créa alors un vif émoi au sein de la communauté juive, et pour mettre fin à des troubles renouvelés, Claude décida une expulsion massive des Juifs (10). Comme ceux que saint Paul trouva à Corinthe, des milliers de Juifs durent quitter Rome et l'Italie (11). Il est vraisemblable que les colonies juives d'Afrique et surtout celle de Carthage — qui n'était qu'à deux jours de Rome lorsque le vent était favorable — aient servi de refuge aux exilés. Parmi les Juifs de stricte obédience se trouvaient peut-être déjà des Juifs gagnés par la prédication des premiers chrétiens (12).

b) Les communautés juives d'Afrique furent à coup sûr grossies au lendemain de la guerre de Judée. Les opérations commencées par Vespasien et achevées par Titus, qui aboutirent à la prise de Jérusalem et à la destruction du deuxième temple en 70 après J.-C., se traduisirent par des centaines de milliers de morts et par des dizaines de milliers de prisonniers. Ceux-ci, jetés sur les marchés d'esclaves, vendus à vil prix en raison de leur surabondance, accrurent, dans toutes les régions du monde romain, les effectifs de la diaspora juive. On a toutes les raisons de penser que de nombreux Juifs originaires de Judée furent dirigés sur les côtes d'Afrique (13).

c) La prise de Jérusalem et la destruction du deuxième temple ne mirent pas fin à la résistance du peuple juif à la domination romaine. Des révoltes éclatèrent en Judée sous les règnes de Domitien et de Trajan. Les insurgés qui ne périrent pas dans les combats furent faits prisonniers, vendus comme esclaves et acheminés vers toutes les provinces de l'Empire romain et, entre autres, celles d'Afrique (14).

d) Sous le règne de Trajan, les juiveries d'Égypte et de Cyrénaïque, travaillées par la propagande zélote, se soulevèrent contre la puissance romaine. La révolte, qui dura près de trois ans, de 115 à 117 après J.-C., finit par être impitoyablement réprimée. Nombre de Juifs qui échappèrent à la mort furent contraints de s'enfuir dans les pays limitrophes, gagnant la Haute-Égypte et l'Éthiopie, s'enfonçant dans le grand désert de Libye, et s'infiltrant, d'est en ouest, dans toute la Berbérie subsaharienne (15).

e) Cependant, en Judée, le peuple juif subissait la domination romaine avec une évidente impatience. L'empereur Hadrien crut briser l'âme de la résistance en construisant, sur l'emplacement de l'ancienne Jérusalem, une nouvelle ville consacrée aux dieux de Rome. A peine son projet fut-il connu, qu'une nouvelle révolte éclata en l'an 131 après J.-C., que dirigea Bar Kochba. Les Juifs, ayant mis sur pied une armée considérable, enregistrèrent d'abord de grands succès, triomphant sans peine des garnisons romaines et arrivant à former un État indépendant. Mais Hadrien envoya en Judée le meilleur de ses généraux, Julius Sévère et, au terme d'une guerre inexpiable, l'insurrection fut écrasée en l'an 135 après J.-C. Des centaines de milliers de Juifs, dit-on, périrent dans les combats, des dizaines de milliers d'autres furent faits prisonniers et jetés sur les marchés d'esclaves de toutes les provinces de l'Empire romain (16). Nombre d'entre eux, à coup sûr, contribuèrent au peuplement juif de l'Afrique.

Telles sont les diverses origines que l'on peut supposer aux communautés juives d'Afrique dont l'existence est attestée dans les premiers siècles de l'ère chrétienne. Le plus souvent venus de Judée, comme esclaves, nombre de Juifs eurent la chance d'être affranchis par leurs maîtres, et leurs enfants accédèrent à la condition d'hommes libres : étrangers, *peregrini,* ou citoyens, *cives optimo jure,* selon la ville où ils étaient nés — jusqu'à l'édit de Caracalla de 212, qui abolit cette distinction et fit de tous les hommes libres des citoyens romains (17).

Prosélytisme et conversions

Dans l'Afrique romaine, comme dans les autres provinces de l'Empire romain, il y eut très tôt d'autres Juifs que les Juifs de souche, dont les ancêtres étaient venus de Judée à des dates diverses. Des hommes et des femmes de toute race et de toute condition se sont convertis au judaïsme, qui fit preuve aux premiers siècles de l'ère chrétienne d'une grande force de pénétration (18).

A la faveur de la diaspora juive, les croyances et les pratiques juives se répandirent dans toutes les régions du monde romain et gagnèrent toutes les classes sociales : les plus riches comme les plus pauvres. Dans un texte souvent cité, Flavius Josèphe fait état des nombreux usages d'origine juive qui s'étaient répandus, non seulement parmi les Grecs et les Romains, mais encore parmi les peuples barbares (19). S'il en fut ainsi, c'est parce que les Juifs déployèrent alors un vigoureux effort de prosélytisme et s'efforcèrent de convertir au judaïsme les païens parmi lesquels ils vivaient. Les écrivains latins font plus d'une fois allusion à la propagande juive qui entraîne de nombreux romains à « judaïser » (20). Certains s'en indignent, tel Sénèque qui déplore que « les vaincus aient pu donner des lois aux vainqueurs » (21). Or il y avait des païens qui ne se contentaient pas de judaïser, mais sympathisaient avec le judaïsme au point de s'y convertir. Parmi ceux qui embrassaient le judaïsme, certains n'acceptaient d'accomplir qu'une partie des prescriptions de la loi juive : c'étaient les craignant-Dieu, ou demi-prosélytes (en hébreu, *ger toshav*) ; certains acceptaient d'accomplir toutes les prescriptions de la loi juive : c'étaient les prosélytes (en hébreu, *ger tsedeq*), et leur entrée dans le judaïsme était marquée par une immersion totale dans l'eau, à laquelle s'ajoutait, pour les hommes, la circoncision. La plupart des enfants des demi-prosélytes devenaient d'ailleurs des prosélytes complets (22).

On a toutes les raisons de penser que le prosélytisme juif, qui fut très actif dans les diverses provinces de l'Empire romain, le fut aussi en Afrique. Tertullien dans son *Apologétique* se moque des païens judaïsants de Carthage (23) et, dans le traité qu'il a composé contre les Juifs, il reprend une discussion qui avait eu lieu entre un chrétien et un prosélyte juif (24). Ainsi purent être gagnés au judaïsme des éléments de toutes origines, mais surtout des indigènes puniques ou berbères (25).

La conversion au judaïsme fut à coup sûr freinée par les restrictions apportées par les lois romaines à la pratique de la circoncision sur d'autres hommes que les Juifs de naissance. Les païens qui voulaient se faire circoncire s'exposaient aux lourdes peines qui frappaient la castration, c'est-à-dire à la perte de leurs biens et à l'exil, et ceux qui les opéraient étaient punis de mort (26). Mais ces dispositions sévères ne semblent pas avoir empêché les Juifs de faire du prosélytisme parmi leurs esclaves, et ceux-ci se convertissaient d'autant plus volontiers que leur conversion ne tardait pas à être suivie de leur affranchissement (27).

. Il suffit, pour éclairer la formation des communautés juives de l'Afrique romaine, qui furent sans doute formées d'abord par des Judéens de race, mais qui furent grossies par des éléments de toutes origines qui se convertirent au judaïsme. A tous ceux qui étaient juifs par leur naissance s'ajoutèrent tous ceux qui le devinrent au cours de leur vie.

2. Témoignages et vestiges

Des communautés juives de l'Afrique romaine — ou plutôt de cette partie de l'Afrique romaine à laquelle correspond la Tunisie d'aujourd'hui — nous rappellerons tout ce que nous apprennent témoignages et vestiges.

Tertullien et son Adversus Judaeos

Le plus ancien témoignage dont nous disposons sur les communautés juives de l'Afrique romaine est constitué par l'œuvre de Tertullien. Cet écrivain africain, qui vécut à la fin du II⁰ siècle et au début du III⁰ siècle, fait en effet plus d'une fois allusion aux Juifs (28).

C'est au sein des communautés juives que le christianisme a commencé à se développer. L'Évangile fut d'abord prêché dans les synagogues, et la religion nouvelle trouva ses premiers fidèles parmi les Juifs. Les chrétiens qui, par leurs croyances et leurs pratiques, tranchaient avec les païens, se distinguaient d'abord à peine des Juifs. Aussi bien, le christianisme a-t-il longtemps profité des privilèges dont le judaïsme jouissait dans le monde romain. Tertullien nous apprend que la nouvelle religion a grandi dans l'ombre de l'ancienne, qui avait de longue date acquis droit de cité (29). Mais des tensions ne tardèrent pas à se faire jour entre Juifs et chrétiens de la province d'Afrique. Les relations s'envenimèrent au point que les Juifs furent comptés parmi les ennemis des chrétiens (30). Pis. Les synagogues auraient été à l'origine de toutes les persécutions dont les chrétiens avaient eu à souffrir (31).

Il reste qu'au fil des pages, dans le cadre de tel ou tel développement, Tertullien nous fournit de précieuses indications sur les Juifs au milieu desquels il vit. Les femmes juives ne se montraient hors de leurs maisons que la tête couverte d'un voile (32). Les jours de jeûne, les Juifs africains avaient coutume de célébrer leurs offices en plein air, en bordure du rivage (33). Dans leurs synagogues, les Juifs de Carthage lisaient les Saintes Écritures dans l'original hébreu mais aussi dans la traduction grecque qu'en avaient donnée les Septante. Il arrivait que des chrétiens, et même des païens, se rendissent à leurs offices le jour du sabbat pour les entendre (34). Des païens « judaïsaient » en vouant au repos le jour de Saturne, c'est-à-dire le samedi (35). Il y en avait même, comme on l'a vu, qui se convertissaient au judaïsme et devenaient des prosélytes (36).

Dès lors que la vieille religion d'Israël était encore capable de séduire les âmes, il convenait de la tenir en échec, en défendant contre elle les principes de la religion chrétienne. Ainsi Tertullien s'est trouvé amené à composer son traité, Adversus Judaeos, contre les Juifs, dans lequel il répond point par point aux arguments que pouvaient faire valoir des Juifs zélés et informés. Il ne l'eût évidemment pas écrit si le judaïsme avait été alors, en Afrique, une religion sans fidèles et sans influence (37).

On ne saurait douter de l'existence, à l'époque de Tertullien, de nombreuses communautés juives, dont les membres vivaient mêlés aux païens et aux chrétiens, dans les villes et les campagnes de l'Afrique romaine.

La nécropole juive de Carthage

Les Juifs étaient, à coup sûr, nombreux à Carthage. De leur présence dans la capitale de l'Afrique romaine, témoigne en effet la nécropole qui a été découverte au nord-ouest de la ville antique, au lieu-dit Gamart (38).

Cette nécropole, formée de chambres souterraines creusées dans la roche, a longtemps passé aux yeux des archéologues pour une nécropole punique. C'est le R.P. Delattre qui, à la fin du siècle dernier, a établi d'une façon définitive qu'il s'agissait en fait d'une nécropole juive. Le type de sépulture, constitué par des fours à cercueil ou *kokhim*, est en effet en tous points conforme à ce que nous apprend la Bible sur les sépultures juives dans l'Antiquité (39). On y rencontre de nombreux symboles juifs gravés ou peints : chandelier à sept branches, *shofar, lulav, etrog*. Enfin, on y a relevé un certain nombre d'inscriptions funéraires, sous la forme hébraïque *be šalwm* ou *šlwm lw*, ou avec la formule latine *in pace*, qui fut longtemps commune aux Juifs et aux chrétiens (40).

De l'étendue de cette cité des morts, qui ne comporte pas moins de deux cents chambres pouvant contenir chacune jusqu'à dix-sept sépultures, on peut conclure à l'importance de la communauté juive de Carthage ; de la richesse de sa décoration, à l'aisance, sinon de toutes, du moins d'un certain nombre de familles ; et de la langue des épitaphes, généralement rédigées en latin, à la langue d'une population à coup sûr romanisée, même si elle n'a pas tout à fait perdu l'usage de la langue grecque.

La synagogue de Naro

Non loin de Carthage, la ville de Naro, située sur l'emplacement de la moderne Hammam-Lif, eut aussi sa communauté juive.

A la fin du siècle dernier en effet, on y a découvert les ruines d'une synagogue que l'on a pu dater du IIIe siècle ou du IVe après J.-C. Cette synagogue, dont on peut aisément se représenter le plan, était pavée de belles mosaïques figurées, pourvues d'inscriptions du plus grand intérêt (41).

27

Celle qui couvre le sol de la principale salle offre l'image d'une source jaillissant d'un vase, de part et d'autre de laquelle ont été représentés des oiseaux, des poissons, des arbustes et des fleurs. Elle comporte une inscription latine qui a permis d'identifier à coup sûr le monument : *sancta synagoga naronitana* : la sainte synagogue de Naro. Celle qui recouvre le sol d'une petite salle latérale nous apprend la destination de celle-ci, qui était de contenir les objets du culte, *instrumenta*, lesquels devaient être constitués par des rouleaux de la Loi, des chandeliers à sept branches et des phylactères.

Pour la commodité du lecteur, nous reproduisons le texte intégral des trois inscriptions qui figurent dans le *Corpus Inscriptionum Latinarum* (42).

a) *Sancta(m) synagoga(m) naron(itanam) pro salutem suam ancilla tua Juliana p(uella) de suo proprium tesselavit* : Pour son salut, ta servante, la jeune Juliana a pavé en mosaïque la sainte synagogue de Naro, à ses frais.

b) *Asterius filius Rustici arcosynagogi Margarita Riddei (filia) partem portici tesselavit* : Asterius, fils du chef de la synagogue Rusticus, Margarita, fille de Riddeus, ont pavé en mosaïque une partie du portique.

c) *Instrumenta servi tui Naronitani ; Instrumenta servi tui a Narone* : Les instruments de ton serviteur naronitain ; les instruments de ton serviteur de Naro.

La synagogue de Naro, avec ses mosaïques et ses inscriptions, ne prouve pas seulement l'existence dans cette petite ville romaine d'une communauté juive. Elle témoigne de l'aisance de ses membres qui, grâce à leurs généreuses offrandes, s'efforçaient de donner à leur lieu de culte le plus grand éclat. Les noms d'hommes, *Asterius, Riddeus, Rusticus*, ou de femmes, *Juliana, Margarita*, sont à coup sûr les noms de Juifs profondément romanisés. Les thèmes et les motifs dont ils se sont plu à décorer leur maison de prière laissent entendre que les Juifs de l'Afrique romaine, ceux des villes tout au moins, ne se distinguaient pas, par leurs usages et par leurs goûts, des autres Africains, païens ou chrétiens, parmi lesquels ils vivaient.

Les communautés de l'arrière-pays

En dehors de Carthage et de Naro, nous avons la preuve de l'existence de communautés juives ou à tout le moins de Juifs isolés dans d'autres régions du pays.

Dans une inscription d'Utique, il est fait mention d'un personnage exerçant la charge d'*archon*, qui était celle du principal magistrat des communautés juives, et l'on peut en conclure à l'existence dans cette ville d'un certain nombre de familles juives (43).

Non loin de là, dans la ville d'Uzalis, au temps de saint Augustin, une dame romaine atteinte d'une maladie incurable fait appel aux soins d'un sorcier juif (44).

Vers l'ouest, au temps de saint Augustin encore, la présence de Juifs est attestée dans la ville de Simittu (45).

Hadrumète eut aussi, à n'en pas douter, sa communauté juive. On y a en effet retrouvé des tablettes magiques, *tabellae defixionum*, où le Dieu des Juifs, sous ses divers noms, joue un grand rôle, et elles ne peuvent s'expliquer que par la présence de Juifs dans cette grande ville de l'Afrique romaine (46).

A l'ouest de Kairouan, au lieu-dit Henchir Djouana, une curieuse inscription a été découverte dans les premières années de ce siècle, dont on a établi de façon convaincante qu'elle se rapportait à des païens judaïsants. Il s'agit de l'épitaphe métrique de deux enfants, rédigée en forme de thrène et mise dans la bouche des parents. Ceux-ci, après s'être lamentés sur la perte de leurs enfants chéris, affirment ne plus désirer désormais que le repos de la tombe. La mort leur apportera la revanche de leurs peines :

> *...sed veniet utique vindex ille noster dies*
> *ut securi et expertes mali jaceamus*

Ils pourront alors se réfugier à leur tour *in illum puriorem recessum*, car, et c'est là la conclusion de leur complainte, la vertu, ici-bas, est toujours malheureuse : *homines enim quo innocentiores eo infeliciores*. Dans cette inscription, le savant P. Monceaux a décelé non seulement une inspiration juive, mais encore des réminiscences précises de divers livres de l'Ancien Testament. De la présence de païens judaïsants, on peut conclure à celle de Juifs encore plus nombreux dont l'influence s'exerçait sur leur entourage (47).

Plus au sud, sur les bords du lac Triton, dans la ville de Thusuros, saint Augustin fait état de chrétiens qui, sous l'influence de leur évêque, donatiste, se plaisaient à « judaïser », en observant des pratiques recommandées par la religion juive, mais rejetées par les chrétiens (48). De tels comportements seraient inexplicables sans la présence de Juifs dans cette ville de la Tunisie méridionale.

Telles sont, en dehors de Carthage et de Naro, les principales villes où la présence de Juifs est attestée par un texte épigraphique ou littéraire. Mais il y avait sans doute d'autres communautés juives dans cette partie de l'Afrique romaine qui portait les noms de Proconsulaire et de Byzacène (49).

Aspects de la vie juive

La vie des Juifs de l'Afrique romaine ne se distinguait guère de celle des Juifs des autres provinces de l'Empire.

Romanisés de plus ou moins longue date, ils étaient devenus des Latins par la langue. C'est, en effet, en latin que sont rédigées la plupart des inscriptions juives découvertes à ce jour. Dans la nécropole juive de Gamart on a relevé toutefois quelques inscriptions en grec ou en latin transcrit en caractères grecs. Le grec fut, en effet, la langue des Juifs de la Diaspora et certains Juifs de Carthage le parlaient et l'écrivaient sans doute plus facilement que le latin (50).

De la romanisation des Juifs africains témoigne également leur onomastique (51). Les noms qui figurent dans les inscriptions juives sont, pour la plupart, des noms latins ou latinisés. Comme les païens, les Juifs portent selon les cas un, deux ou trois noms. Dès lors que le *praenomen* est un prénom latin usuel, que le *nomen* est celui de la *gens* à laquelle appartient le maître qui a affranchi son esclave, que le *cognomen* tait ou masque l'origine, il est souvent difficile de distinguer un Juif par son nom. N'étaient le lieu de la découverte et les symboles figurés qui l'accompagnent, on ne pourrait pas le plus souvent affirmer que telle inscription funéraire est celle d'un Juif. L'appartenance d'une personne à la religion mosaïque est cependant parfois révélée par un nom qui est l'hellénisation ou la latinisation d'un nom hébraïque (p. ex. *Annianus* < Hanania), par un ethnique (p. ex. *Ioudeus*) ou par une ville d'origine (p. ex. Tibériade).

Aucune représentation figurée ne nous fournit une indication sur le costume des Juifs africains, mais il ne devait guère différer de celui des autres Juifs de la Diaspora qui portaient, soit le *pallium* à la grecque soit la *toga* à la romaine.

Dans leur vie quotidienne, les Juifs se distinguaient à peine des chrétiens au milieu desquels ils vivaient. Au début du Ve siècle, saint Augustin écrit dans son *Adversus Judaeos* : « Ils [les Juifs] nous disent : "Que vous importe la lecture de la Loi et des Prophètes puisque vous ne voulez point en observer les préceptes ?" Ils parlent ainsi parce que nous ne pratiquons pas la circoncision de la chair sur les enfants mâles ; nous mangeons des viandes que la loi déclare impures ; nous n'observons pas selon la chair leur sabbat, leurs néoménies et leurs jours de fêtes ; nous n'offrons point à Dieu des victimes tirées de nos troupeaux et ne célébrons point avec eux et comme eux la Pâque, en mangeant un agneau et des pains azymes » (52). Marquant en quoi les chrétiens se distinguaient des Juifs, saint Augustin a marqué du même coup en quoi les Juifs se distinguaient des chrétiens, du seul fait qu'ils s'efforçaient d'observer les préceptes de leur loi.

Dans l'Afrique romaine, comme dans les autres provinces de l'Empire, les Juifs ont dû s'organiser en communautés pour pouvoir vivre en se conformant à leur religion. L'inscription découverte à Utique fait mention d'un *archon* qui semble avoir exercé une sorte de magistrature civile, alors que l'inscription de Naro fait mention d'un *archisynagogus* dont dépendait sans doute tout ce qui avait trait au culte et à l'étude.

Il est arrivé à saint Augustin de parler des Juifs avec une certaine ironie. Ils n'auraient plus été selon lui que les « bibliothécaires » des chrétiens, portant des livres dont le sens véritable leur aurait échappé (53). Mais parmi les Juifs qu'il lui arrivait de rencontrer, il y en avait qui étaient versés dans la connaissance de la langue hébraïque, et le savant docteur n'hésitait pas à recourir à leurs lumières. Dans une lettre à saint Jérôme, il rapporte que des chrétiens avaient fait appel à des Juifs connaissant l'hébreu, le grec et le latin pour trouver la traduction exacte d'un mot rencontré dans le livre de Jonas (54). Dans un sermon, il nous apprend qu'il a interrogé un Juif pour savoir le sens exact du mot *raqa* que l'on rencontre dans l'Évangile selon saint Matthieu (V, 22) (55).

On voudrait en dire davantage sur la vie intellectuelle des Juifs de l'Afrique romaine. Mais on n'en sait rien, si ce n'est que les études religieuses furent à l'honneur dans sa capitale. Le Talmud fait état des rabbins R. Isaac, R. Ḥinna, R. Ḥanan et R. Abba, qui furent de Carthage. Comme on l'a justement noté, hors de la Palestine et de la Mésopotamie, de la Syrie et de la Perse, l'Afrique est le seul pays qui ait fourni des rabbins dont le Talmud ait cru devoir rappeler les opinions sur tel ou tel point de doctrine et en ait perpétué la mémoire (56).

3. De l'Empire païen à l'Empire chrétien

En Afrique, comme dans les autres provinces de l'Empire romain, les Juifs ont longtemps joui d'un statut privilégié. Pour prix de l'aide décisive que le roi Antipater lui avait apportée dans sa lutte contre Pompée, César combla de ses bienfaits les Juifs de Judée et les Juifs de la Diaspora, en assurant partout à leur culte une entière liberté. Le fils d'Antipater, Hérode, sut gagner la faveur d'Octave qui, à Actium, triompha d'Antoine. Ainsi, lorsque se fonda le régime impérial, les avantages que le judaïsme avait obtenus de César furent confirmés, et la diaspora juive se vit concéder le plus bel ensemble de privilèges qu'aucun peuple étranger ait obtenu de Rome : une véritable charte, a-t-on dit : *Magna charta pro Judaeis* (57).

• L'autorité romaine ne se contenta pas de garantir aux Juifs une entière liberté de culte, elle reconnut le judaïsme comme la seule religion licite en dehors du culte officiel, dans toute l'étendue du monde romain. Ainsi, les communautés juives bénéficièrent d'une large autonomie. On reconnut aux Juifs le droit d'envoyer chaque année à Jérusalem l'impôt de l'Éternel, c'est-à-dire le tribut d'un demi-sicle pour l'entretien du Temple ; ils furent exemptés de toutes les obligations incompatibles avec les prescriptions de la loi mosaïque ; ils purent s'abstenir de tout travail au cours du septième jour ; ils furent dispensés d'observer tout ce qui dans le culte impérial heurtait de front les principes du monothéisme yahviste, et au lieu d'adresser des prières à l'Empereur, ils purent prier Dieu pour l'Empereur, dans leur Temple et dans leurs synagogues (58).

Les Juifs de la Diaspora jouirent longtemps de ce statut privilégié. La grande charte qui leur avait été accordée demeura en vigueur, même après les guerres difficiles que la Puissance romaine dut conduire contre la Judée. Le seul changement qui intervint après la destruction du Temple de Jérusalem fut que le tribut annuel des Juifs de la Diaspora, au lieu d'aller à la Maison de l'Éternel, fut versé au temple de Jupiter Capitolin. Ce fut en fait le Trésor impérial qui perçut désormais cet impôt spécial appelé *fiscus judaïcus*, sans que sa perception revêtît un caractère infamant (59).

La condition des Juifs changea du tout au tout au début du IVᵉ siècle avec l'Édit de Constantin érigeant le christianisme en religion d'État en 310 après J.-C. L'Empire chrétien, en effet, sous la pression de l'Église, adopta dès lors une attitude de plus en plus hostile au judaïsme.

Pour venir à bout de leur fidélité opiniâtre à l'ancienne loi et les amener à se convertir au christianisme, l'Empire cessa de considérer les Juifs comme des citoyens romains à part entière et prit contre eux des mesures discriminatoires. Assez tôt, ils furent exclus des hautes fonctions à la cour ; puis, ils le furent de tous les emplois administratifs ; ils finirent par se voir interdire toutes les fonctions publiques à l'exception de celle du décurionat, parce qu'elle représentait une lourde charge financière (60). Ils cessèrent même de pouvoir servir dans l'armée romaine, en vertu de lois édictées au début du Vᵉ siècle (61).

Le judaïsme ne fut jamais mis hors la loi, et un édit de 393 reconnaîtra encore sa parfaite licéité (62). Mais tout fut mis en œuvre pour faire échec au prosélytisme juif. Dès la fin du règne de Constantin, en 335, une loi interdit aux Juifs de faire circoncire leurs esclaves chrétiens, et l'interdiction fut sanctionnée par l'affranchissement de l'esclave circoncis. Peu après, en 339, une loi plus rigoureuse de l'Empereur Constance frappa de la peine capitale et de la confiscation de ses biens tout Juif qui ferait circoncire ses esclaves chrétiens. La défense sous peine de mort de circoncire les esclaves chrétiens fut renouvelée en 417 et en 423 et définitivement imposée par la promulgation du Code Théodosien en 438 (63). Pour que le judaïsme ne pût se répandre parmi les hommes libres, une loi de 339 flétrit les mariages mixtes entre Juifs et chrétiens et frappa de la peine de mort le Juif qui avait épousé une chrétienne. A la fin du IVᵉ siècle, une loi assimila le mariage mixte à l'adultère et infligea la peine capitale aux coupables, aux chrétiens comme aux Juifs (64). Un peu plus tard, en 409, le prosélytisme juif fut assimilé au crime de lèse-majesté, et de ce fait passible du châtiment suprême (65).

Les Juifs continuèrent de pouvoir suivre les prescriptions de leur religion et, entre autres, d'observer strictement le repos sabbatique en accord avec les lois de l'État chrétien (66). Cependant, vers la fin du IVᵉ siècle, pour entraver la diffusion du judaïsme, on interdit aux Juifs de construire de nouvelles synagogues. Peu après, une loi de 423 défendit d'embellir les synagogues existantes et même de les restaurer, à moins qu'elles ne fussent menacées de ruine, auquel cas des travaux pouvaient y être entrepris, mais après avoir été autorisés par l'administration impériale (67).

Toutes ces mesures discriminatoires et restrictives n'empêchèrent pas le judaïsme de se maintenir et d'exercer même une certaine séduction. Un contemporain de saint Augustin, auteur d'un livre intitulé *De vera et falsa poenitentia*, dit clairement que, de son temps, les chrétiens sont le petit nombre en regard de la multitude des païens et des Juifs (68). Saint Augustin n'aurait sans doute pas écrit son *Tractatus adversus Judaeos* si, dans son diocèse, il n'y avait eu ni Juifs ni judaïsants (69).

Bravant les foudres de l'Église, les chrétiens d'Afrique ne laissaient pas d'entretenir avec les Juifs des relations amicales ou à tout le moins de bon voisinage. On ne comprendrait pas sinon que les conciles se soient attachés à les interdire, recommandant aux chrétiens de ne pas « judaïser » ; de ne pas chômer le jour du sabbat ; de ne pas célébrer la Pâque avec les Juifs ; de ne pas accepter d'eux des pains azymes ou des présents à l'occasion des fêtes de l'année juive (70).

Malgré la politique hostile aux Juifs de l'Empire chrétien, le judaïsme non seulement avait survécu mais s'était même développé lorsqu'au début du Vᵉ siècle, les Vandales réussirent à se rendre maîtres de ce qui avait été l'Afrique romaine.

4. Juifs, Vandales et Byzantins

L'arrivée des Vandales, au début du Vᵉ siècle, marqua pour les Juifs de l'Afrique romaine le commencement d'une ère de paix. Ce peuple barbare avait embrassé le christianisme mais dans sa version arianiste qui mettait en question la trinité divine. Le credo arien était moins éloigné du monothéisme ombrageux des Juifs que ne l'était le credo catholique, tel que l'avaient défini les Pères de l'Église. Ainsi les rois vandales furent naturellement amenés à être plus tolérants à l'égard des Juifs que ne l'étaient les empereurs chrétiens. En retour, les Juifs paraissent avoir été pour les rois vandales de fidèles sujets, et leurs activités économiques purent sans doute prospérer à la faveur de ce qu'un historien a heureusement appelé « la paix vandale » (71). Des évêques catholiques continuèrent à mener contre les Juifs ce qui leur paraissait être le bon combat, sans arriver à déchaîner contre eux les foudres du pouvoir séculier (72). Aussi ne doit-on pas s'étonner que les Juifs aient secondé les rois vandales lorsque Justinien entreprit la reconquête de l'Afrique, sous la bannière de l'orthodoxie chrétienne (73).

Après la victoire remportée au cours de l'année 535 par les armées byzantines, Justinien, pour les punir de l'aide qu'ils avaient apportée aux rois vandales, traita les Juifs avec autant de rigueur que les ariens, les donatistes et les païens. Aux termes d'une novelle édictée l'année de la reconquête, les Juifs furent exclus de toutes les charges publiques ; ils ne purent avoir des esclaves chrétiens ; leurs synagogues furent transformées en églises ; leur culte fut proscrit ; toutes leurs réunions furent interdites (74). L'administration byzantine reprit à l'égard des Juifs la politique intolérante des empereurs chrétiens, leur faisant une application stricte des dispositions sévères qui figurent dans le Code Théodosien.

Justinien entreprit même de convertir de force les Juifs au christianisme. Il en fut ainsi dans la ville de Borion, sur la frontière de Cyrénaïque, dont la vieille communauté juive faisait remonter ses origines au temps du roi Salomon (75). On procéda, peut-être, à des conversions forcées dans d'autres villes d'Afrique, mais on ne saurait l'affirmer. A la fin de son règne, Justinien semble avoir fait preuve de moins d'intransigeance. Dans les dernières années du VIᵉ siècle, l'empereur Maurice (582-602) interdit de convertir les Juifs de force et leur fit rendre leurs synagogues, en leur défendant toutefois d'en construire de nouvelles. Mais ses successeurs en revinrent à une politique d'intolérance (76). Au début du VIIᵉ siècle, sinon sous Phocas (602-610), à coup sûr sous Héraclius (610-641), un édit impérial imposa à tous les Juifs de recevoir le baptême (77). Sur ce point, le témoignage du Juif Jacob le Néophyte est décisif : « Lorsque Georges, qui était Éparque, fut arrivé en Afrique, il nous convoqua, nous tous les premiers d'entre les Juifs. Une fois que nous fûmes réunis devant lui, il nous demanda : « Êtes-vous les serviteurs de l'Empereur ? ». Nous répondîmes : « Oui, Seigneur, nous sommes les serviteurs de l'Empereur ». Et il dit alors : « Le Bienveillant a donné l'ordre que vous soyez baptisés ». Lorsque nous ouïmes cela, nous fûmes tous saisis de frayeur et de crainte, aucun de nous ne sut que répondre. « Ne répondez-vous rien ? » reprit l'Éparque. Alors un des nôtres appelé Joan déclara : « Nous n'en ferons rien, le moment n'est pas venu pour nous du saint baptême ». L'Éparque en fureur se leva et de ses propres mains le frappa au visage, disant : « Puisque vous êtes les serviteurs de l'Empereur, pourquoi refusez-vous d'obéir aux ordres de votre Maître ? » La crainte nous pétrifia. Ordre fut donné que nous fussions baptisés, et nous le fûmes contre notre gré. Grandes étaient notre perplexité et notre tristesse » (78).

Victimes de mesures discriminatoires appliquées avec rigueur, forcés par le pouvoir séculier à se convertir au christianisme, les Juifs eurent de plus en plus de mal à vivre sous l'administration byzantine. On a de sérieuses raisons de penser qu'ils choisirent de fuir, pour aller s'établir au-delà des frontières de la Province d'Afrique, en gagnant soit les massifs montagneux situés à l'ouest ou au sud, soit les confins du désert (79).

5. La judaïsation des Berbères

Lors de la conquête arabe de l'Afrique du Nord, une partie des Berbères professait le judaïsme. Dans sa grande *Histoire des Berbères*, Ibn Khaldoun nous donne les noms des tribus berbères judaïsées et précise les régions où elles étaient établies, de l'est à l'ouest du Maghreb, citant entre autres les Nafûsa, au sud de l'Ifrîqiya, et les Jarâwa dans les montagnes de l'Aurès (80). On n'a aucune raison sérieuse de mettre en doute la réalité de ce qu'affirme le grand historien tunisien du XIVᵉ siècle, qui s'appuie vraisemblablement sur des sources aujourd'hui disparues. Encore faut-il s'efforcer de rendre compte d'un fait, à première vue surprenant, et de le replacer dans son contexte historique.

Certains auteurs ont cru pouvoir dater la conversion des tribus berbères au judaïsme du VIᵉ siècle, et l'expliquer par les mesures édictées par l'administration byzantine à l'encontre des Juifs après la reconquête de l'Afrique. En butte à une intolérance hostile, ils auraient fui les villes côtières soumises à l'autorité des gouverneurs de la Province d'Afrique, et se seraient réfugiés dans les massifs montagneux et dans les régions aux confins du désert. Là, par leur propagande, ils auraient gagné au judaïsme nombre de tribus berbères. Ainsi on s'expliquerait que les Arabes aient pu, au VIIᵉ siècle, rencontrer des Berbères professant la religion juive (81).

Mais il n'est pas sûr que la judaïsation des Berbères doive être imputée seulement à la politique religieuse des empereurs de Byzance et qu'elle ait été si tardive. La diffusion du judaïsme parmi les tribus berbères a pu commencer plus tôt et être l'œuvre d'autres Juifs que les Juifs des villes côtières qui voulurent fuir les persécutions byzantines. On a de sérieuses raisons de penser que le judaïsme commença à se répandre parmi les populations berbères des massifs montagneux et des confins du désert au lendemain de l'insurrection des Juifs de Cyrénaïque au début du IIᵉ siècle. La nombreuse population juive établie de longue date en ce pays était d'origine judéenne, mais les descendants de ceux qui étaient arrivés au temps des Lagides, à force de vivre au milieu de populations berbères, avaient sans doute fini par se « berbériser » par leur langue et par leur manière de vivre. Ainsi, après l'écrasement de la révolte de 115-117, nombre d'entre eux, qui avaient échappé à la mort en gagnant les pays voisins, purent facilement répandre leurs croyances et leurs pratiques parmi les Berbères auprès desquels ils avaient trouvé un refuge. Amorcée dès cette époque, la judaïsation des Berbères se serait obscurément poursuivie du IIᵉ au VIᵉ siècle pour ne recevoir des persécutions byzantines qu'une nouvelle impulsion (82).

On a émis l'hypothèse que la diffusion du judaïsme parmi les populations berbères aurait été rendue plus aisée par la survivance de la langue punique sous les dominations romaine, vandale et byzantine.

L'étroite parenté de l'hébreu et du punique aurait permis aux Juifs de développer leur propagande parmi les populations berbères punicisées. Que la langue punique ait survécu, on en a de multiples témoignages. On parlait encore le punique dans les campagnes de l'Afrique romaine au temps de saint Augustin (83), et même lors de la reconquête byzantine (84). Mais pourquoi la survivance du punique aurait-elle servi la diffusion du judaïsme plutôt que celle du christianisme ? Parce que les Juifs africains auraient parlé l'hébreu, langue toute proche de la langue des populations berbères punicisées (85) ? Que les Juifs aient parlé l'hébreu, on peut le supposer, mais comment l'affirmer ? En fait, pour que les Juifs aient pu faire œuvre de prosélytisme, il suffit qu'ils aient parlé une langue que les Berbères entendaient : latin, punique ou berbère, peu importe, pourvu qu'ils aient pu se faire comprendre. La seule chose qui soit sûre est qu'ils ont été compris et que des Berbères se sont convertis.

Il est bien évident que les populations berbères des massifs montagneux et des confins du désert n'ont pu se rallier à un judaïsme savant et complexe. Entre le paganisme et le judaïsme, il y a eu plus d'une forme de transition. Des textes font mention d'une secte de caelicoles (= adorateurs du ciel), qui semble avoir joint au culte de la Tanit punique des éléments empruntés au judaïsme (86). Ce ne fut sans doute pas le seul exemple de syncrétisme judéo-païen. Parmi les Berbères qui se convertirent au judaïsme, il y eut, on peut le croire, plus de judaïsants que de Juifs de stricte observance. On ne se trompera pas de beaucoup en les imaginant tout proches de ces Juifs à l'état nomade, vivant sous la tente, les *baḥutsim*, (de l'hébreu *ba-ḥuts* = au-dehors) dont la présence s'est perpétuée jusqu'à une époque toute proche de la nôtre. Croyant en un Dieu unique, vénérant le nom de Moïse, circoncisant leurs enfants mâles, s'abstenant de viande de porc, observant le sabbat et jeûnant une fois l'an pour se faire pardonner leurs fautes et se concilier la faveur divine (87). Ce sont très probablement des adeptes de ce judaïsme élémentaire que les Arabes rencontrèrent dans les campagnes du Maghreb lorsqu'au VIIᵉ siècle ils entreprirent d'en faire la conquête (88).

NOTES DU CHAPITRE II

(1) STRABON, cité par FLAVIUS JOSEPHE, *Ant. Jud.*, XIV, 7, 2 ; cf. J. MESNAGE, *Le Christianisme en Afrique du Nord. Origines, développements, extension*, Alger, 1914, p. 16.

(2) J. MESNAGE, *op. cit.*, p. 2.

(3) E. BEAUCHESNE, *Les Origines du culte chrétien*, 2e éd., Paris, 1898, pp. 6 sqq., cit. par J. MESNAGE, *op. cit.*, p. 1, n. 1 ; cf. G. LAPEYRE et A. PELLEGRIN, *Carthage latine et chrétienne*, Paris, 1950, p. 202.

(4) A. DELATTRE, « Gamart ou la nécropole juive de Carthage », extrait des *Missions catholiques*, Lyon, 1895, p. 49.

(5) Cf. *supra*, chap. I, *in fine*.

(6) VALÈRE MAXIME, I, 3 : « *Idem Judaeos, qui Sabazi Jovis cultu mores Romanos inficere conati sunt, domos suas repetere coegit*, cit. par R. NEHER-BERNHEIM, *Le Judaïsme dans le monde romain*, Paris, 1959, p. 74.

(7) FLORUS, *Epitome*, III, 5, 29 sqq. ; FLAVIUS JOSEPHE, *Ant. Jud.*, XIV, 4, 2 sqq. ; cf. R. NEHER-BERNHEIM, *op. cit.*, pp. 23-25.

(8) SUETONE, *Caesar*, LXXXIV : « *In summo publico luctu exterarum gentium multitudo circulatim suo quaeque more lamentata est praecipueque Judaei qui etiam noctibus continuis bustum frequentarunt* » ; cf. R. NEHER-BERNHEIM, *op. cit.*, p. 28.

(9) TACITE, *Annales*, II, 85 ; SUETONE, *Tibère*, XXXVI ; FLAVIUS JOSEPHE, *Ant. Jud.*, XVIII, 3, 5 ; cf. R. NEHER-BERNHEIM, *op. cit.*, pp. 75-77.

(10) SUETONE, *Claude*, XXV : « *Judaeos impulsore Chresto assidue tumultuantes Roma expulit* » ; cf. R. NEHER-BERNHEIM, *op. cit.*, p. 127 ; M. SIMON, *Les Premiers chrétiens*, Paris, 1952, p. 114 : « C'est la communauté juive dans son ensemble, et non pas seulement ceux de ses membres qu'avait gagnés la propagande chrétienne, qui est frappée ».

(11) *Actes des Apôtres*, XVIII, 2 ; cf. M. SIMON, *op. cit.*, p. 114.

(12) J. MESNAGE, *op. cit.*, p. 52.

(13) TACITE, *Histoire*, V, 9 sqq. ; SUETONE, *Vespasien*, IV et V ; *Titus*, V ; FLAVIUS JOSEPHE, *Bell. Jud.*, V, sqq. ; R. NEHER-BERNHEIM, *op. cit.*, pp. 35-52. Une tradition juive, tardive, il est vrai, affirme que Titus installa en pays carthaginois 30 000 prisonniers de guerre juifs : cf. M. SIMON, *Le judaïsme berbère*, p. 69, n. 2.

(14) R. NEHER-BERNHEIM, *op. cit.*, pp. 56-57.

(15) DION CASSIUS, *Histoire*, LXVIII, 32 ; EUSEBE DE CESAREE, *Histoire Ecclésiastique*, IV, 2, 2 ; SPARTIEN, *Vie d'Hadrien*, II, 5 ; E. RENAN, *Les Évangiles et la seconde génération chrétienne*, Paris, 1877, pp. 499-512 ; J. MESNAGE, *Le Christianisme en Afrique du Nord. Déclin et extinction*, Alger, 1915, pp. 30-32 et 96-97 ; M. SIMON, « Le judaïsme berbère... », pp. 75-76.

(16) DION CASSIUS, *op. cit.*, LXIX, 12-14 ; EUSEBE DE CESAREE, *op. cit.*, IV, 6 ; E. RENAN, *L'Église chrétienne*, Paris, 1879, pp. 186-213 ; R. NEHER-BERNHEIM, *op. cit.*, pp. 57-58 ; M. HADAS-LEBEL, *Jérusalem contre Rome*, Paris, 1990, pp. 160-182.

(17) R. NEHER-BERNHEIM, *op. cit.*, pp. 90-93.

(18) Sur le prosélytisme juif au Ier siècle de l'ère chrétienne, cf. G. BARDY, *La conversion au christianisme durant les premiers siècles*, Paris, 1949, pp. 90-116.

(19) FLAVIUS JOSEPHE, *Contre Apion*, II, 39 ; cf. R. NEHER-BERNHEIM, *op. cit.*, pp. 105-106.

(20) HORACE, *Satires*, I, 4, v. 129 sqq. ; I, 9, v. 14 sqq. ; OVIDE, *Art d'aimer*, I, v. 397 sqq. ; TIBULLE, *Elégies*, I, 3, v. 1 sqq. ; JUVENAL, *Satires*, XIV, v. 96-106 ; cf. R. NEHER-BERNHEIM, *op. cit.*, pp. 102-111.

(21) SENEQUE : « *Cum interim usque eo sceleratissimae gentis consuetudo valuit ut per omnes jam terras recepta sit : victi victoribus leges dederunt* », cité par saint Augustin, dans *La Cité de Dieu*, VI, 11 ; cf. R. NEHER-BERNHEIM, *op. cit.*, p. 106.

(22) R. NEHER-BERNHEIM, *op. cit.*, pp. 103-104.

(23) TERTULLIEN, *Apologétique*, XVI, 11.

(24) TERTULLIEN, *Adversus Judaeos*, I, 13 ; *P.L.*, MIGNE, II, p. 597 ; cf. P. MONCEAUX, « Les colonies juives de l'Afrique romaine », dans *Revue des Études juives*, 1902, p. 21.

(25) Cf. *infra*.

(26) PAUL, Sentences, 5, 22, 3 : « *Cives Romani, qui se judaïco ritu vel servos suos circumcidi patiuntur, bonis ademptis in insulam perpetuo relegantur, medici capite puniuntur* », cité par G. BARDY, *op. cit.*, p. 104.

(27) R. NEHER-BERNHEIM, *op. cit.*, p. 104.

(28) Cf. Cl. AZIZA, « La communauté juive de Carthage au IIᵉ siècle, d'après Tertullien », dans *Revue des Études Juives* (137), 1978, pp. 491-494.

(29) TERTULLIEN, *Apologétique*, XXI, 1-2 : « *Quasi sub umbraculo insignissimae religionis certe licitae* » ; cf. P. MONCEAUX, *art. cit.*, p. 21, n. 101 ; M. SIMON, *op. cit.*, p. 33.

(30) TERTULLIEN, *Apologétique*, VII, 4 : « *Tot hostes quot extranei et quidem proprie ex aemulatione Judaei...* » ; cf. P. MONCEAUX, *art. cit.*, p. 20, n. 86.

(31) TERTULLIEN, *Scorpiace*, X : *Synagogas Judaeorum fontes persecutionum* ; cf. P. MONCEAUX, *art. cit.*, p. 20, n. 87.

(32) TERTULLIEN, De Corona, IV : « *Apud Judaeos, tam solemne est foeminis eorum velamen capitis ut inde noscantur* » ; *P.L.*, MIGNE, t. II, p. 80 ; cf. P. MONCEAUX, *art. cit.*, p. 19, n. 78.

(33) TERTULLIEN, De Jejunio, XVI ; *P.L.*, MIGNE, t. II, p. 1828 ; cf. M. SIMON, *op. cit.*, p. 48.

(34) TERTULLIEN, *Apologétique*, XVIII, 8-9 : « *in Graecum stilum experta monumenta... Judaei palam lecticant... vulgo aditur sabbatis omnibus...* ».

(35) TERTULLIEN, *Apologétique*, XVI, 11.

(36) TERTULLIEN, *Adversus Judaeos*, I, 13 ; *P.L.*, MIGNE, II, p. 597 : « *Proxime accidit disputatio habita est christiano et proselyto judaeo* ».

(37) Cf. P. MONCEAUX, *art. cit.*, p. 21.

(38) A. DELATTRE, *art. cit.* ; ID, « Deux hypogées de Gamart », dans *Revue Tunisienne* (XI), 1904, pp. 187-191 ; P. MONCEAUX, *art. cit.*, pp. 16-18 ; J. MESNAGE, *op. cit.*, pp. 15 et 53-54.

(39) On peut lire dans l'Évangile selon saint Luc que Joseph d'Arimathie, ayant descendu le corps de Jésus de la croix, l'enveloppa dans un linceul et le mit dans un sépulcre taillé dans le roc (XXIII, 53).

(40) Les inscriptions latines de Gamart ont été publiées dans le *Corpus Inscriptionum Latinarum*, t. VIII, n° 14 097 - 14 114. Cf. J. FERRON, « Inscriptions juives de Carthage », dans *Cahiers de Byrsa* (I), 1950, pp. 175-206 ; ID, « Epigraphie juive », dans *Cahiers de Byrsa* (VI), 1956, pp. 99-103 ; ID, « Un hypogée juif », *ibid.*, pp. 105-152. On les retrouve dans Y. LE BOHEC, « Inscriptions juives et judaïsantes de l'Afrique romaine », dans *Antiquités africaines* (XVII), 1981, pp. 165-206 : v. pp. 180-190.

(41) La synagogue de Naro a fait l'objet d'une abondante littérature. Contentons-nous de citer : R. CAGNAT et P. GAUCKLER, *Les Monuments historiques de la Tunisie. I. Les Temples païens*, Paris, 1898, pp. 152-154, qui donne toute la bibliographie antérieure ; P. MONCEAUX, *art. cit.*, pp. 14-16 ; J. MESNAGE, *op. cit.*, p. 15 ; Y. LE BOHEC, *art. cit.*, pp. 177-179.

(42) Ces inscriptions ont été publiées dans C. I. L., VIII, 12 457. Nous les donnons avec les lectures et les interprétations de R. CAGNAT et P. GAUCKLER, *op. cit.*

(43) C. I. L., VIII, 1205 ; *Addit.*, p. 931 ; cf. P. MONCEAUX, *art. cit.*, p. 9 ; J. MESNAGE, *op. cit.*, p. 15 et n. 5.

(44) SAINT AUGUSTIN, *La Cité de Dieu*, XXII, 8, 21 ; cf. P. MONCEAUX, *art. cit.*, p. 9 ; J. MESNAGE, *op. cit.*, p. 14.

(45) SAINT AUGUSTIN, *Appendix des Sermons* : Sermo XVII, 9 ; *P.L.*, MIGNE, t. XLVI, p. 881 ; cf. P. MONCEAUX, *art. cit.*, p. 9 ; J. MESNAGE, *op. cit.*, p. 14.

(46) *Collections du Musée Alaoui*, Paris, 1890, pp. 57 sqq. et 101 sqq. ; cf. P. MONCEAUX, *art. cit.*, p. 10 et n. 37 ; J. MESNAGE, *op. cit.*, p. 15.

(47) P. MONCEAUX, « Païens judaïsants. Essai d'explication d'une inscription africaine », dans *Revue Archéologique*, 1902, pp. 208-226 ; ID, « Les colonies... », p. 9 ; M. SIMON, *op. cit.*, pp. 64-66.

(48) SAINT AUGUSTIN, *Epist.*, 196, 1-4 ; cf. P. MONCEAUX, *art. cit.*, p. 9.

(49) La présence de Juifs est aussi attestée à Leptis Minus (*C. I. L.*, VIII, 11 120), à Thaenae (*Inscriptions latines d'Afrique*, 36), et à Sullectum (*Inscriptions latines d'Afrique*, 50) ; cf. J.M. LASSERE, *Ubique populus*, Paris, 1977, pp. 416, 418, 420.

(50) J. FERRON, « Inscriptions juives de Carthage », dans *Cahiers de Byrsa*, (I), 1950, pp. 175-206 et « Un hypogée juif », dans *Cahiers de Byrsa*, (VI), 1956, pp. 105-152.

(51) Sur l'onomastique des Juifs de l'Afrique romaine, cf. J.M. LASSERE, *op. cit.*, pp. 416-421, et Y. LE BOHEC, « Juifs et judaïsants dans l'Afrique romaine. Remarques onomastiques », dans *Antiquités africaines*, (XVII), 1981, pp. 209-229.

(52) SAINT AUGUSTIN, *Adversus Judaeos*, dans *P.L.*, MIGNE, XLII, pp. 51-64.

(53) SAINT AUGUSTIN, *In Psalmos*, 56, 9, dans *P.L.*, MIGNE, XXXVI, p. 666 : « *Codices portat Judaeus unde credat christianus. Librarii nostri facti sunt quomodo solent servi post dominos codices ferre ut illi portando deficiant illi legendo proficiant* ».

(54) SAINT AUGUSTIN, *Epist.*, LXXI, 5 et LXXV, 22, dans *P.L.*, MIGNE, XXXIII, pp. 242 et 263 ; cf. M. SIMON, *op. cit.*, p. 50.

(55) SAINT AUGUSTIN, *De Sermone in M.*, I, 23, dans *P.L.*, MIGNE, XXXIV, p. 1241.

(56) Talmud de Babylone, *Berakhot*, 29, a et *Ketoubot*, 27, b ; Talmud de Jérusalem, *Sabbat*, LXXVI, 1 et *Kilaïm*, I, 9 ; cf. N. MIESES, « Les Juifs et les établissements puniques en Afrique du Nord », dans *Revue des Études Juives*, 1932, p. 140.

(57) J. JUSTER, *Les Juifs dans l'Empire romain*, Paris, 1914, t. II, pp. 269-276 ; J. ISAAC, *Genèse de l'antisémitisme*, Paris, 1956, pp. 100-101.

(58) J. ISAAC, *op. cit.*, pp. 100-101.

(59) *Ibid.*, p. 139.

(60) J. JUSTER, *op. cit.*, t. I, pp. 243-264 ; J. ISAAC, *op. cit.*, p. 181.

(61) J. ISAAC, *op. cit.*, p. 181.

(62) *Code Théodosien*, XVI, 8, 9 ; cf. J. ISAAC, *op. cit*, p. 200, n. 2.

(63) *Code Théodosien*, XVI, 9, 4 et XVI, 9, 5 ; cf. J. JUSTER, *op. cit.*, t. I, p. 232 ; J. ISAAC, *op. cit.*, p. 180.

(64) *Code Théodosien*, XVI, 8, 6 et III, 7, 2 ; cf. J. ISAAC, *op. cit.*, pp. 183-184.

(65) J. JUSTER, *op. cit.*, t. I, p. 262 ; cf. J. ISAAC, *op. cit.*, p. 176.

(66) *Code Théodosien*, XVI, 8, 9 et XVI, 8, 20 ; cf. J. ISAAC, *op. cit.*, p. 181.

(67) *Code Théodosien*, XVI, 8, 26 et XVI, 8, 27 ; cf. J. JUSTER, *op. cit.*, t.I, pp. 462-472 ; cf. J. ISAAC, *op. cit.*, p. 178.

(68) J. MESNAGE, *op. cit.*, p. 326 : « *Etsi omnes salvantur credentes, paucorum tamen est electio in tanta multitudine gentium et judaeorum* ».

(69) J. MESNAGE, *op. cit.*, 1915, p. 94 : « On a l'impression que saint Augustin avait des motifs d'écrire son *Tractatus adversus Judaeos*, et qu'une partie de son diocèse, probablement celle où dominait l'élément punique, devait être infectée de judaïsme ».

(70) J. FERRAND, *Brevatio canonum*, dans *P.L.*, MIGNE, LXXXVIII, pp. 822 et 827-828 : « *Judaïzare... in sabbato vacare... cum Judaeis Pascha celebrare... a Judaeis azyma accipere... a Judaeis feriatica accipere* ».

(71) On a découvert à Carthage un certain nombre de sceaux en plomb, datant de l'époque vandale, où se trouve figuré un chandelier à sept branches ; cf. J. ICARD, « Sceaux et plombs marqués trouvés à Carthage », dans *Revue Tunisienne*, 1934-1938 ; v. *R.T.*, 1934, p. 156 ; *R.T.*, 1936, p. 326 et *R.T.*, 1938, p. 225.

(72) De la fin du Vᵉ siècle date l'opuscule intitulé *Ad Vigilium episcopum de judaïca incredulitate*, dédié à Vigilius, évêque de Thapsus, par un certain Celsus. Cf. P. MONCEAUX, *art. cit.*, p. 28.

(73) M. Simon, *op. cit.*, pp. 80-81.

(74) *Novelle*, XXXVII, 5, 7-8 ; Ch. Diehl, *L'Afrique byzantine*, Paris, 1896, p. 40 ; cf. P. Monceaux, *art. cit.*, p. 29.

(75) Procope, *De Aedificiis*, VI, 2 ; P. Monceaux, *art. cit.*, p. 29 ; J. Mesnage, *op. cit.*, 1915, p. 70.

(76) Grégoire Le Grand, *Epist.*, VIII, 25 et IX, 38 et 195 ; cf. P. Monceaux, *art. cit.*, p. 29, n. 163 ; J. Mesnage, *op. cit.*, 1915, p. 95.

(77) J. Isaac, *op. cit.*, p. 212.

(78) *Patrologia Orientalis*, VIII, pp. 722-723, cit, par J. Isaac, *op. cit.*, p. 213.

(79) Ch. Diehl, *op. cit.*, p. 328 ; P. Monceaux, *art. cit.*, p. 29 ; J. Mesnage, *op. cit.*, 1915, p. 95 ; M. Simon, *op. cit.*, p. 81.

(80) Ibn Khaldoun, *Histoire des Berbères*, Paris, 1925, t. I, pp. 208 et 177 ; cf. P. Monceaux, *art. cit.*, p. 12 ; J. Mesnage, *op. cit.*, 1915, p. 111 ; M. Simon, *op. cit.*, p. 30.

(81) Ch. Diehl, *op. cit.*, pp. 40 et 328-329 ; P. Monceaux, *art. cit.*, p. 29.

(82) M. Simon, *op. cit.*, pp. 70, 75-76, et 81.

(83) Saint Augustin, *Sermons*, CXIII, 2 sur Luc 16, dans *P.L.*, Migne, XXXVIII, p. 648 ; *Epist.*, XIII, *P.L.*, Migne, XXXIV, p. 2096 ; cf. M. Simon, *op. cit.*, p. 45.

(84) Procope, *De Bello vandalico*, II, 10 ; cf. M. Simon, *op. cit.*, p. 37.

(85) M. Simon, *op. cit.*, p. 48 : « On peut supposer... que dans certaines régions au moins, l'usage de l'hébreu ne s'était jamais entièrement perdu et que, dès le début, des communautés juives hébréophones ont existé, à côté des communautés de langue latine ».

(86) Saint Augustin, *Epist.*, XLIV, 6, 13 ; *P.L.*, Migne, XXXIII, p. 180 ; *Code Théodosien*, XVI, 5, 43 ; cf. M. Simon, *op. cit.*, pp. 57-58 et 80.

(87) Sur les *Bahutsim*, cf. N. Slouschz, *Un voyage d'études juives en Afrique*, Paris, 1909, pp. 78-81 ; M. Eisenbeth, *Le Judaïsme nord-africain. Études démographiques sur les Israélites du département de Constantine*, Constantine, 1931, pp. 40-43.

(88) La judaïsation des Berbères, communément admise par tous les savants, a été récemment mise en doute : S.Z. Hirschberg, « The problem of the judaïzed Berbers », dans *Journal of African History*, (IV), 1963, pp. 313-339. Mais son argumentation ne force pas la conviction. Cf. G. Nahon, « Le Judaïsme algérien de l'Antiquité au décret Crémieux », dans *Les Nouveaux Cahiers*, n° 29, 1972, pp. 1-19.

CHAPITRE III

LES PREMIERS SIÈCLES DE L'ISLAM

La conquête arabe du VIIᵉ siècle a marqué dans l'histoire de l'ancienne province romaine d'Afrique le début d'une ère nouvelle. Les grandes masses de la population, qui se partageaient jusque-là entre le paganisme et le christianisme, avec plus d'une forme de transition d'une religion à l'autre, furent invitées à embrasser l'islam. Les païens eurent à choisir entre la conversion et la mort, et toutes les fois qu'ils furent vaincus au terme de leurs combats, se convertirent. Les chrétiens eurent à choisir entre la conversion et le paiement d'un tribut. Ainsi, des populations à demi christianisées se convertirent pour ne pas être astreintes au paiement du tribut. Mais les populations christianisées de longue date, qu'il s'agît de Romains, de Grecs ou de Berbères, préférèrent consentir à verser un tribut pour rester fidèles à leur foi. Il en fut de même pour les Juifs qui, afin de pouvoir continuer à observer leur religion, durent accepter de payer un tribut au conquérant.

Réduits à des minorités au milieu de populations qui avaient massivement embrassé l'islam, les Juifs comme les chrétiens, furent soumis à un statut particulier. Si l'on respectait en eux des hommes qui croyaient à un Dieu unique et au Jugement dernier et s'appliquaient aux bonnes œuvres, on leur reprochait de ne s'être pas ralliés à la religion prêchée par Mahomet. Ils furent à la fois protégés et victimes de discriminations. On peut à son gré valoriser la tolérance dont ils bénéficièrent dans la cité musulmane, ou les inégalités dont ils eurent à souffrir. Il importe surtout de mettre en lumière les divers aspects de leur vie contrastée. Mais avant de retracer l'histoire des Juifs d'Ifrî-

41

qiya dans les premiers siècles de l'islam, il nous faut rappeler — en l'examinant de près — un moment de la conquête qui mit aux prises Arabes et Juifs, ou plutôt Arabes et Berbères judaïsés.

1. Arabes et Berbères

La conquête de l'Afrique du Nord est, de toutes les conquêtes des Arabes, celle qui leur demanda le plus d'efforts. Amorcée vers le milieu du VIIᵉ siècle, elle ne fut achevée qu'à sa fin. La durée exceptionnelle de cette entreprise s'explique par plus d'une raison. Il y eut d'abord la distance qui séparait l'Afrique du Nord des pays qui servaient aux Arabes de base d'opérations. Il y eut aussi les crises qui secouèrent l'Orient à plus d'une reprise, forcèrent les Arabes à interrompre leurs efforts, et permirent à l'Occident de se ressaisir. Il y eut enfin et surtout les résistances dont les Arabes durent triompher. A celle que leur opposèrent les armées byzantines, s'ajouta celle que leur opposèrent les populations berbères qui, pour sauvegarder leur indépendance, s'unirent contre les conquérants arabes et leur livrèrent combat. Il ne peut être question ici d'entrer dans le détail des campagnes qui se succédèrent avec des fortunes diverses : 27/647 : expédition de ᶜAbd Allah b. Saᶜad ; 45/665 : expédition de Muᶜawiya b. Ḥudayj ; 50/670 : première expédition de ᶜUqba b. Nâfiᶜ ; 55/674 : expédition de Abû l-Muhâjir ; 62/681 : deuxième expédition de ᶜUqba b. Nâfiᶜ ; 67/686 : expédition de Zuhayr b. Qays ; 73/692 : première expédition de Ḥassân b. Nuᶜmân ; 78/697 : deuxième expédition de Ḥassân b. Nuᶜmân. En fait, il ne fallut pas moins de huit expéditions pour que les Arabes viennent à bout des garnisons byzantines et des populations berbères. La conquête de la Berbérie orientale ne fut achevée que lorsque Ḥassân b. Nuᶜmân, après s'être emparé de Carthage, eut triomphé de l'ultime résistance des populations berbères, animée par la Kahena. Mais nous devons nous arrêter un moment sur cette dernière phase de la conquête, parce qu'elle mit aux prises les Arabes avec des Berbères judaïsés (1).

Au cours de l'année 73/692-3, Ḥassân b. Nuᶜmân parvint à s'emparer pour la première fois de Carthage, dont il chassa les dernières garnisons byzantines. La conquête de l'Ifrîqiya n'était pas pour autant achevée, car les grandes masses de la population berbère opposaient encore à l'envahisseur une résistance opiniâtre. Ḥassân demanda alors quel était l'ennemi qu'il lui fallait combattre. On lui apprit que c'était une femme, surnommée al-Kâhina, c'est-à-dire la devineresse, parce qu'elle prévoyait les choses à venir, et qu'elle en tirait un immense prestige. C'était elle, en effet, que la puissante tribu des Jarâwa s'était donnée pour chef et à laquelle tous les Berbères s'étaient ralliés.

Le général arabe décida d'aller la combattre sur son propre territoire en se dirigeant vers la région de l'Aurès. La Kahena commença par détruire la ville forte de Baghaïa pour qu'elle ne tombât pas aux mains des Arabes. Puis, elle attendit de pied ferme la puissante armée qui marchait contre elle. Elle lui livra bataille sur les rives de l'oued Meskiana et lui infligea une écrasante défaite. Bien plus. Elle poursuivit les Arabes en les forçant à battre en retraite, et elle n'eut de cesse qu'elle ne les eût chassés hors du pays. Ḥassân b. Nuʿmân, avec les restes de son armée, se réfugia en Cyrénaïque et s'y retrancha solidement dans des places fortes qu'il fit alors construire et qui reçurent le nom de Quṣûr Ḥassân, les châteaux de Ḥassân.

Pendant cinq ans, les Arabes durent camper aux portes de l'Ifrîqiya sans tenter de s'en rendre maîtres à nouveau. Alors que la Kahena régnait sur l'arrière-pays, une escadre byzantine réussit à reprendre Carthage et à y rétablir la puissance byzantine. Mais en 78/697-8, Ḥassân b. Nûʿmân, ayant reçu d'importants renforts, entreprit une nouvelle expédition contre l'Ifrîqiya. La Kahena, pour faire échec aux envahisseurs qu'elle pensait surtout avides de butin, crut devoir adopter la tactique de la terre brûlée, dévastant à leur approche champs et plantations, villes et hameaux. Mais cette manière de résister lui aliéna le cœur des populations berbères qui cessèrent de la soutenir et de combattre sous ses ordres. A l'arrivée de Ḥassân b. Nuʿmân, de nombreuses villes se soumirent à son autorité sans combattre. Il se porta alors vers Carthage qui, attaquée à la fois par terre et par mer, fut reprise par les Arabes au cours de l'année 78/697-8. Puis il se dirigea vers l'Aurès pour livrer combat à la Kahena.

Disposant de moins en moins de forces pour faire pièce aux envahisseurs, la reine de l'Aurès comprit qu'elle finirait par succomber à leurs coups. Elle enjoignit alors à ses deux fils d'embrasser l'islam et de se rendre aux Arabes. Mais elle fit face à la puissante armée qui marchait contre elle, et ne tarda pas à trouver la mort dans l'ultime bataille qu'elle leur livra dans l'Aurès, en un lieu qui prit désormais le nom de Bir al-Kâhina, le puits de la Kahena. Le général arabe envoya au calife ʿAbd al-Malik la tête de son implacable ennemie. Ayant triomphé de l'ultime résistance des populations berbères, Ḥassân b. Nuʿmân put alors s'employer à organiser l'administration de l'Ifrîqiya, définitivement conquise, où il demeura jusqu'en 81/700-1 (2).

Si nous nous sommes attardé à rappeler à grands traits cet épisode de la conquête de l'Ifrîqiya par les Arabes, c'est en raison de la personnalité de celle qui en fut la fascinante héroïne. Des sources qui comptent parmi les meilleures dont nous disposions affirment que la Kahena, comme la tribu des Jarâwa à laquelle elle appartenait, était juive, et les historiens de l'Afrique du Nord l'ont généralement admis, sans le mettre en doute (3). Mais l'était-elle vraiment ? Un très ancien récit sur la conquête de l'Ifrîqiya nous apprend qu'elle adorait une idole de bois (ṣanâm), qu'elle emmenait avec elle dans tous ses déplacements, portée par un chameau en tête de ses troupes (4). Un auteur a cru pouvoir identifier cette idole de bois avec un crucifix ou une statue de la Sainte Vierge et en a conclu que la Kahena était chrétienne (5). Mais c'est aller à l'encontre des textes, difficilement récusables, qui la donnent pour juive (6).

En fait, la Kahena appartenait à l'une de ces tribus berbères judaïsées sous la domination romaine, et sa religion devait être constituée par un mélange de survivances païennes et d'emprunts au judaïsme. On a d'autant plus de raisons de le croire que dans la région qui correspond à l'ancien domaine des Jarâwa, des groupes de Juifs nomades, vivant sous la tente, désignés sous le nom de *baḥutsim* ont survécu jusqu'à une époque toute proche de la nôtre ; que des traditions vivaces attribuent une ascendance juive à des tribus musulmanes de cette région et que l'on a pu retrouver parmi elles nombre de coutumes juives (7). Quel qu'ait été le judaïsme de la Kahena, il devait être bien différent de celui des Juifs de Cyrénaïque du IIe siècle de notre ère, embrasés par le fanatisme zélote. Si la reine de l'Aurès s'opposa avec une énergie désespérée aux conquérants arabes, sa résistance fut nourrie moins de foi hébraïque que de patriotisme berbère. Mais à travers l'épopée tragique de la reine de l'Aurès nous entrevoyons la destinée des Berbères judaïsés de l'Afrique byzantine, dont les uns, après la conquête arabe, embrasseront l'islam, et d'autres resteront fidèles au judaïsme.

2. Les Juifs d'Ifrîqiya (Xe-XIe siècles)

L'Ifrîqiya conquise fut, pendant un siècle, administrée par des gouverneurs nommés d'abord par les califes omayyades de Damas, puis par les califes abbâssides de Bagdad.

Au début du IXe siècle, un chef militaire, l'émir Ibrâhîm b. Aghlab obtint du calife de Bagdad le droit de transmettre à sa descendance le gouvernement de cette province de l'empire abbâsside. Ce fut le début de la dynastie des Banû Aghlab qui présidèrent aux destinées de l'Ifrîqiya jusqu'aux premières années du Xe siècle. Au cours de l'année 297/909, une tribu du Maghreb central, la tribu des Kotâma, endoctrinée par un missionnaire shiᶜite venu d'Orient, porta au pouvoir le prince ᶜUbayd Allah qui se présentait comme le mahdî ; et celui-ci fonda la dynastie des califes fatimides, s'opposant à la fois aux califes abbâssides de Bagdad et aux califes omayyades de Cordoue. Pour les souverains de cette dynastie, l'Ifrîqiya ne devait être qu'un tremplin pour la conquête de l'Égypte, où le troisième calife fatimide Muᶜizz b. Muḥammad alla s'établir en 363/973, en confiant le gouvernement de l'Ifrîqiya à l'un de ses plus fidèles vassaux, Bologgin b. Zîri. Ce chef valeureux qui administra l'Ifrîqiya au nom des califes fatimides du Caire, transmit son pouvoir à des princes de sa lignée et fonda ainsi la dynastie des Zîrides qui règneront comme des souverains sur le pays tout entier jusqu'à l'invasion hilâlienne, 442/1050.

Malgré les vicissitudes politiques et les crises que le pays a traversées, les IXe, X^e, XIe siècles font figure de siècles d'or. L'Ifrîqiya participa alors de cette civilisation que l'islam a fait triompher sur un vaste domaine englobant à la fois l'Asie, l'Afrique et l'Europe. Le pays connut une incontestable prospérité qu'il dut à la mise en valeur de ses campagnes, à l'essor de ses industries urbaines et à l'importance de ses échanges extérieurs par terre et par mer. La prospérité économique s'accompagna d'un essor des sciences, des lettres et des arts. Dans un pays où l'islam est devenu la religion dominante, le judaïsme, comme le christianisme, a survécu, et nous sommes assez bien informés, aujourd'hui, sur la vie des Juifs d'Ifrîqiya dans le Haut Moyen Age.

Les principales communautés

Au lendemain de la conquête arabe, il y eut sans doute des populations berbères à demi judaïsées qui embrassèrent l'islam, comme le firent, nous dit-on, les fils de la Kahena. Mais la plus grande partie de la population juive, quelle qu'en fût l'origine, descendant de Judéens de souche ou de Berbères convertis, dut rester fidèle au judaïsme.

Les Juifs qui étaient établis dans l'ancienne province d'Afrique à l'époque byzantine continuèrent d'y vivre après la conquête arabe du VIIe siècle. Ils n'en subirent pas moins une profonde mutation culturelle en adoptant l'arabe, aux lieu et place du berbère, du punique ou du latin, comme langue de communication. L'arabisation, assez lente, sans doute, dans les campagnes, fut plus rapide dans les villes, vers lesquelles affluèrent les Juifs qui s'en étaient éloignés pour échapper aux persécutions byzantines. L'arabisation fut encore accélérée par l'arrivée de Juifs venus d'Orient, à la suite des conquérants arabes, comme on a de sérieuses raisons de le croire (8). Ceux-ci, parlant déjà l'arabe, n'ont pu qu'en répandre l'usage parmi leurs coreligionnaires africains. Il n'est pas de texte, il est vrai, qui nous informe de cette mutation. Mais il faut bien l'admettre si l'on veut rendre compte de l'existence dans l'Ifrîqiya médiévale d'une population juive incontestablement arabisée.

Sur les Juifs d'Ifrîqiya dans le Haut Moyen Age, notre information s'est longtemps limitée à ce que nous savions de la contribution de quelques fortes personnalités à la culture arabe ou à la culture hébraïque. Nous ignorions presque tout de leur vie économique et sociale et nous ne pouvions que faire des hypothèses sur leur répartition territoriale. Il n'en est plus ainsi depuis que les documents de la *genizah* du Caire, classés, déchiffrés, traduits et commentés, sont venus nous apporter une documentation aussi abondante que variée sur toutes les communautés juives du bassin méditerranéen. Il est aisé d'en tirer un tableau des communautés juives d'Ifrîqiya dans la deuxième moitié du Xe siècle et dans la première moitié du XIe siècle (9).

C'est sans doute à Kairouan, qui fut la première capitale du pays, que les Juifs étaient les plus nombreux. Certains se livraient au commerce et prenaient une part active aux échanges avec les autres pays par terre et par mer. Les opérations portaient : à l'importation, sur la soie d'Espagne, le lin d'Égypte et les épices d'Orient ; à l'exportation, sur les tissus et les vêtements. Nous connaissons les noms de riches marchands, tels les Berachia et les Tahertî, qui avaient des correspondants dans toutes les grandes places commerciales d'Espagne, d'Égypte et du Proche-Orient. Il y avait dans la ville un *sûq al-Yahûd* où les marchands juifs étaient en force. Des Juifs participaient aux industries urbaines, exerçant entre autres les métiers d'orfèvre ou de tailleur. La population juive vivait, semble-t-il, groupée dans un quartier qui lui était propre, dont des textes font mention sous le nom de *Ḥâra al-Yahûd* ou de *Ḥâra al-Khayber*. La communauté avait sa maison de prière, ses écoles et son tribunal pour arbitrer les conflits. Les études religieuses étaient à l'honneur, et Kairouan fut, aux Xe et XIe siècles, l'un des centres les plus vivants de la culture juive dans l'Occident musulman (10).

Les Juifs étaient aussi nombreux à Mahdiya, que le souverain fatimide ᶜUbayd Allah fonda au début du Xe siècle et dont il fit sa capitale. Ils semblent avoir joué un rôle actif dans ses échanges par mer et par terre avec l'Égypte et la Syrie. Les opérations portaient : à l'importation, sur le lin, les matières colorantes et les épices ; à l'exportation, sur l'huile, le savon, la laine, les tissus et les vêtements. Nous connaissons les noms de riches marchands, tels les Ibn Majjânî ou les Ibn Sighmar, qui étaient en relations d'affaires avec des membres de leur famille établis à Alexandrie et au Caire. La communauté avait sa maison de prière, ses écoles et son tribunal. Les études y étaient à l'honneur, et les riches marchands étaient souvent versés dans la connaissance de la Torah et du Talmud (11).

Il y avait des Juifs à Sousse. Dans cette ville côtière qui avait succédé à l'antique Hadrumète et qui était un centre de tissage très actif, des Juifs se livraient au commerce avec l'Égypte, important des balles de lin et des matières tinctoriales et exportant des vêtements et des tissus. La communauté avait sa maison de prière, son école et ses rabbins, chargés de célébrer le culte, d'instruire les enfants et d'arbitrer les conflits (12).

Il y avait des Juifs à Sfax. Ils prenaient une part à ses échanges par mer avec la Sicile et avec l'Égypte, exportant de l'huile d'olive et important du lin, de la laque et de la pourpre (13).

La présence de Juifs est aussi attestée à Gabès. Dans cette ville, par laquelle passait la caravane reliant Kairouan au Caire, ils se livraient au tissage de soieries, à partir de soie produite sur place ou importée d'Espagne ou de Sicile ; et cette activité était à l'origine d'importants échanges avec l'étranger. La communauté était assez aisée pour subvenir largement au fonctionnement de ses institutions. Gabès était en effet un centre d'études religieuses et ses savants étaient en relation avec les académies de Babylonie (14).

On est aussi fondé à affirmer l'existence de communautés juives à Gafsa, à al-Ḥamma et dans l'île de Djerba, qui, selon des additions anciennes à une élégie d'Abraham b. Ezra, auront à souffrir au XIIᵉ siècle de l'intolérance almohade (15), ainsi qu'à Tunis où des Juifs étaient déjà établis au Xᵉ siècle.

On doit enfin admettre l'existence de Juifs nomades, vivant sous la tente, vestiges des tribus berbères judaïsées, qui devaient se maintenir jusqu'à une époque toute proche de la nôtre (16).

Les activités économiques

Les documents de la genizah du Caire, qui nous ont permis d'entrevoir la distribution spatiale des Juifs dans l'Ifrîqiya médiévale, nous permettent aussi d'en établir le rôle dans la vie économique du pays.

C'est sur la part qu'ils prennent aux échanges de pays à pays que nous sommes le mieux renseignés. Ils prennent une part active aux échanges qui se font avec le Maroc et l'Afrique noire ; avec l'Égypte et les pays de l'océan Indien ; avec l'Espagne et avec la Sicile. Les marchands juifs d'Ifrîqiya exportent : de l'huile d'olive, des amandes, du safran, du henné, des peaux brutes ou tannées, des laines, de la cire et du miel, mais surtout des tissus provenant des principaux centres industriels du pays, et des vêtements d'hommes et de femmes qui semblent avoir été partout très appréciés. Ils importent : des fibres textiles comme la soie et le lin ; des colorants comme la pourpre et l'indigo ; des épices comme le poivre, le girofle, la cannelle et le gingembre ; des plantes médicinales et des parfums ; des métaux comme le cuivre, l'étain et le plomb ; enfin des métaux précieux et des joyaux : or, argent et perles (17).

Les opérations des marchands juifs sont servies par un réseau serré de correspondants qui assurent l'exécution de leurs ordres sur toutes les places commerciales et avec d'autant plus de fidélité et de dévouement qu'ils sont, non seulement des coreligionnaires, mais aussi des parents. La famille Tahertî en constitue un exemple : « Les frères [Tahertî] se divisaient le travail entre eux de telle sorte qu'un ou deux, mais non les mêmes, demeuraient en Égypte pendant plusieurs années, alors que les autres déployaient leur activité dans leur principal établissement à Kairouan et dans d'autres villes de Tunisie ou d'Espagne » (18). L'activité de ces marchands s'accompagne en effet de voyages par terre ou par mer, et la vie de certains d'entre eux, tel Abraham ibn Ḥijju, qui déploya pendant de longues années une activité multiple aux Indes, ressemble à un roman d'aventures (19). Dans leurs opérations commerciales, les marchands juifs semblent avoir entretenu d'excellentes relations avec leurs compatriotes musulmans qui transportaient leurs marchandises par terre ou par mer et avec lesquels il constituaient parfois de véritables associations pour partager les risques et les profits de leurs entreprises. Le commerce de pays à pays se doublait d'un commerce de ville à ville pour centraliser les produits d'exportation et redistribuer les produits d'importation, et les marchands juifs y jouaient aussi un rôle important. Ils se livraient aussi au commerce de détail des produits qu'ils faisaient venir de loin par terre ou par mer.

Les Juifs ne laissaient pas de prendre une grande part aux activités industrielles qui concouraient au rayonnement des villes ifrîqiyennes. Ils se consacraient sans doute au tissage des toiles, à partir du lin importé d'Égypte, et des soieries, à partir de la soie produite dans le pays ou importée d'Espagne. On peut encore penser qu'ils procédaient à la teinture des fibres textiles et des étoffes. Ils étaient nombreux à se consacrer à la confection des vêtements. On comptait parmi eux des tanneurs, des cordonniers et des maroquiniers. Enfin et surtout, ils étaient les seuls à exercer les métiers d'orfèvre et de joaillier, modelant et ciselant l'or et l'argent, confectionnant toutes sortes de parures avec le corail que l'on récoltait en abondance sur les côtes d'Afrique, les pierres précieuses de la péninsule arabique et les perles de l'océan Indien (20).

Les activités commerciales et industrielles des Juifs ont été favorisées par la prospérité que connut l'Ifrîqiya au Xᵉ et au XIᵉ siècle. L'historien Ibn Khaldoun a porté sur l'Ifrîqiya au temps de l'émir zîride al-Muᶜizz (1016-1062) un jugement des plus élogieux : « Jamais on n'avait vu chez les Berbères de ce pays un royaume plus vaste, plus riche et plus florissant que le sien » (21). Il en donne comme preuve le rendement des impôts, la magnificence des présents et l'éclat des fêtes princières. On ne s'étonnera donc pas que les communautés juives, et surtout celles de Kairouan et de Mahdiya, qui furent, l'une après l'autre, la capitale du pays, aient été alors florissantes.

Des Juifs appartenant aux familles les plus aisées se laissèrent séduire par les charmes d'une civilisation raffinée, et d'austères censeurs réprouvèrent leur engouement pour les vêtements somptueux, les parfums recherchés et la musique instrumentale. Nous le savons par une lettre que le Gaon Ḥay, le chef d'une académie de Babylonie, adressa au début du XIᵉ siècle à la communauté juive de Kairouan (22). Cette prospérité rend compte des larges subventions dont bénéficiaient les œuvres communautaires, les écoles et les séminaires des villes ifrîqiyennes et jusqu'à l'importance de leur contribution à la culture arabe comme à la culture hébraïque (23).

Loin des villes, des Juifs, appartenant à des communautés plus ou moins importantes, se livraient à l'agriculture. Certains, qui avaient planté des mûriers, se livraient à l'élevage des vers à soie ; d'autres s'adonnaient à la culture d'épices comme le safran, et de matières tinctoriales comme le henné ; d'autres enfin cultivaient la vigne et produisaient du vin que la religion juive ne frappe d'aucun interdit. Quant aux Juifs nomades vivant sous la tente, ils se consacraient à l'élève des troupeaux en se distinguant à peine des autres nomades — musulmans ceux-là — et l'obscurité de leur existence explique qu'aucune de nos sources n'en ait fait mention.

La condition des dhimmîs

Au lendemain de la conquête arabe du VIIᵉ siècle, les Juifs d'Ifrîqiya se virent appliquer le statut que l'islam a assigné à tous ceux qui croyaient aux Saintes Écritures, *ahl al-Kitâb*, ou « gens du Livre » (24).

A la différence des idolâtres qui furent, sous peine de mort, contraints d'embrasser l'islam, les Juifs comme les chrétiens se virent reconnaître le droit de demeurer fidèles à leurs croyances et de pratiquer leur religion, en payant à l'État musulman un tribut consistant en un impôt de capitation, *jezya*, qui avait son fondement dans un verset coranique : « Combattez ceux qui parmi les hommes, ayant reçu des livres révélés, ne croient pas en Allah et au jour suprême, qui ne déclarent pas interdit ce qu'Allah et son Apôtre ont déclaré interdit et qui ne professent point la religion de vérité. Combattez-les jusqu'à ce qu'ils versent la capitation de leurs propres mains, et qu'ils soient humiliés » (IX, 29).

Les juristes musulmans ne tardèrent pas à considérer que la condition des gens du Livre en terre d'islam était régie par un véritable pacte. S'ils devaient verser à l'État musulman l'impôt de capitation, l'État musulman devait en retour leur assurer sécurité et protection. Aussi bien, est-ce sous le nom de protégés, *ahl al-dhimma*, que furent désignés les gens du Livre, astreints au paiement de l'impôt de capitation.

En échange de la sécurité et de la protection qui leur étaient promises, les Juifs et les chrétiens ne devaient pas seulement s'acquitter de l'impôt de capitation. Il leur fallait encore ne pas enfreindre un certain nombre d'interdits.

Si l'on se réfère au juriste musulman Mawerdî, le pacte de protection ne comportait pas moins de douze articles :

— Sous peine de rompre le pacte qui les lie à l'État musulman, les dhimmîs ne peuvent enfreindre les six articles suivants : a) Ils ne doivent ni attaquer le livre sacré ni en fausser le texte ; b) non plus qu'accuser le Prophète de mensonge ou en parler avec mépris ; c) ni parler de la religion islamique pour la blâmer ou la contester ; d) ni entreprendre une musulmane en vue de relations illicites ou de mariage ; e) ni détourner de la foi aucun musulman ni lui nuire dans sa personne ou ses biens ; f) ni venir en aide aux ennemis ou accueillir aucun de leurs espions.

— Sous peine d'encourir des peines plus ou moins sévères, les dhimmîs ne peuvent enfreindre les six articles suivants : a) Ils doivent se distinguer des musulmans par leur tenue extérieure en portant un signe distinctif *(ghiyâr)* et une ceinture spéciale *(zonnâr)* ; b) ils ne doivent pas élever de constructions plus hautes que celles des musulmans, mais d'une hauteur moindre ou égale ; c) ils ne doivent pas froisser les oreilles musulmanes par le son de la cloche, la lecture de leurs livres et leurs prétentions au sujet d'Esdras ou du Messie (25) ; d) ils ne doivent pas se livrer publiquement à la consommation de vin non plus qu'à l'exhibition de la croix et de leurs porcs ; e) ils ne doivent pas ensevelir leurs morts avec pompe, en faisant entendre leurs lamentations et leurs cris ; f) ils ne doivent pas employer pour monture des chevaux de race ou de sang mêlé, ce qui leur laisse la faculté de se servir de mulets et d'ânes (26).

C'est cet ensemble de dispositions, souvent désigné sous le nom de Pacte d'Omar, parce qu'il figurait dans le traité que le premier calife signa avec les chrétiens de Syrie, qui fut appliqué aux Juifs d'Ifrîqiya au cours des premiers siècles, avec plus ou moins de rigueur.

a) Les Juifs, comme les chrétiens, ont été astreints au paiement de l'impôt de capitation. Un savant légiste du Xe siècle, Ibn Abî Zayd al-Qayrawânî, qui passa la majeure partie de sa vie à Kairouan, indique ceux qui y sont soumis : « L'impôt de capitation *(jezya)* est prélevé sur les tributaires *(ahl al-dhimma)* mâles, libres et majeurs, mais non sur leurs femmes ni sur leurs impubères, ni sur leurs esclaves. » Il en précise le montant : « Pour ceux qui emploient la monnaie d'or, la capitation est de quatre dinars ; pour ceux qui emploient la monnaie d'argent, elle est de quarante dirhams ; le taux en est réduit pour les pauvres. » Le versement de l'impôt de capitation ne dispense pas les Juifs, non plus que les chrétiens, de verser d'autres contributions : « On prélève sur les tributaires qui font le commerce de pays à pays le dixième du prix de ce qu'ils vendent, même s'ils font chaque année plus d'un déplacement » (27).

b) Les Juifs, comme les chrétiens, se sont vu imposer des discriminations vestimentaires. Au Xe siècle, sous les émirs aghlabides, le cadi Aḥmed b. Ṭâlib obligea les Juifs et les chrétiens à porter sur l'épaule un morceau d'étoffe blanche *(riqaᶜ)* sur lequel était représenté un singe ou un porc (28). Au XIe siècle, sous les émirs zîrides, le juriste Abû Imrân al-Fâsî observant que le Juif Ibrâhîm ibn ᶜAṭṭa, le médecin de Muᶜizz b. Bâdis, ne portait pas le signe distinctif, le contraignit à teindre, en jaune sans doute, l'extrémité de son turban (29). On peut toutefois se demander si le port d'un signe distinctif a été de manière continue imposé par le pouvoir, ou si, de loin en loin, un légiste intégriste n'a pas cherché à faire appliquer une règle qui tombait en désuétude.

Il ne semble pas que les discriminations vestimentaires se soient accompagnées d'une ségrégation en matière d'habitat. Des textes font mention à Kairouan d'une *Ḥâra al-Khayber* ou d'une *Ḥâra al-Yahûd* (30). Mais il ressort d'autres textes que Juifs et musulmans habitaient souvent des maisons toutes proches les unes des autres et vivaient en bonne intelligence (31).

Le statut réservé aux tributaires n'empêchait pas les Juifs d'exercer de hautes fonctions. Des médecins juifs furent souvent attachés à la personne de ceux qui gouvernaient l'Ifrîqiya : Isḥâq b. Suleymân Israelî fut le médecin de l'émir aghlabide Ziyâdat Allah III et du calife fatimide ᶜUbayd Allah ; Moshé b. Eleazar fut le médecin du calife fatimide Muᶜizz b. Ismâïl ; Ibrâhîm b. ᶜAṭṭa fut le médecin de l'émir zîride Muᶜizz b. Bâdis (32).

Les Juifs, comme les chrétiens, n'ont jamais cessé de bénéficier d'une large tolérance. Il ne semble pas que la moindre contrainte se soit jamais exercée sur eux pour les amener à embrasser l'islam. Ils ont toujours pu vivre en accord avec leurs croyances et pratiquer leur religion en toute liberté, en jouissant dans le cadre de l'État musulman d'une relative autonomie.

Nous n'avons guère de détails sur l'organisation interne des communautés. Nous savons cependant qu'elles étaient administrées par un conseil de notables et placées sous l'autorité d'un chef qui portait le titre de *rays al-Yahûd*, en arabe, ou de *nagid*, en hébreu (33). Il est probable que le chef de la communauté de la capitale — la plus nombreuse — avait le pas sur les chefs des communautés des autres villes. Chaque communauté disposait de ressources constituées par les contributions des fidèles, et pouvait ainsi faire face aux dépenses nécessaires au culte, à l'assistance aux indigents, à l'arbitrage des conflits par les soins d'un rabbin-juge, *dayyan*, et à l'enseignement à tous les niveaux. Les études profanes et religieuses s'en trouvèrent ainsi stimulées et quelques personnalités de premier plan attachèrent leur nom à des œuvres qui leur assurèrent une gloire méritée.

3. L'essor de la culture hébraïque

La vie intellectuelle des Juifs d'Ifrîqiya dans le Haut Moyen Age nous est de mieux en mieux connue. Les noms des principaux savants qui ont vécu à Kairouan au Xe et au XIe siècle ont leur place dans l'histoire de la pensée juive. De nombreuses études leur ont été consacrées qui permettent de nous faire une idée exacte de leur vie et de leur œuvre.

Isḥâq b. Suleymân Israelî

De tous les Juifs qui vécurent en Ifrîqiya aux siècles d'or, le plus illustre fut le médecin et philosophe Isḥâq b. Suleymân Israelî.

Né en Égypte vers 855, il y fit ses études et y exerça longtemps la médecine. Dans les premières années du Xe siècle, vers 905, il vint s'établir en Ifrîqiya. Là, il fut successivement le médecin privé du dernier souverain de la dynastie aghlabide, Ziyâdat Allah III (903-909), du fondateur de la dynastie fatimide ⁽Ubayd Allah (909-934) et de son successeur Muḥammad al-Qaym (934-946). C'est dans son pays d'adoption qu'il mourut en 955, presque centenaire.

Les hautes fonctions qu'il exerçait à la cour ne l'empêchèrent pas de dispenser ses soins dans toutes les classes de la société et de faire ainsi une ample moisson d'observations qui ont nourri sa pensée et son œuvre médicale. Il a laissé de nombreux ouvrages qui lui ont valu une place très honorable dans l'histoire de la médecine médiévale. Il est l'auteur d'un *Traité des fièvres*, d'un *Traité des urines*, d'un *Traité des diètes générales* et d'un *Traité des diètes particulières*. Ces divers ouvrages, écrits en langue arabe, devaient connaître une large diffusion dans tous les pays de langue arabe ; traduits en hébreu, ils ont été lus dans toutes les communautés juives ; traduits en latin par Constantin l'Africain, ils ont inspiré l'enseignement de la célèbre école médicale de Salerne. Ils eurent longtemps de nombreux lecteurs, puisque dans les premières années du XVIe siècle, ils ont trouvé place dans une édition imprimée de l'ensemble de son œuvre, traduite en latin (*Omnia opera Isaaci Judaei*, Lyon, 1515).

Isḥâq b. Suleymân Israelî n'a pas été seulement l'un des plus grands médecins de son temps. Il a été aussi un philosophe. Ses ouvrages philosophiques les plus importants et les mieux connus sont le *Livre des Définitions* et le *Livre des Éléments*, qui ont été l'un et l'autre composés en langue arabe, mais qui ne nous sont plus connus que par leur traduction en hébreu ou en latin. Isḥâq b. Suleymân Israelî y reprend les thèmes majeurs du néoplatonisme alexandrin, en y apportant de légères retouches pour rester fidèle au dogme juif de l'existence d'un Dieu unique, dont tout dérive à partir d'une création *ex nihilo*. De la philosophie néoplatonicienne, Isḥâq b. Suleymân retient sa conception de Dieu et de ses trois hypostases, la genèse de l'Intelligible et du devenir par des émanations de l'Être, sa distinction dans l'âme humaine d'une âme animale et d'une âme raisonnable, l'une liée au corps, l'autre immatérielle. La fin de l'âme raisonnable est de s'élever à la contemplation de Dieu, grâce à un effort d'ascèse et de méditation qui comporte trois degrés : la purification, l'illumination et l'union. A son degré le plus élevé, que l'on peut identifier à l'extase, l'âme raisonnable accède à une félicité égale à la félicité de ceux qui ont été accueillis dans le sein du Seigneur. Aussi bien, est-il possible de comparer aux affres de l'enfer le malheur de l'âme qui, en raison de son impureté, est incapable de sortir de la sphère du monde sensible. La mission des Prophètes qui ont reçu en privilège le pouvoir d'être éclairés par la lumière céleste est de guider le commun des mortels, car ceux-ci ne peuvent accéder aux vérités divines que si elles leur sont présentées sous une forme allégorique, de nature à frapper leur imagination. Cet effort pour intégrer à la vision juive du monde les thèmes majeurs de la philosophie de Plotin a fait de Ishâq b. Suleymân Israelî le père du néoplatonisme juif. Il a exercé une influence certaine sur de nombreux penseurs juifs du Moyen Age. Ses œuvres philosophiques, traduites en latin, au XIIIᵉ siècle, par Gérard de Crémone, ont contribué à la formation de la scolastique chrétienne (34).

Dounash b. Tamîm

Né à la fin du IXᵉ siècle, vers 890, Dounash b. Tamîm fut le disciple de Ishâq b. Suleymân. Comme son maître, il exerça la médecine, et ses mérites lui valurent d'être attaché à la personne du troisième calife fatimide Ismâïl ibn al-Qaym, surnommé al-Manşûr (946-953). L'exercice de la médecine ne fut pas sa seule occupation. Il consacra une partie de son activité aux mathématiques et à l'astronomie. Mais ses ouvrages de médecine, de mathématiques et d'astronomie, composés en langue arabe, se sont perdus, exception faite pour un traité sur la sphère armillaire — un instrument astronomique — dont un manuscrit nous a été conservé.

L'ouvrage le plus important de Dounash b. Tamîm reste le commentaire qu'il a consacré au Livre de la Création, le *Sefer Yetsirah*, l'une des premières expressions écrites de la Kabbale. Dounash b. Tamîm a composé son commentaire en langue arabe, mais aucun manuscrit complet de l'original arabe n'est parvenu jusqu'à nous. Cependant de nombreuses traductions en langue hébraïque en ont été faites, dont plus d'une nous a été conservée, qui permettent de se faire une idée exacte de cet ouvrage.

Dounash b. Tamîm, qui fut le disciple de Ishâq b. Suleymân Israelî, y développe des conceptions philosophiques toutes proches de celles de son maître. Qu'il traite de Dieu, du système du monde, de l'âme, de la contemplation, de l'extase ou de la prophétie, l'ouvrage de Dounash b. Tamîm se présente comme un remarquable essai de synthèse de la pensée néoplatonicienne et de la tradition juive, et il a exercé une influence certaine sur de nombreux penseurs juifs du Moyen Age (35).

Les talmudistes de Kairouan

A l'époque ou Isḥâq b. Suleymân Israelî et Dounash b. Tamîm apportaient des contributions remarquables à la médecine, aux sciences exactes et à la philosophie, l'étude de la Torah et du Talmud ne laissait pas d'être à l'honneur dans toutes les communautés d'Ifrîqiya, et Kairouan était l'un des centres les plus importants de la culture juive.

Dès la fin du IXᵉ siècle, semble-t-il, les savants rabbins de Kairouan furent en relation avec les *geonim* — c'est-à-dire les chefs — des Académies de Soura et de Poumbedita en Babylonie, où le Talmud de Babylone avait été élaboré. A coup sûr, ils échangèrent une importante correspondance avec Saᶜadiya, l'une des plus grandes figures du judaïsme médiéval, qui fut nommé *gaon* de Soura en 928. En effet, dans le commentaire que ses disciples ont consacré aux livres des *Chroniques*, sont citées cinq interprétations dues à des savants kairouanais, avec cette remarque : « Les hommes de Kairouan sont des connaisseurs de l'Écriture, comme de la Mishnah, de grands savants auxquels Saᶜadiya répondait » (36).

Le premier savant sur lequel nous soyons informés est Jacob b. Nissim b. Shahin, qui fut à la tête du *bet ha-midrash* de Kairouan à la fin du Xᵉ siècle. Les titres dont on le saluait, *ha-rav*, le rabbin, *ha-rosh*, le chef, *ha-rosh kallah*, le chef de la communauté, témoignent de la grande autorité dont il jouissait. Il entretint des relations suivies avec les académies babyloniennes de Soura et de Poumbedita et fut leur représentant attitré en Afrique du Nord, centralisant et acheminant les subsides qui leur étaient destinés, et leur adressant, au nom des diverses communautés, toutes les questions sur des points de droit auxquelles il leur était demandé de répondre. Les textes des réponses qu'il reçut des *geonim* de Babylonie témoignent qu'ils avaient pour lui la plus grande estime. C'est à Jacob b. Nissim qu'en 987 Sherira b. Ḥanina, le *gaon* de Poumbedita, adressa, en réponse aux questions qu'il lui avait posées au nom de la « sainte communauté de Kairouan », une longue missive connue sous le nom de *Épître du Gaon Sherira*, qui constitue l'une des meilleures sources d'information sur la transmission de la loi orale, comme sur les origines de la Mishnah et du Talmud. Jacob b. Nissim présida aux destinées du judaïsme kairouanais jusqu'à sa mort, survenue en 1006-7 (37).

Les études juives reçurent une vive impulsion de l'arrivée en Ifrîqiya, à la fin du Xᵉ siècle, du savant Ḥushiel b. al-Ḥanan. Celui-ci fonda dans la capitale de l'Ifrîqiya une *yeshivah*, c'est-à-dire une école talmudique, et il y dispensa un enseignement qui lui valut une grande autorité et un grand renom, et, à la mort de Jacob b. Nissim en 1006-7, il lui succéda comme chef spirituel des Juifs de Kairouan. Nous ne connaissons sa pensée qu'à travers les extraits de ses écrits que l'on rencontre dans divers ouvrages. On considère comme caractéristique

de sa méthode le fait d'avoir joint, à l'étude du Talmud de Babylone, plus récent, l'étude du Talmud de Jérusalem, plus ancien. On
y a vu une affirmation d'indépendance par rapport aux académies de
Babylonie. Les savants rabbins de Soura et de Poumbedita ne l'ont
pas moins tenu dans la plus grande estime en lui donnant dans leurs
écrits les titres les plus élogieux. Sa mort, survenue en 1027, inspira
une touchante élégie au chef de la communauté juive de Grenade,
Samuel Halevy b. Negrela, qui fit célébrer des services religieux à sa
mémoire (38).

Fils de Ḥushiel b. al-Ḥanan et son disciple, Ḥananel b. Ḥushiel ne
tarda pas, grâce à son intelligence et à son savoir, à être porté à la
première place et à mériter le titre qu'on lui donna de *rosh be-rabbanim*
« chef parmi les rabbins ». Son principal ouvrage est constitué par un
important commentaire du Talmud qui n'a pas été conservé dans son
intégralité. Seuls sont parvenus jusqu'à nous les commentaires qu'il
a consacrés à un certain nombre de traités. Il fait fond sur les opinions des *geonim* de Babylonie, et plus particulièrement sur celles du
Gaon Ḥay, en mettant largement à contribution leurs écrits. Comme
son père, il ne se réfère pas seulement au Talmud de Babylone mais
encore au Talmud de Jérusalem, en confrontant les réponses souvent
différentes qu'ils ont apportées à diverses questions de doctrine. Le
commentaire de Ḥananel b. Ḥushiel, grâce aux nombreuses copies
manuscrites qui en furent faites, contribua à répandre parmi les savants
d'Afrique du Nord et d'Europe l'enseignement des *geonim* de Babylonie. Il est souvent cité par le talmudiste marocain Isḥâq al-Fâsî et
le talmudiste italien Nehemie b. Yeḥiel. Ḥananel composa aussi un commentaire du Pentateuque, mais nous ne le connaissons que par les citations qu'en ont données divers auteurs. Ḥananel b. Ḥushiel mourut
en 1055-6, au cours de cette période troublée que l'Ifrîqiya connut au
lendemain de l'invasion hilâlienne (39).

Nissim b. Jacob, fils de Jacob b. Nissim, fut, comme Ḥananel b.
Ḥushiel, le disciple de Ḥushiel b. al-Ḥanan. Après avoir été longtemps
le brillant second de Ḥananel b. Ḥushiel, il lui succéda comme chef
spirituel du judaïsme kairouanais et comme représentant des académies de Babylonie pour l'Afrique du Nord. Il dispensa sa vie durant
un enseignement dans lequel il se montra l'égal des plus grands talmudistes de son temps. Parmi ses ouvrages, le plus important, semble-
t-il, est une introduction au Talmud, composée en arabe et intitulée
Kitâb miftâḥ maghâlik al-Talmud, c'est-à-dire la Clef des secrets du
Talmud : nous ne le connaissons que par sa version en langue hébraïque : *Sefer mafteaḥ manulei ha-Talmud*. Nissim b. Jacob est aussi
l'auteur du livre intitulé *Ḥibbur yafeh me ha-yeshuᶜah* (= Le Livre
de la Consolation), recueil de contes destinés à prôner la vertu et à
renforcer la foi. Composé en arabe, mais peu après traduit en hébreu,
cet ouvrage pourrait être le premier livre de contes de la littérature
juive du Moyen Age, et il a servi de modèle à de nombreux recueils

de contes édifiants. Dans sa version hébraïque, imprimée à Ferrare en 1557, il a été plus d'une fois réédité, et son texte original en langue arabe, retrouvé, a fait l'objet d'une publication savante. De nombreux écrits de Nissim b. Jacob ont été récemment découverts dans la *genizah* du Caire, qui ont permis de mieux connaître la pensée de ce Juif kairouanais du XIᵉ siècle. Il mourut en 1062 dans la ville de Sousse, où il était allé s'établir après la prise de Kairouan par les Arabes hilâliens (40).

Le savant S.D. Goitein, avec toute l'autorité que lui donnait sa profonde connaissance du judaïsme médiéval, a pu écrire : « A aucune époque, la science juive ne fut plus florissante à Kairouan et dans les autres villes de Tunisie qu'elle ne le fut dans la première moitié du XIᵉ siècle, lorsque le grand Nissim b. Jacob (m. 1062) développa à Kairouan le *midrash* de son père, et que son contemporain et compatriote plus âgé, Hananel b. Hushiel (m. 1055) écrivit le premier commentaire d'ensemble du Talmud (qui de nos jours encore rehausse une édition définitive de ce classique). Pour aucune période nous ne connaissons un aussi grand nombre de *responsa* envoyés de Bagdad en Tunisie, et de si riches donations parties de Tunisie vers les *yeshivot* d'Iraq et de Palestine que pendant les premières décennies de ce siècle » (41).

Mais cette remarquable floraison de la culture juive devait prendre fin avec l'invasion hilâlienne, qui, vers la moitié du XIᵉ siècle, bouleversa la vie de l'Ifrîqiya.

4. L'invasion hilâlienne et ses conséquences

Les émirs zîrides gouvernèrent longtemps la Berbérie orientale au nom des califes fatimides dont ils se reconnaissaient les vassaux. La population d'Ifrîqiya, fidèle à l'islam sunnite, n'en était pas moins profondément hostile à la doctrine shiᶜite que les Fatimides professaient, et elle le montra plus d'une fois. Pour répondre aux vœux de ses sujets et en tirer un regain de popularité, l'émir zîride Muᶜizz ibn Bâdis décida de se soustraire à l'autorité des califes fatimides du Caire pour reconnaître la suzeraineté des califes abbâssides de Bagdad.

De cette décision, prise au cours de l'année 440/1048, le calife fatimide al-Mustanṣir ne tarda pas à tirer vengeance. Il lança sur l'Ifrîqiya des tribus arabes qu'il avait dû, en raison de leurs déprédations continuelles, cantonner dans la Basse-Égypte. Les Beni-Hilâl, suivis des Beni-Solaym, se ruèrent sur les possessions zîrides, dévastant tout sur leur passage. Vainement, Muᶜizz ibn Bâdis tenta de contenir les envahisseurs, voire de les repousser. En 1057, les Beni Hilâl et les Beni Solaym s'emparèrent de Kairouan, qui fut livrée au pillage, et forcèrent Muᶜizz ibn Bâdis à se réfugier à Mahdiya. On vit alors les Arabes s'installer en maîtres dans les plaines, et l'État zîride se réduire à Mahdiya et à ses abords. Les autres villes ne comptèrent plus que sur elles-mêmes pour assurer leur défense et devinrent les capitales de petites principautés indépendantes. Il en fut ainsi sur la côte, à Bizerte, Tunis, Sousse, Sfax, Gabès, comme dans l'arrière-pays, à Gafsa et à Tozeur. Les successeurs de Muᶜizz ibn Bâdis tenteront de restaurer la puissance zîride, sans y parvenir. Anarchie et morcellement dureront pendant plus d'un siècle, jusque vers la moitié du XIIe siècle (42).

Les événements que nous venons de rappeler à grands traits ont bouleversé la vie des communautés juives d'Ifrîqiya. La prise de Kairouan par les Arabes porta un rude coup à ses multiples activités, et la ville, condamnée au marasme, se vida d'une grande partie de sa population juive comme de sa population musulmane. Les unes après les autres, les familles qui avaient constitué la communauté juive de Kairouan abandonnèrent l'ancienne métropole de l'Ifrîqiya pour aller s'établir dans les villes du littoral, en grossissant les effectifs des communautés juives de Gabès, de Sfax, de Mahdiya, de Sousse et de Tunis. Un certain nombre de documents de la *genizah* du Caire témoignent de cette redistribution de la population juive dans les années qui suivirent l'invasion hilâlienne. Il y est fait mention de familles juives qui quittent Kairouan pour gagner Sousse, Mahdiya ou Tunis. C'est, en effet, de cette époque, que date l'essor de la communauté tunisoise (43).

Nous savons peu de chose sur les Juifs de Tunis dans le Haut Moyen Age. Selon une tradition orale recueillie à la fin du siècle dernier, la ville de Tunis aurait été longtemps interdite aux Juifs. Admis à venir y faire leurs affaires durant le jour, ils auraient dû, la nuit venue, regagner le petit village voisin de Mellassine. Ce serait un juriste alliant la piété au savoir, Muḥriz b. Khalaf — vénéré des Tunisois sous le nom de Sîdî Mahrez — qui aurait obtenu pour eux l'autorisation de résider à l'intérieur des murs et aurait même fixé l'emplacement de leur quartier — la *ḥâra* — en lançant un bâton de la terrasse de sa maison (44).

Mais il est difficile de voir dans cette tradition la relation exacte de faits réels. On ne comprend pas pourquoi les Juifs n'auraient pas pu résider dans la ville de Tunis alors qu'ils pouvaient le faire, à la même époque, dans toutes les autres villes d'Ifrîqiya. Il n'est d'ailleurs pas question dans la vie de Sîdî Muḥriz b. Khalaf du rôle qu'il aurait joué dans la fondation de la *ḥâra* (45). A l'origine de la tradition orale qui s'est transmise de génération en génération, il y eut peut-être une intervention en faveur des Juifs du juriste tunisois, mais il faut se résigner à en ignorer et les circonstances et la portée. Il reste que de cette tradition, on peut tirer argument pour présumer l'existence de Juifs à Tunis à l'époque où vécut Muḥriz b. Khalaf, c'est-à-dire à la fin du Xe siècle et au début du XIe siècle.

Peu importante à l'origine, la communauté juive de Tunis fut grossie au cours du XIe siècle par les nombreuses familles qui abandonnèrent Kairouan, aux mains des Hilâliens. La ville de Tunis, devenue une petite principauté indépendante, gouvernée pendant près d'un siècle par les princes de la famille des Banû Khurâssân, connut une paix et une prospérité relatives et se prépara à succéder à Kairouan et à Mahdiya comme capitale du pays (46). La communauté juive de Tunis bénéficia de circonstances favorables à son développement, et se fit d'année en année plus nombreuse pour devenir la plus importante du pays. Mais son essor devait être brutalement interrompu au XIIe siècle par la conquête almohade, qui signifia pour toutes les communautés juives du Maghreb la plus grave épreuve de leur histoire.

NOTES DU CHAPITRE III

(1) Pour une vue d'ensemble de la conquête arabe, cf. G. MARCAIS, *La Berbérie musulmane et l'Orient au Moyen Age*, Paris, 1946, pp. 29-35 ; Ch.-A. JULIEN, *Histoire de l'Afrique du Nord*, 2ᵉ éd., Paris, 1952, pp. 11-27.

(2) Nos principales sources sur l'épopée de la Kahena sont : IBN ʿABD AL-HAKAM, *Conquête de l'Afrique du Nord et de l'Espagne*, éd. et trad. A. Gateau, Alger, 1948, pp. 76-79 ; AL-MALIKI, *Riyâd al-Nufûs*, Le Caire, 1951 ; cf. H.R. IDRIS, « Le Récit d'Al-Malikî sur la conquête de l'Ifrîqiya », dans *R.E.I.*, 1969, pp. 117-149 ; IBN AL-IDHARI, *Bayâno l'moghrib*, trad. E. Fagnan, Alger, 1901, t. I, pp. 21-29 ; IBN AL-ATHIR, *Annales du Maghreb et de l'Espagne*, trad. E. Fagnan, Alger, 1892, pp. 28-30 ; IBN KHALDOUN, *Histoire des Berbères*, t. I, pp. 208 et 213-215 ; t. III, pp. 192-194 ; AL-NUWAYRI, dans IBN KHALDOUN, *op. cit.*, t. 1, pp. 340-342. Pour une interprétation des faits, cf. E.F. GAUTIER, *Les Siècles obscurs du Maghreb*, Paris, 1927, pp. 245-255 ; G. MARCAIS, *op. cit.*, pp. 34-35 ; Ch.-A. JULIEN, *op. cit.*, pp. 20-22.

(3) IBN KHALDOUN, *op. cit.*, t. I, p. 208 ; cf. IBN AL-IDHARI, *op. cit.*, t. I, p. 25 ; E.F. GAUTIER, *op. cit.*, pp. 245-246 ; G. MARCAIS, *op. cit.*, p. 34 ; Ch.-A. JULIEN, *op. cit.*, p. 21.

(4) H.R. IDRIS, « Le Récit d'al-Mâlikî sur la conquête de l'Ifrîqiya », dans *R.E.I.*, 1969, pp. 117-149, v. p. 146.

(5) M. TALBI, « L'Épopée de la Kahena », dans *Les Cahiers de Tunisie*, 1971/1-2, pp. 19-52 ; v. pp. 40-43 ; cf. ID., « Al-Kâhina », dans *Encyclopédie de l'Islam*, s. n., pp. 440-442.

(6) Le témoignage d'Ibn Khaldoun est formel : « Une partie des Berbères professait le judaïsme... Parmi les Berbères juifs, on distinguait les Djeraoua, tribu qui habitait l'Aurès et à laquelle appartenait la Kahena, femme qui fut tuée par les Arabes... » I. KHALDOUN, *Histoire des Berbères*, trad. de Slane, Paris, 1925-1954, t. I, p. 208.

(7) J. MESNAGE, *Le Christianisme en Afrique du Nord. Déclin et extinction*, Alger, 1915, pp. 99-101.

(8) Il se pourrait que des Juifs de la péninsule arabique, et entre autres des Juifs de Khayber, village fortifié au nord de Médine, soient venus s'établir à Kairouan. En effet, un texte fait mention dans cette ville d'une *Hâra al-Khayber*, cf. H.-H. ABDULWAHAB, « Coup d'œil sur les apports ethniques étrangers en Tunisie », dans *Revue Tunisienne*, 1917, p. 313 et n. 2. Des Juifs sont peut-être venus d'autres pays islamisés. Cf. E. ASHTOR, « Migrations de l'Iraq vers les pays méditerranéens », dans *Annales E.S.C.*, XXVII, 1972, pp. 185-214, v. p. 213 : « Il semble qu'il y ait eu à Kairouan un fort groupe de Juifs irakiens, originaires des diverses villes d'Irak et appartenant à diverses classes sociales ».

(9) Pour une vue cursive, cf. S.D. GOITEIN, « La Tunisie du XIᵉ siècle, à la lumière des documents de la geniza du Caire », dans *Mélanges E. Lévi-Provençal*, Paris, 1962, pp. 559-579 ; ID., *A Mediterranean Society. The Jewish Communities of the Arab World as portrayed in the Documents of the Cairo Geniza. I. Economic foundations ; II. The Community ; III. The Family ; IV. Daily life ; V. The Individual*, University of California Press, 1971-1988 ; ID., *Letters of Medieval Jewish Traders*, Princeton University Press, 1973.

(10) S.D. GOITEIN, *A Med. Soc.*, I, 48, 52, 53, 71, 145, 181-2, 212, 279 ; II, 14, 25, 203, 243, 290 ; III, 19 ; *Letters*, 28, 33, 82, 154, 163.

(11) S.D. GOITEIN, *A Med. Soc.*, I, 44, 196, 197 ; II, 60, 84, 193 ; III, 6, 17 ; *Letters*, 44-5, 99, 100, 165, 170.

(12) S.D. GOITEIN, *Letters*, 130, 149, 155, 163, 165.

(13) S.D. GOITEIN, *A Med. Soc.*, I, 340, 344 ; *Letters*, 129.

(14) S.D. GOITEIN, *A Med. Soc.*, I, 279 ; II, 320, 337 ; III, 6 ; *Letters*, 116. Sur Gabès, cf. M. BEN SASSON, « The Jewish Community of Gabès in the 11th Century », dans INSTITUT BEN ZVI, *Communautés juives des marges sahariennes*, Jérusalem, 1982, pp. 265-284.

(15) N. SLOUSCHZ, *Travels in North Africa*, Philadelphie, 1927, pp. 221-222.

(16) H.R. IDRIS, *La Berbérie orientale sous les Zîrides (Xᵉ-XIIᵉ siècles)*, Paris, 1962, pp. 764-765.

(17) S.D. GOITEIN, *A Med. Soc.*, passim.

(18) S.D. GOITEIN, *A Med. Soc.*, I, pp. 181-182 : « The brothers divided their work among themselves in such a way that one or two, but not the same ones, stayed in Egypt for several years, while the others where active at their base in Kairouan and other places in Tunisia or in Spain. »

(19) S.D. GOITEIN, *Letters*, pp. 201-206.

(20) S.D. GOITEIN, *A Med. Soc.*, passim.

(21) IBN KHALDOUN, *Histoire des Berbères*, t. I, p. 19 ; cf. G. MARCAIS, *op. cit.*, p. 177.

(22) *Encyclopaedia Judaïca*, art. *Tunisia*, p. 1436.

(23) L'auteur de l'article *Tunisia* dans l'*Encyclopaedia Judaïca* écrit : « It can be said that in general the Jews of Tunisia enjoyed a life of ease ; great prosperity, obviously prevailed, and in spite of their status of dhimmi, their condition was excellent ; the Arab invasion of the 11th century marked the end of the golden era of the Jews of Ifrîqiya, *(op. cit.*, p. 1436).

(24) La condition des Juifs en pays d'islam a fait l'objet de nombreuses études d'ensemble. Voir en dernier : B. LEWIS, *Juifs en terre d'Islam*, trad. fr., Paris, 1986, pp. 17-85.

(25) On ne peut comprendre cet interdit si l'on ne sait que, d'après le Coran, les Juifs auraient considéré le prophète Esdras comme un fils de Dieu, de même que les chrétiens voient le fils de Dieu en Jésus-Christ. (*Coran*, IX, 30).

(26) MAWERDI, *Les Statuts gouvernementaux ou règles de droit public et administratif*, trad. E. Fagnan, Alger, 1915, pp. 305-306 ; cf. BATH YEOR, *Le Dhimmi*, Paris, 1980, pp. 143-144.

(27) IBN ABI ZAYD, *La Risâla*, éd. et trad. L. Bercher, Alger, 1949, pp. 133-135. Des textes font état du paiement effectif de la capitation par les Juifs ; cf. IBN HAUQAL, *Configuration de la Terre*, trad. G. Kramers et G. Wiet, Paris, 1964, t. I, p. 66 ; H.R. IDRIS, *op. cit.*, p. 767, n. 445.

(28) AL-MALIKI, *Riyâd al-Nufûs*, dans H.R. IDRIS, « Contribution à l'histoire d'Ifrîqiya », dans *R.E.I.*, 1936, p. 142 ; cf. G. MARCAIS, *op. cit.*, p. 72.

(29) H.R. IDRIS, *La Berbérie orientale sous les Zîrides*, t. II, p. 767.

(30) H.-H. ABDULWAHAB, art. cit., p. 313 ; H.R. IDRIS, *op. cit.*, t. II, p. 423.

(31) H.R. IDRIS, *op. cit.*, p. 766 ; S.D. GOITEIN, *A Mediterranean Society*, t. I, p. 71 et t. II, p. 290.

(32) Pour Ishâq b. Suleymân Israelî, v. *infra* ; pour Moshé b. Eleazar, cf. S.D. GOITEIN, *A Mediterranean Society*, t. II, p. 243 ; pour Ibrâhîm b. ᶜAṭṭa, cf. H.R. IDRIS, *op. cit.*, t. I, p. 178 et t. II, p. 767.

(33) H.R. IDRIS, *op. cit.*, t. II, p. 765 ; cf. S.D. GOITEIN, *A Mediterranean Society*, t. II, p. 25.

(34) Sur l'œuvre médicale de Ishâq b. Suleymân Israelî, cf. H. LECLERC, *Histoire de la Médecine arabe*, Paris, 1876, t. I, pp. 413-416 ; sur son œuvre philosophique, cf. *Encyclopaedia Judaïca*, art. « Ishâq b. Israeli », t. 9, pp. 1063-1065. On trouvera de très nombreuses indications bibliographiques sur Ishâq b. Suleymân Israelî dans R. ATTAL, *Les Juifs d'Afrique du Nord. Bibliographie*, Jérusalem, 1973, v. Index. Contentons-nous ici de signaler l'étude d'ensemble la plus récente qui ait été consacrée à ses idées philosophiques : A. ALTMANN et S.M. STERN, *Isaac Israeli, a neoplatonic philosopher of the early tenth century*, Oxford, 1958.

(35) Sur Dounash b. Tamîm, cf. *Encyclopaedia Judaïca*, art. « Dounash », t. 6, pp. 271-272. Son principal ouvrage a fait l'objet d'une étude approfondie : G. VAJDA,

« Le Commentaire kairouanais sur le Livre de la Création », dans *Revue des Études Juives*, 1940, pp. 132-140 ; 1946-1947, pp. 99-156 ; 1949-1950, pp. 67-92, 1953, pp. 5-39.

(36) M. MIESES, « Les Juifs et les établissements puniques en Afrique du Nord », dans *R.E.J.* 1933, p. 141.

(37) *Encyclopaedia Judaïca*, art. « Jacob b. Nissim », t. 9, pp. 1222-1223 ; H.R. IDRIS, *op. cit.*, p. 803. Sur la lettre du Gaon Sherira, cf. L. LANDAU, *Épître historique de R. Sherira gaon*, Anvers, 1904.

(38) *Encyclopaedia Judaïca*, art. « Four captives », t. 7, pp. 1446-1447 ; et « Hushiel b. al-Hanan », t. 8, pp. 1129-1130 ; cf. H.R. IDRIS, *op. cit.*, pp. 804-805.

(39) *Encyclopaedia Judaïca*, art. « Hananel b. Hushiel », t. 7, pp. 1252-1253 ; cf. H.R. IDRIS, *op. cit.*, pp. 805-806.

(40) *Encyclopaedia Judaïca*, art. « Nissim b. Jacob », t. 12, pp. 1183-1184 ; cf. H.R. IDRIS, *op. cit.*, pp. 806-807. — On a publié le texte original du *Livre de la Consolation* : J. OBERMAN, *The Arabic Original of Ibn Shahin's Book of Comfort*, Newhaven, 1933 ; une nouvelle traduction en langue hébraïque en a été donnée : H.Z. HIRSCHBERG, *Hibbur yafeh me ha-yeshu^cah*, Jérusalem, 1954. Il existe une traduction anglaise de cet ouvrage : W.M. BRINNER, *An Elegant Composition Concerning Relief after Adversity*, translated from the Arabic with introduction and notes, Yale University Press, 1977. Un ouvrage d'ensemble a été consacré à Nissim b. Jacob : S. ABRAMSON, *Rav Nissim Gaon*, Jérusalem, 1965 (en hébreu).

(41) S.D. GOITEIN, *A Mediterranean Society*, t. II, p. 203.

(42) Sur cette période, cf. G. MARCAIS, *op. cit.*, pp. 193-228.

(43) S.D. GOITEIN, *Letters of Medieval Jewish Traders*, pp. 154, 155, 163, 204. Des familles juives quittent Kairouan (pp. 154-155) pour gagner Sousse (p. 163), Mahdiya (p. 163) ou Tunis (p. 204).

(44) D. CAZES, *Essai...*, pp. 75-78.

(45) H.R. IDRIS, *Manâqib de Muhriz b. Khalaf*, Paris, 1959, pp. 314-315.

(46) G. MARCAIS, *op. cit.*, p. 198 et 213.

CHAPITRE IV

LA FIN DU MOYEN AGE

L'invasion hilâlienne du XIᵉ siècle avait plongé le pays dans une crise profonde. Dans un pays où les tribus arabes constituaient une force dont les émirs zîrides ne pouvaient venir à bout, toute forme d'État centralisé avait fini par disparaître. L'Ifrîqiya s'était morcelée en petites principautés indépendantes dont le territoire se confondait avec celui des principales villes. Comment l'Ifrîqiya, en pleine anarchie, aurait-elle pu faire face à une agression extérieure ? Dans la première moitié du XIIᵉ siècle, le roi de la Sicile normande, Roger II, mit à profit une faiblesse évidente pour engager ses forces navales dans des expéditions sur les côtes de la Berbérie orientale. En quelques années, toutes les villes côtières, Djerba, Gabès, Sfax, Mahdiya, Sousse tombèrent, les unes après les autres, aux mains des Normands de Sicile. Seule échappa à la conquête normande la ville de Tunis, devenue depuis un siècle la capitale d'une petite principauté indépendante, gouvernée par les princes de la dynastie des Banû Khurâssân.

· Quelle puissance pouvait arracher les côtes d'Ifrîqiya à la domination chrétienne ? Les populations des villes occupées par les Normands mirent leurs espoirs dans celui qui, à l'autre extrémité du Maghreb, avait mis fin à la puissance des Almoravides. Le prince ᶜAbd al-Moumen, qui avait embrassé la doctrine almohade et pris le titre d'Émir des croyants, non content de régner en maître sur le Maroc, avait commencé à étendre son emprise sur l'Espagne méridionale et sur le Maghreb central. C'est à lui qu'une délégation de notables ifrîqyens alla demander d'arracher le pays aux mains des Infidèles. Après une période de préparation qui ne dura pas moins de deux ans,

63

ᶜAbd al-Moumen, parti de sa capitale, Marrakech, vint attaquer Tunis par voie de terre, pendant qu'une flotte venait croiser en vue de ses côtes, au cours du mois de juillet 1159. Devant l'impossibilité d'une résistance, le prince qui régnait alors à Tunis, ᶜAlî ibn Khurâssân ne tarda pas à faire sa soumission. Il y gagna la vie sauve pour lui et sa famille, mais les habitants de la ville ne furent épargnés qu'à la condition de faire abandon à ᶜAbd al-Moumen et à son armée de la moitié de leurs biens.

Après s'être emparé de Tunis, ᶜAbd al-Moumen ne tarda pas à s'emparer de toutes les villes de la Berbérie orientale dont les Normands furent chassés, parce qu'elles n'étaient pas en état de résister aux forces terrestres et navales du conquérant almohade. L'une après l'autre tombèrent Sousse, Sfax, Gabès, Djerba, Gafsa et enfin Mahdiya, dont les défenseurs finirent par se rendre au terme d'un siège de neuf mois (1).

1. La domination des Almohades (XIIᵉ-XIIIᵉ siècles)

La conquête de Tunis, suivie de celle des principales villes de l'arrière-pays, fit passer l'Ifrîqiya pour près d'un siècle sous la domination des Almohades. Celle-ci signifia pour les Juifs et les chrétiens la période la plus noire de leur histoire, car les princes de cette dynastie rompirent avec la tolérance dont avaient fait preuve jusque-là les États musulmans à l'égard des *ahl al-dhimma*.

Aux Juifs comme aux chrétiens de Tunis, ᶜAbd al-Moumen demanda de se convertir à l'islam sous peine de mort. On lit sous la plume de l'annaliste Ibn al-Athîr : « Les Juifs et les chrétiens qui se trouvaient dans la ville eurent le choix entre l'islam et la mort. Les uns se firent musulmans et les autres furent exécutés » (2). Un chroniqueur tunisien confirme la réalité des faits : « ᶜAbd al-Moumen demanda à tous les Juifs et à tous les chrétiens qui étaient à Tunis de se convertir à l'islam. Il laissa la vie sauve à ceux qui y consentirent et mit à mort ceux qui s'y refusèrent » (3).

On ne saurait mettre en doute cette flambée d'intolérance meurtrière qui marqua la conquête almohade de l'Ifrîqiya. Comme G. Marçais l'a justement noté : « Cette rigueur n'était pas une explosion de fanatisme exaspéré par le succès, la conséquence immédiate et brutale de la prise d'une ville où les non-musulmans étaient particulièrement nombreux. Elle était conforme à l'esprit de l'almohadisme » (4).

ᶜAbd al-Moumen avait fait sienne la doctrine que lui avait enseignée Ibn Toumert dans ses jeunes années, et qu'il avait entrepris de faire triompher par la force des armes. A la base, il n'y avait rien d'autre que l'affirmation de l'unité divine, *al-tawḥîd*, et les disciples et compagnons d'Ibn Toumert, en prenant le nom de *muwaḥḥidûn*, d'où le français « almohades », ne faisaient que proclamer leur attachement à une conception unitaire de la divinité. Mais leur « unitarisme » les entraînait à combattre ceux qui leur paraissaient concevoir la divinité à l'image de l'homme — les « anthropomorphistes » — et ceux qui lui donnaient des associés : les « polythéistes ». Ils en arrivaient à combattre comme des aberrations coupables non seulement la pensée des grands noms de la philosophie islamique, mais encore les juristes qui ont donné leur nom aux quatre grands rites orthodoxes. Rompant avec ce qu'ils considéraient comme un islam corrompu, ils prêchaient un retour à un islam purifié, fidèle à ses sources authentiques : le Coran, les traditions sur la vie de Mahomet et les points sur lesquels s'était fait l'accord de la communauté musulmane des origines, en rejetant toutes les solutions qui étaient le fruit du raisonnement par analogie ou de la spéculation des docteurs. Il ne faut pas s'étonner dès lors que cette forme d'intégrisme ait mis en question le statut que, pendant des siècles, l'islam orthodoxe avait reconnu aux Juifs et aux chrétiens, et qu'il ait cessé de leur accorder droit de cité, même s'ils payaient l'impôt de capitation et s'ils respectaient scrupuleusement toutes les clauses du « pacte de protection ». Considérant tous les musulmans comme des hérétiques contre lesquels ils devaient engager la guerre sainte, les Almohades voyaient dans les gens du Livre, Juifs et chrétiens, des idolâtres qu'ils devaient convertir, fût-ce en les contraignant par une menace de mort (5).

A l'égard des Juifs, sinon des chrétiens, ᶜAbd al-Moumen aurait repris à son compte les thèses d'un théologien zélé qui avait fait valoir : que la mansuétude dont Mahomet avait usé à l'égard des adeptes de la religion mosaïque ne pouvait se prolonger indéfiniment ; que le Prophète ne leur avait permis de continuer à observer leur culte qu'à la condition que le Messie attendu par eux arriverait avant cinq siècles ; que les Juifs avaient promis d'embrasser l'islam et de reconnaître Mahomet comme le dernier prophète si, au terme de cinq siècles, le Messie qu'ils espéraient n'était pas apparu ; que leur attente ayant été vaine, ils étaient tenus de se conformer à la promesse que leur communauté avait faite et de se convertir sans plus tarder à l'islam (6).

C'est parce qu'il s'était rallié à cette farouche doctrine que le souverain ᶜAbd al-Moumen, ayant conquis l'Ifrîqiya, demanda aux Juifs et aux chrétiens de choisir entre la conversion et la mort, ouvrant une ère d'intolérance et de persécutions (7).

Dans une élégie en langue hébraïque, le poète Abraham b. Ezra (1092-1167) a évoqué la destinée tragique des communautés juives d'Afrique du Nord, victimes de l'intolérance almohade. Des additions anciennes à ce poème, rédigées par des Maghrébins, citent parmi les communautés qui furent éprouvées celles de Tunis, Sousse, Mahdiya, Sfax, Gabès, El-Hamma, Djerba, Gafsa (8). Mais elles ne furent pas les seules à souffrir, s'il y avait des Juifs dans les autres villes d'Ifrîqiya dont ᶜAbd al-Moumen arriva à se rendre maître au terme d'une campagne victorieuse.

L'intolérance almohade suscita dans toutes les communautés juives du Maghreb un douloureux débat. Les Juifs pouvaient-ils, pour conserver leur existence, simuler la conversion ? Un rabbin d'une piété intransigeante n'hésita pas à affirmer que, pour se conformer rigoureusement aux prescriptions de leur loi, les Juifs devaient sacrifier leur vie et celle de leurs enfants plutôt que de professer, ne fût-ce qu'extérieurement, l'islamisme, car cette simulation équivalait à une apostasie et les entraînait à faire acte d'idolâtrie.

Maïmonide avait eu lui-même à affronter ce cas de conscience, alors qu'il était établi dans la ville de Fès, et il n'hésita pas à prendre la défense des apostats, dans une épître qu'il composa en langue arabe, afin qu'elle pût être lue par un public étendu. Il fit valoir que l'islam était une religion qui affirmait bien hautement la croyance en un Dieu unique ; que la pratique de cette religion monothéiste ne comportait aucun acte d'idolâtrie ; qu'il était donc permis aux Juifs de composer avec la nécessité et d'observer, pour un temps, les prescriptions de l'islam, comme on les contraignait à le faire sous peine de mort. Il ajoutait cependant qu'une longue pratique de l'islam n'était pas sans risque ; qu'elle pouvait finir par faire oublier aux Juifs la religion de leurs pères ; qu'il leur fallait donc, dès que la possibilité leur en serait offerte, émigrer dans un pays où il leur serait permis de professer le judaïsme sans entraves (9).

Dans le Maghreb almohade, les communautés juives ne furent pas les seules qui furent alors éprouvées. Les communautés chrétiennes qui avaient jusque-là survécu dans l'Ifrîqiya musulmane furent, elles aussi, victimes de la même intolérance. Nombre de chrétiens, invités à choisir entre la conversion et la mort, se résignèrent, contraints et forcés, à apostasier. Mais alors que les communautés juives, après de longues épreuves, devaient un jour renaître, les communautés chrétiennes disparurent alors à jamais. On n'a pas manqué de s'interroger sur les raisons qui permirent au judaïsme de survivre tandis que le christianisme a succombé. On a fait observer que les communautés juives étaient plus nombreuses et plus compactes que les communautés chrétiennes, et que de ce fait, elles furent plus aptes à résister à une islamisation forcée. On peut penser que la survie du judaïsme s'explique aussi, tout au moins en partie, par l'attitude ferme mais souple que Maïmonide a conseillée dans son *Iggeret ha-shemad*, invitant ses coreligionnaires à plier sous l'épreuve, mais à conserver dans leurs cœurs leur foi intacte, en attendant des jours meilleurs (10).

Pendant près d'un siècle, dans une Ifrîqiya qui était devenue une province du vaste empire almohade — qui s'étendait du golfe des Syrtes aux rives de l'Atlantique — il n'y eut plus de judaïsme que clandestin. Non seulement les Juifs ne purent professer le judaïsme, mais ils furent contraints de professer l'islam.

Au début du XIIIᵉ siècle, en 1224, le chroniqueur marocain al-Merrakechi pouvait encore écrire : « On n'accorde point chez nous de sauvegarde ni aux Juifs ni aux chrétiens depuis l'établissement du pouvoir almohade, et il n'existe ni synagogue ni église dans tous les pays musulmans du Maghreb. Seulement, les Juifs chez nous professent extérieurement l'islamisme ; ils prient dans les mosquées et enseignent le Coran à leurs enfants, en se conformant à notre religion et à notre loi. Dieu seul connaît ce que cachent leurs cœurs et ce que renferment leurs maisons » (11). On ne saurait dire plus clairement que les Juifs, qui avaient été convertis de force et qui donnaient tous les signes extérieurs d'un ralliement à l'islam, n'avaient pas cessé d'être fidèles à leur foi, enseignant l'hébreu à leurs enfants, priant dans la langue des Prophètes et observant toutes les prescriptions rituelles de leur religion, autant qu'ils pouvaient le faire dans le secret de leurs demeures. En fait, c'est à une première forme de marranisme que la persécution almohade a donné naissance dans les pays du Maghreb. Comme on mettait en doute la sincérité de leur conversion, les Juifs firent l'objet d'une surveillance active, et pour la rendre plus aisée, on leur imposa le port d'un signe distinctif et de vêtements spéciaux qui devaient permettre de ne pas les confondre avec des musulmans de vieille date.

a) On ne sait pas exactement en quoi consistait le signe distinctif, *shikla,* que le troisième souverain almohade Abû Yousof enjoignit en l'an 595/1198 à tous les Juifs du Maghreb de porter (12). Le mot a le sens de « forme », « figure » et on a supposé qu'il désignait quelque chose d'analogue à la roue ou à la rouelle, que durent porter les Juifs d'Europe au Moyen Age. Mais il se pourrait que ce « signe distinctif » fût constitué par les particularités vestimentaires qui furent imposées aux Juifs pour qu'ils ne puissent être confondus avec les musulmans.

b) Nous sommes mieux renseignés sur les vêtements particuliers que l'on assigna aux Juifs. Le chroniqueur al-Merrakechî écrit dans sa chronique : « Vers la fin de son règne, Abû Yousof ordonna aux Juifs habitant le Maghreb de se différencier du reste de la population par une mise particulière consistant en vêtements bleu foncé, pourvus de manches si larges qu'elles tombaient jusqu'aux pieds ; et au lieu de turban, en une calotte de la plus vilaine forme qu'on aurait prise pour un bât et qui descendait jusqu'au-dessous des oreilles. Ce costume devint celui de tous les Juifs du Maghreb et le resta jusqu'à la fin de son règne » (13). Mais son fils, Abû ᶜAbdallah qui régna de 595/1198 à 610/1219, suite aux démarches pressantes des Juifs de ses États, cessa de leur imposer des vêtements qui, par leur forme ridicule, attiraient les lazzis. Seule fut maintenue l'obligation pour les Juifs de se distinguer des musulmans par la couleur de leurs vêtements et de leurs turbans qui durent être obligatoirement jaunes (14).

Au-delà des mesures qui purent modifier la forme et la couleur des vêtements qui leur étaient imposés, les Juifs ne cessèrent pas de faire l'objet d'une discrimination vestimentaire. Le chroniqueur nous révèle la raison qui l'avait inspirée à celui qui avait cru bon de l'établir : « Ce qui avait engagé Abû Yousof à prendre cette mesure de leur imposer un vêtement particulier et distinctif, c'était le doute qu'il nourrissait touchant la sincérité de leur conversion. Si, disait-il, j'étais sûr qu'ils fussent réellement musulmans, je les laisserais se confondre avec les musulmans par mariage et de toute autre manière. Que si j'étais sûr qu'ils fussent infidèles, je ferais tuer les hommes, je réduirais leurs enfants en esclavage et je confisquerais leurs biens au profit des fidèles. Mais je balance à leur égard » (14).

Il apparaît ainsi qu'à la différence de ce qu'elles avaient été en d'autre temps, les discriminations vestimentaires, dans les provinces soumises au pouvoir des Almohades, eurent essentiellement pour fonction de faciliter le contrôle des Juifs convertis de force et de les contraindre à observer les pratiques de l'islam.

On a de bonnes raisons de penser que de nombreux changements survinrent alors dans l'habitat des communautés juives d'Ifrîqiya. Des décisions du Prince interdirent-elles aux Juifs de résider dans certaines villes ? Les Juifs prirent-ils d'eux-mêmes la décision de s'établir en marge des grandes cités musulmanes pour se soustraire au contrôle de ceux qui mettaient en doute la sincérité de leur conversion ? Quoi qu'il en soit, c'est à l'époque des Almohades seule que l'on pourrait comprendre que les Juifs n'aient pu ou n'aient voulu résider dans la ville de Tunis, à l'intérieur des murs, et qu'ils aient, pour un temps, habité dans le village de Mellassine, en contrebas de la colline de la Kasbah, le regagnant chaque soir après avoir travaillé dans la ville, ainsi qu'une vieille tradition parvenue jusqu'à nous, en porte témoignage (15).

Condamné à la clandestinité pendant toute la domination almohade, le judaïsme dut perdurer dans le secret des consciences et des demeures, et se transmettre d'une génération à l'autre. Faute de quoi, on ne saurait comprendre qu'il ait pu un jour reparaître en pleine lumière.

2. Le pouvoir hafside (XIIIᵉ-XVIᵉ siècles)

Après avoir été une province de l'Empire almohade, la Berbérie orientale, qui comprenait alors, outre la Tunisie d'aujourd'hui, une partie de la Libye et une partie du Constantinois, redevint dans la première moitié du XIIIᵉ siècle un État indépendant. Il en fut ainsi lorsque le gouverneur almohade, Abû Zakariyyâ cessa de reconnaître la suzeraineté des souverains de Marrakech et proclama son indépendance en 634/1236, fondant ainsi la dynastie des Hafsides dont les princes se succéderont au pouvoir pendant plus de trois siècles.

Les souverains hafsides n'eurent pas d'abord, à l'égard des Juifs, une attitude plus bienveillante que celle des Almohades. Un chroniqueur nous apprend que le calife al-Mustanṣir renouvela en l'an

648/1250 l'injonction faite aux Juifs de porter la *shikla* ou signe distinctif (16). Un autre chroniqueur relate que le même souverain fit arracher les vignes d'une localité dénommée al-Yahûddiya, dont un lieu-dit actuel aux portes de Tunis conserve le souvenir (17).

Cependant les souverains hafsides ne tardèrent pas à rompre avec l'intolérance farouche dont les princes almohades avaient fait preuve à l'égard des Juifs comme des chrétiens. Cette intolérance, nous l'avons vu, dérivait de la doctrine hautement professée par les Almohades, qui stigmatisait comme des hérésies les quatre grands systèmes ou rites orthodoxes. En rejetant la doctrine almohade pour en revenir aux conceptions traditionnelles de l'islam, les souverains hafsides accordèrent aux Juifs comme aux chrétiens le statut que l'islam a réservé aux *ahl al-Kitâb*. En les soumettant au paiement de l'impôt de capitation *(jezya)*, et en leur imposant un certain nombre de discriminations, ils leur permirent de vivre en conformité avec leurs croyances et d'observer leurs pratiques rituelles au grand jour et sans entraves.

A la faveur de la tolérance que les souverains hafsides remirent à l'honneur, de nombreux Juifs que la persécution almohade avait dispersés, ou qui avaient vécu au milieu des musulmans en faisant mine de professer l'islam, purent se regrouper en communautés en pratiquant le judaïsme à visage découvert.

C'est sur la communauté juive de Tunis que nous sommes le mieux renseignés. Aux Juifs qui avaient pu demeurer dans la ville en feignant leur conversion à l'islam, vinrent se joindre ceux qui, pour se soustraire à tout contrôle, s'en étaient pour un temps éloignés. Les uns et les autres se retrouvèrent à nouveau groupés à l'intérieur des murs de la ville, dans l'ancienne *hâra*. Les textes en langue hébraïque, qui sont notre meilleure source d'information pour cette période, font mention d'une *shekhûnat ha-Ychûdim* qui devait correspondre à cette *hâra al-Yahûd*, ou quartier juif, dont l'existence à la veille de la conquête almohade ne saurait être mise en doute (18). Le texte où il est fait mention de ce quartier juif dans la Tunis hafside nous apprend que nombre de familles juives avaient longtemps demeuré dans un fondouk où une synagogue avait été aménagée. Il n'est pas interdit de penser que ce fondouk était situé hors des murs de la ville, dans le village de Mellassine où, selon une tradition orale, recueillie à la fin du XIXᵉ siècle, les Juifs de Tunis auraient, un certain temps, résidé.

En dehors de la capitale, encore que nos sources ne nous apportent que peu d'informations sur ce point, on peut considérer comme probable l'existence de communautés juives plus ou moins nombreuses : dans le Nord, à Bizerte, Béja, Le Kef ; dans le Centre, à Sousse, Mahdiya, peut-être Sfax ; dans le Sud, à Gafsa, Gabès, El-Hamma et enfin dans l'île de Djerba. Des communautés se reconstituèrent partout où la présence de Juifs, dans le Haut Moyen Age, est attestée, à l'exception de la ville de Kairouan qui fut, peut-être, à l'époque des Almohades interdite aux Juifs et devait le demeurer jusqu'au siècle dernier. On peut aussi affirmer l'existence, loin des villes et des bourgades, de Juifs vivant à l'état nomade, sous la tente, *baḫutsim*, qui traverseront les siècles (19).

Comme dans le Haut Moyen Age, des Juifs s'adonnaient sans doute à des activités agricoles. Il n'en reste pas moins que la plupart, fortement groupés dans les villes et les bourgades, se consacraient à l'artisanat et au commerce (20).

Il en était qui exerçaient le métier d'orfèvre, mais le travail des métaux précieux n'était pas la seule industrie où les Juifs jouaient un rôle (21). On peut penser qu'ils pratiquaient déjà les métiers qui seront les leurs à une époque plus proche de la nôtre et dont témoignent des noms de famille très répandus, tels que ceux de tailleur *(khayyât)*, de teinturier *(ṣabbâgh)*, de menuisier *(najjâr)*, de forgeron *(ḥaddâd)*, de dinandier *(ṣaffâr)*, de ciseleur *(naqqâsh)*, ou encore de savonnier *(ṣabbân)* (22).

Ils se livraient encore au commerce de détail, qu'il fût destiné à satisfaire à la demande de la seule population juive ou qu'il fournît à la consommation de tous les éléments de la population. A ceux qui avaient leurs échoppes dans les centres commerciaux de chaque cité, s'ajoutaient ceux qui colportaient leurs marchandises de bourgade en bourgade et de marché en marché.

Ce commerce à l'intérieur des frontières se doublait d'un commerce de pays à pays. Les Juifs jouaient un rôle important — quoiqu'il soit difficile de le mesurer — dans le commerce maritime : exportant des produits de l'arrière-pays, comme les laines, les cuirs, la cire et le corail, et important des matières textiles, des matières tinctoriales et des épices. Il en était aussi qui se joignaient aux caravanes de marchands musulmans qui traversaient le Maghreb de part en part, ou se livraient à des échanges avec l'Afrique noire par-delà le désert (23).

On peut aussi tenir pour assuré qu'ils se livraient déjà à toutes sortes d'opérations de crédit à court ou moyen terme, sans devoir user des subterfuges ingénieux auxquels les marchands musulmans devaient recourir pour respecter l'interdiction coranique du prêt à intérêt.

Il ne semble pas que leurs activités économiques aient connu d'entraves ou de limitations dirimantes. Si leurs affaires prospéraient, leur fortune pouvait prendre une autre forme que celle d'argent monnayé, de métaux précieux ou de marchandises. Ils avaient le droit d'accéder à la propriété immobilière, dès lors que des textes font état d'achats et de ventes de terrains comme de maisons. Aussi bien, leur était-il possible, dans les limites de leur quartier, d'élever des constructions (24).

Il en était aussi qui trouvaient à s'employer au service de l'État musulman. Comme le travail des métaux précieux leur était familier, ils furent souvent chargés de la confection des monnaies d'or et d'argent (25). Une longue pratique du commerce maritime explique aussi que l'on ait choisi d'ordinaire parmi eux le grand douanier préposé à la perception des droits de sortie et des droits d'entrée sur les marchandises (26). Enfin, en raison de leur connaissance des langues étrangères, il leur arrivait de jouer le rôle d'interprètes et de traducteurs. Dans les traités que les souverains hafsides signèrent avec Gênes, Florence et la Sicile, il est fait mention, plus d'une fois, de Juifs ayant pris part à leur négociation, mais leur nom incline à penser qu'il s'agissait de Juifs vivant en chrétienté (27). Il n'est pas d'exemple dans la Berbérie hafside de Juifs qui se soient élevés à des positions de premier plan, comme il y en eut alors au Maroc. Mais il n'y eut pas non plus dans la Berbérie hafside d'explosion de haine aveugle, comme on dut plus d'une fois le déplorer, à l'autre bout du Maghreb (28).

3. La vie des communautés juives

A partir du XVe siècle, grâce à des sources variées, la vie des communautés juives nous est mieux connue et nous pouvons en donner une vue d'ensemble.

Le retour des souverains hafsides à l'orthodoxie a eu pour conséquence de remettre en vigueur le statut que l'islam a assigné aux gens du Livre (29). On leur reconnaissait le droit de vivre dans le pays et de professer leur religion librement, en ayant droit à la protection de l'État musulman. Mais, en contrepartie de la protection qui leur était assurée, ceux que l'on appelait ahl al-dhimma devaient s'acquitter d'une contribution spéciale, se soumettre à un certain nombre de discriminations et ne commettre aucun acte qui pût apparaître comme une rupture du « pacte de protection ».

Comme ils l'avaient fait dans le passé, et comme ils le feront jusqu'au XIXe siècle, les Juifs devaient verser l'impôt de capitation appelé jezya. Le voyageur flamand Anselme Adorne, qui visita la Berbérie à la fin du XVe siècle, en témoigne, qui écrit que « les Juifs sont astreints à un lourd tribut » (30). A cette contribution ordinaire, pouvaient sans doute s'ajouter, de loin en loin, des contributions extraordinaires.

Par leur costume, les Juifs devaient se distinguer des musulmans. Nous avons vu qu'au début de son règne, le calife al-Mustanṣir leur avait imposé le port d'un signe distinctif désigné sous le nom de shikla. A la fin du XVe siècle, selon le voyageur Adorne, ils devaient porter « un costume particulier différent de celui des Maures » ; entre autres, ils devaient arborer à la tête ou au cou — turban ou écharpe — « une pièce d'étoffe de couleur jaune » ; et ils se seraient fait lapider s'ils avaient osé se soustraire à cette obligation (31).

Conformément à l'un des principes qui ont régi la condition des dhimmî-s, leurs maisons ne devaient pas être plus hautes que celles des musulmans. Leurs synagogues mêmes devaient avoir une humble apparence. Comme elles ne pouvaient s'élever au-dessus des maisons ordinaires, force était, si l'on voulait leur donner une hauteur suffisante et permettre à de nombreux fidèles de s'y réunir, de les enfouir à moitié. Ainsi pourrait-on expliquer qu'à Tunis la grande synagogue de la *ḥâra,* dont la fondation remonte sans doute à la fin du Moyen Age, se trouve au-dessous du niveau de la rue, et que l'on doive descendre quelques marches pour accéder à sa salle de prière (32).

Il est aussi probable qu'ils n'avaient pas le droit de monter à cheval et devaient se contenter de mulets ou d'ânes.

Les Juifs étaient exposés aux lazzis et aux brimades, s'il est vrai, comme l'affirme le voyageur Adorne, qu'ils étaient « haïs » et « méprisés » (33). Ce qui est sûr, c'est que les moindres paroles jugées offensantes à l'égard du Prophète ou de la religion musulmane coûtaient ordinairement la vie à celui qui les avait proférées, conformément aux principes retenus par le droit musulman. Mais gardons-nous de pousser le tableau au noir. Un juriste musulman du XVe siècle reprochait à ses coreligionnaires d'accepter les cadeaux que des Juifs leur faisaient à l'occasion des fêtes de l'année juive (34). Ne voilà-t-il pas qui suffirait à prouver que des relations de bon voisinage, amicales, cordiales même, pouvaient exister ? Ce qui ne devait pas empêcher de loin en loin une explosion de haine, sans raison, pour rien.

Astreints à verser un tribut, soumis à un ensemble de discriminations plus ou moins humiliantes, les Juifs jouissaient, dans le cadre de l'État musulman, d'une relative autonomie.

Chaque communauté relevait de l'autorité d'un chef, appelé en hébreu *zaken ha-yehûdim*, et en arabe *shaykh al-yahûd*, qui était nommé par le Prince dans la capitale, et par les gouverneurs dans les provinces. Il était assisté dans l'accomplissement de ses multiples tâches par un conseil de notables, en hébreu *gedolei ha-qahal,* formé par les chefs de famille les plus instruits et les plus fortunés.

Il revenait au chef de la communauté d'assurer la liaison entre l'État et l'ensemble de ses coreligionnaires. Responsable au regard de l'État du versement de l'impôt de capitation, il fixait la contribution de chaque chef de famille et en assurait la levée. De même, il lui incombait de répartir entre les siens toute contribution extraordinaire que le Prince exigeait des Juifs, après avoir tenté avec plus ou moins de succès, de la modérer.

Placée sous l'autorité du chef de la communauté, assisté du conseil de notables, chaque communauté formait une entité autonome avec ses institutions particulières. Des taxes levées sur tous les chefs de famille assuraient à la communauté les ressources qui lui étaient nécessaires pour entretenir les lieux de culte avec leur personnel spécialisé ; assurer le fonctionnement du tribunal rabbinique qui arbitrait, non seulement tous les conflits en matière de statut personnel, mais aussi tous les différends en matière civile ou commerciale où seuls des Juifs étaient en cause ; dispenser l'instruction à tous les degrés ; venir en aide aux malades et aux miséreux ; et enfin assurer aux morts une sépulture selon les rites judaïques (35).

L'organisation des communautés était évidemment plus ou moins complexe selon l'importance de leurs effectifs. Mais dès que le minimum de dix mâles majeurs *(minyan)* était réuni en quelque point du territoire, une communauté pouvait se constituer, avec sa synagogue, qui servait à la fois de lieu de prière, de lieu de réunion et d'école, et elle était officiellement reconnue par l'État musulman (36).

On attribue à Maïmonide une lettre qui présente les Juifs de Berbérie orientale « entre Tunis et Alexandrie », en passant par Djerba, comme d'un « niveau culturel assez bas », et juge leur connaissance de la Bible et du Talmud comme des plus médiocres « malgré la présence de rabbins-juges parmi eux » (37). Pour être authentique, cette lettre devrait correspondre à ce que Maïmonide put apprendre sur les Juifs du Nord de l'Afrique lorsqu'il quitta le Maroc et alla s'établir en Égypte en l'an 1166. Mais est-il possible que, quelques années à peine après la conquête almohade, la mise du judaïsme hors la loi ait eu de si graves conséquences dans toutes les communautés juives ? Ne faut-il pas plutôt penser que le texte de Maïmonide vise seulement les Juifs des petites communautés du Sud tunisien qui, vivant au milieu de populations berbères islamisées, en partageaient nombre de croyances et de pratiques superstitieuses, dans l'ignorance qu'ils étaient du judaïsme codifié par des générations de docteurs ? Cependant, sous l'effet de la persécution almohade, la culture connut une période de déclin dans toutes les communautés juives, et même dans celles des grandes villes.

La crise semble avoir été plus profonde et de plus longue durée en Tunisie qu'en Algérie. Dans les villes du Maghreb central, l'arrivée à la fin du XIVe siècle des Juifs chassés de Castille en 1391, parmi lesquels se trouvaient des savants éminents, entraîna un renouveau des études. Il n'en fut pas de même dans le Maghreb oriental, où les Juifs d'Espagne semblent avoir été peu nombreux à venir s'établir et où aucun savant judéo-espagnol ne put s'employer à une renaissance des sciences religieuses.

Au cours du XVe siècle, les rabbins de Tunis et des villes de l'arrière-pays demandèrent souvent aux savants rabbins d'Alger et principalement à Simon b. Semah Duran, à son fils et à ses petits-fils, de les éclairer sur nombre de points de théologie et de droit (38). D'après les questions que leur adressent, tout au long du XVe siècle, les rabbins de Tunis, on mesure la pauvreté des connaissances des plus savants dans la communauté de la ville-capitale. D. Cazès, qui fut le premier à utiliser les consultations des rabbins d'Alger pour en tirer des éléments d'information sur les Juifs de Tunisie, en a conclu que les communautés juives de Tunisie, où, dans le Haut Moyen Age, les études avaient fleuri, en étaient arrivées à ignorer les points les plus élémentaires de la religion juive (39).

Les communautés tunisiennes s'efforcèrent alors de retenir les rabbins étrangers de passage, qui semblaient pouvoir les aider à une renaissance de leur culture. Mais il faudra longtemps avant que les études prennent un nouveau développement et que les rabbins de Tunisie attachent leur nom à des œuvres notables et atteignent à quelque notoriété méritée.

4. L'immigration des Juifs chassés d'Espagne

A la fin du XVe siècle, l'expulsion générale des Juifs d'Espagne, ordonnée en 1492, suivie de l'expulsion des Juifs du Portugal, ordonnée en 1496, força les Juifs de la péninsule ibérique soit à se convertir — ou à simuler une conversion — soit à émigrer.

Les États musulmans accueillirent une bonne partie des fugitifs et nombre de ceux-ci vinrent alors grossir les communautés juives de l'Afrique du Nord. Dans ses *Monumenta Documenta*, le Père Fontana écrit : « En l'an 1492, ayant remporté une victoire complète dans leur lutte contre les Maures, les souverains très glorieux, Ferdinand et Isabelle décidèrent, comme notre Torquemada le leur avait plus d'une fois conseillé, d'expulser aussi les Juifs d'Espagne, en raison de la crucifixion d'un enfant innocent dont les Hébreux impies s'étaient rendus coupables l'année précédente. C'est pourquoi, en vertu d'un édit royal promulgué au mois de mars, ils furent chassés de toute l'Espagne. Ainsi, plus de cent soixante-dix mille familles juives quittèrent l'Espagne pour s'en aller en Afrique et en diverses régions du monde » (40). Les auteurs modernes s'en tiennent à des évaluations plus modestes. Les expulsions auraient porté sur un total de 36 000 familles, dont 30 000 en Castille et 6 000 en Aragon, soit, à raison de 4,5 personnes par famille, 162 000 personnes qui auraient pris le chemin de l'exil (41).

Des judéo-espagnols vinrent à coup sûr s'établir dans les villes de la Berbérie orientale. La vie de plus d'un savant originaire de la péninsule ibérique en témoigne. Nous savons en effet que c'est à Tunis que Abraham Zacuto acheva son *Sefer Yuḥasin* ou « Livre des Généalogies », avant de se rendre en Orient ; que le savant Abraham Levy-Bacrat y a composé un commentaire sur Rachi intitulé *Sefer ha-Zikaron* ou « Livre du Souvenir » ; et que le talmudiste Moïse Alashqar y trouva un refuge temporaire (42). Mais il ne semble pas que l'immigration des Juifs venus d'Espagne ou du Portugal ait revêtu en Tunisie une importance aussi grande qu'au Maroc et en Algérie. Est-ce parce que le pays était plus éloigné de la péninsule ibérique ? Quoi qu'il en soit, il semble que, parmi les Juifs chassés d'Espagne et du Portugal à la fin du XVe siècle, il y en ait eu assez peu qui vinrent s'établir dans les villes de la Berbérie orientale (43).

Il y avait bien en Tunisie, jusqu'à une époque toute proche de la nôtre, des familles dont le nom attestait une origine ibérique. Mais, parmi elles, il était difficile de distinguer celles dont les ancêtres étaient venus directement d'Espagne et du Portugal à la fin du XVᵉ siècle, et celles dont les ancêtres étaient venus de Livourne ou d'autres villes d'Italie à partir du XVIIᵉ siècle. Ce qui est sûr, c'est qu'il n'y a jamais eu au sein de la population juive une fraction qui, par sa langue, sa culture et ses coutumes, ait pu apparaître comme judéo-espagnole. S'il en a été ainsi, c'est parce que les Juifs venus directement d'Espagne et du Portugal, suite à l'expulsion ordonnée par Ferdinand et Isabelle, ont été si peu nombreux qu'ils n'ont pas tardé à se fondre dans la masse des Juifs enracinés de longue date dans le pays.

(1) Pour une vue cursive de cette période, cf. Ch.-A. JULIEN, *Histoire de l'Afrique du Nord*, 2ᵉ éd., 1952, t. II, pp. 102 sqq.

(2) IBN AL-ATHIR, *Annales du Maghreb et de l'Espagne*, trad. E. Fagnan, Alger, 1898, p. 586.

(3) TIJANI, *Rihla*, éd. H.H. Abdulwahab, Tunis, 1958, p. 247, et trad. A. Rousseau, dans *Journal Asiatique*, 1853, p. 397.

(4) G. MARCAIS, *La Berbérie musulmane et l'Orient au Moyen Age*, Paris, 1946, p. 269.

(5) Sur la doctrine almohade, cf. Ch.-A. JULIEN, *op. cit.*, pp. 92-102.

(6) A. CAHEN, « Les Juifs dans l'Afrique septentrionale », dans *Recueil de la Société Archéologique de Constantine*, 1867, pp. 37-40 ; N. SLOUSCHZ, *Histoire des Juifs du Maroc*, dans *Archives Marocaines*, t. VI, 1906, pp. 53-54 ; J. MESNAGE, *Le Christianisme en Afrique. Déclin et extinction*, Alger, 1915, p. 167.

(7) Cf. Ch.-A. JULIEN, *op. cit.*, pp. 108-110.

(8) D. CAZES, « Antiquités judaïques en Tripolitaine », dans *Revue des Études Juives*, 1890, pp. 297-298 ; N. SLOUSCHZ, *Travels in North Africa*, Philadelphie, 1927, pp. 221-222 ; R. BRUNSCHVIG, *La Berbérie orientale sous les Hafsides*, Paris, 1940, t. I, p. 397.

(9) MAIMONIDE, *Iggeret ha-shemad* (= Épître sur l'Apostasie), trad. fr. dans MAIMONIDE, *Épîtres*, trad. fr. de J. de Hulster, Paris, 1983, pp. 9-43 ; A. CAHEN, *op. cit.*, p. 40 ; N. SLOUSCHZ, *op. cit.*, p. 31 ; J. MESNAGE, *op. cit.*, p. 239.

(10) J. MESNAGE, *op. cit.*, pp. 238-239 ; G. MARCAIS, *op. cit.*, p. 270.

(11) EL-MERRAKECHI, *Histoire des Almohades*, trad. E. Fagnan, Alger, 1893, pp. 264-265 ; G. MARCAIS, *op. cit.*, pp. 269-270.

(12) ZERKECHI, *Chronique des Almohades et des Hafsides*, trad. E. Fagnan, Constantine, 1895, pp. 19-20 ; cf. E. FAGNAN, « Le signe distinctif des Juifs au Maghreb », dans *Revue des Études Juives*, 1894, pp. 294-298.

(13) EL-MERRAKECHI, *op. cit.*, p. 264 ; un autre chroniqueur, en termes à la fois plus concis et plus clairs, nous apprend que le souverain Abû Yousof enjoignit aux Juifs de porter des tuniques d'une coudée de long sur autant de large, ainsi que des burnous et des bonnets bleus » ; cf. ZERKECHI, *op. cit.*, pp. 19-20.

(14) EL-MERRAKECHI, *op. cit.*, p. 265.

(15) D. CAZES, *Essai*, pp. 75-77.

(16) ZERKECHI, *op. cit.*, p. 40.

(17) IBN QONFOUD, *Al-Fârisiyya*, cit. par R. BRUNSCHVIG, *op. cit.*, p. 416.

(18) R. BRUNSCHVIG, *op. cit.*, p. 416.

(19) R. BRUNSCHVIG, *op. cit.*, pp. 398-400.

(20) *Ibid.*, p. 398.

(21) *Ibid.*, pp. 409-410.

(22) *Ibid.*, pp. 411-412.

(23) *Ibid.*, pp. 410-411.

(24) *Ibid.*, p. 406.

(25) IBN KHALDOUN, *Histoire des Berbères*, trad. de Slane, Paris, 1925, t. II, p. 354 ; cf. R. BRUNSCHVIG, *op. cit.*, p. 410.

(26) LEON L'AFRICAIN, *Description de l'Afrique*, éd. A. Epaulard, Paris, 1956, t. II, p. 387.

(27) R. BRUNSCHVIG, *op. cit.*, p. 414.

(28) *Ibid.*, p. 408.

(29) *Ibid.*, p. 402.

(30) R. BRUNSCHVIG, *Deux récits de voyage inédits en Afrique du Nord*, Paris, 1936, p. 192.

(31) *Ibid.*, p. 192.

(32) J. REVAULT, « La Grande Synagogue de la Ḥāra », dans *Les Cahiers de Tunisie*, 1963, pp. 5-35.

(33) R. BRUNSCHVIG, *op. cit.*, p. 406.

(34) *Ibid.*, p. 409.

(35) *Ibid.*, pp. 417-418.

(36) *Ibid.*, p. 415.

(37) D. CAZES, *Essai*, pp. 79-81 ; N. SLOUSCHZ, *Un voyage d'études juives en Afrique*, Paris, 1909, p. 8 ; R. BRUNSCHVIG, *op. cit.*, t. I, p. 398.

(38) Les consultations de Simon b. Semah Duran, de son fils Salomon et de ses petits-fils Semah et Simon ont été réunies en volume et imprimées au XVIIIᵉ siècle. Simon b. Semah, *Sefer ha-Tashbas*, Amsterdam, 1738 ; Salomon b. Simon, *Sefer ha-Rashbash*, Livourne, 1742 ; Semah et Simon, *Yakhin u Boᶜaz*, Livourne, 1782.

(39) D. CAZES, *Essai*, p. 95 ; R. BRUNSCHVIG, *op. cit.*, t. I, p. 419 ; cf. M. EISEN-BETH, *op. cit.*, p. 133.

(40) *Monumenta Documenta* : « Ad annum 1492, victoria contra Mauros reportata cogitaverunt gloriosissimi Reges praedicti Ferdinandus et Isabella, suadente pluries nostro Turrecremata confessorio de ejiciendis etiam ex regnis Hispaniae ob crucifixionem innocentis pueri superiore anno factam impiis Hebraeis. Quare regio edicto promulgato mense martio, ex universa Hispania pelluntur. Abiere igitur ex Hispania in Africam variasque orbis partes Hebraeorum familiae super centum septuaginta milia ». J. MESNAGE, *Le Christianisme en Afrique du Nord. Église mozarabe*, Alger, 1916, p. 180.

(41) L. SUAREZ FERNANDEZ, *Les Juifs espagnols au Moyen Age*, trad. fr., Paris, 1983, pp. 299-301 ; cf. G. et J. TESTAS, *L'Inquisition*, Paris, 1983, pp. 99-100.

(42) R. BRUNSCHVIG, *op. cit*, p. 429.

(43) H.V. SEPHIHA, *L'Agonie des Judéo-espagnols*, Paris, 1977, p. 13.

CHAPITRE V

SOUS LES DEYS ET LES BEYS

Au cours du XVIᵉ siècle, l'insigne faiblesse du royaume hafside en fait une proie facile pour les grandes Puissances qui s'affrontent alors en Méditerranée. Le long duel qui oppose l'Espagne chrétienne et la Turquie musulmane est successivement marqué par la prise de Tunis par Khayr al-dîn au nom du sultan de Constantinople en 1534 ; l'expédition victorieuse de Charles Quint en 1535 ; la manière de protectorat exercée pendant près de quarante ans par l'Espagne sur les souverains hafsides, avec l'occupation de La Goulette par une garnison espagnole ; la prise de Tunis par Euldj ᶜAlî pour le compte du Grand Turc en 1569 ; la reconquête de Tunis par Dom Juan d'Autriche en 1573 ; et enfin l'expédition conduite par Euldj ᶜAlî et Sinân Pacha au cours de l'été 1574, qui triomphe des forces armées espagnoles et fait de l'ancien royaume hafside une province de l'Empire ottoman (1).

Le pays fut d'abord gouverné, au nom du sultan de Constantinople par un *wâlî* — un gouverneur — ayant le titre de pacha, avec le concours d'une milice de trois mille janissaires. Mais, sans cesser de reconnaître la suzeraineté ottomane, la Régence de Tunis ne tarda pas à affirmer son autonomie. Le pouvoir revint alors à un dey élu par la milice des janissaires. Les deys qui se succédèrent dans la première moitié du XVIIᵉ siècle : ᶜUthmân Dey (1595-1610), Yûsuf Dey (1610-1637) et Uṣṭa Murâd Dey (1637-1640) se comportèrent comme des monarques absolus. Mais le pouvoir du dey devait être éclipsé par le pouvoir du bey, chef d'armée chargé d'aller, deux fois l'an, à la tête d'une *maḥalla* — un camp volant — collecter les impositions dans l'arrière-pays. D'abord subordonné au dey, le bey finit par devenir la première Puissance de l'État. Cette « révolution » fut l'œuvre de Murâd Bey. Ce mamlûk — un chrétien pris par les corsaires dans son jeune âge et converti à l'islam — réussit à transmettre sa charge à des hommes de sa lignée. A Murâd succéda son fils Ḥammûda b. Murâd (1631-1666) et son petit-fils Murâd b. Ḥammûda (1666-1675). Après une crise de succession qui ne dura pas moins de dix ans, la charge de bey fut exercée par Muḥammad b. Murâd (1686-1696), Ramḍân b. Murâd (1696-1699) et Murâd b. ᶜAlî (1699-1702). Un officier de la milice, Ibrâhîm al-Sharîf mit fin à la dictature sanglante du dernier bey de la famille mouradite, mais il ne put se maintenir au pouvoir que peu de temps (1702-1705).

Dans les premières années du XVIIIᵉ siècle, Ḥusayn b. ᶜAlî, un officier de la milice qui eut le mérite d'organiser la défense du pays envahi par l'armée du dey d'Alger, fonda une nouvelle dynastie, dont les princes se succèderont au pouvoir jusqu'à une époque toute proche de la nôtre. Le règne de Ḥusayn b. ᶜAlî (1705-1735) est suivi de ceux de ᶜAlî Pacha (1735-1756), Muḥammad b. Ḥusayn (1756-1759), ᶜAlî b. Ḥusayn (1759-1782), Ḥammûda b. ᶜAlî (1782-1814), Othmân b. ᶜAlî (1814), Maḥmûd b. Muḥammad (1814-1824) et Ḥusayn b. Maḥmûd (1824-1835).

C'est au cours de cette longue période, qui va de la fin du XVIᵉ siècle au début du XIXᵉ siècle, et au cours de laquelle le pouvoir fut successivement exercé par les deys, les beys mouradites et les beys ḥusaynites, que nous allons essayer d'esquisser l'histoire des Juifs de Tunisie, en mettant en œuvre les informations abondantes que nous apportent des sources variées.

1. L'immigration des Juifs livournais

Les Juifs chassés d'Espagne et du Portugal à la fin du XVᵉ siècle ont été peu nombreux à se diriger vers la Berbérie orientale. Mais, au lendemain de la conquête turque, de nombreux Juifs d'origine ibérique vinrent s'établir en Tunisie, dont les ancêtres avaient trouvé un premier asile dans la ville de Livourne, d'où le nom de « Livournais » (en arabe, *Gornî*, plur., *Grâna*) qui leur fut alors donné et par lequel ils furent communément désignés. Bien que leur nombre n'ait jamais été très élevé, ces nouveaux venus étaient appelés à jouer un rôle important dans la vie du pays et dans l'histoire du judaïsme tunisien.

Au cours du XVIᵉ siècle, l'Italie a bien accueilli une partie des Juifs chassés de la péninsule ibérique, mais elle ne leur a offert que des refuges précaires. Des villes qui leur avaient d'abord ouvert leurs portes, les leur fermèrent, l'une après l'autre : Gênes en 1516 ; Naples en 1541 ; Ancône en 1570 ; Ferrare en 1581. S'ils n'étaient pas, au même moment, chassés de partout, ils n'étaient nulle part assurés de pouvoir longtemps demeurer. Mais avant la fin du siècle, la volonté d'un prince leur donna à la fois un asile sûr et un large champ à leurs activités. Soucieux d'assurer la prospérité du nouveau port de Livourne, le grand-duc de Toscane, Ferdinand II, voulut y attirer les marchands étrangers et plus particulièrement les marchands juifs. Pour les engager à venir s'établir à Livourne, il leur octroya une charte qui, par les larges franchises qu'elle leur reconnaissait, fit affluer vers le port toscan de nombreux Juifs, d'origine ibérique pour la plupart (2).

Une clause de cette charte, que les Juifs reconnaissants appelèrent avec tendresse « la livornina », était ainsi libellée : « Nous désirons, en outre, que, durant la période mentionnée, il n'y ait ni inquisition, ni perquisition, dénonciations ou accusations contre vous ou vos familles, même si dans le passé elles avaient vécu, hors de nos États, à la manière des chrétiens ou sous le nom de chrétiens » (3). Par cette clause, dont Cecil Roth a dégagé toute l'importance, le duc de Toscane offrait aux marranes que l'Inquisition traquait la possibilité de professer à nouveau le judaïsme en toute liberté et sans courir de danger. A l'heure où les persécutions s'aggravaient dans toute la péninsule ibérique, c'était leur offrir un refuge. Les marranes d'Espagne et du Portugal, qui s'étaient vu reconnaître en 1629 la faculté d'émigrer, furent nombreux à se diriger vers le port toscan. L'histoire devait justifier le grand-duc de Toscane. Les Juifs, marranes pour la plupart, qui vinrent s'établir à Livourne allaient être les principaux artisans de son éclatante réussite.

Établis à Livourne, les Juifs d'origine ibérique ne tardèrent pas à nouer des relations commerciales avec l'Algérie et la Tunisie, dont témoignent les entrées et les sorties du port toscan dans les premières années du XVIIe siècle (4). Le développement rapide de leurs affaires amena négociants et financiers à créer des filiales outre-mer, dont ils confièrent la direction à des associés qui étaient le plus souvent des parents. La création de ces filiales se traduisit bientôt par l'implantation à Tunis comme à Alger, de familles venues de Livourne, mais d'origine ibérique pour la plupart, qui se firent d'année en année plus nombreuses. En effet, à travers les Actes du Consulat de France à Tunis, publiés par P. Grandchamp, on peut suivre, des dernières années du XVIe siècle aux premières années du XVIIIe siècle, le développement de cette colonie livournaise, qui se traduit par une diversification de plus en plus grande de l'onomastique.

Une recension attentive de tous les actes où les Juifs se trouvent impliqués nous a permis de dresser un état de tous les noms de familles dont les membres se disent livournais et sont unanimement considérés comme tels : Abravanel, Alcalain, Attias, Barrochas, Berlandina, Blanco, Boccara, Calvo, Campos, Cardoso, Carvalho, Castro, Coello, Coen de Lara, Cordero, Cordovero, Costa, Cottigno, Crespino, Darmon, De Paz, Ergas, Farro, Franco, Franco d'Almeida, Franco-Cabessa, Gabison, Garsin, Gomez, Gomez de Avila, Guttieres, Haique, Israël, Levi de Leon, Lima, Lopez, Louisada, Lullo, Lumbroso, Luna, Medina, Mendes, Mendes-Ossuna, Montesino, Moreno, Nahmias, Navarro, Nunez, Nunez-Arias, Nunez-Vargas, Ossuna, Paina, Pardo, Pariente, Pena, Pinto, Ribera, Rodriguez, Sasportas, Seralvo, Silva, Silva-Calvo, Silvera, Signor, Soria, Sosia, Sossa-Cottigno, Spinoza, Suarez, Vais, Valensi, Vargas, Videra, Villaforte (5).

De ces patronymes, qui n'ont pas cessé d'être représentés en Tunisie jusqu'à une époque toute proche, et que l'on retrouve, à de rares exceptions près, parmi les noms des Juifs d'Afrique du Nord recensés par M. Eisenbeth, ressort l'origine espagnole ou portugaise de la plupart des familles dites « livournaises » parce qu'elles étaient venues de Livourne (6). De plus, il suffit de rapprocher les noms des Juifs livournais de Tunis des noms des Juifs livournais de Livourne dont Cecil Roth a établi l'origine marrane (7), pour se convaincre que nombre de Juifs livournais de Tunis étaient les descendants d'anciens marranes qui, hors de la péninsule ibérique, ne tardèrent pas à revenir à la religion qu'ils avaient été contraints d'abjurer.

Dans les dernières années du XVIIe siècle, deux actes conservés dans les archives du Consulat de France à Tunis témoignent de l'étroite unité qui s'était maintenue entre tous les Juifs venus de Livourne :

a) A la date du 30 août 1685, un certain nombre de marchands agissant « au nom de toute la nation juive livournaise de Tunis » *(en nombre de toda la nacion ebrea livornese en Tunez)*, donnent procuration à Samuel de Medina, marchand de Livourne, pour s'occuper en cette ville, de toutes les affaires de « leur nation » (8).

b) A la date du 24 avril 1686, la « nation juive livournaise » *(la natione ebrea livornese)*, qui vient d'être frappée d'une contribution extraordinaire de mille pièces de huit réaux et a été contrainte d'emprunter cette somme au consul de France, J.-B. Michel, s'engage collectivement à lui rembourser cette somme majorée d'un intérêt de 16 %, soit 1 160 pièces de huit réaux. Cet acte ne compte pas moins de vingt-huit signatures (9).

Si le texte du deuxième acte est en italien, le texte du premier est en espagnol et laisse entendre que, longtemps après que leurs pères eurent quitté la péninsule ibérique, les Livournais de Tunis utilisaient encore l'espagnol. Mais nul doute qu'à la fin du XVIIe siècle, deux langues leur étaient devenues plus familières : l'italien dans leurs relations avec leurs coreligionnaires de Livourne, et l'arabe dans leurs relations avec leurs coreligionnaires de la Régence.

2. Les communautés

L'immigration livournaise eut des incidences multiples sur la vie des Juifs de Tunisie, et nous ne manquerons pas de lui faire une large place dans nos développements, mais, ayant porté sur quelques dizaines de familles dont la descendance accrue de génération en génération ne dépassait pas quelques centaines d'individus pour le pays tout entier, cette immigration n'affecta guère les effectifs des communautés juives du pays.

La communauté la plus importante, et de loin, est celle de Tunis, où les Juifs continuent de vivre groupés dans un quartier qui leur est propre, la *ḥâra*, à l'intérieur des murs de la médina. Une description des côtes de Barbarie de la fin du XVIᵉ siècle signale que les Juifs de Tunis ont dans la ville « leur quartier à part » *(il loro quartiere appartato)*, et qu'il est rempli d'une « grande quantité de marchandises richissimes » *(pieno di gran quantità di mercantia ricchissima)* (10). Ce quartier dut, insensiblement, s'étendre au cours des Temps Modernes pour accueillir une population sans doute plus nombreuse qu'à la fin du Moyen Age. C'est dans la *ḥâra,* au milieu des Juifs établis dans le pays de longue date, que les Juifs venus de Livourne au XVIIᵉ siècle se sont donné une demeure. Dans ses *Mémoires*, l'ancien consul de France à Tunis, J. Boyer de Saint-Gervais affirme que les Juifs venus d'Italie, ou Juifs livournais, habitent dans le même quartier que les Juifs du pays que l'on nomme « Moresques » (11). La communauté d'habitat des Juifs tunisiens et des Juifs livournais est confirmée par les observations que l'on pouvait faire jusqu'à ces dernières années en se promenant dans le vieux quartier juif. C'est au cœur de la *ḥâra* que se trouvait la rue es-Snadly, communément désignée sous le nom de *drîbat al-Grâna* (la rue des Livournais), et c'est dans cette rue qu'était située la plus importante synagogue livournaise, appelée *Shulḥan ha-Gadol* (la Grande Table) (12).

Selon les époques et selon les auteurs, varient les évaluations que l'on donne de la population juive de Tunis : neuf ou dix mille en 1735 selon Saint-Gervais ; neuf ou dix mille encore en 1756 selon Laugier de Tassy ; trente mille en 1783 selon R.-L. Desfontaines ; douze mille en 1788 selon Venture de Paradis ; trente mille en 1815 selon M. Noah ; quinze mille en 1829 selon L. Filippi (13). En écartant les chiffres extrêmes, on peut penser que la population juive de Tunis a oscillé de part et d'autre d'un chiffre moyen de quinze mille âmes.

Les précisions chiffrées sur les autres communautés font défaut pour le XVIIᵉ et le XVIIIᵉ siècle, et il faudra attendre les premières années du XIXᵉ siècle pour disposer d'évaluations que l'on puisse prendre en considération. Mais il nous faut, ne serait-ce que pour rattacher le passé à l'avenir, tenter d'établir la répartition territoriale des diverses communautés.

En dehors de Tunis, l'existence de communautés juives est attestée : dans le nord, à Bizerte, Mateur, Béja, Testour, Le Kef, Nabeul ; dans le centre, à Sousse, Mahdia, Monastir, Sfax ; dans le sud, à Gafsa, Gabès, El-Hamma Nefta et Djerba (14). Bien qu'aucun auteur n'en ait fait état, il faut aussi admettre, en marge des juiveries groupées dans les villes et les bourgades, l'existence de Juifs vivant à l'état nomade, sous la tente, ces *baḥutsim*, dont il ne sera fait une mention expresse qu'au XIXᵉ siècle (15).

Sur la population juive de l'ensemble du pays, les évaluations sont rares et peu crédibles : soixante mille âmes, selon M. Noah ; cinquante mille âmes, selon L. Filippi (16). La plus modeste de ces évaluations est encore trop élevée, puisqu'elle dépasse les effectifs de la population juive du pays au lendemain de la Première Guerre mondiale (17). On ne se trompera pas de beaucoup en admettant que la population juive du pays ait été de l'ordre de trente mille âmes, dont la moitié était concentrée à Tunis, la ville-capitale des deys et des beys. Mais il ne s'agit que d'un ordre de grandeur. Les effectifs réels de la population juive, comme ceux de la population musulmane, ont été affectés par de fortes variations, de part et d'autre de cette moyenne abstraite, dont la chronologie des épidémies de peste rend compte (18). Après avoir longtemps stagné, voire régressé, suite aux nombreuses épidémies qui s'abattent sur le pays au cours du XVIIᵉ siècle, la population s'accroît à la faveur de l'accalmie que l'on observe de 1705 à 1785, pour fléchir à nouveau après les épidémies qui marquent la fin du XVIIIᵉ et le début du XIXᵉ siècle (19).

3. Les activités économiques

Aux XVIIᵉ et XVIIIᵉ siècles, les Juifs jouaient un grand rôle dans la vie économique du pays. Négociants et banquiers aux opérations multiples, ils exerçaient aussi de nombreuses activités commerciales et artisanales.

Si des maisons de commerce françaises monopolisaient le commerce avec Marseille, les Juifs livournais établis en Tunisie avaient la haute main sur le commerce avec Livourne. Ils exportaient à destination du grand port toscan, où ils étaient en relations d'affaires avec leurs coreligionnaires, des produits de l'agriculture et de l'élevage — céréales, légumineuses, huiles, cuirs, laines, cire —, des produits de l'artisanat — couvertures, pièces d'étoffes de laine et de soie, bonnets de laine rouges ou chéchias — à quoi venaient s'ajouter les divers produits que les caravanes transahariennes apportaient jusqu'à Tunis : plumes d'autruche, ivoire et poudre d'or, mais aussi nombre de prises des corsaires qui ne pouvaient trouver d'amateurs dans le pays et qui étaient écoulées sur la place de Livourne. Ils en importaient des matières premières à destination des industries textiles — laines fines, soies ardasses et colorants — des produits manufacturés — draps, soieries, étoffes de prix, laiton, étain, quincaillerie — et enfin du sucre et des épices (20).

Les beys mouradites au XVIIe siècle et les beys ḥusaynites au XVIIIe siècle concédèrent à des Juifs, au prix de redevances en espèces et en nature, le monopole de la collecte et de la vente des cuirs. C'est ce qu'on appelle dans les documents de l'époque la « ferme des cuirs » ou encore la « journée des cuirs ». Le montant de la redevance en espèces, qui a dû varier, s'élevait à la fin du XVIIIe siècle à quelque 120 000 livres, mais la compagnie concessionnaire du monopole devait encore fournir la maison du souverain en étoffes de prix, telles que velours, damas et brocarts. Elle exportait elle-même, en direction de Livourne, une partie du produit de sa collecte et cédait l'autre à des commerçants français qui l'exportaient en direction de Marseille (21).

Comme on le verra plus loin, les marchands juifs devaient acquitter, à l'exportation comme à l'importation, des droits de douane plus élevés que les marchands musulmans et que les marchands chrétiens. Mais malgré ce handicap, le commerce entre Tunis et Livourne, contrôlé par les Juifs livournais, se développa et prospéra (22).

Au milieu du XVIIIe siècle, les marchands français se plaignaient de la concurrence que leur faisaient les Juifs, mais il leur était impossible de les éliminer, parce qu'ils se contentaient des plus minces profits (23). Le naturaliste français R.-L. Desfontaines, qui visita la Régence en 1783, écrit : « Les Juifs, qui font presque tout le trafic avec Livourne, ne peuvent soutenir la concurrence des Français que par des épargnes sordides, par des privations continuelles et par un genre de vie auquel ils peuvent seuls se soumettre » (24). Il faut dire aussi que les souverains qui se sont succédé, justement parce qu'ils prélevaient des droits plus importants sur les marchandises exportées ou importées par des Juifs, favorisaient leurs entreprises (25).

Du grand négoce, on ne peut séparer le commerce de l'argent. C'étaient les mêmes maisons qui avaient la haute main sur le commerce avec Livourne et qui se livraient aux multiples opérations de banque sur lesquelles les Actes du Consulat de France à Tunis nous fournissent de précieuses séries échelonnées sur plus d'un siècle. Les marchands juifs consentaient des prêts commerciaux aux marchands et aux capitaines de vaisseaux qui faisaient escale dans le port de Tunis. La somme empruntée à un marchand juif de Tunis devait être remboursée à son correspondant sur la place de Livourne, majorée des intérêts stipulés, et dans les délais fixés. Le taux d'intérêt, vu les risques encourus, était généralement de 3 % par mois, mais le numéraire était rare, et la loi de l'offre et de la demande déterminait le prix de l'argent comme elle déterminait le prix des marchandises. Aussi bien, l'emprunt était-il à court terme, et l'emprunteur, à peine arrivé à Livourne, se hâtait-il de vendre sa cargaison pour s'acquitter de sa dette au plus vite (26).

Les marchands juifs s'employaient souvent à la rédemption de ceux qui, pris par les corsaires, avaient été réduits en esclavage. Le plus souvent, le marchand de Tunis agissait sur l'ordre d'un marchand de

Livourne qui avait reçu de la famille de l'esclave la somme nécessaire à son rachat. Mais il arrivait aussi que le marchand de Tunis eût l'initiative de l'opération, versant à l'esclave le montant de sa rançon contre sa promesse de rembourser la somme avancée à son correspondant à Livourne, avec les intérêts stipulés, dans les délais prévus. Sur quelque quatre mille rachats d'esclaves, échelonnés sur tout un siècle, dont il est fait mention dans les Actes du Consulat de France à Tunis, nous en avons relevé un peu plus de six cents qui ont été opérés par les marchands juifs de Tunis, en relations d'affaires avec la place de Livourne, soit 15 % (27).

Les marchands, qui se doublaient de banquiers, consentaient aux artisans des prêts qui prenaient la forme de vente à crédit de matières premières, importées de l'étranger. Mais plutôt que de s'engager à verser le prix des matières premières, l'artisan pouvait s'engager à livrer ses produits finis. A la limite, le marchand juif tenait dans sa dépendance l'artisan qu'il approvisionnait en matières premières et dont il écoulait les fabrications. A la fin du XVIIᵉ siècle, le marchand juif livournais Jacob Lumbroso en était arrivé à avoir trois ou quatre fabriques de chéchias, et des meilleures, qui ne travaillaient que pour lui et dont il exportait les bonnets sur les marchés du Ponant et du Levant (28).

En fournissant aux artisans des matières premières contre leur promesse de livrer leurs produits finis, les marchands juifs ont pu prendre l'initiative de nouvelles productions pour lesquelles ils s'étaient assuré un débouché. Il en a été ainsi, en effet, pour la production des châles de prière ou taleths. On en aurait fabriqué à une certaine époque plus de 20 000 par an, et l'on en expédiait plus de la moitié à Livourne ou à Trieste, pour les faire passer de là en Pologne, qui, en raison de sa nombreuse population juive, constituait un important marché (29).

Les marchands juifs prêtaient de l'argent aux soldats de la milice turque, selon des modalités que nous fait connaître le chroniqueur Seghir b. Youssef : « Tous les soldats, même ceux des garnisons de l'Intérieur, avaient coutume lorsqu'ils voulaient se procurer de l'argent d'aller négocier un emprunt auprès des Juifs. Celui dont la solde se montait à cent piastres pas an, souscrivait un billet de cent dix piastres ; le Juif lui en donnait cent et se substituait à lui pour le paiement de la solde jusqu'à complète libération de ce qui lui était dû ; après quoi, le soldat contractait un nouvel emprunt. » (30) Cet usage aurait été interdit sous le règne de ᶜAlî Pacha Bey (1735-1756) (31). Mais si les prêteurs juifs ne purent plus encaisser la solde des soldats, il est probable qu'ils continuèrent à leur consentir des avances sur solde en obtenant les garanties nécessaires.

Des Juifs intervenaient au niveau de la vente au détail des produits importés. Dès le XVIIᵉ siècle sans doute, des Juifs livournais s'installèrent dans le souk de Tunis dénommé *sûq al-Filqa* et y ouvrirent des magasins spécialisés dans la vente des denrées coloniales, des épices et des drogues (32). Ils finirent par y être si nombreux que ce souk ne tarda pas à prendre le nom de *sûq al-Grâna,* c'est-à-dire le « souk des Livournais ». C'étaient par contre des Juifs du pays qui avaient leurs échoppes dans le *sûq al-Bey,* dont la création date de la fin du XVIIIᵉ siècle : ils s'y consacraient à la vente d'étoffes — draps, serges et soieries — importées d'Italie, de France ou d'Angleterre. Enfin, il devait y avoir un grand nombre de petits détaillants dont l'activité s'exerçait à l'intérieur du quartier juif parce qu'ils étaient spécialisés dans la vente de produits alimentaires conformes aux prescriptions de la religion juive.

Il y avait aussi des Juifs, des Juifs du pays le plus souvent, qui exerçaient leur activité dans telle ou telle branche de l'artisanat. Ils étaient nombreux à être tailleurs-brodeurs dont les ateliers étaient concentrés dans le *sûq al-Trûk,* le souk des Turcs, ainsi dénommé parce qu'il était spécialisé dans la confection des vêtements destinés à la population turque (33). Les Juifs étaient les seuls à se consacrer au travail des métaux précieux, et, dans le *sûq al-Sâgha,* ou souk des Orfèvres, tous les artisans étaient juifs. Comme les artisans musulmans, les artisans juifs étaient organisés en corporations placées sous l'autorité d'un amine qui était toujours musulman (34). Les Juifs pratiquaient sans doute d'autres métiers que ceux de tailleur et d'orfèvre, mais nous n'en avons pas trouvé mention dans les sources qui nous ont été accessibles.

Assez bien informés sur les activités économiques des Juifs de la capitale, nous ne savons pas grand-chose sur les activités économiques des Juifs dans les villes de la côte et les bourgades de l'arrière-pays. Force est donc de se contenter de vraisemblances. Nombre d'entre eux vivaient de négoce. Jouant le rôle de relais des grandes maisons de commerce de la capitale, ils drainaient, en vue de l'exportation, des produits de l'agriculture et de l'élevage et assuraient la distribution des matières premières et de produits fabriqués d'importation. Le colporteur juif, transportant ses marchandises de village en village et de marché en marché, est un personnage classique qui s'est perpétué jusqu'à une époque tout proche de la nôtre. D'autres vivaient de l'exercice d'une activité manuelle, pratiquant les métiers de tailleur-brodeur ou d'orfèvre, entre autres. Ceux qui étaient parvenus à réunir un petit capital prêtaient de l'argent à intérêt aux paysans, aux artisans et aux soldats dans les villes de garnison. On peut aussi imaginer, dans toutes les communautés, des hommes de tous âges exerçant de petits métiers aux gains minimes.

4. Les Juifs et l'État musulman

Les Juifs rendaient aussi des services signalés à l'État musulman en s'acquittant de multiples tâches pour lesquels ils semblent avoir été irremplaçables.

Au lendemain de la conquête ottomane, on continua de faire appel aux Juifs, sans doute en raison de leur expérience du travail des métaux précieux, pour la confection des monnaies. On peut lire dans une description du Royaume de Tunis au début du XVIIᵉ siècle, que les Juifs y ont la haute main sur le monnayage de l'or et de l'argent, et se consacrent dans l'Hôtel de la Monnaie ou *Sekka* à la fabrication des sultanins en or et des aspres en argent (35). Il en fut ainsi tout au long du XVIIᵉ et du XVIIIᵉ siècle, où les Juifs furent employés à la fabrication de toutes les monnaies mises en circulation par les souverains du pays. C'étaient également des Juifs qui étaient préposés à la vérification des monnaies. A la fin du XVIIIᵉ siècle, un marchand français qui vient de recevoir de Marseille un lot de 2 170 sequins s'excuse de ne pouvoir s'assurer de leur teneur et de leur poids : « La Pâque des Juifs, dans laquelle ils sont entrés depuis hier, m'empêche de faire vérifier ces espèces » (36). On ne saurait mieux dire que toute vérification des monnaies devait se faire en recourant à des Juifs.

Mais le rôle des Juifs ne se limitait pas à la fabrication et au contrôle des monnaies. Ils occupaient de nombreux emplois dans l'administration des finances. Dans son *Mémoire* sur Tunis, M. Poiron écrit vers 1750 : « Ce sont les Juifs en qui le Bey a le plus de confiance pour l'administration de ses finances. Le grand cayd du Bey, ou grand trésorier, est juif ainsi que tous les trésoriers particuliers, tous les teneurs de livres, écrivains et autres officiers, dont les fonctions ont quelque rapport avec l'écriture et les calculs » (37). En effet, les Juifs semblent avoir occupé tous les postes clés, tant pour la perception des impôts et l'ordonnancement des dépenses, que pour le maniement des espèces et la tenue des livres de comptes. Des caissiers doublés de comptables accompagnaient toujours la *maḥalla*, c'est-à-dire le camp qui, deux fois l'an, allait recouvrer les impositions dans l'arrière-pays. La perception des droits de douane, après avoir relevé de l'autorité d'un officier, c'est-à-dire d'un fonctionnaire musulman, portant le titre de *kahiya*, fut confiée au cours de l'année 1740 à une compagnie de Juifs livournais « moyennant 80 000 piastres par an ». Comme, pour satisfaire aux exigences du souverain, ils avaient majoré les tarifs en vigueur, les députés de la nation française élevèrent une protestation qui resta, semble-t-il, sans effet (38). C'étaient des Juifs qui procédaient à la paie des soldats de la milice des janissaires (39). Ils contrôlaient tous les mouvements de fonds. Le chroniqueur Seghir b. Youssef nous apprend que le souverain ᶜAlî Pacha Bey (1735-1756) avait installé dans la chambre du *khaznadâr*, le grand trésorier du royaume, musulman lui, neuf juifs, assis chacun devant une table, qui étaient occupés à compter du matin au soir l'argent qui entrait dans ses caisses, et que cela dura pendant tout son règne (40). Quant aux écritures, elles étaient toutes tenues par des Juifs qui faisaient usage d'un arabe dialectal transcrit à l'aide d'une cursive hébraïque (41). Enfin et surtout, il faut marquer que le Receveur général des Finances, placé sous les ordres du khaznadâr musulman, était toujours un Juif (42). C'est ce haut dignitaire de l'État beylical qui était aussi le caïd des Juifs, c'est-à-dire le chef de l'ensemble de la population juive du pays.

Plus d'une fois, les beys de Tunis ont mis à profit les relations que les Juifs pouvaient avoir avec les autres pays et leur connaissance des langues étrangères pour leur confier des missions diplomatiques. Au cours de l'été 1699, c'est à un Juif nommé Juda Cohen que le dernier des beys mouradites, Murâd III demanda de négocier un traité avec les États Généraux de Hollande. Ce fut le début de longues tractations qui devaient aboutir à la signature d'un traité de paix et de commerce qui fut ratifié à La Haye le 1er décembre 1708 et à Tunis le 19 juillet 1713. Juda Cohen semble s'être acquitté de sa mission à la satisfaction des deux parties (43). A quelque temps de là, le bey Ḥusayn b. ʿAlî chargea un marchand juif de Tunis de négocier un accord avec les corailleurs de Sicile. Aux termes de cet accord, il fut convenu que les coralines siciliennes seraient autorisées à pêcher dans les eaux tunisiennes, à condition d'entreposer le produit de leur pêche à Bizerte, et d'en réserver la vente au marchand juif, qui semble avoir été un agent du Bey, au service des finances du beylik (44).

Les souverains, qui faisaient largement confiance aux Juifs pour administrer leurs finances, leur faisaient aussi confiance pour veiller sur leur santé. Au début du XVIIIe siècle, le naturaliste français J.A. Peyssonnel, de passage à Tunis, fit la connaissance du Dr Mendoza — un Juif livournais à coup sûr — qui était le médecin de Ḥusayn b. ʿAlî, le fondateur de la dynastie ḥusaynite. Il avait accompagné le Bey, à la tête de la *maḥalla* d'hiver, au cours de l'année 1722, et il avait relevé dans les ruines d'une ville romaine du sud du pays trois inscriptions latines dont il communiqua le texte à J.A. Peyssonnel (45).

On peut se demander pour quelles raisons les Juifs ont été appelés à jouer un rôle si important dans l'État musulman. Sans doute, il a paru avantageux de mettre à profit leur expérience des métaux précieux, leur connaissance des monnaies en usage dans les divers pays et leur aptitude à tenir des livres de compte ou leur connaissance de la médecine. Mais ce qui a été, croyons-nous, décisif, a été leur situation de minoritaires. Vu leur petit nombre, les Juifs n'auraient pu vivre au milieu d'une population ayant une autre foi, sans la protection du Prince, à la tête de l'État. Mais cette protection, ils se sentaient tenus de la mériter par leur loyalisme et leur zèle. Aussi bien, les Juifs étaient-ils ceux en qui les maîtres du pays étaient portés à placer toute leur confiance. Ils n'en ont pas moins continué à être soumis strictement au statut des *dhimmî*-s.

5. Protection et discriminations

Au lendemain de la conquête ottomane, les Juifs de la Régence ont continué à être soumis au statut que l'islam a réservé aux gens du Livre. Il leur était permis de vivre dans le pays en pratiquant leur religion sans entraves, et l'État musulman s'engageait à les protéger. Mais ils n'avaient pas les mêmes droits et les mêmes obligations que les musulmans. La condition de ceux que l'on appelait *ahl al-dhimma*, les sujets protégés, se trouvait caractérisée par un certain nombre de discriminations. Le droit musulman n'a jamais fait de distinction entre Juifs et chrétiens, qui étaient les uns et les autres régis par les mêmes dispositions. Mais au cours des XVIIe et XVIIIe siècles, les chrétiens — peu nombreux — qui étaient établis dans la Régence y jouissaient de tous les droits et de toutes les garanties qui leur avaient été reconnus par les traités, et les Juifs étaient les seuls à être soumis au statut des *dhimmî*-s et à leurs vexantes discriminations.

La discrimination la plus sensible, que tous les observateurs n'ont pas manqué de noter, est d'ordre vestimentaire. Les Juifs s'habillent comme les musulmans, et le costume juif comporte les mêmes éléments — *sarwâl, jubba, burnûs* — que le costume musulman. Mais, à la différence des musulmans qui portent une chéchia rouge enveloppée d'un turban blanc, les Juifs *doivent* porter un bonnet noir, enveloppé d'un turban de couleur sombre : violet, bleu foncé ou noir. Ils s'exposeraient à une peine corporelle — nombre de coups de bâton sur la plante des pieds — s'ils tentaient de se soustraire à cette obligation. Il en était ainsi pour les Juifs implantés dans le pays de longue date, mais non pour les Juifs d'origine livournaise, qui s'habillaient à l'européenne et portaient perruque et chapeau rond (46).

Au début du XIXe siècle, le bey Maḥmûd b. Muḥammad (1814-1824) voulut imposer une discrimination vestimentaire aux uns et aux autres. Des Juifs tunisiens, que leurs affaires appelaient à faire des séjours en Italie ou en France, avaient pris la liberté de s'habiller à l'européenne et de porter un chapeau rond à l'exemple des Juifs livournais. Le Bey vit dans cette dérogation aux usages établis une intolérable bravade. Dans les premiers jours de janvier 1823, il interdit à tous les Juifs du royaume, indistinctement, de porter un chapeau rond et leur enjoignit de porter une calotte noire. Non content d'imposer cette discrimination vestimentaire aux Juifs tunisiens ou livournais qui étaient ses sujets, il voulut l'étendre aux Juifs étrangers. Un Juif originaire de Gibraltar, établi depuis quelque temps à Tunis, sommé de se conformer à la mesure édictée par le Bey, s'y refusa énergiquement et alla se plaindre au consul de Grande-Bretagne. Celui-ci s'empressa d'intervenir auprès du Bey et d'élever une protestation énergique contre la violence qui venait d'être faite à un sujet britannique. Le Bey ne se laissa pas ébranler par cette démarche et déclara que tous les

Juifs, sans exception, devaient porter un costume particulier et que ceux qui se prévaudraient de leur qualité d'étrangers pour ne pas se soumettre à la règle devraient quitter son royaume. Le consul anglais fit savoir qu'il porterait l'affaire à la connaissance de son gouvernement et que le Juif de Gibraltar, outragé, se rendrait à Londres pour demander justice aux ministres de Sa Majesté. Devant les proportions que prenait l'affaire, le Bey assouplit sa position et admit que les Juifs étrangers pussent porter un chapeau rond, mais exigea que tous les Juifs qui étaient ses sujets, quelle que fût leur origine, fussent coiffés d'une calotte : blanche s'ils étaient livournais, noire s'ils étaient tunisiens. A quelque temps de là, deux Juifs livournais qui s'étaient crus en droit de porter un chapeau furent arrêtés et soumis à la bastonnade. Ils ne furent relâchés que lorsqu'il fut établi, grâce à une intervention consulaire, qu'ils étaient des sujets du grand-duc de Toscane. Ce qu'on a appelé « l'affaire du chapeau » montre que jusqu'au début de l'époque contemporaine les Juifs de Tunisie sujets du Bey, quelle que fût leur origine, devaient par leur coiffure se distinguer des musulmans et des chrétiens (47).

La discrimination vestimentaire était la plus voyante, mais elle n'était pas la plus importante. Les Juifs continuaient à être soumis à l'impôt de capitation ou *jezya*. Au début du XVIIᵉ siècle, le Père Dan écrit : « Tunis sert de retraite à quantité de Juifs, lesquels y ont plusieurs synagogues et un libre exercice de leur religion, moyennant un grand tribut qu'ils payent annuellement » (48). Ce « tribut » est de toute évidence l'impôt de capitation qui continue d'être prélevé sur les Juifs. Quelque deux siècles plus tard, le médecin L. Frank note : « Les Juifs sont les seuls des sujets de la Régence qui payent au Bey un impôt personnel » (49). Selon le consul de Sardaigne à Tunis, L. Filippi, qui semble bien informé, l'impôt de capitation sur les Juifs assurait chaque année aux finances beylicales une recette de 180 000 piastres, soit, sur des recettes globales de quelque huit millions de piastres, 2,25 % (50).

Ce n'était pas la seule discrimination sur le plan fiscal. A l'entrée comme à la sortie, les marchands juifs payaient des droits de douane plus élevés que les marchands musulmans. Pendant longtemps, alors que les marchands musulmans payaient des droits de douane de 3 %, les marchands juifs comme les marchands chrétiens, soumis au statut des *dhimmî*-s, payaient des droits de douane de 10 %. Mais au cours du XVIIᵉ siècle, en vertu des accords conclus avec la Régence de Tunis par les principales Puissances européennes, les marchands chrétiens ne payèrent plus que des droits de douane de 3 % et les marchands juifs continuèrent à payer des droits de douane de 10 % à l'exportation comme à l'importation (51). Dès lors, ils furent les seuls à payer les droits de douane que les juristes musulmans avaient mis à la charge de tous les « protégés ».

Aux impositions régulières, venaient souvent s'ajouter les contributions extraordinaires que les Autorités du pays, quand elles étaient à court d'argent, ne se faisaient pas faute d'exiger des Juifs comme d'autres éléments de la population. Nous avons déjà fait état de cette somme de mille pièces de huit réaux dont fut taxée la « nation juive livournaise » au mois d'avril 1686 et que les marchands juifs livournais de Tunis, faute de liquidités suffisantes, empruntèrent au consul français J.-B. Michel (52). On pourrait sans difficulté multiplier les exemples pour le XVIIe comme pour le XVIIIe siècle : les Juifs n'ont cessé d'être exposés à des contributions arbitraires. A la fin du XVIIIe siècle, R.-L. Desfontaines en témoigne : « Il arrive fréquemment que le gouvernement exige d'eux [c'est-à-dire des Juifs] des sommes considérables qu'ils doivent payer sur-le-champ » (53). Comme si on permettait aux Juifs de travailler, de spéculer, de s'enrichir même, pour pouvoir, le moment venu, les frustrer d'un coup des fruits de leurs efforts.

Aux contributions en argent, s'ajoutaient les prestations gratuites de travail qu'ils devaient de temps en temps fournir. Ils étaient requis comme manœuvres lors de la construction d'ouvrages d'utilité publique tels que les adductions d'eau, les fontaines et les abreuvoirs, mais aussi lors de la construction de palais pour le Prince ou les membres de son entourage. Quant aux artisans juifs, ils étaient souvent requis pour confectionner les uniformes et les équipements des divers corps de troupes. Il n'est pas sûr que pour ces travaux, exécutés sous la contrainte, ils aient toujours perçu un salaire. C'était le caïd des Juifs qui devait satisfaire aux exigences du pouvoir et désigner ceux qui iraient travailler pour le beylik. Comme on peut le penser, c'était sur les plus pauvres que retombait le poids des corvées, auxquelles les plus riches arrivaient aisément à se soustraire (54).

Sur un point, à la fin du XVIIIe siècle, les Juifs de Tunisie virent leur condition s'aggraver par rapport à celle qui avait été la leur jusque-là. Le chroniqueur Ibn Abî Ḍiyâf nous apprend que le bey Ḥammûda b. ᶜAlî (1782-1814), peu après son avènement, dénia aux Juifs le droit de posséder des immeubles, qui leur avait été toujours reconnu dans le passé (55). Nous ignorons pour quelle raison le souverain ḥusaynite prit cette mesure que le chroniqueur considère comme injustifiable. Quoi qu'il en soit, elle devait demeurer en vigueur jusqu'à la proclamation du *Pacte Fondamental* au siècle suivant. Les Juifs de Tunisie ne furent pas moins bien lotis que les Juifs de nombreux pays d'Europe auxquels l'accès à la propriété immobilière demeura interdit jusqu'aux révolutions qui firent triompher le principe de l'égalité des droits entre tous les citoyens, sans distinction de religion. Il reste que cette mesure discriminatoire eut en Tunisie les mêmes conséquences que dans les autres pays où elle fut édictée. Ne pouvant placer leurs avoirs dans l'acquisition de terrains et de maisons, les Juifs ne purent donner à leur fortune que la forme mobilière, qu'elle fût constituée par des métaux précieux, de l'argent monnayé ou des créances.

Le droit musulman a édicté des peines d'une extrême sévérité à l'égard des Juifs et des chrétiens qui s'aventureraient à porter atteinte aux intérêts de l'État musulman et au prestige de l'islam. Les juristes musulmans énumèrent les actes qui représentent une « rupture du pacte de protection » et pour lesquels le dhimmî est puni de mort (56). Parmi ces actes, figurent la moindre mise en question de l'islam, de Mahomet ou du Coran, mais aussi l'acte de chair, accompli par un non-musulman avec une femme musulmane. Plus d'une fois, au cours de l'histoire, un Juif, accusé à tort ou à raison d'avoir fait insulte à l'islam, ou d'avoir entrepris une musulmane, a été condamné à mort et exécuté.

Au cours de l'année 1824, un jeune Juif fut accusé d'avoir eu des relations sexuelles avec une femme musulmane. La réalité des faits n'était pas prouvée, les circonstances la rendait improbable et la plupart des gens en doutaient. Mais le Juif et la musulmane, arrêtés l'un et l'autre, furent traduits devant le Bey. Ceux qui les avaient dénoncés portèrent témoignage et le Bey ne pouvait que les condamner à mort. Pour échapper au châtiment suprême, le Juif prononça la profession de foi musulmane. On jugea que cette conversion tardive n'effaçait pas son crime. Il affirma son innocence et déclara courageusement au Bey qu'il aurait à répondre de son sang devant Dieu. Mais rien n'y fit. La sentence, conforme à la loi, fut rigoureuse : la femme musulmane fut mise dans un sac et noyée ; quant au Juif, il eut la tête tranchée et son corps mutilé fut traîné dans la ville par une foule enragée (56²).

Quelques années auparavant, un jeune Juif fut traité aussi sévèrement pour ce qu'il faut bien appeler une peccadille. Cet infortuné, en état d'ivresse, s'était permis une plaisanterie avec une femme musulmane dont on nous assure qu'elle était vieille et peu capable d'éveiller un désir. Le jeune homme n'en fut pas moins arrêté, conduit devant le Bey et condamné à mort. Vainement, pour obtenir sa grâce, il se fit musulman. La sentence fut exécutée et son corps fut livré à la populace qui le hâcha en morceaux (57).

Mais une autre affaire montre que les Juifs n'étaient pas les seuls à être traités avec une extrême rigueur, lorsque l'honneur d'une femme musulmane était en cause. Au cours de l'été 1784, un capitaine ragusais fut trouvé en compagnie d'une femme musulmane dans la maison d'un Juif. R.-L. Desfontaines nous rapporte en ces termes ce qui s'ensuivit : « Le consul de Raguse qui savait combien cette affaire était grave se rendit promptement chez le Bey. Il implora le pardon du coupable par des prières, par des larmes, par les sollicitations les plus vives et les plus pressantes, mais ce fut en vain : l'arrêt de mort était irrévocablement prononcé. Le lendemain, sur les onze heures du matin, le malheureux capitaine fut massacré sans pitié par des soldats, sur la place publique voisine de l'habitation des Francs. Une populace furieuse et barbare se saisit du cadavre et se livra à des horreurs et à des excès d'infamie dont il me répugne de tracer le tableau. La femme coupable fut enfermée dans un sac et noyée ; son cadavre fut ensuite retiré de l'eau et exposé pendant trois jours à l'une des portes de la ville. Le Juif, attaché à un poteau hors des murailles, fut brûlé vif, et nous vîmes de nos fenêtres s'élever les flammes qui le consumèrent » (58). C'était châtier bien sévèrement un amateur de charmes exotiques, une courtisane sans préjugés et un entremetteur imprudent !

Quant à la protection que l'État musulman devait assurer aux minoritaires protégés, elle était pour le moins intermittente. D'après le *Mashkinot ha-ro^cim* d'Ouziel al-Ḥayk, il arrivait souvent que les Juifs fussent maltraités, pillés et assassinés, sans que l'autorité s'en souciât en prêtant une oreille attentive à leurs plaintes (59). Le naturaliste R.-L. Desfontaines, à la fin du XVIIIe siècle, fait état des outrages de toutes sortes dont on les accable et qu'ils sont obligés de souffrir avec patience, sans avoir le droit de se plaindre (60).

Si les Juifs riches qui exerçaient des charges dans l'administration du pays arrivaient à se faire respecter, il était plus difficile aux Juifs pauvres d'échapper aux brimades et aux lazzis. L'inquiétude perpétuelle dans laquelle ils vivaient se lisait sur leurs visages, et un observateur note qu'on les reconnaît, non seulement à « leur costume noir », mais encore « à l'empreinte de malédiction qu'ils portent sur le front » (61). Mais il n'y a rien là que de très ordinaire, à l'époque, dans la plupart des pays musulmans où les Juifs partageaient la condition des *ahl al-dhimma*.

Cependant, au cours de cette période, les Juifs de Tunisie ne firent jamais l'objet d'explosions de fanatisme religieux ou de haine raciale se traduisant par des massacres collectifs. Des textes font mention, dans des périodes troublées, de pillages accompagnés de violences, dont les Juifs eurent à souffrir. Mais il s'agit d'événements exceptionnels au cours desquels non seulement les Juifs, mais encore d'autres éléments de la population furent aussi durement éprouvés.

Au mois de juin 1752, lorsque ^cAlî Pacha Bey (1735-1756) vint à bout de la révolte de son fils Younes, ses troupes mirent la ville de Tunis au pillage. La soldatesque, à laquelle s'était jointe la populace, enfonça les portes et pilla les maisons des Juifs, comme les maisons des chrétiens. « Mais, comme le note le consul de France F. Fort, malgré la licence effrénée des soldats et la diversité de religion, il n'y eut point de sang versé : un seul Juif mourut des suites des mauvais traitements dont il avait été victime » (62).

Au mois de septembre 1756, lorsque le bey Muḥammad b. Ḥusayn (1756-1759) vint à bout, grâce au concours des troupes d'Alger, des forces de ^cAlî Pacha Bey, les soldats, ivres de leur victoire, mirent la ville à sac, forçant les portes, pillant les maisons, faisant main basse sur tout ce qu'ils trouvaient et abusant des femmes. Mais, cette fois encore, la soldatesque déchaînée traita avec autant de rigueur Juifs et chrétiens. Il n'est pas sûr que de bons musulmans n'aient pas eu à souffrir au cours de ces journées qui plongèrent la capitale dans la plus grande désolation (63).

Il faut surtout noter que les Juifs de Tunisie ne firent jamais l'objet d'expulsions massives, comme ils le firent à la même époque dans de nombreux pays de l'Europe chrétienne, où ils étaient chassés tantôt d'une ville, tantôt d'une autre. Heureux qu'ils ne l'aient pas été de toutes, et au même moment (64) !

6. Les institutions communautaires

Au cours des XVIIᵉ et XVIIIᵉ siècles, les Juifs de Tunisie ont continué à bénéficier, dans le cadre de l'État musulman, d'une large tolérance qui leur permettait non seulement de célébrer leur culte sans entraves, mais encore de vivre selon la loi mosaïque, en s'administrant eux-mêmes.

C'est la communauté de la capitale dont les institutions nous sont le mieux connues. Elle relève de l'autorité d'un chef qui cumule généralement la charge de caïd des Juifs et la charge de receveur général des Finances. Dans les écrits rabbiniques, il est présenté comme *hasar ve ha-ṭafsar,* le seigneur et le chef. C'est à lui que revient la tâche de répartir entre les chefs de famille, en fonction de leurs ressources, l'impôt de capitation *(jezya)* dont la communauté est redevable collectivement. C'est à lui aussi que revient la tâche de désigner ceux qui devront aller travailler lorsque les autorités du pays mettent des corvées de diverses natures à la charge de la population juive. Représentant du Prince auprès de la communauté, il est le représentant de la communauté auprès du Prince. Avec le concours d'un certain nombre de notables choisis parmi les plus instruits et les plus fortunés, il administre toutes les affaires de la communauté (65). Des ressources, constituées par une dîme aumônière, par une taxe sur la viande des animaux abattus selon le rite et par les offrandes des fidèles, permettent à la communauté de faire face à toutes ses dépenses. Elle peut ainsi assurer le fonctionnement de son *bet-dîn,* tribunal rabbinique, présidé par le grand rabbin, de sa maison de prière, de ses écoles, de son abattoir rituel, de son cimetière, avec les nombreux préposés qu'il faut rémunérer, et de sa caisse de secours aux indigents et aux malades (66).

Tout au long du XVIIᵉ siècle, de la même communauté ont fait partie les Juifs tunisiens ou *Twânsa,* et les Juifs livournais, ou *Grâna.* Mais, au début du XVIIIᵉ siècle, au cours de l'année 1710, suite à de nombreuses frictions, une scission intervint entre ceux qui étaient implantés dans le pays de longue date et ceux qui étaient venus de Livourne à une époque relativement récente. Aux lieu et place d'une seule et même communauté, il y en eut désormais deux : la communauté tunisienne et la communauté livournaise, chacune avec son conseil de notables, son grand rabbin, son tribunal rabbinique, sa maison de prière, ses écoles, sa boucherie et son cimetière distincts (67). Il est difficile d'attribuer à cette scission des raisons religieuses : les Livournais comme les Tunisiens avaient les mêmes rites et les mêmes usages, à quelques variantes près. Les raisons d'ordre culturel semblent avoir été d'un plus grand poids. Les Livournais, dont les pères ou les grands-pères étaient venus d'Europe, supportaient mal d'avoir à frayer avec leurs coreligionnaires natifs du pays, qui pouvaient leur apparaître comme moins instruits et moins « civilisés ». Mais ce sont sans doute les raisons d'ordre économique qui ont été déterminantes. Les Livournais, relativement peu nombreux, étaient généralement plus riches. Les Tunisiens, qui constituaient la grande masse de la population juive, étaient plus pauvres. Selon toute vraisemblance, les Livournais ont fini par se lasser de faire face, par les contributions qui leur étaient imposées, à l'entretien d'une communauté où ils ne représentaient qu'une infime minorité.

La création de deux communautés distinctes engendra de nouvelles frictions. Il arrivait que des Juifs tunisiens achetaient de la viande à la boucherie livournaise — sans doute parce que son prix était majoré d'une taxe moins élevée — amenuisant ainsi les recettes de la communauté tunisienne qui n'arrivait plus à faire face à ses dépenses. Il arrivait aussi que pour se soustraire aux contributions imposées aux membres de la communauté tunisienne, les Juifs qui venaient s'établir dans le pays, quelle que fût leur origine, préféraient se rattacher à la communauté livournaise, et ils portaient préjudice à la communauté tunisienne, qui voyait se réduire, avec le nombre de ses membres, l'ampleur de ses moyens financiers.

Après de longues négociations, les deux communautés finirent par arriver à un accord, qui fut signé en juillet 1741. Il fut alors arrêté que : a) tout Israélite d'origine tunisienne ou venu d'un pays musulman ferait partie de la communauté tunisienne, et tout Israélite venu d'un pays chrétien ferait partie de la communauté livournaise ; b) il était interdit aux Israélites appartenant à la communauté tunisienne d'acheter de la viande à la boucherie livournaise ; c) les charges pesant sur l'ensemble des Juifs du pays incombaient pour les deux tiers à la communauté tunisienne et pour un tiers à la communauté livournaise ; d) les Juifs de passage dans le pays, qu'il fallait secourir ou inhumer en cas de décès, étaient à la charge de la communauté tunisienne, s'ils étaient originaires d'un pays musulman, de la communauté livournaise, s'ils étaient originaires d'un pays chrétien. Cet accord, au bas duquel apposèrent leur signature le grand rabbin Abraham Taïeb au nom de la communauté tunisienne, et le grand rabbin Isaac Lumbroso au nom de la communauté livournaise, fut renouvelé en 1784, et il devait, pour une très longue période, régler la coexistence des deux communautés entre lesquelles se partageaient les Juifs de Tunis (68).

La scission qui intervint au XVIIIᵉ siècle n'empêcha pas les Juifs de Tunisie, dans leur ensemble, de continuer à relever d'un même caïd des Juifs. Mais désormais toutes les institutions communautaires se trouvèrent dédoublées sous l'autorité d'un grand rabbin de la communauté tunisienne et d'un grand rabbin de la communauté livournaise (69).

Dans une communauté comme dans l'autre, le grand rabbin qui présidait le Tribunal rabbinique, d'où son titre de *Ab bet-dîn*, veillait au respect de la loi, où les frontières du droit et de la morale étaient indistinctes, en s'inspirant du Talmud et de l'exposé systématique qui en avait été donné au XVIᵉ siècle par Joseph Caro dans son célèbre traité, *Shulḥan ᶜAroukh* (= La Table dressée). Les juridictions rabbiniques ne se contentaient pas seulement de régler tous les conflits en matière de statut personnel — filiations, adoptions, mariages, répudiations, successions — il leur arrivait aussi de régler les différends qui pouvaient surgir en matière civile ou commerciale lorsque seuls des Juifs étaient en cause.

En matière civile, il leur est même arrivé d'innover, en garantissant aux familles juives locataires d'un logement, le droit au maintien dans les lieux. C'était une sorte de droit réel, transmissible entre vifs ou pour cause de mort, qui leur était reconnu dès lors que celui qui louait un logement et en prenait possession devant témoins, acquérait le droit de s'y maintenir à la seule condition d'en acquitter régulièrement le loyer stipulé dans le contrat de location, sans courir le risque d'en être évincé par l'un de ses coreligionnaires, qu'il acquît la propriété de l'immeuble ou qu'il proposât au propriétaire de payer un loyer plus élevé. Ce droit fut appelé *ḥazaqat-qandîl*, c'est-à-dire « possession par la lampe » parce que, pour l'établir, il suffisait à tout nouveau locataire d'allumer une lampe à huile devant témoins (70). L'institution de la *ḥazaqah*, qui a fait l'objet de nombreuses décisions rabbiniques, semble devoir être mise en relation avec la crise du logement qui sévit à Tunis au cours du XVIIIᵉ siècle, suite à l'essor que connut alors la population de la capitale épargnée pendant quelque quatre-vingts ans par la peste.

Le grand rabbin jouissait d'une autorité considérable sur l'ensemble des membres de sa communauté, puisqu'il pouvait prononcer des peines à l'encontre de ceux qui contrevenaient à la loi, que la faute fût d'ordre profane ou d'ordre religieux. L'une des plus redoutables était à coup sûr le *ḥerem* (71) ou excommunication. Prononcée par le Tribunal rabbinique et rendue publique par une proclamation dans la synagogue devant l'ensemble des fidèles réunis, elle mettait le coupable au ban de la communauté. Non seulement il ne pouvait plus prendre part aux offices religieux, mais encore personne ne devait plus lui adresser la parole, pas même ses parents les plus proches. Il n'était mis fin à cette exclusion rigoureuse que lorsque l'excommunié avait demandé pardon, en présence de tous les membres de la communauté rassemblés (72).

Au début du XIXᵉ siècle encore, le grand rabbin, en tant que président du Tribunal rabbinique, pouvait condamner à des peines corporelles. Ainsi, au mois de mai 1827, parce qu'il avait, nous dit-on, invoqué le nom de Dieu pour donner plus de force à son témoignage, un courtier juif fut condamné à recevoir la bastonnade. Mais comme le courtier juif était au service d'une maison de commerce française, et bénéficiait à ce titre de la protection française, il obtint du consul de France qu'il élevât une protestation auprès du Bey. Celui-ci dut promettre que le Tribunal rabbinique n'infligerait plus de peine, pour un délit religieux, à un Juif placé sous la protection française (73). Fait significatif, car il prouve que, parmi les Juifs de Tunisie, il s'en trouvait qui mettaient en question l'autorité des chefs religieux, comme ils cherchaient à se soustraire à la souveraineté beylicale.

Nous sommes bien moins renseignés sur la vie interne des communautés de l'arrière-pays que nous le sommes sur celle de la capitale. Selon toute vraisemblance, elles s'administraient elles-mêmes, avec à leur tête un conseil de notables se donnant, par une dîme aumônière, des taxes et des offrandes, les moyens de subvenir à l'entretien de leurs synagogues, de leurs écoles et de leurs cimetières, de verser une rétribution aux rabbins qui assuraient un service public et de venir en aide aux indigents et aux malades. Elles se chargeaient aussi de collecter parmi leurs membres l'impôt de capitation qu'elles devaient verser et qui était centralisé par le caïd des Juifs, dont l'autorité s'étendait aux Juifs du pays tout entier.

7. Le renouveau des études hébraïques

Les lettres hébraïques en Tunisie ont eu leurs siècles obscurs. Du XIᵉ au XVIᵉ siècle, en effet, on ne peut faire état d'aucune œuvre témoignant d'un effort créateur, ni d'aucun savant dont le nom soit parvenu jusqu'à nous. Cependant, on ne saurait en conclure, comme l'affirme un auteur (74), que les études hébraïques aient, pour un temps, réellement cessé. A tout le moins, la connaissance de la langue hébraïque se transmit de génération en génération, et les textes fondamentaux de la Bible et du Talmud ainsi que de leurs commentaires classiques continuèrent à être lus et relus. Ainsi seulement peut-on comprendre qu'une remarquable édition de la Bible en hébreu ait pu voir le jour chez Bomberg, à Venise, en 1526, par les soins de Jacob ben Ḥayyim de Tunis (75). Nous ne savons pas, il est vrai, quelles furent, dans la formation de cet érudit, la part de son pays d'origine et la part de son pays d'accueil.

Nous ignorons tout de la vie intellectuelle des Juifs de Tunisie au XVIIᵉ siècle. Mais on peut penser qu'à la faveur d'une vie moins troublée les études reprirent et qu'elles furent stimulées par des contacts et des échanges plus nombreux avec les savants d'autres communautés. Les liens qui s'établirent alors entre les Juifs de Tunis et les Juifs de Livourne, avec l'implantation dans le pays de nombreuses familles livournaises, ne furent pas moins importants pour la vie intellectuelle que pour la vie économique. Les livres imprimés à Livourne se répandirent en Tunisie comme dans les autres pays du Maghreb, et, à la faveur de textes plus nombreux, les études purent prendre un nouvel essor. De leur développement, le résultat sera un incontestable renouveau des études hébraïques après une longue éclipse.

Dans les premières années du XVIIIᵉ siècle, en effet, Tunis devient un centre d'études talmudiques. « Cinq noms, écrit R. Arditti, brillent comme une constellation au début du XVIIIᵉ siècle dans le ciel de la littérature rabbinique de Tunis ». Ce sont les noms des rabbins a) Semah Sarfati ; b) Abraham Ha-Cohen ; c) Abraham Benmoussa ; d) Abraham Taïeb ; e) Joseph Cohen-Tanugi. « Enfants de la même génération, ayant puisé leur enseignement à la même source, subissant leur influence réciproque, ils ont créé à Tunis le premier foyer d'activité intellectuelle d'où jaillirent les étincelles d'un avenir vraiment brillant ». C'est sous leur impulsion que des œuvres virent le jour et que la capitale des beys ḥusaynites mérita d'être appelée ᶜayr gedolah shel ḥakhamim ve shel soferim, c'est-à-dire « une grande ville de savants et d'écrivains » (76).

La production intellectuelle des rabbins de Tunis aux XVIIIᵉ et XIXᵉ siècles a fait depuis longtemps déjà l'objet d'une étude diligente de D. Cazès, qui accomplit en ce domaine une œuvre de pionnier (77). Nous nous bornerons ici à consacrer une notice succincte aux savants qui furent les auteurs des œuvres les plus marquantes.

Semah Sarfati, dont nous ignorons la date de naissance, fut appelé à exercer les fonctions de Ab Bet-Dîn, c'est-à-dire de président du Tribunal rabbinique, titre qui équivalait à celui de grand rabbin, dans les premières années du XVIIIᵉ siècle, avant la scission survenue entre Tunisiens et Livournais en 1710. Ses écrits, constitués par des consultations et des commentaires, n'ont jamais été réunis en volume, mais ont été publiés ça et là, à la suite des travaux de ses disciples. Sentant approcher sa fin, il se rendit en Terre Sainte et il mourut à Jérusalem en 1717, laissant à Tunis le renom d'une très haute autorité rabbinique, avec tout le prestige d'un précurseur. L'un des plus vieux oratoires de la ḥâra de Tunis porte son nom (78).

Abraham Taïeb a succédé à Semah Sarfati dans les fonctions de président du Tribunal rabbinique et de grand rabbin de la communauté tunisienne. C'est à ce titre qu'il signa la convention, taqqanah, de 1741, qui définit les rapports des Juifs d'origine locale et des Juifs venus de Livourne. Il ne nous a laissé aucun ouvrage. On a seulement de lui un certain nombre de commentaires et de consultations qui ont trouvé place dans les livres de ses disciples. Comme nous l'apprend son épitaphe, il mourut à Tunis en 1741 (79).

Isaac Lumbroso, dont le nom atteste l'origine livournaise, fut le disciple de Abraham Taïeb et, après la scission survenue entre Tunisiens et Livournais, il fut élevé aux fonctions de président du Tribunal rabbinique et de grand rabbin de la communauté livournaise de la capitale, qu'il exerça pendant quarante-deux ans. Il dispensa son enseignement à de nombreux disciples et laissa un important commentaire du Talmud, intitulé *Zera^c Itshaq*, c'est-à-dire « La Postérité d'Isaac », qui fut imprimé à Tunis en 1768, seize ans après sa mort, survenue en 1752 (80).

Messaoud-Raphaël Al-Fâssî, qui fut l'un des plus brillants disciples de Semah Sarfati, Abraham Taïeb et Isaac Lumbroso, succéda à Abraham Taïeb dans les fonctions de président du Tribunal rabbinique et de grand rabbin de la communauté tunisienne, qu'il exerça jusqu'à sa mort, survenue en 1774. Il a composé un important commentaire du *Shulhan ^cAroukh*, qui a été publié, avec quelques travaux de ses deux fils, Haym (m. 1783) et Salomon (m. 1801), sous le titre *Mishha di-Ributa,* à Livourne en 1805. On a longtemps conservé dans sa famille à l'état de manuscrits les homélies qu'il prononça à l'occasion des fêtes de l'année juive et ses gloses sur le *Zohar*. Il a laissé à Tunis le souvenir d'un savant et d'un saint, pour lequel l'Éternel fit un jour un miracle, et sa sépulture était jusqu'à ces dernières années l'objet de visites pieuses (81).

Baruch Carvalho, dont le nom atteste l'origine livournaise, succéda à Isaac Lumbroso dans les fonctions de président du Tribunal rabbinique et grand rabbin de la communauté livournaise qu'il exerça de 1752 à 1785. Il a laissé deux ouvrages : un commentaire de l'ouvrage d'Elie Mizrahi, intitulé *To^cafot Re'em,* et un recueil de gloses sur divers traités talmudiques, intitulé *Me^cira Dakhiya*, qui seraient, d'après D. Cazès, d'une réelle valeur. Ils furent imprimés à Livourne, le premier en 1761-2, le second en 1792 (82).

Nathan Borgel, qui succéda en 1774 à M.R. Al-Fâssî dans les fonctions de président du Tribunal rabbinique et de grand rabbin de la communauté tunisienne, a laissé un important commentaire talmudique intitulé *Hoq Nathan* c'est-à-dire « Le Droit de Nathan », publié à Livourne en 1776. Comme de nombreux savants et hommes pieux l'avaient fait et devaient le faire, dans les dernières années de sa vie, il se rendit en Terre sainte où il mourut en 1791. Son fils, Eliahu Haï Borgel I, qui lui succéda, exerça les fonctions de président du Tribunal rabbinique et de grand rabbin de la communauté tunisienne jusqu'à sa mort, en 1798. Il a laissé un ouvrage intitulé *Migdanot Nathan*, constitué par des commentaires plus ou moins développés sur un certain nombre de traités talmudiques, et publié à Livourne, partie en 1778 et partie en 1785 (83).

Ouziel al-Ḥayk succéda à son père, Isaac de David al-Ḥayk dans les fonctions de président du Tribunal rabbinique et de grand rabbin de la communauté livournaise. Il les exerça à partir d'une date que nous ignorons jusqu'à sa mort. Ses écrits, recueillis par les siens, ont fourni la matière de deux ouvrages. Le premier, intitulé *Mashkinot ha-roᶜim*, c'est-à-dire « Les Demeures des bergers », a été publié en 1860 à Livourne. Il est constitué par toutes les consultations qu'il a eu l'occasion de donner — il n'y en a pas moins de 1499 — sur les sujets les plus divers. Ce recueil de *responsa* se trouve être ainsi la source la plus précieuse dont nous disposions sur la vie des communautés juives de Tunisie aux XVIIᵉ et XVIIIᵉ siècles. D. Cazès a été le premier à attirer l'attention du monde savant sur l'importance de cet ouvrage et à le mettre à contribution : nous lui avons emprunté nombre d'informations mises en œuvre dans ce chapitre. Le deuxième, intitulé *Ḥayyim ve-Ḥased*, publié à Livourne en 1873, est un recueil des homélies et des oraisons funèbres qu'il a prononcées depuis l'année 1767 jusqu'à l'année 1810, qui précéda sans doute de peu sa mort à Tunis (84).

Isaac Taïeb, né vers 1753, succéda à Eliahu Ḥaï Borgel I dans les fonctions de président du Tribunal rabbinique et de grand rabbin de la communauté tunisienne en 1798 et les exerça jusqu'à sa mort en 1830. Il a laissé quatre ouvrages dont le plus important est le *ᶜErekh ha-Shulḥan*, c'est-à-dire « Le Dresser de la Table », en six volumes, dont quatre ont été imprimés à Livourne (1791, 1798, 1815 et 1844), et deux à Tunis (1890, 1891). R. Isaac Taïeb a laissé le souvenir d'un homme d'une grande valeur intellectuelle et d'une grande probité, qui s'est perpétué jusqu'à nos jours (85).

Tous les ouvrages des savants rabbins de Tunis ont été imprimés à Livourne à l'exception de celui d'Isaac Lumbroso. C'est en effet à Tunis que fut imprimé le *Zeraᶜ Itsḥaq*, à la faveur d'une entreprise qui mérite une mention. Un notable de Tunis qui exerçait alors les fonctions de caïd des Israélites, Josué Cohen-Tanugi, acquit, de la famille d'un imprimeur de Smyrne, une imprimerie avec ses caractères, ses frontispices et ses presses qu'il installa dans sa propre demeure, et il y fit imprimer en 1768 l'œuvre du premier grand rabbin de la communauté livournaise. Mais, sans doute en raison de l'inexpérience de ceux qui s'y employèrent, l'impression du *Zeraᶜ Itsḥaq* fut très défectueuse et l'échec de ce premier essai découragea de persévérer. Ainsi, l'ouvrage d'Isaac Lumbroso fut le seul qui soit sorti de l'imprimerie hébraïque ouverte à Tunis au XVIIIᵉ siècle (86). Il faudra attendre plus d'un siècle pour que s'ouvre à Tunis une nouvelle imprimerie hébraïque et que l'édition des ouvrages en hébreu et en judéo-arabe y prenne un remarquable essor.

La plupart des ouvrages composés par les savants de Tunis sont des commentaires du Pentateuque, du Talmud, voire de la Kabbale, ou encore des recueils plus ou moins volumineux de consultations sur des points de droit rabbinique. Mais, avec des fortunes diverses, des rabbins se sont consacrés à la poésie, comme en témoignent nombre d'épitaphes de l'ancien cimetière israélite de Tunis, ou encore nombre de prières qui ont été incluses dans le rituel local des jours redoutables, c'est-à-dire des grandes solennités de *Rosh ha-shanah* et de *Yom Kippour* (87).

Sur la vie intellectuelle des Juifs de Tunisie dans les Temps Modernes nous disposons d'un précieux témoignage. C'est celui du célèbre rabbin-missionnaire Haïm Yosef David Azoulay, qui fit un séjour de plusieurs mois dans la capitale de la Régence au cours de l'année 1773-1774, et qui consigna ses observations dans sa relation de voyage, *Ma^cagal Tov*, « Le Bon Chemin ». Il en ressort que les études hébraïques étaient à l'honneur ; que les familles les plus en vue ne désiraient rien tant que de voir leurs enfants se consacrer à l'étude de la Bible et du Talmud ; qu'il y avait alors, dans la seule ville de Tunis, quelque trois cents *talmidei-ḥakhamim*, c'est-à-dire jeunes talmudistes ; que les savants rabbins qu'il a rencontrés avaient des connaissances très étendues ; que la communauté de Tunis ne faisait pas mauvaise figure en regard des communautés d'Asie, d'Afrique et d'Europe qu'il avait pu connaître au cours de ses voyages (88).

8. Les Juifs et la souveraineté tunisienne

Malgré leur diversité d'origine, tous les Juifs vivant alors sur le sol de la Régence, aussi bien les « Livournais » que les « Tunisiens », étaient des sujets du Bey et relevaient de sa souveraineté. Tout au plus, était-il admis qu'un petit nombre de Juifs, jouant le rôle de courtiers au service des maisons de commerce européennes, étaient placés sous la protection des diverses Puissances et pouvaient s'en prévaloir. Mais si cette protection pouvait les mettre à l'abri de brimades et d'avanies, elle ne pouvait pas les soustraire à l'autorité du Bey.

Malgré l'absence d'un texte précis, on peut croire que les Juifs de Tunisie, qui étaient au courant de tout ce qui se passait en Europe, ont appris avec un vif intérêt l'extension aux Juifs français de la Déclaration des Droits de l'Homme, réalisée par un décret de l'Assemblée Constituante en date du 27 septembre 1791 ; l'intégration des Juifs de France, avec l'accord du Grand Sanhédrin, par les décrets napoléoniens du 17 mars 1808 et du 20 juillet 1808 ; et l'émancipation des Juifs dans tous les pays où les armées impériales faisaient triompher les principes de la Révolution française (89). Ainsi seulement peut-on comprendre l'ardente sympathie à l'égard de la France dont font preuve alors les Juifs de la Régence.

Dans les lettres expédiées de Tunis par le chargé d'affaires d'Espagne, Arnoldo Soler, à la fin de l'année 1809, on apprend que « les

Juifs sont les plus acharnés partisans de Napoléon », que « tous les Juifs sans exception sont pour la France et forment comme un parti français » ; que les Juifs livournais, depuis que la Toscane a été conquise, se considèrent comme des « sujets français ». Or voici que, pour affirmer leur attachement à la France, des Juifs livournais arborent la cocarde tricolore. Le bey régnant, Ḥammûda b. ʿAlî (1782-1814) y voit une atteinte à sa souveraineté qu'il ne peut admettre. Un Juif s'étant présenté à lui avec sa cocarde, il ne voulut rien de moins que le faire brûler vif. « Ce ne fut qu'après force prières et supplications qu'il consentit à adoucir sa peine en lui faisant appliquer trois cents coups de bâton qui le laissèrent pour mort ». Cet exemple sema la terreur, et désormais on ne vit plus de Juifs portant la cocarde tricolore à Tunis (90).

Cependant, les Juifs livournais continuèrent à se considérer comme des sujets français, et le consul de France s'attacha à les protéger « comme ses nationaux ». Mais le bey Ḥammûda b. ʿAlî ne l'entendait guère ainsi. Un Juif toscan, portant le nom de Léon Servadio, établi à Tunis depuis plusieurs années et inscrit au consulat de France comme français, voulut qu'on lui reconnût la qualité de Français. Le Bey s'y refusa énergiquement, et au consul de France, qui prenait la défense de son ressortissant, il fit valoir « la loi en usage depuis longtemps chez toutes les nations » selon laquelle « les Juifs étaient partout errants en n'étant citoyens nulle part ». Ne pouvant faire reconnaître au Juif toscan la qualité de Français, le consul de France s'efforça de le faire bénéficier de la protection française et demanda au ministre des Affaires étrangères, le comte de Champigny, de lui envoyer un exemplaire de l'ordonnance du 4 février 1727 portant règlement sur ce qui doit être observé dans les Échelles du Levant et de Barbarie par les Juifs qui y jouissent de la protection de la France (91). Mais, dans une lettre au duc de Bassano, en date du 11 août 1811, le consul de France à Tunis fait état des « persécutions » dont sont victimes les Juifs « originaires des pays conquis », pour lesquels il ne peut rien, car le bey de Tunis « ne veut pas leur reconnaître la qualité de Français » (92).

Ainsi, tous les Juifs de Tunisie continuèrent à être considérés comme des sujets du Bey : tant les Juifs qui faisaient partie de la communauté livournaise que les Juifs qui faisaient partie de la communauté tunisienne. Ce principe fut expressément affirmé dans le traité qui fut signé à la date du 10 juillet 1822 entre la Régence de Tunis et le Grand-duché de Toscane. Celui-ci comprenait en effet un article 2 ainsi libellé : « Les Juifs dits *Grâna* ou Livournais, établis depuis longtemps ou depuis plusieurs années à Tunis, seront toujours regardés et considérés comme sujets du pays sans exception d'aucune sorte, et soumis aux mêmes droits que paient ou paieront les indigènes. Et les Juifs qui y viendront à l'avenir ne seront considérés comme sujets toscans que s'ils y viennent en passant avec leur passeport. Mais s'ils manifestent au moment de leur arrivée à Tunis l'intention de s'y fixer et d'y commercer pour un certain temps, ou si, après deux ans de séjour, ils s'y établissent, ou y fixent leur domicile avec leur famille, ils seront alors comptés parmi les autres Juifs dits *Grâna* et les sujets tunisiens » (93).

Comme l'a fort bien montré l'historien italien C. Masi, les deux parties au traité trouvaient avantage à cette disposition. Pour le Bey, il s'agissait d'empêcher qu'une fraction de la population juive put se prévaloir d'une nationalité qui lui aurait donné une position privilégiée, non seulement par rapport aux autres Juifs de la Régence, mais encore par rapport à la population musulmane du pays. Pour le grand-duc de Toscane, il s'agissait de dissuader les Juifs livournais, qui contribuaient si efficacement à la prospérité du port de Livourne, de quitter un État où ils pouvaient vaquer en toute liberté à leurs affaires, en y jouissant des droits les plus étendus, pour aller s'établir dans un État où ils se trouveraient exposés sans défense à la toute-puissance d'un souverain musulman qui les considérerait comme ses sujets (94).

Cependant, cette disposition n'empêchera pas nombre de Juifs livournais de quitter Livourne pour venir s'établir dans la Régence de Tunis. Faut-il en conclure que la vie de tous les Juifs y était, somme toute, supportable ? A tout le moins, peut-on penser que des Juifs instruits et entreprenants étaient assurés d'y trouver un large champ à leurs activités.

(1) Au cours du XVIᵉ siècle, les Juifs de Tunisie n'eurent pas à souffrir de l'occupation espagnole plus que les autres éléments de la population. Un chroniqueur juif nous apprend que, lors de la prise de Tunis par les armées de Charles Quint en 1535, de nombreux Juifs de l'un et l'autre sexe furent faits prisonniers et vendus comme esclaves, qui recouvrèrent leur liberté grâce à la charité des communautés juives d'Italie qui les rachetèrent à Naples et à Gênes. (J. HA-COHEN, *La Vallée des pleurs*, éd. J. See, Paris, 1880, p. 120). Cependant, s'ils furent faits prisonniers, ce ne fut pas parce qu'ils étaient juifs, mais parce qu'ils se trouvaient dans une ville dont les Espagnols s'étaient emparés par la force, et dont toute la population fut traitée avec rigueur.

(2) C. ROTH, « Les Marranes de Livourne », dans *Revue des Études Juives*, 1930, pp. 1-27 ; M. EISENBETH, « Les Juifs en Algérie et en Tunisie à l'époque turque (1516-1830) », dans *Revue Africaine*, 1952, pp. 155-162.

(3) C. ROTH, *op. cit.*, p. 1.

(4) F. BRAUDEL et R. ROMANO, *Navires et marchandises à l'entrée du port de Livourne*, Paris, 1951, p. 61.

(5) P. GRANDCHAMP, *La France en Tunisie au XVIIᵉ siècle*, Tunis, 1920-1933, 10 volumes.

(6) M. EISENBETH, *Les Juifs d'Afrique du Nord. Démographie et onomastique*, Alger, 1936.

(7) C. ROTH, *op. cit.*, pp. 4-5.

(8) P. GRANDCHAMP, *op. cit.*, t. VIII, pp. 51-52.

(9) *Ibid.*, t. VIII, pp. 57-60, cf., Introduction, pp. XXIV-XXV.

(10) F. LANFREDUCCI et G. BOSIO, *Costa e discorsi di Barberia*, éd. Ch. Monchicourt et trad. P. Grandchamp, *Revue Africaine*, 1925, pp. 83/148.

(11) SAINT-GERVAIS, *Mémoires historiques qui concernent le gouvernement de l'ancien et du nouveau royaume de Tunis*, Paris, 1736, p. 88.

(12) Sur la « Grande Table », cf. E. LECORE-CARPENTIER, *L'Indicateur tunisien*, 1899, p. 308.

(13) SAINT-GERVAIS, *op. cit.*, p. 52 ; LAUGIER DE TASSY, *Histoire des États Barbaresques*, Paris, 1757, t. II, p. 163 ; PEYSSONNEL et DESFONTAINES, *Voyages dans les Régences de Tunis et d'Alger*, publ. par Dureau de la Malle, Paris, 1838, t. II, p. 11 ; VENTURE DE PARADIS, *Tunis et Alger au XVIIIᵉ siècle*, éd. J. Cuoq, Paris, 1983, p. 57 ; M. NOAH, *Travels in England, France, Spain and the Barbary States in the years 1813-1814*, New York-London, 1815, p. 289 ; Ch. MONCHICOURT, *Relations inédites de Nyssen, Filippi et Calligaris (1788, 1829, 1834)*, Paris, 1929, p. 88.

(14) La seule source dont nous disposons sur les effectifs de la population juive de l'arrière-pays est constituée par la relation de Filippi qui date des premières années du XIXᵉ siècle. Cet auteur donne pour un certain nombre de localités le nombre de familles juives : Bizerte : 50 ; Mateur : 10 ; Béja : 20 ; Le Kef : 200 ; Sousse : 100 ; Monastir : 50 ; Sfax : 100 ; Gafsa : 50. De plus, il signale la présence de Juifs à Nabeul, Mahdia, Gabès, Djerba, Nefta et El-Hamma. (*op. cit., passim*)

(15) E. PELLISSIER, *Description de la Régence de Tunis*, Paris, 1853, p. 186.

(16) M. NOAH, *op. cit.*, p. 311 ; L. FILIPPI, *op. cit.*, p. 76.

(17) Lors du recensement de 1921, la population juive de l'ensemble du pays s'élevait à 48 136 personnes.

(18) P. SEBAG, « La peste dans la Régence de Tunis aux XVIIᵉ et XVIIIᵉ siècles », dans *IBLA*, 1965, pp. 35-48.

(19) Lors de l'épidémie de 1784-1785, la population juive fut durement éprouvée : « Pendant la nuit, il y avait des hurlements universels dans toutes les familles pour tous ceux qui mouraient. Les Juifs en faisaient plus que tous les Maures ensemble », écrit un témoin oculaire, le Père Vicherat. Il nous apprend aussi que « les Juifs, voyant

la peste se déclarer, se hâtèrent de marier tous les jeunes gens nubiles », M. GAN-DOLPHE, « Notes inédites sur Tunis... », dans *Revue Tunisienne*, 1918, pp. 210-221. v. p. 216.

(20) Sur le commerce avec Livourne, cf. G.B. SALVAGO, *Africa overo Barbaria* éd. A. SACERDOTI, Padoue, 1937, et trad. P. Grandchamp, dans *Revue Tunisienne*, 1937, p. 80/489 ; J.B. LABAT, *Mémoires du chevalier d'Arvieux*, Paris, 1735, t. IV, p 57; SAINT-GERVAIS, *op. cit.*, pp. 317-319 ; LAUGIER DE TASSY, *op. cit.*, t. II, pp. 178-180 ; M. EMERIT, « Un mémoire inédit de l'Abbé Raynal », dans *Revue Tunisienne*, 1948, pp. 176-177 ; L. FRANK, *Tunis. Description de cette Régence*, Paris, 1850, p. 95 ; T. MAGGIL, *Nouveau voyage à Tunis*, trad. de l'anglais, Paris, 1815, pp. 154-164 et 182-202.

(21) Pour le XVIIᵉ siècle, cf. [N. BERANGER], *Mémoire pour servir à l'histoire de Tunis*, dans P. LUCAS, *Voyage dans la Grèce, l'Asie, la Macédoine et l'Afrique*, Paris, 1712, t. II, p. 341. Pour le XVIIIᵉ siècle, cf. SAINT-GERVAIS, *op. cit.*, pp. 317-319 ; LAUGIER DE TASSY, *op. cit.*, t. II, p. 179 ; RAYNAL, *op. cit.*, pp. 171 et 178 ; T. MAGGIL, *op. cit.*, pp. 77-79.

(22) E. PLANTET, *Correspondance des Beys de Tunis et des Consuls de France avec la Cour (1577-1830)*, Paris, 1893-1899, t. I, pp. 549-550.

(23) E. PLANTET, *op. cit.*, t. II, p. 486.

(24) R.L. DESFONTAINES, *op. cit.*, t. II, p. 36.

(25) E. PLANTET, *op. cit.*, t. II, p. 425.

(26) P. GRANDCHAMP, *op. cit.*, *passim*.

(27) *Ibid.*, *passim*.

(28) *Ibid.*, t. IX, p. 29 et p. 254.

(29) *Mémoire du vice-consul de France à Tunis en date du 12 décembre 1812* ; cf. M. EISENBETH, *op. cit.*, p. 352.

(30) SEGHIR BEN YOUSSEF, *Mechra el-Melki, Chronique tunisienne (1705-1771)*, trad. V. Serres et M. Lasram. Tunis, 1900, p. 219.

(31) *Ibid.*

(32) L. FRANK, *op. cit.*, p. 11.

(33) P. GRANDCHAMP, *op. cit.*, t. IX, pp. 57, 95, 210, 228.

(34) *Ibid.*, t. IX, p. 363.

(35) J. PIGNON, *Un document inédit sur la Tunisie au XVIIᵉ siècle*, Paris, 1960, p. 25.

(36) M. EISENBETH, *op. cit.*, p. 345.

(37) M. POIRON, *Mémoire concernant l'état présent du Royaume de Tunis*, éd. J. Serres, Paris, 1925, p. 16.

(38) E. PLANTET, *op. cit.*, t. II, 319.

(39) [N. BERANGER], *op. cit.*, t. II, p. 329 ; SEGHIR BEN YOUSSEF, *op. cit.*, p. 59.

(40) SEGHIR BEN YOUSSEF, *op. cit.*, p. 238.

(41) Sur cette transcription de l'arabe en cursive hébraïque, cf. L. FRANK, *op. cit.*, pp. 98-99.

(42) O. EL-HAIK, *Mashkinot ha-roᶜim*, cit. par M. EISENBETH, *op. cit.*, p. 370.

(43) E. PLANTET, *op. cit.*, t. I, p. 606 ; A. ROUSSEAU, *Annales Tunisiennes*, Paris, 1864, p. 102, n. 2 et pp. 519-522 ; cf. M. EISENBETH, *op. cit.*, pp. 368-370.

(44) E. PLANTET, *op. cit.*, t. II, p. 78.

(45) J.A. PEYSSONNEL, *op. cit.*, t. I, pp. 49-51. L'épigraphiste amateur ne les avait pas relevées avec une grande fidélité, et le voyageur J.A. Peyssonnel, pour avoir reproduit un texte fautif, fut accusé d'une légèreté frisant la tromperie. Cf. Ch. MONCHI-COURT, « Le voyageur Peyssonnel de Kairouan au Kef et à Dougga », dans *Revue Tunisienne*, 1916, p. 361.

(46) J.B. LABAT, *op. cit.*, t. IV, p. 19 ; SAINT-GERVAIS, *op. cit.*, p. 88 ; M. POI-RON, *op. cit.*, p. 16 ; L. FRANK, *op. cit.*, pp. 95 et 98 ; M. NOAH, *op. cit.*, p. 311 ; M. EISENBETH, *op. cit.*, p. 141.

(47) E. PLANTET, *op. cit.*, t. III, p. 587 ; A. ROUSSEAU, *op. cit.*, pp. 347-349 ; M. EISENBETH, *op. cit.*, p. 139.

(48) P. Dan, *Histoire de Barbarie et de ses corsaires*, Paris, 1637, p. 151.

(49) L. Frank, *op. cit.*, p. 95.

(50) L. Filippi, *op. cit.*, p. 151 ; cf. C. Masi, *art. cit.*, dans *Revue Tunisienne*, 1938, p. 173.

(51) A. Rousseau, *op. cit.*, pp. 482 sqq.

(52) P. Grandchamp, *op. cit.*, t. VIII, pp. 57-60. Cf. introduction, pp. XXIV-XXV.

(53) R.L. Desfontaines, *op. cit.*, t. II, p. 36.

(54) O. El-Haik, *Mashkinot ha-roᶜim*, cité par D. Cazes, *Essai*, pp. 100-101.

(55) Ibn Abi Diyaf, *Itḥâf ahl al-zamân...*, Tunis, 1963-1966, t. IV, p. 260. Il ne faut pas confondre Ḥammûda Pacha, de la dynastie ḥusaynite (1782-1814), avec Ḥammûda Pacha, de la dynastie mouradite (1631-1666). Cf. M. Eisenbeth, *op. cit.*, p. 183, n. 212).

(56) Khelil b. Ishaq, *Abrégé de la loi musulmane selon le rite de l'imâm Mâlek* ; trad. G.H. Bousquet, Alger, 1956-1958, t. I, pp. 215-217.

(56²) J. Greaves, *Journal of a visit [1824-5] to some parts of Tunis*, London, 1826, trad. fr. dans R. Attal et Cl. Sitbon, *Regards...*, pp. 49-52.

(57) E. Plantet, *op. cit.*, t. III, p. 609.

(58) R.L. Desfontaines, *op. cit.*, t. II, pp. 37-38. Sur cette affaire, cf. E. Plantet, *op. cit.*, t. III, p. 140 ; L. Frank, *op. cit.*, pp. 113-114 ; G. Niculy, *Documenti sulla storia di Tunis*, Livorno, 1838, t. II, pp. 85-87 ; cf. *Revue Tunisienne*, 1919, p. 510 ; A. Rousseau, *op. cit.*, p. 219 ; M. Eisenbeth, *op. cit.*, p. 144.

(59) O. El-Haik, *op. cit.* ; cf. M. Eisenbeth, *op. cit.*, p. 140.

(60) R.L. Desfontaines, *op. cit.*, p. 36.

(61) Calligaris, *op. cit.*, p. 329.

(62) E. Plantet, *op. cit.*, t. II, p. 447 ; M. Poiron, *op. cit.*, pp. 96-97 ; Seghir Ben Youssef, *op. cit.*, p. 310 ; A. Rousseau, *op. cit.*, pp. 153-154.

(63) E. Plantet, *op. cit.*, t. II, p. 504 ; Seghir Ben Youssef, *op. cit.*, p. 384 ; A. Rousseau, *op. cit.*, pp. 161-162. C'est au cours de ce sac de Tunis que le rabbin Nehoraï Jarmon vit sa maison dévastée, et il perdit non seulement des objets de prix qui éveillèrent la convoitise des pillards mais encore ses manuscrits qui furent en grande partie détruits. Le peu qu'il arriva à en sauver fut publié à Livourne en 1787, sous le titre *Yeter ha-baz* (cf. D. Cazes, *Notes*, p. 226 ; M. Eisenbeth, *op. cit.*, p. 137).

(64) En 1745, le roi Charles III chassa de Naples les Juifs qu'il avait invités sept ans plus tôt à venir s'y établir. (Cf. A. Milano, *Storia degli Ebrei in Italia*, Roma, 1963, p. 334). Quelques familles juives chassées de Naples vinrent alors s'établir en Tunisie. (Cf. D. Cazes, *Essai*, p. 171).

(65) Il est souvent question du caïd des Juifs dans les ouvrages rabbiniques ; cf. D. Cazes, *Notes*, pp. 122, 161, 242, 262.

(66) O. El-Haik, *op. cit.*, cf. D. Cazes, *Essai*, pp. 109-110 ; M. Eisenbeth, *op. cit.*, p. 173.

(67) O. El-Haik, *op. cit.* ; cf. D. Cazes, *op. cit.*, pp. 125-127 ; M. Eisenbeth, *op. cit.*, p. 160.

(68) O. El-Haik, *op. cit.* ; cf. D. Cazes, *op. cit.*, pp. 128-129 ; M. Eisenbeth, *op. cit.*, p. 162.

(69) A partir du début du XVIIIᵉ siècle, nous connaissons les noms de tous les grands rabbins qui se sont succédé à la tête de la communauté tunisienne : Semah Sarfati (m. 1717), Abraham Taïeb I (m. 1741), Messaoud Raphaël El-Fâssî (m. 1774), Nathan Borgel (m. 1791), Eliahu Haï Borgel I (m. 1798), Isaac Taïeb (m. 1830). Parmi les grands rabbins qui se sont succédé à la tête de la communauté livournaise, nous connaissons : Isaac Lumbroso (m. 1752), Baruch Carvalho (m. 1785), Isaac de David El Haïk (m. ?), Ouziel El-Haïk (m. 1810). David Haïm Valensi (m. 1825). Sur ce point, cf. R. Arditti, « Les épitaphes rabbiniques de l'ancien cimetière israélite de Tunis », dans *Revue Tunisienne*, 1931, pp. 105-119 et 405-411 ; 1932, pp. 99-111.

(70) O. El-Haik, *op. cit.*, f° 102 sqq ; cf. M. Eisenbeth, *op. cit.*, pp. 173-187, avec de très nombreuses références.

(71) L. FRANK, *op. cit.*, p. 96.

(72) L'excommunication, ou *ḥerem*, a fait l'objet d'amples développements dans le *Shulḥan ᶜAroukh*, cf. M. EISENBETH, *op. cit.*, p. 140.

(73) E. PLANTET, *op. cit.*, t. III, p. 632.

(74) D. CAZES, *Notes...*, pp. 7-8.

(75) L. WOGUE, *Histoire de la Bible*, Paris, 1891, p. 130 ; D. CAZES, *Notes...* pp. 9-10.

(76) R. ARDITTI, *art. cit.*, dans *R.T.*, pp. 105-106.

(77) D. CAZES, *Notes bibliographiques sur la littérature juive tunisienne*, Tunis, 1893.

(78) *Ibid.*, *passim*, R. ARDITTI, *art. cit.*, dans *R.T.*, 1931, p. 106.

(79) D. CAZES, *op. cit.*, p. 308 ; R. ARDITTI, *art. cit.*, dans *R.T.*, 1931, pp. 108-109.

(80) D. CAZES, *op. cit.*, pp. 240-246, R. ARDITTI, *art. cit.*, dans *R.T.*, 1931, p. 114 ; *Encyclopaedia Judaïca*, t. 11, s.v. Lumbroso, p. 562.

(81) D. CAZES, *op. cit.*, pp. 157-168 ; R. ARDITTI, *art. cit.*, dans *R.T.*, 1931, pp. 115-116 ; *E.J.*, t. 2 s.v. Alfâssî, p. 600.

(82) D. CAZES, *op. cit.*, pp. 77-83 et 241 ; R. ARDITTI, *art. cit.*, dans *R.T.*, 1931, p. 111 ; *E.J.*, t. 5 s.v. Carvalho, p. 222.

(83) D. CAZES, *op. cit.*, pp. 60-76 ; R. ARDITTI, *art. cit.*, dans *R.T.*, 1931, p. 116 ; *E.J.*, t. 4 s.v. ; Borgel, p. 1247.

(84) D. CAZES, *op. cit.*, pp. 169-173 ; R. ARDITTI, *art. cit.*, dans *R.T.*, 1931, p. 110 ; *E.J.*, t. 2 s.v., Alḥayk, p. 629.

(85) D. CAZES, *op. cit.*, pp. 311-321 ; R. ARDITTI, *art. cit.*, dans *R.T.* 1931, pp. 118-119. Il ne faut pas confondre R. Isaac Taïeb, qui fut investi de la charge de grand rabbin, avec son homonyme Haï Taïeb (1743-1837) dont l'œuvre, immense, dit-on, a été pour la plus grande part détruite par un incendie : il n'en est resté que des fragments édités à Tunis en 1896, sous le titre *Ḥeleb ḥitim*. Sur ce personnage, cf. R. ARDITTI, « Un rabbin tunisien au XVIIIᵉ siècle : Rabbi Haï Taïeb », dans *R.T.*, 1904, pp. 489-494. Sa mémoire est honorée comme celle d'un rabbin miraculeux.

(86) D. CAZES, *op. cit.*, pp. 16-17 et 242 ; E. VASSEL, « La littérature populaire des Israélites tunisiens », dans *R.T.*, 1904, p. 285 ; R. ATTAL, *Note sur les débuts de l'imprimerie juive en Afrique du Nord*, Jérusalem, 1975.

(87) R. ARDITTI, *art. cit.*, dans *R.T.*, 1931, p. 405. On a imprimé à Livourne en 1872, un recueil de cantiques, *Shirey Zimrah*, dans lequel ont trouvé place des cantiques, *piyyuṭim*, composés par des poètes de Tunis ; cf. INSTITUT BEN-ZVI, *Communautés juives des marges sahariennes du Maghreb*, Jérusalem, 1982, p. 453.

(88) H.Y.D. AZOULAY, *Maᶜagal Tov*, éd. A. Freiman, Berlin-Jérusalem, 1934. Les pages où le rabbin-missionnaire relate son séjour dans la capitale de la Régence ont été traduites par R. ATTAL et Cl. SITBON, *Regards...*, pp. 31-37.

(89) B. PHILIPPE, *Être juif dans la société française*, Paris, 1979, pp. 121 sqq.

(90) G. LOTH, « Arnoldo Soler, chargé d'affaires d'Espagne à Tunis et sa correspondance (1808-1810) », dans *R.T.*, 1905 et 1906. v. *R.T.* 1906, pp. 147-148 ; cf. M. EISENBETH, *art. cit.*, pp. 138-139.

(91) E. PLANTET, *op. cit.*, t. III, p. 485.

(92) *Ibid.*, p. 497.

(93) A. ROUSSEAU, *op. cit.*, p. 553 ; cf. C. MASI, « Fixation du statut des sujets toscans israélites dans la Régence de Tunis », dans *R.T.*, 1938, pp. 155-179 et 323-342 v., p. 173.

(94) C. MASI, *art. cit.*, pp. 173-174.

CHAPITRE VI

A LA VEILLE DU PROTECTORAT

L'année 1830, qui fut marquée par la conquête française de l'Algérie, ouvrit une nouvelle période dans l'histoire de la Tunisie. Les beys de Tunis prirent alors conscience du retard de leur royaume par rapport aux États d'Europe et s'engagèrent dans une politique de réformes. Amorcée sous le règne d'Ahmed Bey (1837-1855), cette politique se poursuivit sous les règnes de Mohamed Bey (1855-1859) et de Mohamed es-Sadok Bey (1859-1882). Mais les réformes entreprises ne furent pas toujours des plus judicieuses. Les Puissances européennes, qui s'efforçaient de conseiller les souverains et leurs ministres, cherchaient moins à favoriser le développement du pays qu'à y accroître leur influence. De plus, les réformes se traduisaient par de lourdes dépenses qui obéraient les finances de l'État. Force fut pour l'administration beylicale de recourir à des emprunts, contractés d'abord dans le pays même, puis sur la place de Paris, dont il fallut payer les arrérages. Pour faire face à un surcroît de dépenses, la fiscalité fut aggravée, en suscitant l'exaspération des masses populaires qui s'insurgèrent en 1864. Pour payer les troupes qui avaient pris part à la répression de la révolte, le Bey eut recours à un nouvel emprunt, à des conditions ruineuses. Incapable d'honorer les engagements qu'il avait pris à l'égard de ses créanciers, le Bey dut accepter la création en 1869 d'une Commission Financière Internationale qui eut pour tâche de consolider la dette publique tunisienne et d'en assurer le service. De la rivalité qui se fit jour alors entre la France, la Grande-Bretagne et l'Italie, la France devait sortir victorieuse, et c'est elle qui en 1881 parvint à instituer son protectorat sur la Régence de Tunis. Au cours de ces décennies, pendant lesquelles le pays s'ouvrit de plus en plus largement aux influences de l'Europe, la vie des Juifs a été affectée par de multiples changements qui ont amorcé une évolution profonde et durable.

1. Nationaux et étrangers

Sous le règne d'Aḥmed Bey (1837-1855), une modification importante fut apportée à la situation juridique des Israélites livournais établis dans la Régence de Tunis. On se souvient qu'aux termes du traité du 10 juillet 1822 les Juifs de Livourne n'étaient considérés en Tunisie comme des sujets toscans que s'ils étaient de passage et munis d'un passeport toscan. Par contre, s'ils manifestaient, lors de leur arrivée à Tunis, l'intention de s'y fixer et d'y commercer quelque temps, ou s'ils voulaient après deux ans de séjour s'y établir à demeure avec leur famille, ils étaient considérés, à l'égal des autres Juifs *grâna*, comme des sujets tunisiens (1). Cette disposition, pour être conforme aux intérêts du bey de Tunis et du duc de Toscane, ne pouvait satisfaire les Juifs de Livourne qui venaient faire un séjour plus ou moins long dans la Régence. Dès 1830, le consul de Toscane à Tunis se faisait l'écho des doléances des Juifs livournais, lesquels se plaignaient des dispositions du traité du 10 juillet 1822. C'était une chose vraiment dure pour eux de perdre leur qualité de sujet toscan, après seulement deux ans de séjour à l'étranger, et de passer sous l'autorité, non seulement de l'administration beylicale, mais encore des chefs de la communauté juive. Mais le consul se heurta à la double opposition du Bey et du duc de Toscane qui étaient, l'un et l'autre, partisans du *statu quo* (2). Il fallut de longues années et l'émotion soulevée par l'arrestation d'un sujet toscan, sur l'ordre des Autorités beylicales, pour que le statut des Juifs livournais établis dans la Régence fût modifié comme ils le souhaitaient.

Aux termes d'un acte additionnel au traité tuniso-toscan de 1822, qui fut signé par Aḥmed Bey le 2 novembre 1846 et approuvé par le duc de Toscane le 29 janvier 1847, les Israélites venus de Toscane après la signature du traité de 1822 et ceux qui y viendraient à l'avenir pour y séjourner et y faire du commerce, dont les noms seraient enregistrés au consulat de Toscane à Tunis, conformément au passeport dont chacun serait porteur, conserveraient leur qualité de Toscans, sans limitation de temps. « Ils seront regardés à Tunis comme les commerçants des cours d'Europe, nos amis, et rien ne pourra les priver des soins bienveillants de leur souverain et de sa protection, même s'ils demeuraient à Tunis plus de deux ans. » Quant aux autres Israélites, connus sous le nom de *Grâna*, l'acte additionnel du 2 novembre 1846 prenait bien soin de rappeler qu'ils continueraient à être considérés comme des sujets tunisiens et ne pourraient en aucun cas et de quelque manière que ce fût être considérés comme sujets toscans (3).

Les dispositions de l'acte additionnel de 1846 ne manquèrent pas d'encourager les Israélites livournais à venir s'établir dans la Régence de Tunis dès lors qu'ils étaient assurés d'y être considérés, sans limitation de temps, comme des sujets du duc de Toscane et qu'ils ne couraient plus le risque de passer sous le contrôle de l'administration beylicale et des chefs de la communauté juive. Un document conservé aux archives de Livourne atteste qu'en 1848 la colonie toscane de Tunis s'élevait à 210 personnes, dont 90 Israélites. Sur une liste de quatrevingts noms qui semblent être ceux des chefs de famille, les noms israélites représentent plus de la moitié (4). Dans les années qui suivirent, vinrent s'établir en Tunisie, non seulement des Juifs de Toscane, mais aussi des Juifs originaires de diverses régions d'Italie, qui, après l'achèvement de l'unité italienne, bénéficièrent des avantages accordés aux ressortissants du duc de Toscane, et purent conserver leur nationalité, *sans limitation de temps* (5). Ainsi, à côté des vieux « Livournais », venus s'établir dans le pays de longue date et qui étaient des sujets du Bey, il y eut de nouveaux « Livournais », venus s'établir dans le pays après la signature du traité tuniso-toscan du 10 juillet 1822, qui jouirent des droits et des privilèges accordés aux étrangers de confession chrétienne.

Les nouveaux « Livournais » se distinguaient des anciens « Livournais » par leurs noms. Les premiers, venus de Livourne au cours des XVII° et XVIII° siècles, étaient pour la plupart des Juifs d'origine ibérique qui portaient des noms espagnols ou portugais. Les seconds, originaires de toutes les régions de la péninsule, étaient pour la plupart des Juifs italiens de vieille souche qui portaient des noms italiens.

Les noms des premiers correspondent à des noms de villes d'Espagne : *Calvo* (Pontevedra), *Errera* (Saint-Sébastien), *Lara* (Burgos), *Moreno* (Almeria), *Nunez* (Andalousie) ; de villes du Portugal : *Cardoso* (Beira), *Luisada* (Minho), *Silvera* (Torres Vedras), ou à des sobriquets en langue espagnole ou en langue portugaise : *Lumbroso* (illustre), *Paz* (paix), *Carvalho* (chêne). Les noms des seconds correspondent à des noms de villes d'Italie : *Castelnuovo* (Pise), *Cesana* (Bologne), *Finzi* (Faenza), *Montefiore* (Ascoli), *Modigliani* (Florence), *Sinigaglia* (Marches), *Volterra* (Pise) ainsi qu'à des sobriquets ou des noms de métiers en langue italienne : *Arditti* (courageux), *Forti* (fort), *Astrologo* (astrologue), *Spizzichino* (brocanteur), *Funaro* (cordier) (6).

Les uns commes les autres se sont, pour la plupart, établis dans la capitale. Mais, à la différence des vieux « Livournais » qui avaient partagé l'habitat des Juifs tunisiens dans la *hâra*, les nouveaux « Livournais » allèrent se loger dans le quartier franc où vivaient groupés les Européens de confession chrétienne. De cette implantation, témoigne la vieille synagogue dite *Jâma^c al-Grâna* (« La synagogue des Livournais ») qui a donné son nom à une impasse de la rue Sidi-Mordjani, dans la partie basse de la médina.

Parlant et écrivant l'italien, de culture italienne, les nouveaux « Livournais » ne tardèrent pas à prendre la première place dans la communauté dont ils faisaient partie, en entraînant les vieux « Livournais » dans leur sillage et en contribuant dans une large mesure à les re-italianiser.

Le nombre de Juifs italiens dans la Régence n'augmenta pas seulement du fait de l'émigration de Juifs venus de la péninsule, mais aussi du fait de la naturalisation de Livournais établis dans le pays de longue date, qui, après un séjour plus ou moins long à Livourne, en revenaient avec un passeport en règle qui leur permettait de se faire enregistrer à Tunis parmi les ressortissants du duché de Toscane d'abord, puis du Royaume d'Italie (7).

Dans la Tunisie du XIXᵉ siècle, les Juifs italiens n'étaient pas les seuls Juifs étrangers. Il y avait des Juifs français qui comprenaient quelques Juifs originaires du midi de la France, auxquels s'ajoutaient des Juifs d'Algérie qui étaient devenus français à titre individuel en vertu des dispositions du senatus-consulte du 14 juillet 1865, ou qui avaient accédé à la nationalité française en vertu des dispositions du décret du 24 octobre 1870 (8). Il y avait aussi un petit nombre de Juifs, originaires de Gibraltar ou de Malte, possessions de la Couronne d'Angleterre, qui se prévalaient de la nationalité britannique (9). Mais tous les Juifs étrangers — italiens, français ou britanniques — pris ensemble, étaient peu de chose en regard des Juifs sujets du bey, qui constituaient le gros de la population juive de la Régence.

2. La répartition de la population juive

A la faveur de témoignages plus nombreux, nous pouvons nous faire une idée plus précise des effectifs de la population juive et de leur répartition à travers le pays au cours du XIXᵉ siècle.

Comme par le passé, c'est à Tunis que les Juifs sont les plus nombreux. Ils sont fortement groupés dans la vieille ḥâra. Plus d'un auteur évoque son lacis de ruelles sinueuses, hérissées d'impasses et bordées de maisons vétustes. Bien que l'on ne pût noter aucune solution de continuité dans la trame urbaine, elle formait comme une ville dans la ville. Le voyageur juif J.-J. Benjamin II, qui visita la Tunisie en 1853, écrit : « Le quartier juif est appelé ḥâra : il a des portes qui sont fermées chaque soir à 10 heures, et ouvertes, chaque matin, à 5 heures » (10). Comme de nombreuses rues de la médina, les rues du quartier juif étaient couvertes de voûtes et munies de portes à leurs extrémités. Dès lors, il suffisait de fermer ou d'ouvrir un certain nombre de portes pour que l'ensemble du quartier fût fermé ou ouvert.

L'accroissement de la population, de génération en génération, n'avait pas été suivi d'une extension de l'aire habitée, et la ḥâra se caractérisait par un évident surpeuplement. La promiscuité y favorisait la propagation des maladies. Les épidémies de choléra qui se déclarèrent à Tunis au cours du XIXe siècle frappèrent tout particulièrement la population juive. Selon le médecin A. Lumbroso, lors de l'épidémie de choléra de 1849-50, sur 16 675 personnes atteintes à Tunis, il y eut 7 700 Israélites (11). La population juive de la capitale fut aussi fortement éprouvée par les épidémies de choléra de l'été 1856 et du printemps 1867 (12).

Après la proclamation du Pacte Fondamental, le vieux ghetto connut une extension notable. Le chroniqueur tunisien Ibn Abî Ḍiyâf nous apprend en effet qu'au cours de l'année 1276/1859, les Juifs de Tunis, se sentant à l'étroit dans leur quartier, allèrent voir le Bey pour lui présenter leurs doléances. Ils furent alors autorisés à aller s'établir dans des rues voisines de leur ancien habitat, vers le nord et vers l'est. Ils y restaurèrent des maisons qui tombaient en ruine et en construisirent de nouvelles (13). Cette mesure permit de réduire quelque peu le surpeuplement dont souffrait la population juive de la capitale.

Celle-ci a fait l'objet, au cours du XIXe siècle, de nombreuses évaluations qui varient du simple au double, d'un auteur à l'autre : 15 000 en 1829, selon L. Filippi ; 15 000 en 1853, selon J.-J. Benjamin II ; 40 000 en 1858, selon H. Dunant ; 20 000 en 1862, selon V. Guérin ; 35 000 en 1865 selon A. Flaux ; 20 000 en 1867, selon Ch. Cubisol (14). Ce sont les évaluations les plus modestes qui s'accordent avec les résultats des premiers recensements de la période coloniale.

En dehors de Tunis, les principaux centres où des Juifs étaient établis sont, dans le Nord : Bizerte, Mateur, Béja, Testour, Le Kef, Nabeul ; dans le Centre : Sousse, Mahdia, Moknine, Monastir, Sfax ; dans le Sud : Gafsa, Gabès, Djerba. Leurs effectifs, qui font l'objet d'évaluations variables d'un auteur à l'autre, ne dépassaient le millier d'âmes qu'à Sousse, Sfax et Djerba.

Loin des villes, s'étaient maintenus des groupes de Juifs nomades vivant sous la tente. L'auteur d'une description de la Régence de Tunis au XIXe siècle nous fournit sur eux un témoignage précieux : « Dans la région du Sers, écrit-il, on rencontre un nombre assez considérable d'Israélites vivant exactement de la même vie que les Arabes, armés et vêtus comme eux, montant à cheval comme eux et faisant, au besoin, la guerre comme eux. Ces Juifs sont tellement fondus avec le reste de la population qu'il est impossible de les en distinguer » (15). On comprend que ces Juifs, vivant hors des villes, d'où leur nom de baḥutsim, aient échappé à l'attention de la plupart des observateurs.

Peu d'auteurs se sont risqués à chiffrer la population juive dans le pays tout entier ; l'un des rares à l'avoir fait, Ch. Cubisol, l'estime à 45 000 âmes (16). Mais en faisant la somme des effectifs qu'il attribue aux principaux centres habités, on n'obtient qu'un total de 32 000.

Il est difficile d'imputer la différence entre ces deux chiffres à la population de centres qu'il aurait passés sous silence. Comme la population de certains centres — Tunis entre autres — a été, sans doute, majorée, nous serions assez porté à croire que la population juive de Tunisie, au XIXᵉ siècle, était de l'ordre de 25 000 à 30 000 âmes.

3. Les activités économiques

Dans tous les centres où ils étaient implantés, les Juifs prenaient une part importante aux activités urbaines.

Un petit nombre d'entre eux se livrent au commerce avec l'étranger, exportant huiles, laines, peaux et autres produits du pays, et important métaux, bois, denrées coloniales et une grande variété de produits manufacturés. Parmi ces négociants, les Juifs de nationalité tunisienne sont rares, ce sont des Juifs ressortissants de Puissances étrangères qui, concurremment avec des Européens de confession chrétienne, ont la haute main sur le commerce extérieur de la Régence.

Vers 1865, on comptait à Tunis soixante-deux maisons de commerce dont 22 italiennes, 16 françaises, 11 anglaises, 5 grecques, 3 autrichiennes, 1 espagnole et quatre tunisiennes. Mais il suffit d'être familiarisé avec l'onomastique du pays pour distinguer, parmi ces maisons de commerce, celles qui relèvent de négociants chrétiens et celles qui relèvent de négociants israélites (17). Il apparaît alors que les maisons de commerce relevant de négociants israélites représentent plus de la moitié (*Tableau I*) :

Tableau I
Maisons de commerce établies à Tunis

R/N	TUN.	ITA.	FRA.	ANG.	GRE.	AUT.	ESP.	ENS.
Chrétiens	—	7	8	4	5	2	—	26
Israélites	4	15	8	7	—	1	1	36
Total	4	22	16	11	5	3	1	62

Les maisons de commerce établies à Tunis exerçaient leurs activités avec le concours de nombreux auxiliaires : employés, commis aux écritures, courtiers, qui étaient juifs pour la plupart. Les négociants chrétiens eux-mêmes devaient recourir à des courtiers juifs, appelés sensaux (de l'arabe *samsâr* = courtier), attachés à leurs maisons.

Il n'est pas de négoce sans crédit, et les maisons de commerce de Tunis — qui avaient leurs agences dans les villes de l'arrière-pays — consentaient des prêts à intérêt. La rareté des espèces et les risques

114

encourus par les prêteurs expliquent l'élévation du taux d'intérêt qui pouvait atteindre 4 % par mois, que le prêteur fût juif ou chrétien (18).

La crise que connurent les finances du beylik fournit aux maisons de commerce de Tunis, aux juives comme aux chrétiennes, plus d'une occasion de réaliser des profits :

a) A court de ressources, l'administration beylicale se trouva souvent hors d'état de payer au comptant tout ce qu'il fallait au Bey, à sa famille et à sa cour. Forcés de vendre à crédit, les fournisseurs majoraient leurs prix, d'autant plus fortement qu'ils ne savaient pas quand ils seraient payés. Dès lors, les reconnaissances de l'État faisaient l'objet de transactions. Cédées à perte par ceux qui étaient à court de liquidités, elles assuraient d'appréciables profits à ceux qui les avaient achetées à bas prix et pouvaient ou savaient attendre.

b) Ne parvenant pas à verser à ses fonctionnaires, officiers ou soldats les rémunérations et les indemnités qui leur étaient dues, l'administration beylicale leur remettait des « teskerés » (de l'arabe, *teskra* = billet) qui étaient des à-valoir sur de futures rentrées fiscales. Mais sous la pression du besoin, ceux qui détenaient des teskerés se trouvaient amenés à les céder au-dessous de leur valeur nominale — voire à vil prix — et ceux qui les avaient rachetées tiraient d'importants bénéfices de leur opération lorsque l'État payait enfin ses dettes (19).

c) L'administration beylicale finit par se résoudre à contracter des emprunts sur la place de Paris et à émettre des obligations portant un intérêt fixé. Dès lors, tous ceux qui disposaient de fonds se mirent à acheter des titres de la dette tunisienne, à spéculer à la hausse ou à la baisse avec plus ou moins de chance à ce jeu. Faut-il préciser que tous les Juifs ne spéculaient pas et que tous les spéculateurs n'étaient pas juifs (20) ?

Les Juifs jouaient aussi un grand rôle dans le commerce de détail. Tous les témoignages s'accordent sur la place occupée par les Juifs dans le commerce de la capitale. Ils étaient fortement implantés dans deux souks de la médina. Le *sûq al-Grâna*, créé par les Livournais, était spécialisé dans la vente des denrées coloniales, de la quincaillerie et des articles de Paris ; le *sûq al-Bey*, attenant au palais du Bey, était spécialisé dans la vente des draperies et des soieries de fabrication anglaise ou française. Aux commerces exercés dans le quartier des souks, s'ajoutaient ceux qui l'étaient dans les limites de la *ḥâra*, pour satisfaire aux besoins de la population juive.

Les Juifs étaient aussi nombreux à exercer une activité artisanale. Comme par le passé, le travail de l'or et de l'argent était tout entier entre leurs mains. Mais on les rencontrait aussi dans l'industrie textile où ils étaient spécialisés dans la confection des vêtements, et dans l'industrie du cuir où ils se consacraient à la fabrication de certains types de chaussures. Tels étaient les métiers exercés par les Juifs de Tunis, d'après les voyageurs qui nous ont laissé des descriptions de Tunis au XIXᵉ siècle (21).

Nous sommes assez mal renseignés sur les activités des Juifs dans les centres de l'arrière-pays. Nos sources d'information nous permettent cependant de les entrevoir. Dans les villes-ports, ils prennent une part active aux échanges avec l'étranger, qui portent, à la sortie, sur l'huile, les laines, les peaux et le savon, et à l'entrée, sur le bois, les métaux et la quincaillerie. Les négociants se doublent souvent de prêteurs qui font des avances aux paysans et aux artisans. Ils sont aussi nombreux à exercer certains commerces de détail qui portent sur la vente de produits d'importation comme les denrées coloniales et les tissus. Comme dans la capitale, ils exercent les métiers d'orfèvre, de tailleur ou de cordonnier. Il y a même des Juifs qui se livrent au travail de la terre. Le voyageur J.-J. Benjamin II signale des Juifs agriculteurs dans les régions de Nabeul, de Gabès et de Djerba, qui se consacrent à la culture de la vigne, du palmier-dattier et des arbres fruitiers, comme à l'élève du bétail (22). Le fait était sans doute ancien, mais il avait jusque-là échappé à l'attention de tous les voyageurs.

La population juive de la Régence n'était rien moins qu'homogène. Elle présentait des inégalités de condition qui ont frappé tous les observateurs. La haute classe, composée principalement de Juifs livournais, de nationalité italienne, mais dont faisaient aussi partie un petit nombre de Juifs de nationalité française ou anglaise et quelques Juifs tunisiens, vivait de négoce et de banque et jouissait d'une large aisance. La classe moyenne était constituée par les commerçants, les artisans, les employés de commerce. La classe pauvre était composée de tous ceux qui tiraient leurs ressources de petits métiers aux gains dérisoires et qui bien souvent n'arrivaient à survivre que grâce à l'aide charitable des plus fortunés (23).

4. L'affaire Batou Sfez

Vers 1850, la condition des Juifs de Tunisie ne différait guère de celle qu'elle avait été au cours des XVIIe et XVIIIe siècles. Exception faite pour ceux qui ressortissaient de Puissances étrangères, ils étaient encore soumis au statut que l'islam a réservé à ses « protégés », *ahl al-dhimma*.

Pour prix de la tolérance dont faisaient l'objet leurs croyances et leur culte, ils devaient s'acquitter d'un impôt spécial, la *jezya*, qui était dû par tous les Juifs mâles et majeurs (24). A cette imposition régulière venaient s'ajouter, toutes les fois que le pouvoir était à court d'argent, des contributions extraordinaires, dont le Bey fixait le montant et que le caïd des Israélites était chargé de réunir en taxant ses coreligionnaires (25). Étaient-ils encore astreints à des corvées, comme ils l'avaient été dans le passé ? Il n'en est pas fait mention dans nos sources d'information. Un auteur signale des réquisitions de main-d'œuvre : des artisans juifs du souk des Orfèvres se voient contraints de se rendre au palais du Bardo pour y travailler sur ordre (26).

Les Juifs faisaient encore l'objet de nombreuses discriminations. La plus évidente était celle qui avait trait au costume. Les hommes ne pouvaient, comme les musulmans, porter des chéchias rouges, des turbans blancs et des souliers de couleur vive. Ils devaient se coiffer d'une calotte noire, entourée d'un turban noir ou bleu foncé, et chausser des souliers noirs (27). Dans toutes les villes où ils étaient établis, ils habitaient dans des quartiers séparés, hors desquels seuls quelques privilégiés de la fortune parvenaient à se donner une demeure (28). Comme les chrétiens, ils n'avaient pas le droit d'accéder à la propriété immobilière, à la ville comme à la campagne, et toute occupation du sol était, pour eux, précaire, à moins qu'ils n'aient pu avoir recours à des prête-noms musulmans (29). Il leur arrivait encore souvent d'être en butte à des vexations et à des violences, sans qu'il leur fût accordé de réparation (30). Enfin, ils étaient réprimés avec une extrême sévérité pour tout ce qui pouvait paraître comme une offense à l'islam, ainsi qu'on put le voir, au début du règne de Moḥamed Bey, avec l'affaire Batou Sfez.

Il y avait alors, au service de Nessim Samama, qui était, à la fois, directeur général des finances et caïd des Israélites, un cocher du nom de Batou Sfez. Un jour, suite à un embarras de la circulation, il a une altercation avec un musulman. Il échange avec lui des propos de plus en plus vifs, et, tout d'un coup, le musulman crie que le Juif a maudit la religion du Prophète. Un attroupement se forme, qui se fait de plus en plus nombreux et de plus en plus menaçant. La police intervient alors, qui arrête Batou Sfez et le jette en prison, alors qu'un certain nombre de témoins — dont la déposition fait l'objet d'un acte notarié — font état du sacrilège dont le cocher juif s'est rendu coupable (31).

L'affaire fut portée devant le Bey. Celui-ci aurait pu la juger conformément aux principes du droit hanéfite et infliger à l'inculpé un châtiment sévère, mais mesuré. Mais il préféra en saisir le tribunal du Shara°a lequel, bien que l'inculpé protestât énergiquement de son innocence, le jugea coupable et, lui appliquant dans toute leur rigueur les principes du droit malékite, le condamna à la peine capitale. La nouvelle de la condamnation se répandit dans la ville et causa une vive émotion. Des représentants des Puissances étrangères, alertées par la communauté juive, intervinrent auprès du Bey pour qu'il commuât la sentence, ou à tout le moins qu'il en différât l'exécution. Vainement. Le verdict ne fut pas rapporté, et le 24 juin 1857, l'infortuné cocher juif fut exécuté : le bourreau lui trancha la tête d'un coup de sabre (32).

L'exécution de Batou Sfez souleva une grande indignation dans la population juive. La mémoire collective des Juifs de Tunisie a conservé le souvenir de ce drame. Il n'a pas tardé à inspirer une qînah, ou complainte populaire, en judéo-arabe, qui n'eut pas moins de trois versions imprimées à la fin du XIXᵉ siècle (33). Les représentants de la France et de la Grande-Bretagne à Tunis, qui étaient alors Léon Roches et Richard Wood, tirèrent argument de l'événement pour demander au Bey de s'engager dans la voie de réformes analogues à celles qui avaient été promulguées dans l'Empire ottoman, à la fin de l'année 1839. Sous couleur de combattre l'absolutisme et le fanatisme et de promouvoir les droits de l'homme, il s'agissait pour eux de favoriser les entreprises économiques de leurs nationaux, en garantissant leur sécurité, en les soustrayant à la compétence des juridictions musulmanes et en leur permettant d'accéder à la propriété immobilière. Leurs démarches se firent de plus en plus pressantes et elles s'accompagnèrent de suggestions de plus en plus précises. L'arrivée d'une escadre dans la rade de Tunis eut raison de la résistance que le Bey opposait à des réformes libérales. A la date du 10 septembre 1857, sous le nom de *Pacte Fondamental*, Moḥamed Bey promulguait une déclaration des droits de l'homme qui accordait à tous les habitants de la Régence de larges garanties. Son successeur, Moḥamed es-Sadok Bey, qui, à son avènement, prêta serment de respecter le Pacte Fondamental, dota le pays, à la date du 21 avril 1861, d'une *Loi organique* ayant tous les caractères d'une constitution, et, à la date du 25 février 1862, d'un *Code civil et criminel*. Cet ensemble de textes faisait de la Régence de Tunis une manière de monarchie parlementaire où tous les habitants, sans distinction d'origine ni de confession, devaient jouir de tous les droits qui leur étaient reconnus dans les États civilisés (34).

5. Vers l'égalité des droits

Les réformes que les beys, sous la pression des Puissances européennes avaient été amenés à introduire reconnurent aux Juifs un ensemble de droits qui mettaient fin aux discriminations vexantes dont ils avaient eu jusque-là trop souvent à souffrir (35).

a) Ils étaient assurés de pouvoir vivre en paix : « Une complète sécurité est garantie formellement à tous nos sujets, à tous les habitants de nos États, quelles que soient leur religion, leur nationalité et leur race. Cette sécurité s'étendra à leur personne respectée, à leurs biens sacrés et à leur réputation honorée » (*P.F.*, art. I).

b) Ils se voyaient reconnaître une complète liberté religieuse : « Nos sujets israélites ne subiront aucune contrainte pour changer de religion et ne seront pas empêchés dans l'exercice de leur culte » (*P.F.*, art. IV).

c) Ils se voyaient reconnaître les mêmes droits et les mêmes devoirs que les musulmans : « Tous nos sujets, musulmans ou autres, seront soumis également aux règlements et aux usages en vigueur dans le pays. Aucun d'eux ne jouira à cet égard de privilège sur un autre » (*P.F.*, art. VIII). Le principe de l'égalité de tous les sujets du royaume, sans distinction de religion, excluait que les Juifs fussent assujettis à une imposition spéciale.

d) Il était mis fin à l'interdiction qui leur était faite d'accéder à la propriété immobilière : « Tous nos sujets, quelle que soit leur religion, pourront posséder des biens immeubles, et ils en auront la disposition pleine et entière » (*Explication du Pacte Fondamental*, chap. III).

e) Une mesure était prise pour faire en sorte que les juridictions pénales jugent avec la même équité les Juifs comme les musulmans : « Lorsque le Tribunal criminel aura à se prononcer sur la pénalité encourue par un sujet israélite, il sera adjoint au dit tribunal des assesseurs également israélites » (*P.F.*, art. VI).

f) On leur reconnaissait implicitement le droit d'accéder aux fonctions publiques : « Tout sujet tunisien qui n'aura pas été condamné à une peine infamante pourra arriver à tous les emplois du pays s'il en est capable » (*Loi organique*, art. 78).

Dans cet ensemble de dispositions, ce qui doit surtout retenir l'attention, ce n'est pas tant la sécurité garantie indistinctement à tous les sujets du royaume, non plus que la liberté religieuse promise aux Juifs comme aux chrétiens. De tout temps, les adeptes des religions révélées ont bénéficié dans les pays d'islam d'une large tolérance qui leur permettait de vivre en paix et selon leur foi, sous la protection de monarques musulmans. Ce qu'il faut, par contre, souligner, c'est la nouveauté de l'égalité qu'elle institue entre Juifs et musulmans. En reconnaissant aux Juifs les mêmes droits et les mêmes devoirs qu'aux musulmans, en supprimant à leur encontre toute forme de discrimination, les beys réformateurs mettaient fin au statut qui leur avait été réservé pendant des siècles en tant que *ahl al-dhimma* (36).

La proclamation du Pacte Fondamental fut suivie de changements réels dans la condition des Juifs de Tunisie. Par un décret du 5 sfar 1275/15 septembre 1858, Moḥamed Bey reconnut expressément aux Juifs le droit de se coiffer d'une chéchia rouge, comme les musulmans (37). Dès lors, ils cessèrent de porter la calotte noire qui leur avait été jusque-là imposée, mais ils continuèrent comme par le passé à s'envelopper la tête d'un turban bleu foncé (38). Ce même décret de Moḥamed Bey accorda expressément aux Juifs le droit d'acquérir des propriétés immobilières, à la ville comme à la campagne (39). A quelque temps de là, il fut permis aux Juifs, à l'étroit dans la *ḥâra* de Tunis, d'aller s'établir dans des rues avoisinantes, en restaurant des maisons en ruine et en en construisant de nouvelles (40).

On ne sait pas exactement à quelle date les Juifs cessèrent de faire l'objet d'une imposition spéciale et de devoir verser la *jezya*. Mais on a de bonnes raisons de penser que l'impôt de capitation fut supprimé lorsque fut institué, en 1272/1856, l'impôt dit *majba*, auquel furent soumis tous les sujets du Bey, qu'ils fussent musulmans ou juifs, à l'exception de ceux qui résidaient dans les villes de Tunis, Kairouan, Sousse, Monastir et Sfax (41).

Il n'est guère fait état au XIXᵉ siècle de taxes douanières plus lourdes pour les Juifs que pour les musulmans et pour les chrétiens. Les Juifs livournais cessèrent sans doute d'acquitter des droits de douane à l'importation de 10 %, au lendemain du traité tuniso-toscan du 10 juillet 1822, qui fixa à 3 % les droits perçus sur les marchandises importées de Toscane, c'est-à-dire ni plus ni moins que ce que devaient payer les marchandises venues des autres pays avec lesquels la Tunisie avait signé un traité de paix et de commerce (42). A des droits de douane variant en fonction de la religion des marchands, s'étaient substitués des droits de douane variant en fonction du pays d'origine ou de destination des marchandises.

La politique de réformes dans laquelle les beys s'étaient engagés fut accueillie avec faveur par les Juifs de Tunisie, mais elle ne souleva pas l'enthousiasme des masses populaires, parce qu'elle était coûteuse. La mise en place des nouvelles institutions prévues par la Loi organique de 1861, qui s'accompagnait de travaux publics entrepris à grands frais, se traduisait par une augmentation des dépenses publiques. Faute de ressources suffisantes en numéraire, l'administration beylicale remit à ses fonctionnaires comme à ses fournisseurs des teskerés ou bons du Trésor, qui étaient autant de traites sur les impôts à venir. L'accroissement du nombre des billets en circulation correspondait à un développement de la dette publique intérieure. La crise des finances beylicales, aggravée par les malversations d'un premier ministre sans scrupules, conduisit l'État tunisien à contracter un emprunt sur la place financière de Paris. La plus grande partie des sommes empruntées s'évanouit en commissions et en détournements. Mais il n'en fallait pas moins verser les annuités de remboursement majorées d'intérêts. A court d'argent, l'administration beylicale prit la décision de doubler le montant de l'impôt personnel, dit *majba*, dû par tous les Tunisiens mâles et majeurs, et de le porter de 36 à 72 piastres. Cette décision déclencha, au mois d'avril 1864, une révolte générale des masses populaires exaspérées (43).

Les insurgés ne demandaient pas seulement le retour de l'impôt à son ancien taux, mais aussi l'abrogation de la Constitution et l'élimination de la caste des mamelouks, dans laquelle le Bey recrutait ses ministres et ses dignitaires, que l'on tenait pour responsables des malheurs du pays. La révolte ne fut pas exempte d'une pointe d'hostilité à l'égard des Grandes Puissances, qui avaient inspiré les réformes, et à l'égard des Juifs, qui en avaient profité. En plus d'une localité, à Sousse et à Gabès entre autres, des insurgés s'en prirent aux Juifs qui portaient une chéchia rouge, voulant les contraindre à remettre leur calotte noire (44). Des insurgés attaquèrent et mirent à sac les maisons juives à Nabeul, Sousse, Sfax et Djerba (45).

Les divisions des insurgés permirent au pouvoir beylical de venir à bout de la révolte, qui fut réprimée avec la plus grande brutalité. La Constitution, dont l'application avait été suspendue dans les premiers jours de la révolte, ne fut pas remise en vigueur. Mais les mesures qui avaient été prises en faveur des Juifs au lendemain du Pacte Fondamental, il ne fut jamais question de les abroger. Ceux qui avaient eu à souffrir au cours des troubles furent indemnisés grâce aux contributions de guerre que le pouvoir imposa aux villes et aux villages insurgés (46). Les vestiges des anciennes discriminations ne disparaîtront que peu à peu. Au moins, les Juifs avaient des raisons d'espérer qu'ils seraient un jour traités à l'égal des musulmans.

6. Mœurs et coutumes

Grâce aux observations de nombreux voyageurs qui ont visité la Tunisie au XIXᵉ siècle et qui n'ont eu aucune difficulté à entrer en contact avec les Juifs, à pénétrer dans leurs maisons et à s'entretenir avec eux, les mœurs et les coutumes de la minorité juive nous sont assez bien connues et nous pouvons en donner une vue d'ensemble.

a) *Langue et écriture*

Tous les Juifs parlaient la langue du pays, tant dans leurs relations avec la population musulmane que dans leurs relations entre eux. Ce que certains voyageurs appellent « parler judaïque », et qu'ils prennent parfois pour un « hébreu corrompu », est en fait une variante de l'arabe dialectal en usage dans le pays. Des études précises dont il a fait l'objet au cours des dernières années, il ressort que le parler des Juifs ne se distingue du parler des musulmans, ni par la morphologie, ni par la syntaxe. Il s'en écarte seulement par une prononciation caractérisée par la permutation de la valeur de certaines consonnes, telles que le *sîn* et le *shîn*, le *zîn* et le *jîm*, et par l'atténuation de la valeur emphatique de certaines consonnes comme le *ṣâd* et le *dâd*, le *tâ* et le *zâ*. Contrairement à ce que l'on croit souvent, les emprunts à l'hébreu sont rares et se limitent à un petit nombre de mots étroitement liés à la pratique du judaïsme (47).

Cette langue qu'ils parlent, les Juifs l'écrivent aussi. Cependant, pour l'écrire, ils n'utilisent pas les lettres de l'alphabet arabe, qu'ils ne connaissent pas, parce que l'étude de l'arabe leur a été interdite (48), mais les lettres de l'alphabet hébreu, sous leur forme cursive, ou *mᶜallaq* = m. à m. « écriture accrochée » (49). C'est dans cette variante d'arabe dialectal, transcrit en caractères hébreux, que sont rédigés livres de comptes, lettres d'affaires, contrats et mémoires. En fait, il y a une parfaite continuité entre les écrits médiévaux conservés dans la *geni-*

zah du Caire et les écrits du XIXe siècle, que l'on peut rencontrer dans les archives publiques ou privées.

L'arabe dialectal, dans sa variante juive, n'était pas seulement la langue des Juifs indigènes, appartenant à la communauté des *Twânsa*, mais aussi celle d'un grand nombre de Juifs d'origine européenne, appartenant à la communauté des *Grâna*. Les descendants des Juifs venus de Livourne au XVIIe siècle s'étaient « arabisés » au contact des Juifs indigènes et parlaient l'arabe comme eux. De documents conservés dans les archives de l'Alliance Israélite Universelle, il ressort que le rabbin Abraham Boccara, qui exerça les fonctions de grand rabbin de la communauté livournaise de 1872 à 1879, et qui fut porté à la présidence du comité de Tunis de l'Alliance Israélite, ne connaissait pas d'autres langues que l'hébreu et l'arabe et ne savait écrire que l'hébreu cursif (50). La plupart des pièces conservées dans le mémorial de la communauté livournaise sont rédigées en arabe dialectal, transcrit en cursive hébraïque (51).

Il y avait sans doute de nombreux Juifs « livournais » qui joignaient, à la connaissance de l'arabe, celle de l'italien. On rencontrait même des Juifs « tunisiens », parmi les plus aisés, qui avaient appris à parler, à lire et à écrire l'italien. Mais l'arabe sous sa forme dialectale était la langue du plus grand nombre.

b) *Vêtement et parure*

Le costume juif se composait des mêmes éléments que le costume musulman.

Les hommes portaient un pantalon bouffant *(sarwâl)*, une large ceinture *(shamla)*, une chemise à manches longues *(sûriya)*, un gilet fermé *(şedriya)*, une veste sans manches *(farmla)* ou une veste à manches *(mantân)*, et par-dessus une longue tunique *(jubba)* ou un manteau à capuchon *(burnûs)*. Ils chaussaient des babouches *(balgha)* et se coiffaient d'un bonnet rouge *(shâshiya)* enveloppé d'un turban noir ou bleu foncé *(kashṭa)* (52).

Les femmes portaient un pantalon ample ou collant arrivant jusqu'à la cheville *(sarwâl)*, une chemise à manches longues *(sûriya)*, une sorte de boléro *(farmla)*, une courte tunique *(jubba)* et hors de chez elles, s'enveloppaient d'une grande pièce de coton ou de soie *(sefsârî)*. Elles se couvraient la tête d'un mouchoir de coton *(taqrîṭa)* ou d'une coiffe en forme de pain de sucre *(qufiyya)*. Elles chaussaient des souliers fermés *(bashmaq)* ou des mules ouvertes *(tmâq)*. Les Juives se fardaient comme les musulmanes, agrandissant leurs yeux à l'aide de *koḥol* et se teignant les cheveux avec du henné ; elles se paraient comme elles de colliers *(rîḥâna)*, de bracelets *(mqâys)* et d'anneaux de chevilles *(khalkhal)*. Mais, à la différence des musulmanes, elles circulaient dans les rues sans se voiler le visage, se limitant à le cacher, en partie, à l'aide de la pièce d'étoffe dont elles se drapaient (53).

Ce costume n'était pas seulement celui des Juifs tunisiens, mais aussi celui de nombre de Juifs livournais. La pièce d'étoffe dont s'enveloppaient les Livournaises présentait la particularité d'être traversée de larges bandes jaunes (54). C'était là, bien sûr, le fait de vieux Livournais, car les nouveaux, établis dans le pays au cours du XIXᵉ siècle, de nationalité italienne, s'habillaient à l'européenne. Il en était de même pour un petit nombre de Tunisiens fortunés qui avaient adopté les usages européens.

c) Maison et mobilier

La vie de la famille juive se déroulait dans le même cadre que celle de la famille musulmane. Les plus riches disposaient d'une demeure spacieuse avec des pièces s'ouvrant sur une cour. Un voyageur décrit une maison juive de Tunis, dont la cour, bordée de portiques, est pavée de dalles de marbre (55). Les pièces, aux murs couverts de carreaux de faïence, ont le sol couvert de tapis de laine et sont meublées de lits aménagés dans des alcôves, de tables basses et de coffres de bois peint. Les demeures des plus pauvres se réduisaient à une pièce unique où s'entassaient hommes, femmes et enfants, avec pour tout mobilier des nattes étendues à terre, une petite table, un coffre et quelques ustensiles de ménage (56).

Ainsi vivaient tous ceux qui habitaient encore dans le vieux quartier juif. Mais il n'en était pas de même des nouveaux « Livournais », qui s'étaient établis à Tunis au cours du XIXᵉ siècle et qui avaient trouvé à se loger au voisinage des Européens dans le quartier franc. A leur exemple, nombre de Juifs tunisiens aisés abandonnèrent leur maison de la ḥâra pour aller habiter non loin des Européens. Un auteur écrit en effet : « Rares sont les riches, parmi les Israélites, qui ne se soient rapprochés du quartier européen. » (57) En changeant de quartier, ils ont en même temps changé de type de demeure et se sont mis à vivre à l'européenne.

d) La vie religieuse

Dans toutes les villes, la vie des communautés juives était strictement soumise aux prescriptions de la religion mosaïque. Le repos du sabbat était scrupuleusement observé, et, en raison du rôle joué par les Juifs dans l'économie urbaine, le samedi était un jour chômé pour tous. Les solennités de l'année liturgique juive étaient célébrées avec éclat, et les voyageurs font état des grandes fêtes qui se succèdent, au fil des saisons et des mois : le jour de l'an, *Rosh ha-shanah,* le jour de l'Expiation, *Yom Kippour,* la fête des Tabernacles, *Sukkot,* la Pâque, *Pessah,* et la Pentecôte, *Shavu^cot.* Mais ils passent sous silence les demi-fêtes : la fête des Sorts, *Pourim,* et la fête de la Dédicace, *Hanukkah,* sans doute parce que leur célébration était plus discrète (58).

Ces mêmes voyageurs consacrent des développements plus ou moins importants aux cérémonies qui jalonnent le cours de l'existence, du berceau à la tombe. Ils ne s'attardent guère sur la circoncision des enfants mâles, huit jours après leur naissance, non plus que sur la majorité religieuse, dans la treizième année. Par contre, les cérémonies du mariage, auxquelles il a été donné à plus d'un d'assister, font l'objet de descriptions détaillées (59). Enfin, une place est faite aux usages relatifs à la mort et l'on signale le rôle de la confrérie de la *hobra,* qui rend aux défunts les derniers devoirs, la participation aux obsèques de pleureuses de profession, les manifestations ritualisées du deuil, ainsi que les veilleuses que l'on allume et dont en entretient la flamme à la mémoire des morts (60).

Une stricte observance des prescriptions de la religion juive s'accompagnait d'un vif attachement à la Terre Sainte. Un auteur en témoigne : « A Tunis, l'ardent désir de beaucoup d'Israélites est de retourner à Jérusalem. Chaque année, un certain nombre de pèlerins juifs partent de la Régence et font à pied, par Tripoli, l'Égypte et les déserts, un voyage extrêmement pénible pour revoir la terre qu'ils considèrent comme leur patrie. Les vieillards meurent presque tous avant d'arriver et beaucoup d'autres pèlerins ne reviennent jamais en Afrique. Ceux qui ont quelque fortune prennent la voie de mer et s'embarquent à Tunis pour la Palestine » (61). L'attachement à la Terre Sainte était entretenu par les visites périodiques que des rabbins-missionnaires faisaient aux communautés juives de Tunisie, pour collecter des fonds au profit des vieilles communautés de Safed et de Tibériade (62).

e) *Magie et exorcismes*

Les voyageurs ont été frappés par les croyances et pratiques superstitieuses que les Juifs partageaient avec la population musulmane, et ils y font une large place dans leurs relations.

Générale est la croyance au mauvais œil (*^cayn*), que l'on tient pour responsable de la maladie comme du malheur. Pour le tenir en échec, il n'est rien de plus efficace que la main que l'on étend devant soi, dont on trace l'empreinte sur les murs des maisons et dont des bijoux reproduisent la forme stylisée. On attribue également un pouvoir prophylactique à la corne de bélier et au poisson. Enfin, de nombreuses formules conjuratoires sont en usage, qui tirent leur efficacité du nombre cinq, dont le pouvoir dérive de celui de la main.

Les Juifs croient aussi à l'existence de génies (*jânn,* pl. *jnûn*), qu'il ne faut pas irriter et dont il faut se concilier les bonnes grâces. Si on ne les tient pas en respect, ils s'emparent des êtres humains et engendrent chez eux plus d'un trouble. C'est à leur action que l'on attribue de nombreuses maladies et plus particulièrement les maladies nerveuses auxquelles les femmes sont exposées. Il n'est alors d'autre moyen de s'en guérir que de chasser ces génies malfaisants du corps des possédés. Dans les cas les plus graves, on a recours à l'organisation d'une séance au cours de laquelle la malade est invitée à danser au rythme d'une musique exécutée par un orchestre jouant de cinq instruments : rebec *(rbâb)*, luth *(ʿaûd)*, tambour *(bandîr)*, tambour de basque *(ṭâr)*, et tambourin de terre cuite *(darbûka)*. Cette séance, appelée *rebaybiya* (< *rbâb* = rebec) prend fin lorsque, au terme d'une danse de plus en plus rapide, la malade tombe épuisée de fatigue — et guérie. Dans des cas moins graves et plus simples, on fait appel à un *khaffâf*, c'est-à-dire un guérisseur qui chasse le mal par des passes magiques (63).

Ces croyances et ces pratiques superstitieuses sont largement répandues dans la population juive, mais elles commencent à être mises en question par ceux qui se sont ouverts à la culture moderne et à la pensée rationnelle (64).

7. La vie communautaire

Les communautés juives de Tunisie ont continué, tout au long du XIXᵉ siècle, de jouir d'une relative autonomie qui leur permettait d'assurer la célébration du culte, l'instruction des enfants, la distribution de secours aux indigents et aux malades, ainsi que l'administration de la justice en matière de statut personnel.

Le domaine traditionnellement réservé à la compétence des juridictions rabbiniques fut rappelé peu après la proclamation du Pacte Fondamental : « Pour les mariages et les actes y relatifs, la puissance paternelle, la tutelle des orphelins, les testaments, les successions, etc., nos sujets non musulmans continueront à être soumis aux décisions de leurs juges religieux, qui seront nommés par Nous, sur la proposition de leurs notables. » *(Explication du Pacte Fondamental*, chap. I) (65). Mais les juridictions rabbiniques n'étaient pas habilitées à connaître d'affaires civiles ou commerciales, même si toutes les parties qui s'y trouvaient engagées étaient de confession israélite (66).

Chaque communauté continua à être gérée par un conseil d'administration dont l'organisation et le fonctionnement étaient réglés par l'usage, exception faite pour la communauté de la capitale qui fut réglementée par un texte de loi.

Peu avant l'établissement du protectorat, un décret beylical du 13 septembre 1876, sous couleur d'organiser la boucherie juive et la caisse de secours aux Israélites nécessiteux, s'attacha à définir l'organisation de la communauté de Tunis. Elle était placée sous l'autorité d'un

Conseil comprenant, outre le caïd des Israélites, un certain nombre de membres nommés par un décret. Il revenait à ce Conseil de désigner cinq délégués chargés d'administrer la boucherie israélite. Quant aux ressources assurées par la gestion de la boucherie, elles devaient être affectées, pour une part, à l'entretien des édifices consacrés au culte et à la rémunération des rabbins ; et pour l'autre, à l'alimentation de la caisse de secours aux pauvres (67).

Ce texte réglementaire fait état d'un conseil, d'une boucherie et d'une caisse de secours, comme s'il n'y avait à Tunis qu'une seule communauté. Mais, « Tunisiens » et « Livournais » continuaient à former deux communautés distinctes. L'une, la communauté tunisienne, organisée par le décret du 13 septembre 1876, avait une existence légale ; l'autre, la communauté livournaise, ignorée par le législateur, n'avait qu'une existence de fait. Mais on ne pouvait mettre en doute la réalité de l'une et de l'autre. La manifestation la plus évidente de cette dualité religieuse était l'existence simultanée à Tunis de deux grands rabbins : l'un pour les *Twânsa,* ou Tunisiens, l'autre pour les *Grâna,* ou Livournais (68).

Dans la capitale, les deux communautés avaient chacune son tribunal rabbinique, pour arbitrer les conflits en matière de statut personnel, ses synagogues, son lieu de sépulture, comme sa caisse de secours aux nécessiteux. On a toutes les raisons de penser que les ressources fournies par la taxe sur la viande de boucherie allaient pour une part à la communauté « tunisienne », et pour l'autre, à la communauté « livournaise ».

Hors de la capitale, les communautés juives de l'arrière-pays ont continué à relever d'une organisation coutumière. Chacune d'elles était administrée par un conseil de notables, qui était placé sous la double autorité d'un chef laïque que l'on appelait *nasi* (« prince », en hébreu) et d'un chef religieux qui se confondait avec le grand rabbin, que l'on désignait sous le nom de *ḥakham* (« sage », en hébreu) (69).

Dans toutes les communautés, les études étaient organisées comme elles l'avaient été dans le passé, et elles comportaient trois cycles. Le premier, qui avait lieu dans le cadre d'un *talmud-torah*, était consacré à l'étude de l'hébreu, l'enfant apprenant successivement à déchiffrer consonnes, voyelles, syllabes jusqu'à pouvoir lire couramment le texte des prières usuelles. Le deuxième, qui avait lieu lui aussi dans le cadre d'un *talmud-torah*, était consacré à l'étude des cinq premiers livres de la Bible, que l'on expliquait à la faveur d'une traduction en judéo-arabe, ainsi que d'un certain nombre de livres d'auteurs classés parmi les Prophètes ou parmi les Hagiographes. Le troisième, qui avait lieu dans une *yeshivah*, permettait aux plus doués d'aborder l'étude de la *Mishnah* et de la *Gemarah* et de parvenir à une connaissance de plus en plus poussée du Talmud (70).

Le système d'enseignement en vigueur dans les communautés juives de Tunisie présentait des défauts que des observateurs avertis n'ont pas manqué de dénoncer. Ils ont critiqué l'exiguïté et l'insalubrité des locaux, le désordre et le tapage régnant dans les classes, l'archaïsme des méthodes didactiques qui donnaient le pas à la mémoire sur l'intelligence, mais aussi le contenu de l'enseignement qui préparait le jeune Israélite à célébrer sa majorité religieuse et à prendre place dans la communauté des fidèles, mais ne lui donnait pas les connaissances qui auraient pu le préparer à la vie active. Tout au plus, apprenait-il à écrire l'arabe dialectal transcrit en caractères hébreux et à procéder à des calculs élémentaires (71).

Malgré les défauts de ce système d'enseignement, il y avait de nombreux sujets qui, au terme de leurs études, parvenaient à une connaissance assez poussée de la langue hébraïque, de la Bible et du Talmud. Les études talmudiques continuaient d'être à l'honneur, et de savants rabbins tunisiens du XIXᵉ siècle ont attaché leur nom à des œuvres qui leur ont valu la considération de leurs pairs : Juda Lévi (m. 1848), auteur de *Miḥanah Levih*, Joseph Borgel (m. 1857), auteur de *Zeraᶜ Yossef* et de *Viqen Yossef* ; Josué Bessis (m. 1860), auteur de *Ebne Tsedeq* ; Abraham Cohen (m. 1864), auteur *Mishmerot Kahuna* et de *Shulḥan shel Abraham* ; Abraham Hagège (m. 1880), auteur de *Zerᶜou shel Abraham* (72). Néanmoins, la production des savants tunisiens semble avoir été, au cours du XIXᵉ siècle, moins importante qu'elle ne l'avait été au cours du XVIIIᵉ siècle, comme si la culture juive traditionnelle se trouvait à bout de souffle.

Les insuffisances de l'enseignement hébraïque traditionnel avaient conduit nombre de familles juives à envoyer leurs enfants dans les écoles modernes qui furent créées au cours du XIXᵉ siècle, dans la capitale et les villes de la côte. C'est un Juif livournais, du nom de Pompeo Sulema qui, avec le concours de sa sœur, Esther Sulema, a ouvert en 1831 à Tunis la première école moderne. Une deuxième école fut ouverte à Tunis en 1845 par l'abbé François Bourgade, avec laquelle l'école de Pompeo Sulema ne tarda pas à fusionner. Une mission protestante anglaise, la *London Society for promoting Christianity amongst Jews*, établie à Tunis à partir de 1830, ouvrit à Tunis en 1855 une école primaire de garçons. Puis ce furent les sœurs de Saint Joseph de l'Apparition qui ouvrirent des écoles de filles à Tunis, La Goulette, Sousse, Sfax et Djerba, et les Frères de la Doctrine chrétienne qui ouvrirent deux écoles de garçons, l'une payante et l'autre gratuite, à Tunis. Enfin, la colonie italienne, avec le concours de l'État italien, créa à Tunis un collège de garçons et un collège de filles (73). A ces écoles, les Juifs « livournais » venus d'Italie à une date relativement récente furent les premiers à envoyer leurs enfants. Leur exemple fut suivi par les Juifs « livournais » établis dans le pays de longue date, et par les plus fortunés des Juifs tunisiens. Ainsi, au cours du XIXᵉ siècle, nombre de Juifs des deux sexes purent acquérir, avec la connaissance d'une langue européenne, de l'italien ou du français, une instruction primaire moderne. Il y en eut même qui purent y recevoir une instruction secondaire qui leur permit de faire des études supérieures dans les universités d'Europe (74). Mais il ne s'agissait que d'une élite, et le plus grand nombre ne recevait pas d'autre instruction que celle qui était dispensée dans les *talmud-torah* et les *yeshivot*.

C'est seulement dans les années qui précédèrent l'institution du protectorat qu'un changement décisif intervint, avec la création en 1878 de la première école de l'Alliance Israélite Universelle (75). Dès 1864, un comité régional s'était constitué dans la capitale de la Régence en vue de l'ouverture d'une école de l'Alliance Israélite. Mais le bey de Tunis refusa de le reconnaître et il interdit aux Juifs tunisiens, ses sujets, d'en faire partie. Le comité régional de l'Alliance Israélite fut donc formé exclusivement de Juifs de nationalité italienne ou française. Il fallut de longues années avant que les démarches de ce comité, appuyées par les consuls de France, d'Italie et de Grande-Bretagne, n'arrivent à triompher de la résistance du souverain. Mais au début de l'année 1878, dans une lettre au caïd des Israélites, le Premier ministre de S.A. le Bey autorisait l'ouverture à Tunis d'une école de l'Alliance Israélite et permettait à la communauté israélite de percevoir une surtaxe d'une caroube par livre de viande pour faire face à ses dépenses d'entretien et de fonctionnement (76).

Le nouvel établissement, tout en faisant une place convenable à l'enseignement de l'hébreu et de la culture juive, assurait un enseignement de la langue française et de toutes les disciplines inscrites au programme des écoles primaires françaises. L'école, qui fut aménagée dans une vaste construction à l'est de la médina, dont l'Alliance Israélite fit l'acquisition, accueillit dès la première année, à la rentrée d'octobre 1878, plus de 1 000 élèves, dont 750 provenant du *talmud-torah* tunisien, 125 du *talmud-torah* livournais et 150 de diverses origines (77). Grâce à cette nouvelle institution, la connaissance du français allait se répandre parmi les masses juives en y faisant pénétrer de nouvelles idées.

8. Les patentes de protection

En dépit des principes affirmés dans le Pacte Fondamental de 1857 et la Loi organique de 1861, les Juifs de Tunisie avaient encore souvent à se plaindre de l'Administration beylicale. Leurs principaux griefs ressortent des lettres qu'ils adressaient au Comité Central de l'Alliance Israélite à Paris :

a) Il arrivait que des jeunes filles juives fussent enlevées par des musulmans et contraintes d'embrasser l'islam.

b) Les juridictions tunisiennes, composées exclusivement de magistrats musulmans, même quand elles avaient à se prononcer sur la pénalité encourue par un Israélite, faisaient preuve à l'égard des Juifs d'une sévérité sans rapport avec les faits qui leur étaient reprochés.

c) Les Juifs pouvaient être victimes de vols, de violences, de meurtres même, sans que les coupables fussent recherchés, jugés et punis (78).

C'est pour se mettre à l'abri de l'arbitraire et jouir d'une plus grande sécurité que de nombreux Juifs, appartenant pour la plupart à la classe fortunée, se sont efforcés d'obtenir des patentes de protection des Puissances européennes représentées dans la capitale des beys.

Ceux qui obtenaient une patente de protection, et devenaient les « protégés » d'une Puissance européenne, conservaient la nationalité tunisienne, et leur statut personnel continuait à être régi par le droit rabbinique, mais ils devenaient justiciables des juridictions consulaires à l'égal des ressortissants étrangers. De plus, le consul de la nation qui les protégeait assurait leur défense s'ils étaient les victimes d'un délit ou d'un crime.

Dans les années qui précédèrent l'institution du protectorat, les patentes de protection se firent de plus en plus nombreuses. Pour les Juifs, elles étaient un moyen de se mettre à l'abri d'une injustice toujours redoutée. Pour les Puissances étrangères, elles étaient un moyen de se constituer une clientèle, et, sous couleur de défendre leurs protégés, de se donner le droit d'intervenir dans les affaires intérieures de la Régence.

Le bey de Tunis n'a pas manqué de s'élever contre cette sorte d'exterritorialité que les patentes de protection assuraient à des personnes qui faisaient partie de ses sujets. Dans un décret de juillet 1866, Mohamed es-Sadok Bey signifia sa position : « Nous avons appris que plusieurs de nos sujets se prévalent aujourd'hui de la protection des nations étrangères dont les consulats leur auraient délivré des patentes à cet effet. Il est porté à la connaissance des consuls que nous ne reconnaissons aucune protection accordée aux Tunisiens, et que nous continuerons à considérer et à traiter ceux qui sont munis d'une patente comme tous nos autres sujets » (79). Malgré cette déclaration solennelle, l'usage des patentes de protection se poursuivit, car il était de l'intérêt de ceux qui les demandaient comme de ceux qui les accordaient.

Il y avait ainsi, à la veille du Protectorat, des Juifs tunisiens protégés de diverses Puissances. Les plus nombreux étaient les protégés de la France, de l'Italie et de la Grande-Bretagne, mais il y avait aussi des protégés de l'Espagne, de la Belgique, de l'Allemagne, de l'Autriche-Hongrie, des Pays-Bas, du Danemark, de la Russie et de la Grèce (80).

L'usage des patentes de protection a ajouté à la complexité de la population juive du pays. En effet, aux Juifs étrangers et aux Juifs tunisiens, se sont ajoutés les Juifs protégés qui avaient un statut intermédiaire entre celui des étrangers et celui des nationaux. Les Juifs étrangers faisaient tous preuve de loyalisme à l'égard de la Puissance dont ils étaient des ressortissants à part entière. Les Juifs protégés étaient naturellement portés à épouser la cause de la Puissance qui assurait leur protection. Quant à la grande masse des Juifs tunisiens, tout en protestant de leur dévouement au souverain dont ils étaient les sujets, ils n'en éprouvaient pas moins de vives sympathies pour les diverses Puissances européennes qui, en défendant leurs frères « étrangers » ou « protégés », ne pouvaient manquer d'apparaître comme les protectrices de tous les Juifs.

NOTES DU CHAPITRE VI

(1) Cf. Traité du 10 juillet 1822. A. ROUSSEAU, *Annales Tunisiennes*, Alger, 1864, pp. 552-556 ; C. MASI, « La fixation du statut des sujets toscans israélites dans la Régence de Tunis (1822-1847) », dans *Revue Tunisienne*, 1938, pp. 155-179 et 323-342, v. p. 173.

(2) C. MASI, *art. cit.*, p. 178.

(3) A. ROUSSEAU, *op. cit.*, p. 556 ; cf. C. MASI, *art. cit.*, p. 341.

(4) C. MASI, « Chronique de l'ancien temps (1815-1859) », dans *Revue Tunisienne*, 1935, pp. 106 et 116-117.

(5) Traité entre la Tunisie et l'Italie du 8 septembre 1868 (art. 1) ; cf. A. BOMPARD, *Législation de la Tunisie*, Paris, 1888, pp. 461-466.

(6) M. EISENBETH, *Les Juifs d'Afrique du Nord. Démographie et onomastique*, Alger, 1936, *passim*.

(7) C. MASI, *art. cit.*, p. 342.

(8) R. AYOUN, « Les Juifs d'Algérie », dans *Cultures juives méditerranéennes et orientales*, Paris, 1982, pp. 171-188.

(9) Parmi les originaires de Gibraltar, on peut citer les familles Abeasis, Azuelos, Benattar, Lévy, Santillana ; parmi les originaires de Malte, on peut citer la famille Carmona.

(10) J.J. BENJAMIN II, *Eight Years in Asia and Africa from 1846 to 1855*, Hanover, 1859, p. 255.

(11) A. LUMBROSO, *Cenni storico-scientifici sul cholera-morbus asiatico che invase la Reggenza di Tunisi nel 1849-50*, Marsiglia, 1850, cité par N.E. GALLAGHER, « Toward an Evaluation of the Population of the Nineteenth Century Regency of Tunis », dans *Revue d'Histoire Maghrébine*, juillet 1978, p. 306.

(12) F. ARNOULET, « Histoire du choléra épidémique en Tunisie », dans *Tunisie Médicale*, 1969, pp. 391-398.

(13) IBN ABI DIYAF, *Ithâf ahl al-zamân bi akhbâr mulûk Tûnis wa ʿahd al-amân*, Tunis, 1963-1968, t. V, p. 16.

(14) Ch. MONCHICOURT, *Relations inédites de Nyssen, Filippi et Calligaris (1788, 1829 et 1834)*, Paris, 1929, p. 88 ; J.J. BENJAMIN II, *op. cit.*, p. 253 ; H. DUNANT, *Notice sur la Régence de Tunis*, Genève, 1858, p. 259 ; V. GUÉRIN, *Voyage archéologique dans la Régence de Tunis*, Paris, 1862, t. I, p. 17 ; A. DE FLAUX, *La Régence de Tunis au XIXᵉ siècle*, Paris, 1865, p. 51 ; Ch. CUBISOL, *Notices abrégées sur la Régence de Tunis*, Paris, 1867, p. 5.

(15) E. PELLISSIER, *Description de la Régence de Tunis*, Paris, 1853, p. 186.

(16) Ch. CUBISOL, *op. cit.*, p. 17.

(17) *Ibid.*, pp. 65-67.

(18) E. PELLISSIER, *op. cit.*, p. 370 : « Les intérêts exigés des indigènes par les chrétiens et les juifs dans leurs affaires d'argent sont effroyables, car ils atteignent souvent 4 % par mois. »

(19) M.S. MZALI et J. PIGNON, « Documents sur Khereddine », dans *Revue Tunisienne*, 1932-1938, v. *R.T.*, 1938, p. 148 : « Les *teskérés*, ou bons du Trésor, se négociaient à Tunis et à l'étranger à 25 ou 20 % de leur valeur nominale. »

(20) Contrairement à ce que laisserait entendre l'auteur d'une étude partisane : J. GANIAGE, « La crise des finances tunisiennes et l'ascension des Juifs de Tunis », dans *Revue Africaine*, 1955, pp. 153-173.

(21) H. DUNANT, *Notice sur la Régence de Tunis*, Genève, 1858, p. 230 ; A. DE FLAUX, *La Régence de Tunis au XIXᵉ siècle*, Paris, 1865, p. 67 ; L. MICHEL, *Tunis*, Paris, 1868, p. 183 ; G. DES GODINS DE SOUHESMES, *Tunis*, Paris, 1875, p. 132.

(22) J.J. BENJAMIN II, *op. cit.*, p. 247 (Djerba), p. 248 (Gabès) et p. 253 (Nabeul).

(23) Un voyageur a été frappé par la solidarité juive : « Ils se soutiennent les uns les autres : ils s'appellent et se désignent par le nom de frères, qui n'est point pour eux un mot vide de sens, car la misère des pauvres est toujours soulagée par la charité des riches. » (H. DUNANT, *op. cit.*, p. 244).

(24) Ch. MONCHICOURT, *op. cit.*, p. 151. Selon le consul de Sardaigne L. Filippi, la « capitation sur les Juifs » assurait une rentrée annuelle de 180 000 piastres : soit, sur un budget de 8 095 000 piastres : 2,25 %.

(25) N. DAVIS, *Tunis*, Malta, 1841, p. 44 : « Whenever the Bey requires any funds to be raised amongst the Jews, he applies to the kaïd, who is then obliged in the best manner he can to furnish the required sum. »

(26) *Ibid.*, pp. 44-45.

(27) *Ibid.*, p. 45 ; [G. SCHOLL], *Une promenade à Tunis en 1842*, Paris, 1844, p. 153 ; J.J. BENJAMIN II, *op. cit.*, p. 255 ; A. DE FLAUX, *op. cit.*, p. 70 ; L. MICHEL, *op. cit.*, p. 182 ; cf. E. VASSEL, *op. cit.*, dans *R.T.*, 1904, p. 498.

(28) J.J. BENJAMIN II, *op. cit.*, p. 255 : « In these gardens are built charming country houses, many of which belong to our brethren ».

(29) E. PELLISSIER, *op. cit.*, p. 370.

(30) N. DAVIS, *op. cit.*, p. 37 ; [G. SCHOLL], *op. cit.*, p. 154.

(31) D'après la version courante, B. Sfez aurait dit : « *Yna'al dîn bûk* = « Maudite soit la religion de ton père », formule que les musulmans emploient souvent entre eux ; cf. E. VASSEL, *op. cit.*, dans *R.T.*, 1907, pp. 139-140.

(32) IBN ABI DIYAF, *op. cit.*, t. IV, pp. 232-235 ; cf. A. RAYMOND, « Le problème de la réforme à Tunis (1855-1857) », dans *Mélanges Ch.-A. Julien*, Paris, 1965, pp. 148-149 ; R. BRUNSCHVIG, « Justice religieuse et justice laïque dans la Tunisie des deys et des beys », dans *Studia Islamica* (XXIII), 1965, pp. 27-70. V. pp. 68-69.

(33) E. VASSEL, *op. cit.* dans *R.T.*, 1907, pp. 139 et 142.

(34) A. RAYMOND, *art. cit.*, pp. 148 sqq.

(35) Les documents que nous citerons se trouvent rassemblés dans A. SEBAUT, *Dictionnaire de Législation tunisienne*, Dijon, 1888. Voir en appendice, « Pacte Fondamental », pp. 65-69 ; « Explication du Pacte Fondamental », pp. 69-72 et « Loi organique », pp. 72-83.

(36) L'importance de cette révolution n'échappa pas à des esprits avertis. Peu après la promulgation du Pacte Fondamental, une traduction en judéo-arabe en a été faite par Moshé b. Yaqûb Shamama, qui a été imprimée à Tunis sous le titre *Qanûn al-dawla al-tûnsiyya* ; (cf. E. VASSEL, *op. cit.*, dans *R.T.*, 1904, pp. 286-287 et 1907, pp. 293-294, et R. ATTAL, *Note sur le début de l'imprimerie juive en Afrique du Nord*, Jérusalem, 1975).

(37) IBN ABI DIYAF, *op. cit.*, t. IV, p. 259.

(38) A. DE FLAUX, *op. cit.*, p. 70 ; L. MICHEL, *op. cit.*, pp. 182-183 ; GODINS DE SOUHESMES, *op. cit.*, p. 131 ; cf. E. VASSEL, *op. cit.*, dans *R.T.*, 1904, p. 498.

(39) IBN ABI DIYAF, *op. cit.*, t. IV, p. 265.

(40) Cf. *supra*.

(41) P. BERNARD, *Les anciens impôts de l'Afrique du Nord*, Paris, 1925, p. 55 ; cf. A. GOGUYER, « La Mejba », dans *Revue Tunisienne*, 1895, pp. 471-484.

(42) A. ROUSSEAU, *op. cit.*, p. 553.

(43) Cf. B. SLAMA, *L'insurrection de 1864 en Tunisie*, Tunis, 1967.

(44) P. GRANDCHAMP, *Documents relatifs à la Révolution de 1864 en Tunisie*, Tunis, 1935, t. I, pp. 40 et 137.

(45) *Ibid.*, t. I, pp. 110 (Nabeul), 119 (Sousse), 77 et 131 (Sfax) ; t. II, pp. 2 (Maharès), 74, 75, 81 et 85 (Djerba).

(46) *Ibid.*, t. II, pp. 189-190 (Sfax), 195 (Gabès), 205 (Djerba), 231 (Nabeul).

(47) D. COHEN, *Le parler arabe des Juifs de Tunis*, Paris - La Haye, 1964, pp. 12-16.

(48) L. FRANK, *op. cit.*, p. 98 : « Il leur est strictement interdit de se servir des caractères arabes, réservés par l'usage aux seuls musulmans » ; cf. N. DAVIS, *op. cit.*, p. 45 : « They are prohibited to learn Arabic. »

(49) Sur la transcription de l'arabe en caractères hébreux, cf. E. VASSEL, *op. cit.*, dans *R.T.*, 1904, pp. 276-277.

(50) Cl. HAGÈGE, *Les Juifs de Tunisie et la colonisation française*, Thèse de Troisième cycle, Paris, 1973, pp. 53-54.

(51) I. AVRAHAMI, *La Communauté portugaise de Tunis et son mémorial*, Université de Bar Ilan, 1981-1982. Sur 108 documents, 13 sont en espagnol ou en italien, 95 sont à moitié en hébreu rabbinique et à moitié en judéo-arabe tunisien ; cf. Introduction en français, p. V.

(52) J.J. BENJAMIN II, *op. cit.*, p. 255 ; H. DUNANT, *op. cit.*, p. 201 ; L. MICHEL, *op. cit.*, p. 182 ; GODINS DE SOUHESMES, *op. cit.*, p. 131 ; HESSE-WARTEGG, *Tunis, the land and the people*, Londres, 1899, pp. 121-122 ; G. PERPETUA, *op. cit.*, p. 116 ; E. VASSEL, *op. cit.*, dans *R.T.*, 1904, p. 498.

(53) J.J. BENJAMIN II, *op. cit.*, p. 255 ; H. DUNANT, *op. cit.*, pp. 201-202 : L. MICHEL, *op. cit.*, p. 190 ; GODINS DE SOUHESMES, *op. cit.*, p. 133 ; HESSE-WARTEGG, *op. cit.*, pp. 134-135 ; G. PERPETUA, *op. cit.*, p. 116 ; E. VASSEL, *op. cit.*, dans *R.T.*, 1905, p. 543.

(54) G. PERPETUA, *op. cit.* : « Le donne livornesi portano il sefsâri, o velo, ornato di larghe striscie gialle, come distintivo di origine » (p. 98) ; cf. E. COHEN-HADRIA : « ...un curieux sefsâri, en soie blanche, traversée de bandes orangées que portait, je m'en souviens fort bien, une de mes grand-tantes... », dans « les milieux juifs »..., p. 95.

(55) HESSE-WARTEGG, *op. cit.*, p. 143 : « A yard covered with marble slabs, and surrounded by colonnades in the center of which stood a pretty fountain. »

(56) *Ibid.*, pp. 125-130, 131-132.

(57) G. PERPETUA, *op. cit.*, p. 173 ; cf. HESSE-WARTEGG, *op. cit.*, p. 125 : « There is an end of this to-day, and the Jews build their houses on the Marina and in the European quarter ».

(58) H. DUNANT, *op. cit.*, p. 231 ; GODINS DE SOUHESMES, *op. cit.*, p. 244.

(59) Sur le mariage, H. DUNANT, *op. cit.*, pp. 232-240 ; L. MICHEL, *op. cit.*, pp. 225-237 ; GODINS DE SOUHESMES, *op. cit.*, pp. 173-184 ; HESSE-WARTEGG, *op. cit.*, pp. 138-148.

(60) Sur la mort, H. DUNANT, *op. cit.*, p. 243 ; GODINS DE SOUHESMES, *op. cit.*, p. 145 ; G. PERPETUA, *op. cit.*, pp. 134-135.

(61) H. DUNANT, *op. cit.*, pp. 231-232 ; cf. L. MICHEL, *op. cit.*, p. 184 ; GODINS DE SOUHESMES, *op. cit.*, pp. 245-246.

(62) D. CAZES, *Notes*, pp. 20, 37, 69, 90, 171, 182, 238, 299.

(63) J.J. BENJAMIN II, *op. cit.*, p. 258 ; H. DUNANT, *op. cit.*, pp. 240-241 ; L. MICHEL, *op. cit.*, p. 229 ; GODINS DE SOUHESMES, *op. cit.*, pp. 146-148 ; G. PERPETUA, *op. cit.*, pp. 131-132 ; HESSE-WARTEGG, *op. cit.*, pp. 132-133.

(64) J.J. BENJAMIN II, *op. cit.*, pp. 256-258 ; A. LUMBROSO, *Lettres médico-statistiques sur la Régence de Tunis*, Marseille, 1860, pp. 117-121.

(65) A. SEBAUT, *op. cit.*, Appendice, p. 70.

(66) Un décret beylical du 3 septembre 1872 a rappelé qu'il était défendu aux juridictions rabbiniques de connaître des affaires civiles et commerciales entre Israélites, et que leur compétence se limitait aux affaires relatives au statut personnel. (Cf. R. ARDITTI, *Recueil des textes législatifs et juridiques concernant les Israélites de Tunisie*, Tunis, 1915, pp. 143-144).

(67) *Ibid.*, pp. 1-6.

(68) On connaît les noms des grands rabbins qui se sont succédé : à la tête de la communauté tunisienne : Isaac Cohen II (1830-1847), Josué Bessis (1847-1860), Abraham Cohen (1860-1864), Samuel Sfez (1864-1867), Nathan Borgel II (1867-1873), Abraham Hagège (1873-1880), Nathan Benattar (1880-1885) ; à la tête de la communauté livournaise : Joseph Enriquez (1825-1839), Juda Lévi (1839-1848), Joseph Lumbroso (1848-1868), Daniel Cardozo (1868-1872), Abraham Boccara (1872-1879) et Abraham Finzi (1879-1888) ; cf. R. ARDITTI, « Les épitaphes rabbiniques de l'ancien cimetière israélite de Tunis », dans *Revue Tunisienne*, 1931-1932.

(69) Le voyageur J.J. BENJAMIN II fait mention des chefs laïques et des chefs religieux qui se trouvaient à la tête des communautés de Bizerte, Nabeul, Sousse, Sfax, Gabès et Djerba.

(70) D. COHEN, *op. cit.*, pp. 30-31.

(71) D. Cazès nous a laissé une longue description du *talmud-torah* tunisien et du *talmud-torah* livournais de Tunis dans un article publié dans le *Bulletin mensuel de l'Alliance Israélite* de février 1878 ; cf. R. ATTAL et Cl. SITBON, *Regards...*, pp. 88-93.

(72) Sur ces auteurs, cf. D. CAZES, *Notes bibliographiques sur la littérature juive tunisienne*, Tunis, 1893 ; cf. R. ARDITTI, *art. cit.*

(73) F. ARNOULET, « La pénétration intellectuelle en Tunisie avant le Protectorat », dans *Revue Africaine*, 1954, pp. 140-182.

(74) Le Dr Abraham Lumbroso, qui fut le médecin d'Ahmed Bey (1837-1855), de Mohamed Bey (1855-1859) et de Mohamed es-Sadok Bey (1859-1882) et qui nous a laissé d'intéressants mémoires médicaux sur la Régence de Tunis, était né à Tunis et était revenu dans son pays natal après des études de médecine et de chirurgie « dans les savantes écoles de la Toscane ». (A. LUMBROSO, *op. cit.*, p. 21).

(75) N. LEVEN, *Cinquante ans d'histoire : L'Alliance Israélite (1860-1910)*, Paris, 1911-1920, t. II, pp. 107-110.

(76) R. ARDITTI, *op. cit.*, pp. 45-46. La caroube représentait alors 1/16 de piastre, et la piastre équivalait à fr. 0,60. La surtaxe s'éleva donc à 0,60 : 16 = 0,0375. Par ailleurs, la Communauté israélite de Tunis avait décidé d'affecter à l'école de l'Alliance Israélite les sommes allouées annuellement aux écoles élémentaires appelées *talmud-torah* (27 nov. 1877).

(77) N. LEVEN, *op. cit.*, p. 110.

(78) Ces lettres, aujourd'hui conservées dans les archives de l'Alliance Israélite à Paris, ont fait l'objet d'une analyse détaillée dans Cl. HAGEGE, *op. cit.*, pp. 84 sqq.

(79) D. GAUDIANI et P. THIAUCOURT, *La Tunisie. Législation, gouvernement, administration*, Paris, 1910, p. 194.

(80) Dans les dernières années du XIXe siècle, les consulats des Puissances étrangères représentées à Tunis furent invités à dresser et à communiquer la liste de leurs protégés, qui a reçu par décret beylical un caractère définitif. Cette liste a été fixée par le décret beylical du 1er septembre 1898 pour les protégés de la Grande-Bretagne, de l'Espagne, de l'Italie et des Pays-Bas ; par le d. b. du 29 avril 1899 pour les protégés de l'Allemagne, de la Belgique, du Danemark, de la Grèce et de la Russie ; par le d. b. du 7 décembre 1899 pour les protégés de l'Autriche-Hongrie. Quant aux protégés français, leur liste ne fut arrêtée qu'à la date du 1er janvier 1909. (D. GAUDIANI et P. THIAUCOURT, *op. cit.*, p. 194).

CHAPITRE VII

DU TRAITÉ DU BARDO A LA GRANDE GUERRE

L'institution du protectorat, par le Traité du Bardo complété par la Convention de La Marsa, ne souleva pas une vive opposition de la population tunisienne musulmane. Elle fut accueillie par la population tunisienne israélite avec une évidente satisfaction (1). Les Juifs étaient persuadés qu'ils tireraient avantage des transformations multiples que la France apporterait dans le pays. Ils pensaient aussi que leur condition ne manquerait pas de s'améliorer sous la protection d'une nation qui avait proclamé les droits de l'homme et du citoyen et qui avait été la première à émanciper les Juifs. La politique que la France avait suivie à l'égard des Juifs d'Algérie, dont elle avait décidé de faire, aux termes du décret Crémieux, des Français à part entière, laissait bien auguror de celle qu'elle adopterait à l'égard des Juifs de Tunisie. Ainsi, le protectorat français représenta à leurs yeux le commencement d'une ère de liberté et de progrès dans laquelle ils mirent tous leurs espoirs. De fait, la colonisation du pays n'allait pas tarder à se traduire par un ensemble de mutations en chaîne dont la vie de la minorité juive fut profondément affectée.

1. Les transformations sociales

On ne dispose pas de données précises sur la population juive de Tunisie dans les années qui ont suivi l'institution du protectorat.

L'Administration a procédé à des dénombrements de la population française en 1891, en 1896 et en 1901 ; à des dénombrements de la

135

population européenne en 1906 et en 1911 ; mais la population indigène, l'israélite comme la musulmane, n'a fait l'objet avant la Grande Guerre d'aucun dénombrement.

A défaut de données établies avec rigueur, l'Administration se contentait, pour la population tunisienne, d'« estimations », et l'on était porté à les considérer comme dignes de foi parce qu'elles figuraient dans des publications officielles et qu'elles étaient placées en regard des données sur la population européenne, qui provenaient d'un dénombrement.

Ainsi en 1906, la population de la Tunisie aurait compris 128 895 Européens, dont 34 610 Français, 81 156 Italiens et 13 129 Européens d'une autre nationalité, 1 703 142 Tunisiens musulmans et 64 170 Tunisiens israélites (2).

La population tunisienne israélite se serait répartie entre les diverses circonscriptions administratives de la manière suivante : Béja : 822 ; Medjez el-Bab : 214 ; Bizerte : 1 423 ; Gabès : 1 271 ; Djerba : 3 685 ; Gafsa : 368 ; Tozeur : 363 ; Grombalia : 1 804 ; Kairouan : 483 ; Le Kef : 848 ; Téboursouk : 63 ; Maktar : 0 ; Sfax : 2 781 ; Souk el-Arba : 311 ; Tabarka : 41 ; Sousse : 4 923 ; Thala : 1 ; Tunis : 44 769 ; Territoires du Sud : 2. Total : 64 170 (3).

Mais la population tunisienne israélite de Tunisie était alors fortement surestimée, parce que l'on attribuait à la population tunisienne israélite de la région de Tunis des effectifs bien supérieurs à la réalité.

A quelque temps de là, l'érudit E. Vassel publiait une étude selon laquelle la population tunisienne israélite se répartissait entre les diverses circonscriptions de la manière suivante : Béja : 540 ; Medjez el-Bab : 191 ; Bizerte : 1 438 ; Gabès : 1 096 ; Djerba : 3 000 ; Gafsa : 492 ; Tozeur : 165 ; Grombalia : 1 839 ; Kairouan : 483 ; Le Kef : 750 ; Téboursouk : 50 ; Maktar : 0 ; Sfax : 2 800 ; Souk el-Arba : 264 ; Tabarka : 25 ; Sousse : 4 280 ; Thala : 36 ; Tunis : 25 540 ; Territoires du Sud : 1 230. Total : 44 219. Le total était moins élevé — 44 219 au lieu de 64 170 — parce que l'on avait attribué à la région de Tunis des effectifs moins importants : 25 540 au lieu de 44 769 (4).

Mais on a de bonnes raisons de penser que la population tunisienne israélite du pays était encore surévaluée parce que celle de la région de Tunis avait été indûment majorée, qui était alors bien inférieure à 25 000 âmes.

Du premier recensement de la population indigène, effectué en 1921, les Tunisiens israélites ressortiront, dans la ville de Tunis, à 19 029. Mais comme à partir de l'année 1910, suite à l'organisation de l'état civil indigène, nous disposons de données chiffrées sur les naissances et les décès, année par année, nous pouvons, à partir des effectifs de l'année 1921, induire les effectifs des années précédentes et calculer, pour chaque année, taux de natalité, taux de mortalité et taux d'accroissement naturel (5) *(Tableau I)*.

Tableau I
Natalité, mortalité et accroissement naturel à Tunis

Années	Population	Naissances		Décès		Accroissement	
		Nb	º/oo	Nb	º/oo	Nb	º/oo
1910	15 330	948	61,8	613	39,9	335	21,9
1911	15 665	966	61,6	787	50,2	179	11,4
1912	15 844	952	60,1	468	29,5	484	30,6
1913	16 328	1 051	64,3	561	34,3	490	30,0
1914	16 818	981	58,3	569	33,8	412	24,5
1915	17 230	976	56,6	585	33,9	391	22,7
1916	17 621	966	54,8	676	38,3	290	16,5
1917	17 911	903	50,4	655	36,5	248	13,9
1918	18 159	917	50,5	695	38,3	222	12,2
1919	18 381	895	48,7	657	35,7	238	13,0
1920	18 619	1 065	57,2	655	35,2	410	22,0
1921	19 029	»	»	»	»	»	»

Il ressort de cet ensemble de données chiffrées que la population juive de la capitale, dans les années qui ont précédé le dénombrement de 1921, s'est accrue à un rythme rapide. Car si le taux de mortalité était très élevé - moyenne de 36,8 º/oo - le taux de natalité lui était bien supérieur - moyenne de 56,7 º/oo - et laissait un large excédent : moyenne de 19,9 º/oo. Mais il apparaît du même coup que la population tunisienne israélite de la ville de Tunis devait être avant la Grande Guerre de quelque quinze mille unités (6). Compte tenu de ceux qui étaient établis dans les communes de banlieue, environ 1 500, les effectifs du contrôle civil de Tunis devaient être compris entre quinze et vingt mille (7). Ce qui conduirait à évaluer la population juive du pays tout entier, à la veille de la guerre de 1914-1918, à environ 35 000 âmes.

Il ne sera pas inutile de donner une idée plus précise de la répartition territoriale de la population juive en marquant l'implantation des communautés les plus importantes dont nous indiquerons les effectifs. En dehors de l'agglomération tunisoise, on peut citer : dans le nord du pays : Bizerte (1 125), Béja (540), Mateur (242), Souk el-Arba (184), Testour (156), Le Kef (750), Nabeul (1 560), Soliman (212) ; dans le centre : Sousse (2 681), Moknine (699), Mahdia (403), Monastir (405), Sfax (2 722), Kairouan (483) ; dans le sud, Gafsa (250), El Ksar (175), Tozeur (145), Gabès (996), El-Hamma (85), Djerba (3 000), Zarzis (350), Médenine (212), Matmata (165), Tatahouine (179), Ben Gardane (234) (8). Dans la plupart de ces centres, les Juifs étaient établis de longue date. Mais c'est depuis le Protectorat qu'ils avaient pu s'établir à Kairouan, parce que cette ville avait cessé de leur être interdite, et dans les centres de l'Extrême-Sud, parce que la sécurité y était plus grande et que la création de souks y avait favorisé le développement des échanges (9).

Dans les années qui ont suivi l'institution du protectorat, de multiples changements ont affecté les activités de la population juive, que nous devons nous limiter à rappeler brièvement :

Comme dans le passé, les Juifs sont nombreux à se livrer à des activités commerciales. Ils ont pris une large part au développement des échanges du pays avec la Métropole. Ils sont à la tête d'importantes maisons spécialisées dans le commerce d'exportation (céréales, huiles, peaux, laines, alfa) ou dans le commerce d'importation (matières textiles, tissus, denrées coloniales). Leur connaissance des populations locales a rendu des services signalés aux industriels métropolitains qui ont choisi parmi eux agents de fabrique et représentants de commerce et se sont assuré ainsi de nouveaux marchés. Ils ont continué à vendre, dans leurs boutiques situées dans les villes arabes, une infinité de produits de consommation courante à la population musulmane. Ils se sont aussi établis dans les villes neuves où ils ont ouvert des magasins modernes pour répondre aux besoins et aux goûts de la population européenne. Ceux qui, faute de moyens, n'ont pu s'installer à leur compte, se sont faits vendeurs, caissiers ou comptables.

Les Juifs jouent encore un grand rôle dans le crédit. Vers 1900, il y a des Juifs qui exercent la profession de « banquier » (ex. Cesana, Bessis). Dans les villes et les bourgades de l'Intérieur, des Juifs prêtent de l'argent aux fellahs ou aux artisans moyennant un intérêt d'autant plus élevé que l'emprunteur offre moins de garanties. La presse locale dénonce souvent les usuriers juifs. Un observateur impartial se doit d'être mesuré : « N'accusons pas trop les usuriers juifs ; les banquiers grecs et maltais, quoique chrétiens, prêtaient hier encore, prêtent aujourd'hui peut-être à des taux aussi élevés. L'argent est cher à Tunis, et son commerce n'est pas le monopole des Israélites » (10). Mais dans le crédit, le rôle des Juifs ne se ramène plus à celui de « banquiers » et de « prêteurs ». Depuis la fin du siècle dernier, les grands établissements de crédit de la Métropole ont créé dans le pays succursales et filiales, qui ont recruté au sein de la population juive une part importante de leur personnel. Nombre de jeunes qui avaient reçu une instruction moderne dans la première école de l'Alliance Israélite ou dans les écoles publiques créées par l'Administration française, sont devenus employés de banque, y ont fait preuve d'aptitudes à tous les postes et y ont fait de belles carrières. Les Juifs ont été aussi nombreux à trouver un emploi dans les cabinets d'assurances, créés dans le pays par des compagnies d'assurances françaises ou étrangères.

Les Juifs ont continué à prendre une large part aux activités productives. Le fait ne correspond pas avec l'idée que l'on se fait parfois des Juifs. P. Lapie écrit : « Pour de nombreux Français, cette vérité semblera paradoxale : beaucoup d'Israélites travaillent de leurs mains » (11). On les rencontrait alors dans un certain nombre de branches de l'artisanat traditionnel, où leur rôle a été établi avec précision. Ils étaient encore les seuls à exercer le métier d'orfèvre dans les villes de Tunis, Sousse, Moknine, Sfax, Gabès et Djerba (12). Ils étaient nombreux à exercer le métier de *ṯârzî*, c'est-à-dire de tailleur-brodeur, spécialisé dans la confection de gilets et de vestes richement brodés. Vers 1900, dans le souk des Tailleurs de Tunis, on ne comptait pas moins de cinquante tailleurs juifs sur un total de soixante (13). Ils étaient encore assez souvent cordonniers s'employant à la fabrication de certains types de chaussures, et entre autres, des escarpins et des mules en cuir verni que portaient Juifs et Juives (14), ou bourreliers, fabriquant des bâts pour les mulets ou les ânes (15). Il y avait des forgerons parmi les *baḥutsim*, ou Juifs nomades, mais dans les villes, les forgerons étaient généralement musulmans (16). En revanche, tous les ferblantiers étaient juifs, qui fabriquaient, à l'aide de fer-blanc d'importation, des boîtes à sucre, des cafetières à long manche, des lanternes à verres multicolores ainsi que des lampes à huit becs pour la fête de Ḥanukkah (17). A tous ces métiers, exercés de longue date, s'en étaient ajoutés de nouveaux. En marge des tailleurs spécialisés dans la confection des vêtements traditionnels, s'étaient multipliés les tailleurs de vêtements modernes. Au contact d'artisans et d'ouvriers venus d'Europe, les Juifs avaient assimilé de nouvelles techniques et étaient devenus ébénistes, tapissiers, plombiers, vitriers, peintres, électriciens ou encore typographes. Les uns étaient les salariés de patrons européens, d'autres s'étaient installés à leur compte (18). Certains prenaient part au développement industriel du pays. Avant la Grande Guerre, il y en avait à la tête de véritables entreprises industrielles : minoteries, confiseries, glacières, huileries, savonneries, briqueteries, marbreries, imprimeries (19). Il ne s'agissait pas seulement de Juifs de nationalité italienne, mais aussi de Juifs de nationalité tunisienne. Enfin, des Juifs, à l'exemple des colons européens, avaient acheté des terres et créé des exploitations agricoles spécialisées dans la culture des céréales, de l'olivier ou de la vigne.

Les Juifs manifestaient aussi un vif intérêt pour les professions libérales qui assurent à la fois aisance et prestige. Ils étaient déjà nombreux à avoir embrassé les carrières de médecin, avocat, pharmacien. Aux Juifs italiens, formés dans les universités de Naples, Rome, Florence, s'étaient ajoutés des Juifs tunisiens, formés dans les universités d'Aix-en-Provence, Lyon ou Paris. Parmi ceux qui avaient reçu une instruction moderne et avaient pu obtenir un certificat d'études primaires ou un brevet simple, il en était qui s'étaient portés vers la profession de clerc d'avocat et constituaient déjà la majorité des employés de la basoche, au service d'employeurs de toutes confessions.

Les modifications survenues dans la répartition de la population active s'étaient traduites par une restructuration de la société juive :

a) Une bourgeoisie s'était dégagée, qui était représentée par de riches négociants ainsi que par un petit nombre d'industriels, voire d'agriculteurs. Dans cette classe fortunée, les Juifs de nationalité italienne étaient encore en force, mais les Juifs de nationalité tunisienne se faisaient, de jour en jour, plus nombreux.

b) Les classes moyennes s'étaient développées en se diversifiant. Les unes étaient liées à l'économie traditionnelle, comme les commerçants des souks et les maîtres des vieux corps de métiers ; les autres à l'économie moderne, comme les commerçants, les maîtres des nouveaux corps de métiers, les employés de magasin, les employés de banque et les employés de bureau.

c) La classe ouvrière était encore embryonnaire, qui se réduisait aux « compagnons » des anciennes et des nouvelles formes d'artisanat et aux travailleurs d'un petit nombre d'entreprises industrielles.

d) En marge de ces classes sociales, aisément repérables, il y avait une masse de pauvres gens aux activités mal définies et aux ressources comptées qui constituaient le gros de la population des *ḥâra*-s. Un médecin doublé d'un anthropologue, le Dr Bertholon, écrit : « La plupart des membres de cette communauté sont très pauvres » (20). A quelque temps de là, l'écrivain Ch. Géniaux a brossé un tableau poignant du paupérisme juif dans la *ḥâra* de Tunis (21). Dans ses *Souvenirs*, le Dr E. Cohen-Hadria a évoqué avec émotion les foules de miséreux qui se pressaient à la porte du cimetière de Borgel pour se partager les aumônes des familles, lors des enterrements et à la veille des fêtes de l'année juive (22).

2. La révolution scolaire

Dans les années qui ont suivi l'institution du protectorat, les Juifs de Tunisie ont été entraînés dans un mouvement d'occidentalisation qui devait transformer leur manière de vivre comme leur manière de penser. A l'origine de ce qui fut une transculturation, il faut évidemment placer la rapidité avec laquelle ils se sont détournés de leurs écoles traditionnelles, *talmud-torah* et *yeshivot*, pour se porter vers les écoles modernes qui furent ouvertes à Tunis comme dans les autres villes du pays.

L'Alliance Israélite Universelle, qui avait ouvert à Tunis une école de garçons en 1878, ne tarda pas à développer son action. Le 10 juillet 1881, moins de deux mois après la signature du Traité du Bardo, le directeur de l'école de Tunis, David Cazès, arrêtait les lignes maîtresses du programme qu'elle allait s'attacher à réaliser : 1) faire du français la principale langue d'enseignement dans toutes ses écoles ; 2) créer à Tunis une école de filles aussi importante que l'école de garçons ; 3) initier la jeunesse juive à de nouveaux métiers par l'organisation de l'apprentissage ; 4) orienter les nouvelles générations vers le travail de la terre par la création d'une école d'agriculture ; 5) créer des groupes scolaires pour garçons et pour filles dans les principaux centres de la Régence (23).

Conformément à ce programme, l'Alliance Israélite développa d'année en année son réseau scolaire. En 1882, elle ouvrit à Tunis une école de filles qui, d'abord installée dans l'école de garçons, surélevée, fut transférée en 1890 dans un vieux palais situé aux confins de la ḥâra, qu'elle aménagea en école. En 1883, elle ouvrit une école mixte à Sousse et en 1905 une école mixte à Sfax. Enfin, en 1910, elle ouvrit une deuxième école de garçons, au cœur du vieux quartier juif de la capitale. Il fut plus difficile de créer des écoles dans les autres centres. Les communautés de Bizerte, de Béja et de Mahdia ne purent fournir la contribution financière qu'on leur demandait. Dans l'île de Djerba, les rabbins des deux communautés s'opposèrent farouchement à l'ouverture d'une école de l'Alliance, car ils étaient persuadés qu'elle détournerait les nouvelles générations de la religion de leurs pères. Encore que leur nombre n'ait pu s'élever à plus de cinq, les écoles de l'Alliance Israélite virent leur population scolaire s'accroître d'année en année. A la veille de la Grande Guerre, elles recevaient près de 3 500 élèves des deux sexes (24).

Faute de pouvoir mettre sur pied un enseignement professionnel, l'Alliance Israélite a voulu aider la jeunesse juive à s'orienter vers des métiers manuels en organisant leur apprentissage. Ainsi, elle s'est attachée à prendre en charge des jeunes gens qui avaient reçu une instruction primaire, en leur versant une allocation pour qu'ils puissent se nourrir et s'habiller, et à les placer dans des ateliers de la ville pour apprendre un métier. Un apprentissage d'une durée de quatre ans permit à des jeunes de se former à divers métiers, tels que ceux de menuisier, ébéniste, tapissier, forgeron, charron, carrossier, horloger, électricien, peintre en bâtiment ou encore typographe. Au terme de leur apprentissage, les uns occupèrent un emploi salarié, les autres s'établirent à leur compte, comme artisans indépendants (25).

L'une des créations les plus intéressantes de l'Alliance Israélite fut l'ouverture, au commencement de l'année 1895, d'une ferme-école à Djedeïda, non loin de la capitale. Installée dans un domaine de 1 400 hectares, avec deux annexes de 2 000 et de 600 hectares, elle se proposait de donner à des enfants, qui avaient déjà reçu une instruction primaire et qui étaient admis à titre d'internes, un enseignement agricole théorique et pratique. Mais l'établissement ne répondit pas aux espoirs que l'on avait mis en lui. Dans les milieux où l'Alliance Israélite exerçait son influence, assez rares furent ceux qui se sentirent une vocation agricole et se firent inscrire parmi les élèves de la ferme-école, et les places qui restaient vides furent occupées par des jeunes venus de Tripolitaine, d'Algérie et du Maroc. De plus, les élèves formés à Djedeïda eurent de la peine à se faire embaucher dans les exploitations agricoles européennes, et ils n'avaient pas, sauf exception, les moyens de créer leur propre exploitation. La ferme-école de Djedeïda continua cependant à recevoir des élèves internes jusqu'à la veille de la guerre de 1914-18. Au lendemain de la guerre, l'Alliance Israélite devait mettre fin à son expérience et vendre son domaine (26).

On ne saurait sous-estimer le rôle joué par l'Alliance Israélite dans la scolarisation de la jeunesse juive. Les écoles qu'elle a créées, tout en dispensant un enseignement correspondant aux programmes de l'enseignement public français, faisaient une place à l'hébreu et à l'histoire juive. Elles répondaient ainsi à l'attente des familles qui entendaient donner à leurs enfants un enseignement moderne, sans les faire rompre avec leur culture traditionnelle. De plus, elles ne se bornaient pas à les instruire ; elles leur servaient des repas, leur distribuaient des vêtements et veillaient sur leur santé. Les familles pauvres y envoyaient leurs enfants, ne fût-ce que pour bénéficier de ces secours multiples. Ainsi, l'Alliance Israélite a contribué dans une large mesure à persuader des avantages de l'enseignement moderne les esprits les plus réfractaires au progrès (27).

Mais la scolarisation de la jeunesse juive n'a pas été assurée seulement par le réseau scolaire de l'Alliance. Les écoles créées par les congrégations catholiques ont continué à compter parmi leurs élèves des enfants juifs des deux sexes. Il reste que c'est vers les écoles publiques, créées par l'Administration, que s'est porté le plus grand nombre. D'autant plus que les élèves juifs se sont vu reconnaître le droit de s'absenter le samedi et lors des fêtes juives, et que, dans les écoles où les Israélites étaient les plus nombreux, le samedi remplaçait le jeudi comme second jour de congé hebdomadaire.

On dispose de données chiffrées sur la population scolaire de la Régence et sur sa répartition par ethnie et par sexe, année par année, depuis la fin du siècle dernier. On peut ainsi analyser l'évolution de la population scolaire tunisienne israélite (Tableau II).

Tableau II
Tunisiens israélites scolarisés (1881-1914)

Années	Garçons	Filles	Ensemble
1889	1 887	1 187	3 074
1895	2 201	1 713	3 914
1905	2 922	2 611	5 533
1912	4 141	3 764	7 905
1913	4 347	4 069	8 416
1914	4 419	4 289	8 708

Il ressort de ces données, qui englobent les effectifs de l'enseignement public et de l'enseignement privé, écoles de l'Alliance Israélite comprises, que le nombre de Tunisiens israélites scolarisés n'a cessé de s'élever et que la scolarisation a porté tant sur les filles que sur les garçons (28).

Ainsi, s'opérait une rupture d'importance majeure avec la société juive traditionnelle où les enfants de sexe féminin ne fréquentaient aucune école et demeuraient analphabètes. L'instruction des filles les rendait aptes à d'autres travaux que les soins du ménage et l'éducation des enfants. De plus, leur passage dans des écoles où le français était enseigné et servait de langue véhiculaire pour les principaux enseignements répandait, parmi elles, la connaissance de la langue française. Les jeunes Juifs, parlant le français, purent épouser de jeunes Juives parlant, elles aussi, le français. De ce fait, le français, parlé dans la famille par le père et par la mère, est devenu pour la deuxième génération une langue maternelle, au même titre que l'arabe, quand il n'est pas devenu la langue maternelle au lieu et place de l'arabe. Sans doute n'en fut-il pas ainsi dans certaines communautés de l'arrière-pays, où les familles ont mis moins d'empressement à diriger leurs enfants vers les écoles modernes. Mais à Tunis et dans les grandes villes côtières, une large scolarisation a entraîné la francisation des nouvelles générations.

Au sein de la population scolaire, la première place était évidemment occupée par les effectifs des écoles primaires. Mais, d'année en année, se firent plus nombreux les jeunes des deux sexes qui poursuivaient leurs études au-delà du certificat d'études primaires pour se préparer au brevet élémentaire et au baccalauréat (29). Les plus doués purent entreprendre des études supérieures dans la Métropole et y obtenir des diplômes qui leur permirent d'accéder à des professions libérales.

La connaissance du français, développée par les établissements d'enseignement primaire et secondaire, favorisa la diffusion de la culture française pour laquelle la nouvelle génération manifesta un vif engouement. Le philosophe P. Lapie notait à la fin du siècle dernier : « La conquête des Israélites est facile : il suffit d'ouvrir un cours ou une bibliothèque pour les voir accourir. La moitié des élèves du Lycée français est israélite ; la bibliothèque française et la bibliothèque populaire n'ont d'autres lecteurs que des Juifs » (30). De la culture juive traditionnelle, qui perdurait dans les communautés de l'arrière-pays, les jeunes générations se sont détournées pour s'ouvrir à la culture française qui leur paraissait le meilleur moyen d'accéder à la modernité.

Cependant, les Juifs italiens ont continué de fréquenter les écoles italiennes et de faire leurs études supérieures dans les universités d'Italie (31). Grâce à leur aisance et à leur culture, ils jouaient un grand rôle dans la colonie italienne. Mais leur poids au sein de la population juive n'a fait que diminuer, au fur et à mesure que s'est formée une nouvelle élite de nationalité tunisienne et de culture française.

3. D'une culture à l'autre

L'institution du protectorat français sur l'ancienne Régence de Tunis, la présence dans le pays d'une colonie française de plus en plus nombreuse et la scolarisation des nouvelles générations dans des écoles françaises, ont entraîné pour la population juive un ensemble de mutations en chaîne (32).

La plus importante a porté sur la langue. Les nouvelles générations parlent de plus en plus le français qu'elles apprennent à l'école, et qu'elles maîtrisent d'autant mieux qu'elles ont pu pousser plus loin leurs études. Si les jeunes continuent de parler l'arabe avec ceux qui ne comprennent pas une autre langue, ils se servent de plus en plus souvent du français, non seulement dans leurs relations avec les Français, mais encore dans leurs relations avec leurs coreligionnaires qui ont appris le français comme eux. Ainsi, pour la première génération, le français se subtitue peu à peu à l'arabe comme langue usuelle. La scolarisation des filles, aussi poussée que celle des garçons, fait que les enfants de la deuxième génération apprennent le français de la bouche de leurs parents, avant de l'apprendre à l'école, et que cette langue étrangère devient une langue maternelle. Un bon observateur notait déjà à la fin du siècle dernier : « La population juive indigène de Tunisie sera presque entièrement française de langue, dès la prochaine génération » (33). Cette mutation n'a pas été aussi rapide dans toutes les régions et dans tous les milieux, mais elle a affecté une fraction de plus en plus large de la population juive.

La francisation de la population juive n'a pas tardé à se traduire dans l'onomastique. Pendant des siècles, les noms de personnes ont été constitués par un prénom d'origine hébraïque ou arabe, d'un rapport de filiation et d'un nom de famille correspondant à une profession, une origine ou une particularité (ex. Joseph b. Haï Sabbâgh). a) D'abord, l'usage se répandit de traduire le rapport de filiation par la préposition *de* (34) ; mais on cessa bientôt de faire suivre le prénom d'une personne de celui de son père. b) Les parents donnèrent à leurs enfants des prénoms romans ou des prénoms romanisés au lieu et place des prénoms hébraïques ou arabes. Cependant, pour ne pas rompre trop brutalement avec la tradition, le prénom roman ou romanisé s'ajouta à un prénom hébreu ou arabe qui était généralement celui d'un parent en ligne directe ou en ligne collatérale. Ainsi, l'usage se répandit d'avoir deux prénoms, l'un pour mieux s'intégrer à une société où triomphait l'Occident ; l'autre pour témoigner, discrètement, de son attachement aux ancêtres. On ne continua à donner des prénoms hébraïques ou arabes, sans les doubler de prénoms européens, que dans les régions et les milieux que la francisation n'avait pas encore touchés (35).

Plus sensible a été la mutation qui a porté sur le costume (36). Les hommes abandonnèrent leur vêtement traditionnel — pantalons bouf-

fants, gilet montant, veste sans manches, *jubba*, ou *burnûs*, et chéchia — pour adopter le complet-veston et toutes les variétés de coiffure européenne : béret, casquette, chapeau melon ou canotier. Les plus
aisés suivaient la dernière mode : linge glacé, faux-col et cravate de
couleur. Les femmes cessèrent de s'habiller à l'ancienne — pantalons
collants ou bouffants (37), *jubba* et *ḥâyk,* la tête couverte d'un foulard, *taqrîṭa,* ou coiffée d'un hennin — pour porter jupe et boléro,
robes longues, manteaux serrés et chapeaux à fleurs. Les plus coquettes mettaient un corset qui leur cambrait la taille. Le changement pouvait n'être que partiel : un homme portait un complet-veston avec une
chéchia, ou une *jubba* avec une casquette ; une femme portait une jupe
et un corsage et s'enveloppait d'un *ḥâyk*, ou elle portait une robe longue et se couvrait la tête d'une *taqrîṭa.* Dans le cadre d'une même
famille ou d'un même groupe social, il n'était pas rare de voir vêtements traditionnels et vêtements européens se côtoyer et contraster, formant des tableaux cocasses que plus d'un observateur s'est plu à noter,
et dont témoignent d'anciennes photographies de famille et des cartes
postales de la fin du siècle dernier.

Comme ils ont changé de costume, les Juifs de Tunisie ont changé
d'habitat. Dès qu'ils le purent, ils s'évadèrent des *ḥâra*-s surpeuplées
et malsaines pour aller s'établir dans les villes neuves qui se développaient en marge des vieilles villes arabes. Déjà, à la veille du Protectorat, des Juifs aisés avaient quitté le vieux quartier juif de Tunis pour
se donner une nouvelle résidence dans ce qu'on appelait alors le quartier
franc, à l'intérieur de la médina, et dans la ville moderne qui commençait à s'édifier hors les murs, de part et d'autre de l'avenue de
France (38). Après 1881, le mouvement se poursuivit en s'amplifiant,
dès lors qu'il ne se limitait plus aux seuls fortunés mais s'étendait à
tous ceux qui, grâce à leur instruction, accédaient à la fois à l'aisance
et à de nouveaux besoins. Longtemps contenue dans les limites étroites du ghetto, la population juive s'est épanchée dans les nouveaux
quartiers qui se sont formés de part et d'autre de l'avenue de Londres, de l'avenue de Madrid et de l'avenue de Lyon, ou est allée s'établir dans les nouvelles banlieues (39). Il en fut ainsi non seulement dans
la capitale, mais encore dans les autres villes du pays, et entre autres,
à Bizerte, Sousse, Sfax et Gabès, où les Juifs commencèrent à quitter
leurs anciennes juiveries pour aller s'établir dans les nouveaux quartiers européens en pleine expansion.

Il ne s'agissait pas seulement d'une redistribution spatiale de la population urbaine. Le passage de la vieille ville à la ville nouvelle signifiait aussi le passage de la maison arabe, avec des chambres s'ouvrant
sur une cour à ciel ouvert, à un appartement avec des chambres réparties de part et d'autre d'un corridor, dans un immeuble collectif. La
population juive eut souvent du mal à se faire à ce nouvel habitat.
Les familles, généralement nombreuses, se trouvaient à l'étroit dans
les trois ou quatre pièces dont elles disposaient, et elles débordaient

sur les paliers et les escaliers. Il n'était pas aisé, dans un appartement, de faire une place à l'agneau de la Pâque ou d'aménager sur un balcon la cabane de la fête de *Sukkot* (40). Mais l'adaptation s'est faite d'autant plus vite que l'on perdait d'anciens usages pour en adopter de nouveaux. En changeant de logement, les familles ont changé de mobilier. Les lits de fer se sont substitués aux bancs de bois, les grandes tables hautes aux petites tables basses, les armoires aux coffres. Les plus fortunés se sont dotés de salles à manger Renaissance, de chambres à coucher Henri II et de salons Louis XV.

L'occidentalisation s'est étendue à l'emploi des loisirs. La connaissance du français a donné accès à une infinité de lectures : journaux et livres, classiques et modernes, ouvrages pour se distraire et ouvrages pour s'instruire dans toutes les branches du savoir, que l'on trouvait dans les bibliothèques publiques et dans les librairies qui s'étaient ouvertes dans les grandes villes. Les nouvelles générations se pressaient aux représentations qui étaient données dans les théâtres de la capitale, où se produisaient comédiens et artistes venus de France ou d'Italie. Elles s'initiaient aux diverses formes de la musique occidentale en assistant à opéras et opérettes, à concerts et récitals, et en fréquentant les brasseries et les cafés où de petits orchestres jouaient de la musique légère. En bref, elles prenaient part à la vie culturelle et artistique des colonies européennes, et du même coup, elles se détournaient des formes traditionnelles de la culture judéo-arabe que goûtaient encore leurs parents.

La famille juive commençait à se transformer. L'âge au mariage se relevait ; les unions consanguines se faisaient plus rares ; la famille nucléaire se dégageait de la famille étendue ; les jeunes ménages se donnaient une habitation distincte de celle de leurs parents ; la femme voyait son statut s'améliorer dès lors qu'elle prenait ses repas à la même table que son époux et qu'elle était plus souvent associée à ses loisirs ; le chef de famille n'exerçait plus sur ses enfants mariés l'autorité qui lui était reconnue dans la famille juive traditionnelle. Les droits de l'individu s'affirmaient en regard des pouvoirs de la tribu.

Dans la mesure où ils évoluaient, les Juifs tunisiens se rapprochaient des Juifs livournais, de nationalité italienne, qui depuis longtemps avaient adopté les usages et les mœurs des Européens. Les unions entre Tunisiens et Livournais devinrent plus fréquentes. Cette forme de mariage mixte était recherchée par les Juifs tunisiens, car épouser une jeune Livournaise représentait à leurs yeux une promotion sociale, et les Juifs livournais consentaient à accorder la main de leur fille à un jeune Tunisien, lorsque par sa formation et par sa situation il constituait un « bon parti » (41). Il va de soi que les enfants qui naissaient de ces unions étaient appelés à grandir dans une famille fortement occidentalisée.

Dès lors qu'ils avaient accédé à une instruction moderne — fût-elle élémentaire — les Juifs tunisiens prenaient leurs distances à l'égard de nombre de croyances et de pratiques superstitieuses qu'ils partageaient avec les Tunisiens musulmans. Ils cessaient de croire au mauvais œil et de l'écarter en usant de formules conjuratoires et de talismans. Ils cessaient de croire aux *jnûn*, en leur imputant de nombreuses maladies assimilées à des états de possession, et d'user de divers procédés pour les tenir en respect et les expulser du corps des malades ; ils cessaient aussi de croire aux pouvoirs des devins et des guérisseurs, du *daggâz* musulman comme du *khaffâf* juif. Les divers traits d'une mentalité archaïque héritée du passé s'estompaient avec le progrès des lumières (42).

Les jeunes de la nouvelle génération savaient encore l'hébreu, et ils étaient en mesure de lire un livre de prières, s'ils avaient fait leurs classes dans une école de l'Alliance Israélite, ou si, tout en faisant leurs études dans une école moderne, ils avaient été envoyés dans un *kuttâb* traditionnel pour y apprendre l'hébreu et se préparer à leur majorité religieuse ou *bar-mitsvah*. Cependant, on pouvait constater déjà parmi les nouvelles générations un net recul de la pratique religieuse. Les plus évolués continuaient d'observer les rites marquant les divers âges de la vie — circoncision, majorité religieuse, mariage et sépulture — mais ils priaient de moins en moins et désertaient les lieux de culte. Tout au plus assistaient-ils aux offices des grandes fêtes, et plus par égard pour leurs parents que par piété véritable. Le philosophe P. Lapie note à la fin du siècle dernier : « Aux jours de fête, beaucoup de jeunes gens sont conduits à la synagogue par le respect humain ou les convenances familiales plus que par la foi. Leur attitude les trahit : vêtus à l'européenne, ils se croient trop civilisés pour être croyants, et ils ne cachent pas assez leur mépris ironique pour les pratiques auxquelles se livrent, à leurs côtés, de bons vieillards en burnous bleus qui sont leurs pères » (43). Ceux qui travaillaient dans la ville européenne ou qui participaient à l'économie moderne n'observaient guère le repos sabbatique. Nombreux était ceux qui enfreignaient les interdits alimentaires mosaïques : ils mangeaient de la viande d'animaux qui n'avaient pas été abattus selon les principes de la *sheḥiṭah* ; ils mêlaient dans leurs repas viandes et laitages ; ils prenaient goût aux aliments « impurs » : viande de porc, crustacés et gibier (44).

Les Juifs occidentalisés se faisaient de plus en plus nombreux au sein des nouvelles générations. Mais, dans l'ensemble de la population juive, ils ne constituaient encore qu'une minorité. Ceux qui étaient nés avant le Protectorat, auxquels il faut ajouter tous ceux qui n'avaient pu pousser bien loin leurs études dans une école moderne, continuaient de parler le judéo-arabe, en restant attachés à leur culture traditionnelle. Il n'en est pas de meilleure preuve que l'essor pris alors par la littérature populaire des Israélites tunisiens.

Cette littérature, constituée par des ouvrages en judéo-arabe transcrit en caractères hébraïques, a fait l'objet dans les premières années du siècle d'une étude attentive de l'érudit E. Vassel (45). L'inventaire qu'il en a dressé comporte plus de cinq cents items relevant des genres les plus divers. On y trouve, en effet :

— des ouvrages d'inspiration religieuse, qui comprennent des traductions de livres bibliques tels que *La Genèse*, *Ruth* ou *Esther* et un traité talmudique tel que le *Pirke Avot* (ou Maximes des Pères de la Synagogue), ainsi que des *Haggadot* de Pâque, dont le texte est accompagné d'une traduction judéo-arabe ;

— des œuvres de la littérature arabe, parmi lesquelles des chansons de geste comme l'*Histoire d'Antar*, des romans de chevalerie comme *Sîrat al-Azel* ou *Sîrat al-Anqa*, des contes des *Mille et Une Nuits*, tels que l'Histoire de Djoudhar le pêcheur ou l'Histoire de Sayf al-Mulûk et Badiᶜal-Jemal ;

— des œuvres dérivées du folklore local représentées par des collections de proverbes ou des recueils d'histoires de Joḥa ;

— des traductions d'œuvres de la littérature européenne telles que *Le Crime d'Asnières*, de X. de Montépin (1886), *Le Comte de Monte-Cristo*, d'Alexandre Dumas (1889), *Les Mystères de Paris*, d'Eugène Sue (1898), ou *Robinson Crusoë*, de Daniel De Foë (1900) ;

— des créations originales comme *Nessim le fumeur de hachich*, de Haï Sarfati, *Brin d'Églantine*, de E. Farhi et *Amour et Malice*, de J. Chemla ;

— des chansons *(ghnâyât)* d'origine tunisienne ou égyptienne, avec leurs nombreux couplets, et des complaintes *(qînot)* sur le modèle de celles que l'on a coutume de réciter le 9 Ab, jour anniversaire de la destruction du Temple, et qui ont été inspirées par les sujets les plus divers ;

— des journaux mensuels, hebdomadaires et même quotidiens. E. Vassel a pu en recenser plus de vingt-cinq, parmi lesquels nous nous bornerons à citer *al-Bustân* (« Le Jardin »), fondé en 1888, qui poursuivit sa publication pendant près de vingt ans, et *al-Ṣabâḥ* (« Le Matin »), fondé en 1904, qui devait avoir une longue carrière (46).

Livres et journaux en judéo-arabe ont trouvé de nombreux lecteurs au sein de la population juive, dès lors qu'il suffisait de savoir déchiffrer l'hébreu pour comprendre des textes écrits dans un arabe dialectal accessible à tous. Ces publications permirent à ceux qui ne comprenaient pas le français de se divertir, de s'informer et de s'instruire. Elles ont contribué à la transformation des esprits en aidant les anciennes générations à s'adapter aux temps nouveaux.

En s'occidentalisant, les Juifs de Tunisie s'assimilaient aux colonisateurs... qui ne leur en savaient aucun gré. P. Lapie note : « L'assimilation même des Israélites, loin de leur attirer la sympathie, excite contre eux la défiance » (47). On dénonce leurs travers : « Le jeune Juif qui se civilise est en général un orgueilleux : il a conscience des progrès qu'il a accomplis, et il en tire vanité » (48). On commence à les craindre : « L'antisémitisme n'est que latent à Tunis. Il peut grandir à mesure que les Européens trouveront dans les Israélites des concurrents plus dangereux » (49).

4. Colonisation et antisémitisme

Dans les premières années du Protectorat, les Juifs de Tunisie n'ont guère eu à souffrir de manifestations d'antisémitisme de la part des colons français et des journaux qui se partageaient leur faveur (50).

A la fin de l'année 1888, un publiciste du nom de P. Jacquinot d'Oisy fonde un hebdomadaire intitulé *La Kasbah* qui se présente comme une publication « antijuive et antiesclavagiste paraissant le sabbat » *(sic)*. Ce journal, qui paraît de décembre 1888 à mai 1889, mène contre les Juifs une campagne d'une extrême violence. Tirant argument des opérations financières de quelques hommes d'affaires juifs, trop habiles, il fait de tous les Juifs de Tunisie des « exploiteurs » et des « sangsues » qu'il faut mettre hors d'état de nuire. Mais cette propagande trouve peu d'écho dans la population française, le journal, faute de lecteurs, cesse de paraître et son animateur finit par quitter le pays (51).

Le journal fondé par V. de Carnières à la fin de 1892, *La Tunisie Française*, se défend d'être « antisémite », mais il lui arrive plus d'une fois de se livrer à des attaques contre les Juifs. Il les accuse de se faire « envahissants » et de transformer Tunis en une « nouvelle Jérusalem ». Il dénonce les usuriers juifs qui prêtent aux fellahs à des taux élevés et finissent parfois par mettre la main sur leurs terres ; les commerçants juifs qui, pour faire fortune, se font déclarer en faillite ; les employés juifs qui, pour travailler, se contentent des salaires les plus modestes. Il reproche aussi aux Juifs, qui veulent organiser leur culte et développer leurs institutions charitables, de vouloir former une « société politique », voire une « nationalité ». (« Le judaïsme voudrait prendre les proportions d'une nationalité »). Pis encore : un État dans l'État.

Les articles publiés dans *La Tunisie Française* soulèvent une vive émotion au sein de la population juive. Mais il se trouve d'autres journalistes pour critiquer les prises de position de V. de Carnières et réfuter ses arguments. On ne saurait rendre la population juive tout entière responsable des agissements d'un petit nombre d'usuriers ; les faillites chrétiennes sont plus fréquentes que les faillites juives ; on ne peut reprocher aux Juifs, à la fois, leur avidité et leur « manque d'âpreté au gain » ; comment les accuser de former « un État dans l'État », alors que l'Administration du Protectorat s'est opposée à la création d'un consistoire israélite pour l'ensemble du pays et qu'elle a préféré doter les diverses communautés du pays de caisses de secours et de bienfaisance distinctes ?

En dépit des efforts de quelques publicistes influencés par *La France juive* d'Édouard Drumont (1888), il était difficile de croire à l'existence en Tunisie d'un « péril juif ». Quelques exemples de fortunes trop rapides, à la faveur de l'usure ou de la spéculation, ne pouvaient faire oublier que les Juifs fortunés devaient leur réussite à leur esprit

149

d'entreprise, que la population juive était pour la plus grande part de condition modeste et qu'elle comprenait un grand nombre de miséreux. Hormis les Juifs de nationalité italienne, les Juifs étaient, comme les musulmans, des sujets du Bey et ne jouissaient pas des droits reconnus aux citoyens français. De plus, ils avaient toujours témoigné de leur attachement à la France en faisant preuve d'un grand loyalisme. Au lendemain de l'assassinat du Président de la République, Sadi Carnot, en juin 1894, la communauté israélite s'associa au deuil de la nation française et organisa dans ses synagogues des services funèbres en hommage au défunt. Dans son allocution, le grand rabbin E. Borgel exalta le rôle de la France dans l'émancipation des Juifs et exprima l'attachement des Juifs de Tunisie au pays des droits de l'homme et du citoyen. Comment aurait-on pu voir en eux des « ennemis à combattre » ? Aussi bien, malgré l'antisémitisme déclaré de quelques publicistes, n'y eut-il aucune manifestation sérieuse d'antisémitisme avant les dernières années du siècle (52).

Au moins de janvier 1898, une manifestation organisée à Alger pour protester contre le *J'accuse* d'E. Zola dégénère en émeute. Pendant six jours, du 20 au 25 janvier, des foules déchaînées, maîtresses de la rue, molestent les Juifs, pillent leurs maisons et mettent à sac leurs magasins. La presse de Tunisie rend compte en détail des événements d'Alger en se réjouissant du calme qui règne dans la Régence. Le journal *La Dépêche Tunisienne* formule alors l'espoir que rien ne viendra jamais troubler l'entente qui règne entre les divers éléments de la population. Mais il ne se passe guère de temps que de graves désordres éclatent à Tunis. Dans la journée du 26 mars 1898, une rixe survenue entre Juifs et Arabes dans le quartier juif dégénère en émeute, et, dans toute l'étendue de la ville, les musulmans s'en prennent aux Juifs, qu'ils molestent, pillant leurs maisons et mettant à sac leurs magasins, sans que la police intervienne pour rétablir l'ordre. Les troubles continuent pendant les journées des 27 et 28 mars, et ne cessent dans l'après-midi du 29 mars qu'avec l'arrivée de patrouilles de zouaves qui prêtent main-forte aux forces de police et procèdent à de nombreuses arrestations. Le Tribunal Correctionnel de Tunis juge les inculpés et prononce 84 condamnations, dont 62 contre des Tunisiens musulmans, 20 contre des Tunisiens israélites et 2 contre des étrangers. Mais une amnistie devait rapidement intervenir et, au mois de juillet 1898, tous les individus condamnés virent leurs peines remises (53).

La responsabilité des troubles de mars 1898 n'a jamais été établie clairement. Faut-il y voir l'œuvre de militants antisémites qui auraient excité la population arabe ? La résonance des événements d'Alger suffirait peut-être à expliquer qu'une rixe entre Juifs et Arabes ait pu dégénérer et prendre une ampleur sans précédent. Mais pourquoi la police a-t-elle tant tardé à intervenir ? Pourquoi a-t-on laissé les troubles se poursuivre pendant trois jours avant de rétablir l'ordre avec le concours efficace de l'armée ? On peut penser qu'il y avait alors dans l'Administration coloniale un certain nombre de fonctionnaires qui s'étaient empressés de saisir l'occasion de donner aux Juifs « une bonne leçon » (54) ?

En Tunisie comme en France, l'affaire Dreyfus partagea les Français en deux camps qui s'affrontèrent. La presse française de Tunisie prit parti pour ou contre l'innocence du capitaine Dreyfus. Il semble pourtant que dans l'Administration coloniale les antidreyfusards aient été en force, à en juger par deux épisodes qui défrayèrent la chronique locale :

Le 12 novembre 1898, lors de la représentation de *L'Assommoir* d'Émile Zola, des élèves français de l'École Coloniale d'Agriculture perturbent le spectacle en criant « A bas Zola ! », « A bas les Juifs ! », « Vive l'Armée ! ». On leur répond par les cris de « Vive Zola », poussés, semble-t-il, par des Juifs italiens. Une bagarre éclate, la police intervient, un Juif italien est arrêté qui, dit-on, a crié « A bas la France » : il ne tarde pas à être expulsé de Tunisie par décision résidentielle (55).

Le 14 février 1899, un nouvel incident éclate lors du défilé de chars organisé par le Comité des Fêtes, à l'occasion du mardi gras. Un groupe de jeunes Israélites a présenté un char dit « Le Cirque d'amateurs » : on y voit une piste entourée de spectateurs et de clowns, à l'intérieur de laquelle évoluent des personnages masqués. Et voici l'incident, tel qu'il est relaté par un chroniqueur : « Au moment où il passa devant les tribunes, une scène stupéfiante, qui dura moins d'une minute, se produisit. D'une sorte de réduit, sortit un individu portant l'uniforme de soldat français, sur la veste duquel, à la place du cœur, était un petit drapeau avec ces mots : « Vive la France », et qui se mit à courir le long de la piste, fouetté par un clown ». De toute évidence, le soldat patriote était le capitaine Dreyfus, et le clown personnifiait ceux qui s'acharnaient à le persécuter. Mais le char fait scandale. On l'exclut aussitôt du cortège et ceux qui le montent sont, sur-le-champ, arrêtés. Le lendemain, ceux qui se sont rendus coupables de cette « mascarade révoltante », sont jugés et condamnés à de lourdes peines. Mais un journal estime qu'ils s'en sont tirés à trop bon compte : « Il est regrettable que la foule ne les ait pas assommés sur place ». Un vent mauvais souffle sur le pays. La population juive se sent menacée par une explosion d'antisémitisme. Le grand rabbin se rend à la Résidence générale pour affirmer, au nom de ses coreligionnaires, l'attachement des Juifs à la France et à son armée, et leur reconnaissance « pour les garanties de liberté et de justice dont ils lui étaient redevables ». Un groupe de notables croit même devoir, dans une lettre collective, se porter garants de « la soumission à la France de la communauté israélite », et approuver les sanctions infligées aux coupables de la mascarade du mardi gras (56).

La population juive de Tunisie a suivi avec un intérêt soutenu les diverses péripéties de l'Affaire Dreyfus. Comme ceux de France, les

Juifs de Tunisie furent consternés par la condamnation prononcée en 1894 : « Un grand malheur était tombé sur Israël. On le subissait sans mot dire, en attendant que le temps et le silence en effacent les effets » (57). Ils suivirent avec passion la campagne entreprise par une partie de l'intelligentsia française pour établir l'innocence de Dreyfus et obtenir la révision de son procès. Le 9 septembre 1899, à la veille du verdict que doit rendre, au terme d'un nouveau procès, le Tribunal de Rennes, *La Dépêche Tunisienne* craint que les Juifs de Tunisie ne manifestent trop vivement leur joie si Dreyfus était acquitté, et croit devoir leur donner des conseils de modération : « Les Israélites tunisiens n'ont aucun droit de prendre une part *publique* à une affaire qui ne regarde que la France et les Français. S'ils conçoivent quelque satisfaction d'un événement heureux pour un *coreligionnaire*, ils peuvent, s'ils le veulent, s'en réjouir chez eux, mais les rues, les places, les boulevards et les cafés de Tunis ne doivent pas retentir de leurs approbations » (58).

Le Tribunal de Rennes prononça une seconde condamnation, mais le capitaine Dreyfus ne tarda pas à faire l'objet d'une mesure de grâce. Quelques années après, la Cour de cassation annulait le jugement du Conseil de guerre de Rennes et reconnaissait l'innocence de Dreyfus. (12 juillet 1906). La justice avait ainsi le dernier mot. Cet heureux épilogue fut accueilli avec une immense satisfaction par les Juifs de Tunisie. Non seulement par l'élite cultivée qui avait pu suivre dans la presse de langue française toutes les vicissitudes de l'Affaire, mais également par les masses populaires qui en avaient été informées par la presse judéo-arabe de Tunisie. La publication d'une complainte judéo-arabe, *Melzûma Dreyfus*, par l'imprimerie Uzan et Castro (59), témoigne de l'intérêt soulevé par un procès dont certains avaient voulu faire le procès de la race juive (60).

La victoire remportée par les dreyfusards était celle des idées de justice et de tolérance. Il est hors de doute qu'elle contribua à renforcer encore chez les Juifs de Tunisie leur attachement à la France. Elle les encouragea aussi à présenter des revendications qu'ils n'auraient jamais osé formuler au plus fort de l'Affaire. Le publiciste M. Smaja écrit : « Pendant la période de crise morale qui a sévi en France pendant l'Affaire Dreyfus, alors qu'un vent de haine religieuse soufflait sur l'Algérie, les Israélites tunisiens ont dû se résigner à laisser passer l'orage : ils attendirent des jours meilleurs pour présenter leurs revendications » (61). L'orage passé, les Juifs de Tunisie purent espérer que la France ferait droit à des revendications qui leur semblaient raisonnables.

5. Les premières revendications israélites

Dans un ouvrage sur la politique française en Tunisie, un auteur bien informé écrivait en 1890 à propos des Israélites de Tunisie : « Ils désirent vivement acquérir comme leurs coreligionnaires d'Algérie leur naturalisation française en masse. On la leur a refusée, mais ils se groupent, et il faut s'attendre à les voir revenir à la charge » (62). Cependant, il ne semble pas que les Israélites de Tunisie aient jamais demandé à faire l'objet d'une mesure législative, analogue au décret Crémieux en Algérie, qui en aurait fait, en bloc et en une seule fois, des citoyens français. Il faudra attendre le commencement de ce siècle pour que soient formulées les premières revendications au nom des Israélites tunisiens. Elles s'articuleront autour de deux points : le rattachement des Israélites tunisiens à la justice française et la possibilité pour eux d'acquérir la nationalité française par la voie d'une naturalisation individuelle.

Ces deux revendications, qui correspondaient aux aspirations de l'intelligentsia moderniste qui s'était formée au lendemain du Protectorat, ont fait pour la première fois l'objet d'un exposé d'ensemble dans une brochure intitulée *L'Extension de la juridiction et de la nationalité françaises en Tunisie*, publiée sous la signature de Mardochée Smaja (63).

Né en 1864, Mardochée Smaja appartenait à une famille des plus traditionnelles, puisque son grand-père paternel, dont il portait et le nom et le prénom, avait exercé la charge de grand rabbin de Tunisie, de 1898 à 1900. Comme tous les Israélites de sa génération, il commença par apprendre l'hébreu dans un *talmud-torah*. Mais lorsque fut ouverte à Tunis la première école de l'Alliance Israélite Universelle, il en devint l'élève et y poursuivit ses études jusqu'à l'obtention du certificat d'études primaires et du brevet élémentaire. S'il ne put entreprendre des études supérieures, il continua à s'instruire par la lecture de journaux et de livres : il acquit ainsi le tour d'esprit moderne et laïque dont ses écrits seront empreints. Exerçant la profession de représentant de commerce, il devait consacrer la plus grande partie de son activité à la défense des revendications juives. Après les avoir présentées dans sa brochure en 1905, il devait les défendre pied à pied dans l'hebdomadaire *La Justice* qu'il fonda en 1907 et dont il assurera la publication jusqu'en 1914. Il devait aussi défendre les revendications juives au Congrès colonial de Marseille en septembre 1906 et au Congrès colonial de Paris en octobre 1908. M. Smaja ne fut pas le seul à défendre les revendications juives. Il fut secondé dans son action par un certain nombre de représentants de la nouvelle intelligentsia juive. Mais ce fut lui, à coup sûr, qui s'y consacra avec le plus de conviction et de fougue. Aussi bien, devint-il la cible de tous ceux qui combattirent les revendications israélites (64).

a) L'extension de la juridiction française

L'institution du protectorat n'avait d'abord apporté aucune modification à la compétence des diverses juridictions. Ainsi, les Israélites tunisiens avaient continué à être justiciables des tribunaux de l'État tunisien pour tous les procès à caractère criminel, civil ou commercial, et des juridictions rabbiniques, pour tous les litiges qui avaient trait à leur statut personnel. Quant aux Israélites tunisiens protégés d'une Puissance européenne, ils avaient continué à être justiciables des juridictions consulaires. Cependant, au cours de l'année 1896, suite à des accords passés avec toutes les Puissances européennes, les juridictions consulaires furent supprimées, les étrangers devinrent justiciables des tribunaux français, et il en fut de même pour les Israélites tunisiens protégés d'une Puissance étrangère. Peu de temps après, au cours de l'année 1898, l'Administration procéda à une révision de la liste des Israélites tunisiens protégés de la France, dont le nombre fut fortement réduit. De ce fait, de nombreux Israélites tunisiens qui, jusquelà, en raison de leur qualité de protégés français, étaient justiciables des tribunaux français, devinrent justiciables des tribunaux de l'État tunisien, en matière criminelle, civile ou commerciale, et des juridictions rabbiniques pour leur statut personnel. Cette décision fit l'objet d'une vive protestation de la part des avocats français, membres du Barreau de Tunis, qui demandèrent que tous les Israélites tunisiens deviennent justiciables des juridictions françaises (65). L'Administration ne fit aucun cas de la position adoptée par les membres du Barreau de Tunis, dont on laissait entendre qu'elle avait été dictée par le souci d'accroître leur clientèle. Dès lors, réserve faite pour ceux qui pouvaient encore se prévaloir de leur qualité de « protégé », soit de la France, soit d'une autre Puissance, tous les Israélites tunisiens restèrent justiciables des juridictions tunisiennes. C'est dans ce contexte que M. Smaja a été amené à demander, au nom de ses coreligionnaires, l'extension de la justice française à tous les Israélites tunisiens.

Notre auteur fait une critique sévère des Tribunaux de l'État tunisien, dont les Israélites tunisiens relèvent pour tous les procès à caractère criminel, civil ou commercial, auxquels il reproche d'avoir des magistrats insuffisamment formés ; de rendre leurs arrêts en fonction des principes généraux du droit musulman, sans pouvoir se référer à des codes ; et de faire preuve de partialité lorsqu'ils ont à connaître de litiges où des Juifs sont impliqués (66).

Mais il ne fait pas une critique moins sévère des juridictions rabbiniques dont les Israélites tunisiens relèvent pour tous les procès relatifs à leur statut personnel.

Le statut personnel des Israélites tunisiens, comme celui des Israélites de tous les pays, avant leur intégration dans des États modernes, était régi par les principes du droit mosaïque, tels qu'ils découlent de la Bible et du Talmud et qu'ils sont exposés dans de nombreux traités. Ayant épousé les vues de la nouvelle intelligentsia, gagnée aux idées modernes, M. Smaja n'hésite pas à en faire le procès. Il déplore entre autres : que la polygamie soit encore permise et qu'un homme puisse avoir plus d'une femme ; que la femme mariée, frappée d'inca-

154

pacité légale, tombe dans l'entière dépendance de son époux ; que le mari puisse répudier son épouse par un acte unilatéral et sans avoir à se justifier ; que la femme dont le mari est mort sans laisser d'enfants soit tenue d'épouser son beau-frère, conformément aux principes du lévirat ; ou encore que le droit successoral mosaïque consacre des inégalités choquantes : accordant au fils aîné une part double de celle de ses frères puînés ; excluant les filles de la succession de leur père, dès lors qu'il y a des enfants de sexe masculin ; attribuant au mari la totalité des biens de sa femme décédée, mais limitant les droits de la femme dans la succession de son mari au montant de sa dot, tel qu'il figure dans son contrat de mariage. Aussi bien affirme-t-il que les Israélites tunisiens ne demanderaient pas mieux que de renoncer à leur statut personnel particulier, pour être soumis aux dispositions générales du droit civil français (67).

Depuis l'institution du protectorat, la justice rabbinique avait été réorganisée par un décret beylical du 28 novembre 1898 qui avait fixé la composition, les attributions et le fonctionnement du Tribunal rabbinique de Tunis (68). Mais à cette instance, dont la compétence s'étendait à l'ensemble des Israélites tunisiens, il était souvent reproché de mettre en œuvre une procédure archaïque. C'est pourquoi M. Smaja demandait, si le statut personnel des Israélites tunisiens devait continuer à être régi par le droit mosaïque, que les procès auxquels il pourrait donner lieu fussent arbitrés par les tribunaux français (69).

En bref, M. Smaja demandait que les Israélites tunisiens deviennent justiciables des juridictions françaises, lesquelles leur auraient appliqué en matière criminelle, civile et commerciale, la même législation qu'aux Français et aux étrangers, et pour tout ce qui avait trait à leur statut personnel, le droit mosaïque. En fait, il s'agissait d'étendre à l'ensemble des Israélites tunisiens le régime dont avaient bénéficié et bénéficiaient encore les Israélites tunisiens, protégés, soit par la France, soit par une Puissance étrangère.

b) L'acquisition de la nationalité française

La naturalisation française était alors régie par le décret présidentiel du 28 février 1899, dont il nous faut rappeler les principales dispositions (70).

Aux termes de ce décret, les étrangers peuvent être naturalisés français à la seule condition de justifier de trois ans de résidence en Tunisie, et ce délai peut être réduit à un an, s'ils ont épousé une Française, ou s'ils ont rendu des services exceptionnels à la France. Mais les Tunisiens, pour être naturalisés français, doivent remplir une des conditions suivantes : a) avoir servi pendant trois ans dans les armées de terre ou de mer ; b) avoir rempli des fonctions ou emplois civils rétribués par le Trésor français ; c) avoir rendu à la France des services exceptionnels. Or, si les Tunisiens musulmans pouvaient remplir l'une de ces conditions, les Tunisiens israélites n'en pouvaient remplir aucune. Car ils n'étaient pas astreints au service militaire et n'étaient admis à s'engager dans aucun corps de l'armée française (71) ; ils étaient exclus des fonctions ou emplois rétribués par le Trésor français ; il leur était bien difficile de se prévaloir de services exceptionnels rendus à la France. Ainsi, le décret présidentiel du 28 février 1899 se trouvait avoir réglementé la naturalisation française de telle sorte qu'il était *impossible* à un Tunisien israélite de devenir français par voie de naturalisation individuelle, et de fait, depuis la promulgation de ce texte, aucun Israélite tunisien n'avait été naturalisé. Dans ces conditions, M. Smaja demandait une réforme de la réglementation de la naturalisation qui permît aux Israélites tunisiens d'acquérir la nationalité française par la voie d'une naturalisation individuelle (72).

Les deux revendications présentées au nom des Israélites tunisiens pouvaient paraître modestes dès lors que l'on demandait qu'on assimilât leur condition juridique à celle des étrangers, en les rendant comme eux, justiciables des juridictions françaises, et en leur permettant d'acquérir, comme eux, la nationalité française. Mais elles devaient se heurter, l'une et l'autre, à une vive opposition, tant des représentants de la population musulmane, que des représentants de l'Administration française.

6. Les revendications israélites et l'opinion

L'action engagée pour l'extension de la juridiction et de la nationalité françaises se poursuivit pendant plusieurs années, soutenue par les uns, combattue par les autres. Il n'est pas inutile de rappeler les prises de position auxquelles elle donna lieu, si l'on veut comprendre les résultats, bien limités, qu'elle a obtenus (73).

C'est l'extension aux Israélites tunisiens de la juridiction française qui fit l'objet des prises de position les plus nombreuses.

Les Français de la Régence ne tardèrent pas à soutenir cette revendication. Dès le 30 mai 1905, la Conférence consultative, formée de représentants élus de la colonie française, publia le texte suivant :

> « La Conférence consultative émet le vœu que les tribunaux musulmans soient supprimés et que les musulmans soient jugés par la justice française d'après leurs lois et coutumes. En attendant que cette réforme puisse être réalisée, elle émet le vœu que les sujets non musulmans de S.A. le Bey soient justiciables des Tribunaux français » (74).

Peu après, dans sa séance du 9 juin 1905, la section tunisienne de la Ligue des Droits de l'Homme émit le vœu :

> « Que les Israélites tunisiens ne soient plus à l'avenir justiciables des tribunaux musulmans et que les tribunaux français soient appelés

à trancher, conformément aux lois françaises, les litiges où les Israélites tunisiens seraient en cause » (75).

C'est une position analogue qui avait été adoptée par le Congrès républicain, radical et socialiste, réuni à Tunis les 15, 16 et 17 avril 1906, en réclamant l'extension de la justice française à tous les indigènes de Tunisie (76).

Comme on le voit, les représentants de la colonie française étaient partisans de l'extension de la justice française non seulement aux Tunisiens israélites, mais aux Tunisiens musulmans. Cependant, les représentants de la population musulmane n'avaient pas tardé à prendre parti contre l'extension de la compétence des juridictions françaises aux Tunisiens israélites comme aux Tunisiens musulmans. Ils convenaient sans peine des multiples défauts de la justice tunisienne, dont tous les Tunisiens, qu'ils fussent israélites ou musulmans, avaient à souffrir. Mais ils n'estimaient pas que l'on dût la supprimer pour rendre tous les Tunisiens justiciables des tribunaux français. Ils affirmaient qu'elle devait faire l'objet d'un certain nombre de réformes et ils invitaient les Tunisiens israélites à joindre leurs efforts à ceux des Tunisiens musulmans pour en obtenir la réalisation rapide (77). Quant à l'Administration française, loin d'épouser les thèses de la colonie française, elle avait des positions voisines de celles que les représentants de la population musulmane avaient exprimées. Il en était de même du gouvernement français qui se rallia aux conclusions du rapport rédigé par le député Ch. Chaumet au terme d'une mission d'information en Tunisie, au mois de mars 1906. Selon ce rapport, on ne pouvait rattacher les Israélites tunisiens à la justice française sans aller à l'encontre des traités, mais l'on devait réformer la justice tunisienne pour en améliorer le fonctionnement. Il convenait en outre de permettre l'accès à la nationalité française, sinon de tous les Israélites tunisiens, du moins de leurs élites, par une réforme des textes réglementant la naturalisation française (78).

Les revendications israélites firent l'objet d'un débat au Congrès colonial qui se tint à Marseille, du 6 au 9 septembre 1906. Au nom des Israélites tunisiens, M. Smaja et E. Fitoussi — avocat au barreau de Tunis et représentant des Israélites tunisiens à la Conférence consultative — y intervinrent en faveur de l'extension de la juridiction et de la nationalité françaises. Le représentant de l'Administration, P. Dianous, s'éleva contre une éventuelle extension de la juridiction française aux Israélites tunisiens, affirmant qu'ils devaient demeurer justiciables des juridictions tunisiennes, dont il convenait d'améliorer le fonctionnement. En revanche, il estimait que l'on devait permettre d'accéder plus facilement à la nationalité française aux Israélites comme aux musulmans tunisiens.

A la suite du rapport de P. Dianous, le Congrès colonial de Marseille devait adopter le vœu suivant :

> « Considérant qu'il serait opportun de faciliter l'accès de la nationalité française aux indigènes tunisiens qui se seraient distingués, par leurs études, par leurs talents, par leur attachement ou les services rendus à la France, le Congrès émet le vœu qu'un plus large accès à la naturalisation française soit accordé aux indigènes tunisiens dont il vient d'être parlé et que la législation en vigueur dans la Régence soit modifiée en ce sens » (79).

Au lendemain du Congrès de Marseille, l'action en faveur des revendications israélites connut de nouveaux développements avec la création par M. Smaja d'un journal hebdomadaire ayant pour titre *La Justice*, dont le premier numéro parut le 8 mars 1907. Ce journal, dont la publication devait se poursuivre sans interruption de 1907 à 1914, contribua à unir, autour des revendications présentées par l'intelligentsia, une large fraction de la population juive. Mais sa campagne en faveur de l'extension de la juridiction française aux Israélites tunisiens amena les représentants de la population musulmane à s'y opposer avec vigueur. C'est ainsi que le journal *Le Tunisien*, organe du mouvement « Jeune Tunisien », dont le premier numéro fut publié le 8 février 1907, se prononça contre l'extension aux Israélites tunisiens de la juridiction française. Dans une série d'articles bien informés, l'un des principaux leaders du mouvement, Mᵉ H. Guellaty, se livra à une étude approfondie de l'organisation et du fonctionnement de la justice tunisienne. De ses multiples défauts, qu'il mettait en évidence, on devait tirer argument pour demander, non sa suppression, mais sa complète réorganisation de telle sorte qu'elle pût donner satisfaction à tous ceux qui en étaient les justiciables. En vertu des traités en vigueur, le bey de Tunis avait conservé son droit de juridiction sur l'ensemble de ses sujets. On ne pouvait soustraire les Israélites tunisiens à la juridiction tunisienne sans porter atteinte à la souveraineté du Bey et créer entre les ressortissants d'un même État une inégalité choquante (80).

Les revendications juives firent l'objet de nouveaux débats lors du Congrès colonial qui se tint à Paris, du 6 au 10 octobre 1908. M. Smaja y présenta deux communications où il demanda que les Israélites deviennent justiciables des tribunaux français et qu'ils soient mis en mesure d'acquérir la nationalité française (81). Cependant, dans le rapport qu'il consacra à la justice tunisienne, le représentant de l'Administration, S. Berge, s'attacha à défendre l'organisation en vigueur en matière de compétence : les litiges mettant en cause des Français ou des étrangers étaient attribués à la justice française et les litiges mettant en cause des Tunisiens étaient attribués à la justice tunisienne. Il ne pouvait donc être question d'étendre aux Israélites tunisiens la compétence des juridictions françaises. Ils devaient continuer à être justiciables des juridictions tunisiennes, dont il fallait améliorer l'organisation et le fonctionnement, par la séparation des pouvoirs administratif et judiciaire, par la publication de codes, par une meilleure formation — et une meilleure rémunération — des magistrats (82).

Lors de la discussion qui s'ouvrit, des représentants de la population française de Tunisie se prononcèrent en faveur de l'extension de la juridiction française aux Israélites tunisiens (83). Mais les représentants de la population musulmane, membres du mouvement des « Jeunes Tunisiens », joignirent leurs voix à celles des représentants de l'Administration française pour faire pièce à M. Smaja (84). Au terme de ses débats, le Congrès, se ralliant aux conclusions de S. Berge, estima qu'il fallait poursuivre l'action entreprise pour améliorer l'organisation et le fonctionnement de la justice tunisienne, en procédant à la codification du droit tunisien et en dotant les instances tunisiennes de magistrats mieux formés. En revanche, il se prononça contre l'extension de la juridiction française aux Israélites tunisiens (85).

Mais s'agissait-il réellement d'une revendication des Israélites de Tunisie ? Au cours de la discussion, le représentant de l'Administration française S. Berge avait déclaré : « Si l'on faisait en Tunisie une espèce de plébiscite, savez-vous à quel résultat on arriverait ? On entendrait les Israélites dire : "Laissez-nous, je vous prie, nos mœurs, notre religion et nos rabbins". Il n'y a que M. Smaja qui pense le contraire ». Il avait ajouté : « Il n'y a rien de sérieux dans les réclamations faites ici, au nom des Israélites, par l'unique M. Smaja. Tout nous permet, au contraire, de supposer que M. Smaja parle ici en son nom personnel et contre l'avis de ses coreligionnaires » (86).

Quant à la question de l'extension aux Israélites tunisiens de la nationalité française par une réforme de la législation en vigueur en matière de naturalisation, elle ne put être abordée, et son examen fut renvoyé à un autre congrès (87).

L'action en faveur des revendications des Israélites tunisiens se poursuivit après le Congrès colonial de Paris. Aux efforts de *La Justice* de M. Smaja, vinrent s'ajouter ceux du journal *Le Défenseur*, fondé par Nessim Haddad, dont le premier numéro parut le 15 novembre 1908. Animé par des Israélites tunisiens appartenant à la bourgeoisie libérale, ce journal adopta en matière de naturalisation une position plus modérée que *La Justice*. Conscient de l'opposition que rencontrait au sein de la population française une naturalisation française ouverte aux Juifs, aux mêmes conditions qu'aux étrangers, il demanda que la naturalisation fût ouverte aux Juifs remplissant un certain nombre de conditions, conformément au vœu exprimé par le Congrès colonial de Marseille, en septembre 1906. Mais, comme *La Justice*, il demanda l'extension aux Israélites tunisiens de la compétence des tribunaux français.

Le 3 octobre 1909, un meeting fut organisé à l'Hippodrome de Tunis par le journal *La Justice*, pour demander l'extension aux Israélites tunisiens de la juridiction française. Aux orateurs qui prirent la parole au nom de la population israélite — tels que E. Fitoussi et S. Tibi — se joignirent des représentants de toutes les tendances de la colonie française qui vinrent leur exprimer leur soutien. Les milliers de personnes qui s'étaient rassemblées, les nombreuses dépêches qui furent adressées au comité d'organisation par les communautés juives de l'Intérieur, infligeaient un démenti aux déclarations de S. Berge au Congrès colonial de Paris. L'extension aux Israélites tunisiens de la compétence des juridictions françaises ne pouvait plus être considérée comme la revendication d'un publiciste qui ne représentait que lui-même. Elle apparaissait comme une revendication d'une large fraction de la population israélite de Tunisie, soutenue par toutes les tendances de la population française (88).

Le meeting se termina par la lecture d'un ordre du jour qui fut voté à main levée par toute l'assistance :

> « Les Israélites de Tunis, réunis aujourd'hui 3 octobre à l'Hippo-drome de l'avenue de Carthage, au nombre de 5 000 (2 000 person-nes étant restées dehors faute de place) protestent contre les affirma-tions faites aux Congrès de Marseille et de Paris, tendant à les repré-senter comme partisans de la justice indigène. Ils affirment, au con-traire, ne vouloir être justiciables que de tribunaux français et solli-citer du gouvernement de la République leur rattachement au plus tôt à cette juridiction » (89).

A quelque temps de là, les revendications israélites firent l'objet de nouveaux débats à la Conférence consultative, en date du 26 novembre 1909. Me E. Fitoussi fit valoir les raisons pour lesquelles la population israélite demandait à devenir justiciable des tribunaux français. Un des leaders du mouvement « Jeune Tunisien », A. Zaouche, s'éleva contre une mesure qui aurait créé un privilège au profit des seuls Israélites tunisiens et se prononça en faveur d'une réforme de la justice tunisienne qui en améliorât le fonctionnement, dans l'intérêt de tous les Tunisiens sans distinction. Le Secrétaire général du gouvernement tunisien fit observer que l'on ne pouvait soustraire les Israélites tunisiens à la juridiction tunisienne sans porter atteinte aux principes du protectorat. Cependant, au terme de la discussion, la Conférence consultative adopta, à une forte majorité, un vœu demandant que les sujets non musulmans de S.A. le Bey deviennent justiciables des tribunaux français. Elle devait même aller plus loin, et voter, à la demande d'un représentant de la colonie française, la suppression de la justice tunisienne et l'extension de la compétence des tribunaux français à tous les Tunisiens, qu'ils fussent israélites ou musulmans (90).

La position adoptée par la Conférence consultative ne tarda pas à déclencher une riposte. A l'appel d'un comité formé par un certain nombre de personnalités musulmanes — en accord avec les Autorités du Protectorat — un important meeting fut organisé à Tunis, qui rassembla une nombreuse assistance et se termina par l'adoption de l'ordre du jour suivant :

> « Population musulmane tunisienne, réunie le 10 décembre 1909, au nombre de 10 000 personnes, proteste énergiquement contre le rattachement de ses compatriotes israélites à la juridiction française, parce que cette mesure porterait atteinte aux traités, et constituerait en faveur des Israélites un privilège au détriment de la population musulmane » (91).

Ainsi, il apparaissait que l'extension de la juridiction française aux Israélites tunisiens était soutenue par la colonie française, mais se heurtait à l'opposition résolue de la population musulmane. L'administration française se vit ainsi encouragée à persévérer dans la voie où elle s'était engagée. Les Israélites tunisiens devaient demeurer justiciables de la justice tunisienne, dont il convenait d'améliorer le fonctionnement. La seule mesure qui pouvait être prise pour répondre aux aspirations de la population juive était de lui permettre, sous certaines conditions, d'acquérir la nationalité française.

7. L'accession des Israélites à la nationalité française

Si les Israélites tunisiens n'ont pu obtenir d'être soustraits à la compétence des juridictions tunisiennes pour devenir justiciables des juridictions françaises, il devait leur être accordé d'accéder à la nationalité française par un décret présidentiel du 3 octobre 1910, qui soumit la naturalisation française à une nouvelle réglementation, au lieu et place de celle qu'avait instituée le décret présidentiel du 28 février 1899 (92).

Le nouveau texte ne modifie guère les conditions d'accès à la nationalité française des étrangers. Comme sous l'empire du décret présidentiel du 28 février 1899, peuvent être naturalisés français les étrangers âgés de 21 ans accomplis, justifiant de trois ans de résidence soit en Tunisie, soit en France ou en Algérie et, en dernier lieu, en Tunisie ; et ce délai peut être réduit à une année en faveur de ceux qui ont rendu à la France des services exceptionnels. (art. 1).

En revanche, le nouveau texte définit les conditions d'accès à la nationalité française des sujets tunisiens, de telle sorte que la naturalisation des Tunisiens israélites devient alors possible. En effet, il est établi que peuvent être naturalisés, après l'âge de 21 ans accomplis et après avoir justifié qu'ils savent parler et écrire la langue française : 1) les sujets tunisiens qui ont été admis à contracter et ont accompli un engagement volontaire dans les armées de terre et de mer (93) ; 2) les sujets tunisiens qui, n'ayant pas été admis à contracter un engagement, comme impropres au service militaire, ont rempli l'une des conditions suivantes :

a) Avoir obtenu l'un des diplômes suivants : licence ès lettres, licence ès sciences, doctorat en droit, doctorat en médecine, doctorat en pharmacie, diplôme de fin d'études délivré par l'École Centrale des Arts et Manufactures, par l'École des Ponts et Chaussées, par l'École Supérieure des Mines, l'Institut National Agronomique, les Écoles Nationales d'Agriculture de Grignon, Montpellier et Rennes, l'École Nationale des Eaux et Forêts, l'École des Hautes Études Commerciales et les écoles supérieures de commerce reconnues par l'État ; ou encore un prix ou une médaille dans les concours annuels de l'École Nationale des Beaux-Arts, du Conservatoire de Musique et de l'École Nationale des Arts Décoratifs.

b) Avoir épousé une Française, en cas d'existence d'enfants nés de ce mariage et pourvu que celui-ci n'ait pas été dissous par la répudiation.

c) Avoir rendu en Tunisie, pendant plus de dix ans, des services importants aux intérêts de la France.

d) Avoir rendu à la France des services exceptionnels. *(art. 2)*.

Le décret est complété par des dispositions transitoires, en vertu desquelles peuvent être naturalisés français les sujets tunisiens, âgés de *plus de trente ans révolus* à la parution du décret : qui ont obtenu l'un des diplômes, prix ou médailles énoncés ; qui ont épousé une Française, en cas d'existence d'enfant issu de ce mariage ; ou qui ont rendu en Tunisie, pendant plus de dix ans, des services importants aux intérêts de la France.

Il faut ajouter que le décret conférant la qualité de Français à un étranger ou à un sujet tunisien, peut la conférer aussi à son épouse, si elle le demande, et à ses enfants mineurs, avec faculté de répudiation pour les enfants d'étrangers, sans faculté de répudiation pour les enfants de sujets tunisiens, dans l'année suivant la majorité. *(art. 3 et 4)*.

Désormais, la naturalisation des Israélites tunisiens était devenue possible. Mais elle était soumise à de telles conditions qu'il y avait peu de personnes qui se trouvaient en mesure de la solliciter : 1) Il fallait attendre quelques années avant qu'il se trouvât des sujets ayant contracté un engagement volontaire dans les armées de terre ou de mer, et l'ayant effectivement accompli ; 2) Les diplômes exigés n'étaient pas de ceux qu'il était aisé d'obtenir, et le nombre de ceux qui pouvaient s'en prévaloir était peu élevé ; 3) Ceux qui avaient épousé une Française étaient encore bien rares (94) ; 4) Il y en avait bien peu qui pouvaient se targuer d'avoir rendu des services « exceptionnels » ou « importants » à la France.

En soumettant la naturalisation des Israélites tunisiens à des conditions difficiles et en ne la permettant que dans un nombre restreint de cas, le gouvernement français a certainement tenu compte de l'opinion de la population française de Tunisie, qui n'était sans doute pas désireuse de voir les Juifs accéder largement à la nationalité française et lui faire ainsi concurrence dans de nombreux secteurs d'activité qui lui étaient jusque-là réservés. Il a tenu compte aussi de l'opinion de la population musulmane qui aurait certainement vu d'un mauvais œil les Juifs accéder largement à la nationalité française et partager les privilèges des colonisateurs. Il reste que la réglementation édictée par le décret présidentiel du 3 octobre 1910 ne répondit pas à l'attente de la population juive.

Comme il arrive toutes les fois que des réformes sont octroyées au terme d'une action de masse, l'opinion juive se divisa. Une aile modérée se contenta des dispositions adoptées ; une aide radicale les critiqua sévèrement en poursuivant son action pour que l'accès à la nationalité française fût rendu possible à un plus grand nombre.

Les Juifs qui obtinrent leur naturalisation française en application du décret présidentiel du 3 octobre 1910 ont été fort peu nombreux. Compte tenu des épouses et des enfants mineurs — naturalisés en même temps que l'auteur de la demande — ils ont été au nombre de 20 en 1911 ; 33 en 1912 ; 18 en 1913 et 22 en 1914, soit un total de 93 personnes en quatre ans (95). On ne saurait faire mieux ressortir le caractère élitiste de la réforme de 1910. Aussi bien, peut-on conclure que la presque totalité de la population israélite de Tunisie — à l'exception de quelque deux mille Juifs italiens — resta de nationalité tunisienne. Mais tous, Tunisiens, Français et Italiens, ne cessaient de relever des mêmes institutions communautaires.

8. Les institutions communautaires

Au lendemain du Protectorat, il fut un moment question de créer en Tunisie un Consistoire israélite central, à l'exemple de celui qui existait en France (96). Un conseil de notables, désignés par décret, aurait eu ainsi la haute main sur le culte et l'assistance israélites, sur toute l'étendue du territoire, garantissant à la fois le respect des traditions et la mise en train des réformes nécessaires. Mais alors que l'organisation d'un consistoire central faisait l'objet d'un large échange de vues entre l'Administration et les représentants de la population juive, un conflit éclata qui amena les Autorités à s'interroger sur l'opportunité d'une réforme aussi radicale.

A la fin de l'année 1886, la Municipalité de la capitale adopta un ensemble de mesures réglementant les pompes funèbres (97). Aux termes d'un décret en date du 27 décembre 1886, le transport des corps au cimetière et leur inhumation devaient être désormais assurés par une entreprise privée, moyennant une rémunération fixée par un cahier des charges. Cette mesure n'était pas applicable aux musulmans, dont on voulait respecter les usages, mais l'était aux chrétiens et aux Israélites. La communauté juive s'en émut parce que la mesure édictée allait à l'encontre de toutes ses traditions. Ses dirigeants firent valoir que la nouvelle réglementation retirait à la communauté l'une de ses principales attributions, pour la confier à une entreprise, en faisant d'un devoir religieux l'objet d'une tractation mercantile ; qu'elle introduisait dans les enterrements des distinctions de classes, portant ainsi atteinte à la nécessaire égalité de tous les fidèles devant la mort ; qu'elle privait la communauté de l'une de ses ressources traditionnelles, et qu'en cessant de prélever une redevance à l'occasion des obsèques des plus fortunés, elle ne serait plus en mesure d'assurer gratuitement aux plus démunis linceul, sépulture et tombe.

Malgré les concessions que l'Administration municipale était prête à faire, il ne fut pas possible de trouver une forme de compromis. Mais le jour de l'entrée en vigueur du décret, fixée au 20 mars 1887, la communauté israélite de Tunis tint à manifester son opposition à la nouvelle réglementation en procédant à deux enterrements, comme elle l'avait toujours fait, sans passer par les services de la Municipalité et sans avoir obtenu d'eux un permis d'inhumer. Les forces de police alertées ne purent empêcher la foule qui suivait le convoi d'envahir le cimetière, et il fallut faire appel à la troupe pour disperser les manifestants, parmi lesquels on procéda à de nombreuses arrestations, empêcher les inhumations illégales et faire respecter la loi.

L'agitation se poursuivit le lendemain. Dans la journée du 21 mars 1887, de nombreuses manifestations se déroulent à Tunis, au cours desquelles on crie : « A bas la Municipalité ! », mais aussi, dit-on, « A bas la France ! » et « Vive l'Italie ! » La police intervient pour disperser les manifestants : l'un de ceux-ci est blessé d'un coup de feu, tiré par un policier. Le 22 mars 1887, les magasins tenus par des Juifs demeurent fermés, et l'on s'attend à de nouvelles manifestations de rue. Mais la fièvre commence à tomber. Une délégation de la communauté juive se rend à la Résidence générale pour assurer le représentant de la France du loyalisme de la population juive. Peu de temps après, un accord fut réalisé en matière de pompes funèbres, qui donna satisfaction aux défenseurs de la tradition et ramena le calme dans les esprits. Il reste que les événements des 20 et 21 mars parurent justifier, aux yeux de certains, une attitude réservée, sinon méfiante, à l'égard de la minorité juive (98).

La création d'un consistoire, soutenue par les représentants du judaïsme français, et à laquelle le Résident général d'alors était plutôt favorable, se heurta désormais à l'opposition du Quai d'Orsay. Celui-ci exprima la crainte que la nouvelle institution, où les Juifs italiens devaient être représentés, ne devînt un centre d'opposition à la politique française ; et qu'en donnant aux Juifs des représentants autres que ceux dont un long usage a consacré l'existence, on ne créât en leur faveur un privilège qui susciterait la protestation de la population musulmane. Ainsi, on renonça à une refonte des institutions de la communauté israélite et l'on se contenta d'apporter de modestes retouches aux institutions existantes.

La première intervention législative est constituée par le décret du 13 juillet 1888, qui porte sur l'organisation de la *Caisse de Secours et de Bienfaisance des Israélites de Tunis* et de sa banlieue. Son administration est confiée à un comité composé de neuf membres nommés et révoqués par arrêtés du Premier ministre et renouvelables par tiers tous les ans. Les ressources de la Caisse sont constituées par la taxe sur la viande kasher et la taxe sur les pains azymes, ainsi que par les aumônes, les offrandes et les dons des fidèles. Elles sont destinées à secourir indigents et malades, dont la liste doit être dressée et tenue à jour par les membres du comité. Des règles précises sont édictées pour assurer une gestion rigoureuse, et une comptabilité régulière doit permettre à l'Administration d'exercer son contrôle (99).

Bien que le décret du 13 juillet 1888 n'en fasse pas état, la compétence du comité chargé d'administrer la Caisse de secours et de bienfaisance s'étendait à toutes les questions relatives au culte comme à l'assistance au sein de la communauté. Si le législateur a pris soin de réglementer la distribution des secours aux indigents et aux malades, il a laissé subsister les usages immémoriaux en vertu desquels la communauté israélite de Tunis veillait à l'entretien de ses lieux de culte et à la rémunération de ses rabbins, en y consacrant une partie de ses ressources (100).

Aux termes du décret, il ne devait plus y avoir qu'une seule Caisse de secours et de bienfaisance pour tous les Israélites, pour les « Tunisiens » comme pour les « Livournais », et sa gestion devait être assurée par le même conseil d'administration de neuf membres, nommés par un arrêté ministériel. Mais la communauté livournaise ne se soumit pas à la nouvelle réglementation et s'attacha à conserver son autonomie. Elle refusa de mettre à la disposition de la nouvelle Caisse de secours et de bienfaisance les fonds qu'elle détenait. Elle continua à avoir sa caisse propre et obtint que les ressources assurées par les taxes sur la viande kasher et sur les pains azymes fussent affectées, dans la proportion de 85 % à la caisse des « Tunisiens » et de 15 % à la caisse des « Livournais ». Elle refusa même de rendre compte de l'utilisation qu'elle faisait des fonds dont elle disposait ; par la faute des « Livournais », aucune comptabilité complète n'a jamais pu être tenue, et le contrôle administratif sur la gestion financière de la communauté israélite n'a jamais pu s'exercer. Ainsi, en marge d'une communauté tunisienne relevant du comité d'administration de la Caisse de secours et de bienfaisance, à laquelle le gouvernement avait reconnu une existence légale, une communauté livournaise, communément appelée « portugaise », qui n'avait qu'une existence de fait, a réussi à se maintenir (101).

Dans les années qui suivirent, de nombreuses retouches furent apportées au texte organisant la Caisse de secours et de bienfaisance et la communauté israélite de Tunis : a) le caïd des Israélites, dont la charge fut supprimée, cessa de présider son comité d'administration ; b) la présidence du comité d'administration fut désormais assurée par un président, désigné, chaque année, par les membres du comité (102) ; c) la liaison avec l'Administration fut assurée par un délégué du gouvernement ayant une voix consultative ; d) le nombre des membres du comité fut porté de neuf à douze ; e) la durée du mandat des membres du comité, fixée d'abord à un an, fut portée à trois ans ; f) outre un président, les membres du comité désignèrent chaque année, parmi eux, un vice-président ainsi qu'un trésorier et un vice-trésorier ; g) le contrôle de l'Administration sur la gestion financière de la Caisse de secours et de bienfaisance fut renforcé. Mais il ne fut pas mis fin à l'existence de deux communautés (103).

Les raisons que les Livournais avaient fait valoir pour justifier la scission du XVIIIe siècle pouvaient être invoquées en faveur du maintien de deux organisations distinctes. Entre les membres des deux communautés, les différences de rite étaient peu importantes, qui portaient sur la prière, sur l'abattage du bétail et sur les derniers devoirs rendus aux morts. Les différences portaient surtout sur le mode de vie des uns et des autres. Pour y voir plus clair, les Autorités du Protectorat consultèrent sur cette question le grand rabbin de France d'alors, Zadoc Kahn. Il fit savoir « qu'il y avait convenance et équité à respecter la constitution traditionnelle de la communauté livournaise de Tunis » (104). L'existence de deux communautés à Tunis, l'une « tunisienne », l'autre « livournaise », devait ainsi se perpétuer jusqu'à une époque toute proche de la nôtre.

Comme elles l'avaient fait dans le passé, les deux communautés s'employaient à secourir la population juive, selon les formes traditionnelles du ḥilluq, c'est-à-dire d'aide régulière aux familles pauvres, et de biqur ḥolim, c'est-à-dire de secours aux malades (105). Aux efforts des deux communautés, s'ajoutèrent les efforts de nombreuses sociétés de bienfaisance qui commencèrent à se former dans les dernières années du siècle dernier.

Au cours de l'année 1893, un certain nombre de notables se donnèrent pour tâche de créer à Tunis un hôpital destiné aux Israélites, et constituèrent une société qui prit le nom de *Société de l'Hôpital israélite*. Celle-ci put, grâce aux sommes recueillies par voie de souscription, faire l'acquisition d'un vaste local, situé sur la place Halfaouine, qu'elle aménagea et dota des équipements nécessaires, et l'Hôpital israélite put ouvrir ses portes au cours de l'année 1895. Cette institution, qui bénéficia du concours d'excellents praticiens juifs, ne contenait pas moins de quarante lits, dont vingt étaient tenus à la disposition du Comité d'administration de la Caisse de secours et de bienfaisance, moyennant une participation aux frais d'entretien et de fonctionnement de l'hôpital. Deux fois par semaine, les médecins de service y donnaient des consultations gratuites à tous les indigents, sans distinction de confession ni de nationalité (106).

D'autres œuvres ont été créées : pour secourir les malades : la *Société d'Assistance fraternelle* (1893) ; pour aider à l'établissement des jeunes filles : la *Société de Secours matrimoniaux* (1893) ; pour distribuer vêtements et couvertures aux plus démunis : la *Société des Dames de charité* (1899) ; pour assister les enfants nécessiteux : la *Caisse de Secours et d'Habillement des Écoles de l'Alliance* (1904) ; pour servir aux indigents des repas à prix modiques : la *Société des Cuisines populaires* (1905) ; pour fournir un gîte aux sans-abri : la *Société de l'Asile de nuit* (1909) ; pour héberger les vieillards et les infirmes : la *Société de l'Asile de vieillards* (1909) ; pour venir en aide aux femmes en couches : la *Mutualité maternelle israélite* (1909) ; pour donner des soins aux tout-petits : la *Garderie israélite* (1912). Ces œuvres diverses, qui ont vu le jour à l'initiative des notables des deux communautés, ont contribué, chacune à sa manière, à combattre la misère juive dans la capitale (107).

Les autorités coloniales sont intervenues dans l'organisation des communautés israélites de l'Intérieur. Sous couleur d'organiser leur caisse de secours et de bienfaisance, des textes réglementèrent la vie des communautés juives dans les divers centres. A leur tête, furent placés des comités d'administration composés d'un certain nombre de membres, nommés par un arrêté ministériel. Ils disposaient de ressources constituées par les taxes sur la viande kasher et sur les pains azymes, ainsi que par les aumônes, les offrandes et les dons des fidèles. Ils devaient, grâce à ces ressources, assurer les secours aux pauvres, l'assistance aux malades et l'inhumation des indigents, mais aussi l'entretien des synagogues, la rémunération des rabbins-officiants, l'instruction religieuse des enfants et l'administration du cimetière. Bref, ils devaient faire face à toutes les dépenses relatives au culte et à l'assistance, dans le cadre de chaque communauté. Tour à tour furent promulgués les textes relatifs à la Caisse de secours et de bienfaisance pour les communautés de Sousse (1900), Béja (1901), Souk el-Arba (1901), Kairouan (1903), Monastir (1903), Bizerte (1904), Le Kef (1905), Gafsa (1905), Nabeul (1905), Sfax (1905), Djerba (1906), Gabès (1909), Mateur (1909), Testour (1910), Moknine (1913). Ainsi, à la veille de la guerre de 1914-1918, il n'y avait pas de centre juif important qui n'eût pas été doté d'une caisse de secours et de bienfaisance et dont la vie communautaire n'eût été du même coup réglementée (108).

Pendant des siècles, chaque communauté avait été placée sous l'autorité d'un grand rabbin, sauf celle de la capitale, où il existait, concurremment, un grand rabbin « tunisien » et un grand rabbin « livournais ». Après une période intermédiaire, au cours de laquelle les anciens usages se maintinrent, l'Administration ne reconnut plus à Tunis qu'un seul grand rabbin, pris dans la communauté tunisienne, dont elle étendit l'autorité à tout le pays. Son mode de désignation et ses attributions ressortent d'un ensemble de textes réglementaires (109).

Le grand rabbin de Tunisie est nommé par décret beylical, sur proposition du Comité d'administration de la Caisse de secours et de bienfaisance de Tunis, et appointé sur le budget de l'État. Il a les attributions suivantes : a) il est appelé à donner son avis aux Autorités du pays sur toutes les questions touchant au culte israélite ; b) il propose aux Autorités les notables à nommer à la direction des caisses de secours de l'Intérieur ; c) il préside la commission d'examen des notaires israélites, et les habilite à recevoir des actes soumis à une autorisation préalable ; d) il signe les diplômes permettant aux *shohetim*, préposés à l'abattage rituel, d'exercer leur activité, et les boucheries sont placées sous son contrôle ; e) il signe les diplômes permettant aux *mohelim*, préposés à la circoncision, de procéder à la circoncision des nouveaux-nés ; f) il assure la présidence — honoraire — du Tribunal rabbinique. Dans l'exercice de ses diverses attributions, le grand rabbin est assisté d'un certain nombre de conseillers qu'il choisit lui-même, et qui n'ont aucun caractère officiel. Ainsi, en l'absence de consistoire central, le grand rabbin de Tunisie a pu donner un commencement d'unité aux diverses institutions communautaires du pays (110).

9. Les débuts du mouvement sioniste

Dans les premiers temps du Protectorat, l'opinion juive de Tunisie se partageait entre deux tendances. A ceux qui entendaient continuer à vivre en se conformant à leurs plus vieilles traditions, s'opposaient ceux qui avaient reçu une formation moderne et voyaient dans l'assimilation, c'est-à-dire l'adoption des modes de vie et de pensée qui avaient triomphé dans les pays d'Occident, la voie dans laquelle il convenait de s'engager. Cependant, de nouvelles idées commencèrent à se répandre parmi les Juifs de Tunisie. La publication de *L'État juif* de Théodore Herzl, en 1896, et la réunion à Bâle du premier congrès sioniste en 1897, ne tardèrent pas à être suivies de la naissance et du développement en Tunisie d'un mouvement sioniste.

Dès 1906, l'un des représentants les plus brillants de la nouvelle intelligentsia juive, Me Alfred Valensi publia dans une revue parisienne, la *Revue politique et parlementaire*, une étude sur le sionisme. Cette étude fit l'objet la même année d'une publication indépendante, imprimée à Tunis, ainsi que d'une traduction en judéo-arabe (111). La brochure en langue française devait faire l'objet d'une deuxième édition en 1913 (112). Il n'est pas inutile de s'attarder sur cet opuscule qui a constitué la première expression du sionisme en Tunisie.

L'auteur s'attache à faire du sionisme une présentation d'ensemble. Il en rappelle l'objectif tel qu'il avait été défini par le Congrès de Bâle : « Le sionisme a pour but la création en Palestine, pour le peuple juif, d'une patrie garantie par le droit public ». Ce but sera atteint, ainsi que le Congrès de Bâle en est convenu : 1) En favorisant, de manière efficace, l'établissement en Palestine de cultivateurs, d'artisans et d'industriels juifs ; 2) en organisant et associant tous les Juifs à l'aide de sociétés locales et de fédérations générales, dans la mesure permise par les lois du pays où elles sont fondées ; 3) en raffermissant le sentiment de dignité personnelle et la conscience nationale du peuple juif ; 4) en faisant des démarches préparatoires pour obtenir le consentement des gouvernements, nécessaire pour atteindre le but du sionisme ». *(op. cit.,* pp. 6-7).

Mais d'entrée de jeu l'auteur tient à dissiper un fâcheux malentendu : « Contrairement à ce que l'on s'imagine parfois, ou à ce qu'ont essayé de faire croire ses adversaires, le sionisme n'entend nullement réunir les Juifs de tous les pays du monde en Palestine. Le sionisme rebâtit la maison d'Israël pour ceux des Juifs qui ne peuvent ou ne veulent plus rester dans le pays où ils se trouvent actuellement ».

L'émigration en Palestine est surtout prônée pour les Juifs de Russie, de Pologne et de Galicie, croupissant dans la misère et l'opprobre, en butte à de multiples discriminations légales et décimés par d'effroyables pogromes. Elle l'est encore pour les Juifs de Perse, du Yémen, voire du Maroc, dont la situation est plus brièvement évoquée. Mais le retour à Sion n'est pas présenté comme un objectif que les Juifs de Tunisie devraient s'assigner.

S'agissait-il seulement d'une réserve prudente, dictée par le souci de ne pas indisposer les Autorités du Protectorat et encourir leurs foudres ? L'auteur était-il persuadé qu'avec le temps la situation de tous les Juifs des pays placés dans la mouvance française ne manquerait pas de s'améliorer ? Il reste que ce premier manifeste du sionisme n'appelait pas les Juifs de Tunisie à réaliser l'idéal sioniste en émigrant en Palestine.

Les idées sionistes ne laissèrent pas de se répandre. Au cours de l'année 1910, fut fondée à Tunis la première organisation sioniste *Agoudat Tsion* [= l'Union sioniste], qui fut autorisée par le gouvernement tunisien en janvier 1911, et qui recruta de nombreux adhérents dans la petite bourgeoisie et les masses populaires. D'autres organisations sionistes furent créées à La Goulette, Béja, Bizerte, Sousse et Sfax. Le nombre de ceux qui versaient leur cotisation — leur *sheqel* — à l'organisation sioniste internationale, qui était, pour tout le pays, de 380 en 1911, s'éleva à 657 en 1912 et à plus de 1 000 en 1913 (113). Cette année-là, une revue sioniste mensuelle en judéo-arabe, *Qol Tsion* [= la Voix de Sion], fut créée par des membres de l'*Agoudat Tsion*, qui commença à paraître (114). Mais on ne compta guère de Juifs de Tunisie parmi les premières vagues d'émigrants à destination de la Terre Sainte avant la guerre de 1914-1918 (115).

10. La guerre de 1914-1918

Au cours de la Grande Guerre, la Tunisie partagea le sort de la France et des pays de l'Empire français. Les Français établis dans la Régence furent, classe après classe, mobilisés. Les Tunisiens musulmans, exception faite pour ceux qui étaient dispensés ou libérés de toute obligation militaire, furent eux aussi mobilisés et engagés sur les divers théâtres d'opérations (116). Les Juifs de nationalité française, qui se confondaient, à peu de chose près, avec ceux qui avaient obtenu leur naturalisation à la faveur du décret présidentiel du 3 octobre 1910, furent mobilisés. Mais les Juifs de nationalité tunisienne, exemptés de toute obligation militaire par la législation en vigueur, n'étaient pas mobilisables et ne furent pas mobilisés.

Il n'y avait pour les Israélites tunisiens d'autre manière de prendre part à l'effort de guerre français que de souscrire un engagement volontaire pour la durée des hostilités. Au lendemain de l'entrée en guerre de la France, une loi métropolitaine du 5 août 1914, attribuait la qualité de Français à tous ceux qui s'engageraient dans les armées françaises. Cependant le nombre d'Israélites tunisiens qui souscrivirent un engagement volontaire au cours des quatre années de guerre fut assez limité (117).

Il eût été alors facile pour l'Administration française de modifier la loi tunisienne sur le recrutement, de manière à soumettre les Tunisiens de confession israélite à des obligations militaires. Mais elle ne voulut pas s'engager dans cette voie, de crainte de se trouver un jour dans l'obligation de leur ouvrir largement l'accès à la nationalité française. Ainsi, les Juifs tunisiens continuèrent à être exemptés d'obligations militaires et à paraître comme relativement épargnés par une épreuve douloureusement ressentie par les autres éléments de la population.

Alors que la guerre avait forcé la plupart des Français à interrompre leurs activités professionnelles, les Israélites tunisiens, comme les Tunisiens musulmans exemptés de toute obligation militaire, avaient pu poursuivre les leurs. Certains avaient même vu leurs affaires prospérer à la faveur de la raréfaction des denrées et de l'élévation des prix. La presse locale devait se faire l'écho des difficultés rencontrées par les classes populaires et dénoncer les agissements coupables des spéculateurs qui venaient les aggraver. En raison de la place occupée par les Juifs dans toutes les branches du commerce, la dénonciation des spéculateurs fut comprise comme une dénonciation des Juifs, de tous les Juifs, qui étaient rendus responsables de tous les malheurs du temps. La campagne contre les spéculateurs — et contre les Juifs — devait se faire de plus en plus vive au fil des années.

Au cours de l'été 1917, des mouvements anti-juifs éclatèrent dans les principales villes du pays. Des soldats tunisiens, appartenant à un régiment de tirailleurs et qui devaient bientôt s'embarquer à destination de divers théâtres d'opérations, se livrèrent à de véritables expéditions punitives contre la population juive, qui eut à souffrir de nombreuses violences. Ces mouvements éclatèrent simultanément, non seulement dans la capitale, mais encore dans les villes de Bizerte, Sousse, Sfax et Kairouan ; et ils se poursuivirent pendant plus d'une semaine — du 21 au 26 août 1917 — avant que les Autorités interviennent pour y mettre un terme. La population juive ne pouvait manquer de s'interroger sur l'origine des troubles. Que ces expéditions punitives aient été l'œuvre de soldats du contingent, qu'il eût été aisé de consigner dans leurs casernes ; qu'elles aient eu lieu en même temps dans toutes les villes du pays ; qu'elles aient bénéficié d'une évidente tolérance des pouvoirs publics, tout portait à croire qu'elles avaient été inspirées, et même organisées, en haut lieu (118). Mais pourquoi ? Avait-on voulu relever le moral de la troupe en lui permettant de se défouler avant de s'embarquer et de monter au front ? Avait-on voulu donner une « bonne leçon » aux Juifs, que l'on tenait pour responsables de tous les maux dont le pays souffrait ? Dans les premiers jours de septembre 1917, le Résident général Alapetite fit une déclaration publique qui contenait une allusion à peine voilée aux derniers événements : « Le règlement de toutes les difficultés économiques doit être recherché dans la paix, dans le respect des biens et des personnes, qui, ici, où l'ordre est d'hier, où certaines traditions fâcheuses ne sont pas périmées, demeure particulièrement sacré aux yeux de quiconque a de la sagesse et de la prévoyance » (119). La responsabilité des troubles se trouvait ainsi imputée aux « traditions » du pays. L'Administration sembla désireuse de vouloir assurer l'ordre : un décret beylical du 29 août 1917 réprima le délit de provocation à la haine ou au mépris de l'une des races vivant dans la Régence (120).

Des manifestations antisémites se produisirent à la fin de la guerre. Comme les autres éléments de la population, les Juifs de Tunisie s'étaient réjouis de la fin des hostilités et avaient fêté l'armistice. Des Français le leur reprochèrent : « De quel droit prenez-vous part à notre joie, alors que vous n'avez pas pris part à nos tourments ? » Dans les rues, des membres de la colonie française prenaient les Juifs à partie, les insultaient et les frappaient. Dans la journée du 13 novembre 1918, des Juifs de Tunis, pour protester contre les violences dont ils étaient l'objet, se rassemblèrent et défilèrent dans les rues de la capitale. A leur passage devant un café qui servait de point de ralliement à la colonie française — le Café de Paris — des Français attablés sur sa terrasse se mirent à crier : « A bas les Juifs ! ». Une bagarre s'ensuivit, au cours de laquelle furent échangés force horions. Quand les forces de l'ordre intervinrent, ce fut pour prêter main-forte aux assaillants et disperser brutalement les manifestants. Ce qui devait surtout frapper les observateurs était que, dans l'échauffourée, les plus acharnés avaient été des notables riches et respectés, membres des corps constitués de la colonie, qui, loin de prêcher le calme à leurs compatriotes, leur avaient donné le signal de l'attaque (121). Mais ces violences ne se renouvelèrent pas, la fièvre, peu à peu, tomba, et les Juifs de Tunisie n'auront pas à souffrir de nouvelles explosions de haine raciale dans l'entre-deux-guerres.

(1) Selon un auteur, la venue de la France aurait fait l'objet, par les Juifs de Tunisie, d'une « acceptation joyeuse ». (E. COHEN-HADRIA, « Les milieux juifs de Tunisie avant 1914 », dans *Le Mouvement Social*, juillet-septembre 1967, pp. 89-107, v. p. 97).

(2) Ministère des Affaires Étrangères, *Rapport présenté au Président de la République sur la situation de la Tunisie*, année 1907 ; cf. A. GAUDIANI et P. THIAUCOURT, *La Tunisie. Législation, gouvernement, administration*, Paris, 1910, p. 2.

(3) *Ibid.*, p. 2.

(4) E. VASSEL, « Les Juifs à l'intérieur de la Tunisie », dans *La Revue Indigène*, 1909 ; cf. R. ATTAL et Cl. SITBON, *Regards...*, pp. 291-295. Nous avons regroupé les effectifs des diverses localités par contrôles civils.

(5) Les nombres de naissances et de décès, au sein de la population tunisienne israélite de Tunis, nous ont été fournis par les publications officielles, *Statistique Générale de la Tunisie*, années 1913 sqq. ; cf. J. TAIEB, « Regards sur le Tunis juif de la "Belle Époque" (1895-1913) », dans *Les Nouveaux Cahiers*, printemps 1980, p. 42.

(6) Dans ce total, n'étaient pas compris les Juifs italiens qui étaient au nombre de 2 500 ; cf. R. ATTAL, « Autour de la dissension entre *Touansa* et *Grana* à Tunis », dans *Revue des Études Juives*, 1982/1, pp. 223-235.

(7) Autour de Tunis, s'étaient constitués des noyaux de peuplement juif à L'Ariana (153), La Goulette (888), La Marsa (324) et Hammam-Lif (57).

(8) E. VASSEL, *art. cit.* ; cf. R. ATTAL et Cl. SITBON, *op. cit.*, pp. 291 sqq.

(9) Sur cet essaimage des Juifs dans les territoires militaires de l'Extrême-Sud, cf. A. MARTEL, *Les confins saharo-tripolitains de la Tunisie (1881-1911)*, Paris, 1965, t. II, p. 93.

(10) P. LAPIE, *Les Civilisations tunisiennes. Musulmans, Israélites, Européens*, Paris, 1898, p. 53.

(11) *Ibid.*, p. 55.

(12) *La Tunisie. Agriculture, Industrie, Commerce*, Paris, 1900, t. I, pp. 335-337 ; P. EUDEL, *L'Orfèvrerie algérienne et tunisienne*, Alger, 1900, pp. 455-492.

(13) Ch. LALLEMAND, *Tunis et ses environs*, Paris, 1890, p. 171 ; cf. R. ATTAL, « Une guilde d'artisans-tailleurs juifs à Tunis au début du XXᵉ siècle » dans *Revue des Études Juives*, avril-décembre 1971, pp. 327-334.

(14) *La Tunisie...*, p. 320.

(15) *Ibid.*, p. 323.

(16) Cf. Dʳ BERTHOLON, « La population et les races en Tunisie », dans *La France en Tunisie, Revue Générale des Sciences pures et appliquées*, Paris, 1896, pp. 40-76 ; v. p. 76 : « Signalons, dans le nord-ouest, des groupes d'Israélites vivant sous la tente avec les indigènes dont ils portent le costume. Ces gens sont de préférence forgerons ».

(17) Ch. LALLEMAND, *op. cit.*, p. 130 ; cf. *La Tunisie...*, p. 340.

(18) Cf. *L'Univers Israélite*, 13 et 20 août 1909, pp. 687-693 et 722-725.

(19) Vers 1900, des Juifs se trouvaient à la tête d'entreprises industrielles : minoterie (Calò et Smadja) ; confiserie (De Paz) ; glacière (Disegni) ; huilerie (Galula) ; savonnerie (E. Lumbroso) ; briqueterie (Belaisch et Gozlan) ; manufacture de meubles (A. et E. Coen) ; imprimerie (Uzan et Castro).

(20) Dʳ BERTHOLON, *art. cit.*, p. 74.

(21) Ch. GENIAUX, « Le paupérisme juif. La Hara de Tunis », dans *L'Univers Israélite*, 1908, pp. 400-405, 464-467 et 492-496. Dans la *ḥâra* de Tunis, de nombreuses femmes tiraient leurs ressources du dévidage de la soie, et ce travail était passé en proverbe pour désigner une activité peu lucrative : « sanᶜathâ taḥawl al-ḥarîr : son métier est de dévider la soie » (E. VASSEL, *R. T.*, 1907, p. 51).

(22) E. Cohen-Hadria, op. cit., p. 98.

(23) N. Leven, Cinquante ans d'histoire. L'Alliance Israélite Universelle, Paris, 1911-1920, t. II, p. 113.

(24) Les effectifs des écoles de l'A. I. s'élevaient en 1914 à 3 401 élèves des deux sexes, dont 904 pour la première école de garçons de Tunis, 992 pour l'école de filles de Tunis, 1 064 pour la deuxième école de garçons de Tunis, 221 pour l'école mixte de Sousse et 220 pour l'école mixte de Sfax. (N. Leven, op. cit., t. II, pp. 115, 116, 118, 119).

(25) Ibid., pp. 116-117 ; cf. L'Univers Israélite du 13 et du 20 août 1909, pp. 687-693 et 722-725.

(26) N. Leven, op. cit., pp. 117-118 ; Cl. Hagege, op. cit., pp. 254-258. Sur cette expérience, cf. G. Weill, « Une tentative de colonisation de l'Alliance Israélite Universelle. La ferme-école de Djedeïda », Ve Colloque International Maghreb-Mashreq, Institut Ben-Zvi, Jérusalem, 1984.

(27) N. Leven, op. cit., p. 119. Sur les idées diffusées par les maîtres des écoles de l'Alliance Israélite, cf. A. Rodrigue, De l'Instruction à l'émancipation, Paris, 1989, pp. 73 sqq.

(28) Statistique Générale de la Tunisie, année 1913.

(29) Les Israélites tunisiens ayant réussi aux épreuves du baccalauréat ont été d'année en année plus nombreux.

(30) P. Lapie, op. cit., p. 30.

(31) En vertu des Conventions franco-italiennes du 28 septembre 1896, les Italiens de Tunisie ont pu continuer à avoir des écoles à la charge de l'État italien et dispensant un enseignement analogue à celui des écoles de la péninsule.

(32) Cf. J. Taieb, art. cit., pp. 43 sqq.

(33) P. Leroy-Beaulieu, L'Algérie et la Tunisie, Paris, 1897, p. 483.

(34) Les Juifs de nationalité italienne avaient donné l'exemple en traduisant ben (fils de) par di. D'où un jeu de mots dont les vieux Tunisois se souviennent encore. Comme parmi ceux qui portaient le nom patronymique Lumbroso, il y avait un homme richissime qui se prénommait Haï, on fit la distinction entre ceux qui lui étaient apparentés et ceux qui ne l'étaient pas : entre les Lumbroso di hai (« de tu as ») et les Lumbroso di non hai (« de tu n'as pas »).

(35) Sur les prénoms masculins et féminins d'origine hébraïque ou arabe en usage chez les Juifs de Tunisie, cf. D. Cohen, Le parler arabe des Juifs de Tunis, Paris - La Haye, 1964, p. 168.

(36) Sur le costume juif traditionnel, cf. Dr Bertholon, art. cit., pp. 75-76 ; E. Vassel, op. cit., dans Revue Tunisienne, 1905, p. 543, n. 3.

(37) Les pantalons collants furent souvent jugés indécents, voire provocants. A la fin du siècle dernier, un Juif éclairé allait jusqu'à dire qu'ils étaient « la honte du judaïsme tunisien » ; cf. R. Attal, « Deux rapports de Salomon Reinach... », dans Revue des Études Juives, janvier-juin 1979, pp. 117-126. Ils ne tardèrent pas à être généralement remplacés par des pantalons bouffants.

(38) Cf. G. Perpetua, Geografia della Reggenza di Tunisi, Turin, 1883, p. 173 : « Rari sono i facoltosi infra gli Israeliti che non si siano avvicinati al quartiere europeo ».

(39) Le Dr Bertholon note : « Actuellement les familles relativement aisées descendent dans les quartiers européens ». (art. cit., p. 76).

(40) Cf. E. Cohen-Hadria, art. cit., p. 93.

(41) Pour une « Livournaise », épouser un « Tunisien » était une « mésalliance » à moins qu'il ne fût instruit et fortuné. (E. Cohen-Hadria, art. cit., p. 96).

(42) Cf. E. Vassel, « Digression sur les superstitions tunisiennes », dans Revue Tunisienne, 1905, pp. 542-553.

(43) P. Lapie, op. cit., p. 201.

(44) Un Juif moderniste notait : « L'enthousiasme de la jeunesse pour l'instruction laïque, son amour des sciences positives, a bouleversé tout ce qu'une religion et des traditions ont répandu pendant des siècles parmi les Israélites tunisiens : rien

n'a résisté à ce courant des idées modernes ; les sentiments religieux mêmes de la vieille génération ont reçu une secousse sérieuse. » (M. SMAJA, *L'extension de la juridiction et de la nationalité françaises en Tunisie*, Tunis, 1905, p. 40).

(45) E. VASSEL, *La Littérature populaire des Israélites tunisiens*, dans *Revue Tunisienne* (1904-1907) et en volume séparé, Paris, 1908.

(46) Selon un inventaire dressé par R. Attal, quatre-vingt-trois périodiques en judéo-arabe ont vu le jour, de 1884 à 1914, qui eurent une vie plus ou moins longue ; cf. R. ATTAL, « Itounot yahudit be-Tunisia », dans *Kesher*, Tel-Aviv University, n° 5, mai 1989.

(47) P. LAPIE, *op. cit.*, p. 295.

(48) *Ibid.*, p. 287.

(49) *Ibid.*, p. 294.

(50) P. SOUMILLE, *Européens de Tunisie et Questions religieuses (1892-1901)*, Aix-en-Provence, 1975, pp. 188 sqq.

(51) *Ibid.*, pp. 190-193.

(52) *Ibid.*, pp. 193-198.

(53) *Ibid.*, pp. 198-201.

(54) *Ibid.*, pp. 202-203.

(55) *Ibid.*, p. 203.

(56) *Ibid.*, pp. 204-205.

(57) L. BLUM, *Souvenirs sur l'Affaire Dreyfus*, Paris, 1935, cité par RABI, *Anatomie du Judaïsme français*, Paris, 1962, pp. 75-76.

(58) P. SOUMILLE, *op. cit.*, pp. 210-211.

(59) E. VASSEL, *op. cit.*, dans *R. T.*, 1907, p. 369.

(60) On se souvient de la phrase de M. Barrès : « Que Dreyfus est capable de trahir, je le conclus de sa race ». (RABI, *op. cit.*, p. 75).

(61) M. SMAJA, *op. cit.*, p. 47.

(62) P.H.X. [P. D'ESTOURNELLES DE CONSTANT], *La politique française en Tunisie. Le protectorat et ses origines (1854-1891)*, Paris, 1891, p. 440, cité par M. SMAJA, *op. cit.*, p. 1.

(63) M. SMAJA, *op. cit.*

(64) Sur la personnalité de M. Smaja, cf. A. GOLDMANN, *Les Filles de Mardochée*, Paris, 1984, pp. 53-73 ; cf. V. ARROUAS, *Livre d'Or*, Tunis, 1932, p. 173.

(65) *Mémoire pour servir à l'extension de la justice française en Tunisie*, par les avocats du Barreau de Tunis, Tunis, 1898.

(66) M. SMAJA, *L'extension de la juridiction et de la nationalité françaises en Tunisie*, pp. 25-33.

(67) *Ibid.*, pp. 33-34, 41 et 49.

(68) Sur l'organisation du Tribunal rabbinique, cf. R. ARDITTI, *Recueil des textes législatifs et juridiques concernant les Israélites de Tunisie*, Tunis, 1915, pp. 143-153.

(69) Depuis longtemps déjà les juridictions françaises faisaient application du droit mosaïque aux Israélites tunisiens, protégés de la France ou d'une Puissance étrangère, en se référant à une traduction française du *Shulḥan ʿAroukh* de J. Caro.

(70) *Ibid.*, pp. 43-44 ; cf. N. SAMAMA, « De la naturalisation française des Israélites tunisiens », dans *Congrès de l'Afrique du Nord (Paris, 8 et 9 octobre 1908)*, Paris, 1909, t. II, pp. 356-377 ; v. pp. 356-357.

(71) Ils auraient pu seulement s'engager dans la Légion étrangère pour une durée qui ne pouvait être inférieure à cinq ans. (M. SMAJA, *op. cit.*, p. 44).

(72) *Ibid.*, pp. 43-51. Cette revendication est présentée sous des formes légèrement différentes. Tantôt, l'auteur demande que la naturalisation des Israélites tunisiens soit soumise aux mêmes conditions que la naturalisation des étrangers, aux termes du décret du 28 février 1899 (*op. cit.*, p. 52) ; tantôt que la réglementation de la naturalisation fasse l'objet d'une réforme de manière à permettre aux Israélites tunisiens d'accéder à la nationalité française. (*op. cit.*, p. 47).

(73) Cette question a fait l'objet d'une étude d'ensemble bien informée : A. MAA-REK, *Le problème des revendications des Israélites tunisiens, du début du Protectorat au décret du 3 octobre 1910*, Maîtrise d'histoire, Paris, 1970.

(74) *Journal Officiel Tunisien* du 12 août 1905. (A. MAAREK, *op. cit.*, p. 67 ; cf. N. SAMAMA, *art. cit.*, p. 364).

(75) A. MAAREK, *op. cit.*, p. 67 ; cf. N. SAMAMA, *art. cit.*, p. 364 ; *Pour la Justice*, pp. 58-64.

(76) A. MAAREK, *op. cit.*, p. 68 ; cf. N. SAMAMA, *art. cit.*, p. 364, note ; Cl. LIAUZU et P. SOUMILLE, « La Gauche française en Tunisie au printemps 1906 », dans *Le Mouvement social*, janvier-mars 1974, pp. 75-76.

(77) *Le Courrier de Tunisie*, 2 mars 1905 ; cf. A. MAAREK, *op. cit.*, pp. 63-64.

(78) A. MAAREK, *op. cit.*, pp. 69-70.

(79) *Ibid.*, p. 80 ; cf. N. SAMAMA, *art. cit.*, pp. 360-361, en note.

(80) Ces articles devaient être réunis en brochure : H. GUELLATY, *La Justice tunisienne*, suivie de A. ZAOUCHE, *Les Israélites et la Justice*, et A. BACH-HAMBA, *Les Israélites tunisiens*, Tunis, 1909.

(81) *Congrès de l'Afrique du Nord (Paris, 8 et 9 octobre 1908)*, Paris, 1909 : « La Justice tunisienne », pp. 329-345 ; « Extension de la nationalité française aux Tunisiens », pp. 374-377.

(82) *Ibid.*, « La Justice en Tunisie », pp. 291-328.

(83) *Ibid.*, p. 83.

(84) *Ibid.*, pp. 85-86.

(85) *Ibid.*, p. 83.

(86) *Ibid.*, pp. 82-83 ; cf. *Pour la Justice*, pp. 82-84.

(87) *La Dépêche Tunisienne*, du 10 octobre 1908 ; cf. A. MAAREK, *op. cit.*, p. 113.

(88) Les discours prononcés au meeting de l'Hippodrome ont été réunis en brochure sous le titre *Pour la Justice*, Tunis, 1909.

(89) *Ibid.*, p. 41.

(90) P.V. de la Conférence consultative, année 1909 ; cf. A. MAAREK, *op. cit.*, pp. 193-203 ; Ch. KHAIRALLAH, *Le mouvement évolutionniste tunisien*, Tunis, 1934-1938, t. III, pp. 13-18.

(91) A. MAAREK, *op. cit.*, pp. 205-211 ; cf. Ch. KHAIRALLAH, *op. cit.*, pp. 18-22.

(92) H. LAGRANGE et H. FONTANA, *Codes et Lois de la Tunisie*, Paris, 1912, pp. 667-669 ; cf. CAVE, *Sur les traces de Rodd-Balek*, Paris, 1927, pp. 129-144.

(93) Avant la promulgation du décret du 3 octobre 1910, une loi française du 13 avril 1910, dite Loi Messimy, avait permis aux sujets tunisiens de contracter des engagements volontaires de trois, quatre ou cinq ans dans les corps français de l'armée métropolitaine et coloniale, stationnés en France (cf. CAVE, *op. cit.*, pp. 133-134). Il était dès lors possible aux Israélites tunisiens de s'engager dans l'armée française.

(94) Il s'agissait, pour la plupart, de Tunisiens israélites ayant épousé une femme de confession israélite et de nationalité française, originaire d'Algérie.

(95) *Statistique Générale de la Tunisie*, année 1913 sqq.

(96) L'organisation du culte israélite en France comprenait des consistoires départementaux et un consistoire central. Chaque consistoire départemental, composé d'un grand rabbin et de quatre membres laïques, choisis parmi les notables, administrait les temples, les établissements d'enseignement et les associations pieuses, et délivrait aux rabbins des diplômes du premier degré. Le consistoire central, siégeant à Paris, veillait aux intérêts généraux du culte israélite, délivrant aux rabbins les diplômes du second degré et donnait son avis sur la nomination des rabbins départementaux. Cette organisation du culte israélite a été étendue à l'Algérie par une ordonnance en date du 9 novembre 1845. (cf. J. HANOUNE, *Aperçu sur les Israélites algériens et sur la communauté d'Alger*, Alger, 1922, pp. 45-47).

(97) Sur tout ceci, nous suivons l'ouvrage de Cl. Hagège.

(98) Cl. HAGÈGE, *op. cit.*, pp. 185-198.

(99) R. Arditti, *Recueil...*, pp. 5-10. — Le décret du 13 juillet 1888, organisant la Caisse de secours et de bienfaisance de Tunis, a été précédé d'un décret du 5 juillet 1888 organisant dans un quartier des abattoirs municipaux un abattoir rituel israélite, avec le concours de préposés, *shoḥeṭim*, nommés par le grand rabbin, et réglementant la perception de deux taxes sur la viande *kasher*, l'une destinée à la Caisse de secours, et l'autre à L'Alliance Israélite. (*Ibid.*, pp. 54-59). Il a été suivi d'un décret du 21 mai 1889, créant une taxe sur les pains azymes destinés à la célébration de la Pâque (*Ibid.*, pp. 93-94).

(100) On se souvient qu'aux termes du décret du 13 septembre 1876, les ressources dont disposait la communauté israélite servaient à entretenir les édifices réservés au culte et à rémunérer les rabbins, et que seul le surplus était distribué aux pauvres. (*Ibid.*, pp. 5-6).

(101) R. Attal, « Autour de la dissension... », *art. cit.*, pp. 223-225 ; I. Avrahami, « La Communauté livournaise de Tunis, d'après son mémorial », dans *Le Judaïsme d'Afrique du Nord aux XIXᵉ-XXᵉ siècles*, Institut Ben-Zvi, Jérusalem, 1980, pp. 64-95 (en hébreu). Au lendemain du Protectorat, l'usage s'implanta d'appeler « portugais » ce que l'on avait jusque-là appelé « livournais ». Le terme « portugais » présentait l'avantage de rappeler la lointaine origine de ceux qui ne faisaient pas partie de la communauté « tunisienne » ; d'être plus exact, parce que plus compréhensif, dès lors que tous les Juifs « venus des pays chrétiens » n'étaient pas passés par Livourne ; mais surtout de ne pas affirmer, l'« italianité » de tous les membres d'une communauté dont faisaient partie, non seulement des Italiens, mais aussi des Tunisiens et des Français. A une époque où la rivalité franco-italienne était toujours vive, cette dernière considération a sans doute été décisive.

(102) On trouve dans les annuaires et les indicateurs publiés depuis la fin du siècle dernier une liste complète des notables appelés à faire partie du Comité d'administration de la *Caisse de secours et de bienfaisance de Tunis*. Ceux qui ont été portés à sa présidence sont : Micael de Haï Uzan (1888), R. Eliaou Borgel (1889), Isaac d'Elie Nataf (1889), R. Abraham Borgel (1899), Isaac d'Elie Nataf (1899), David Cohen-Solal (1902), R. Abraham Castro (1905), Isaac d'Elie Nataf (1907), Eugène Bessis (1909), R. Moshé Koskas (1911), Léon Ghez (1913).

(103) Décrets du 11 juin 1899 et du 24 mai 1913. (Cf. R. Arditti, *op. cit.*, pp. 11-19).

(104) Un extrait de cette consultation de Z. Kahn, en date du 9 octobre 1895, a été publié dans R. Darmon, *La situation des cultes en Tunisie*, Paris, 1930, p. 74, n. 1).

(105) R. Arditti, *op. cit.*, p. 112.

(106) Les médecins qui apportèrent leur concours au fonctionnement de l'Hôpital israélite étaient, pour la plupart, des « Livournais » de nationalité italienne, qui avaient fait leurs études de médecine dans les facultés de Rome, Florence ou Turin : G. Bensasson, M. Cardoso, E. Cassuto, G. Funaro, G. Levi, E. Molco, L. Morpurgo, C. Ortona, L. Santillana. Le seul Juif de nationalité française était A. Cattan.

(107) J.B. Curtelin et P. Chabert, *La Municipalité de Tunis à l'Exposition de Gand*, Tunis, 1914, pp. 95-97.

(108) Tous les décrets organisant les caisses de secours et de bienfaisance des communautés de l'Intérieur ont été rassemblés dans R. Arditti, *op. cit.*, pp. 21-43, 65-91 et 93-94. La caisse de Moknine a été créée par le d. b. du 30 mai 1913.

(109) *Ibid.*, v. à l'index : « grand rabbin », avec renvoi à tous les textes réglementaires ; cf. A. Gaudiani et P. Thiaucourt, *op. cit.*, p. 53 ; R. Darmon, *op. cit.*, pp. 76-82.

(110) Au lendemain du Protectorat, les grands rabbins en fonction furent successivement : pour la communauté « tunisienne » : Nathan Benattar (1880-1885), Eliaou Borgel (1885-1898), et pour la communauté « livournaise » : Abraham Finzi (1879-1888) et Isaac Tapia (1888-1894). Après la mort de ce dernier, il n'y eut plus qu'un seul grand rabbin, appartenant à la communauté « tunisienne », mais dont l'autorité s'exerçait sur les Israélites des deux rites. A Eliaou Borgel succédèrent : Mardochée Smaja

177

(1898-1900), Moshé Berrebi (1900-1902), Eliaou Zerah (1902-1917), Israël Zeïtoun (1917-1921).

(111) A. Valensi appartenait à une vieille famille israélite, de nationalité française. Il avait fait des études de droit à Montpellier, où il avait obtenu le titre de docteur en droit, avec une thèse sur l'application de la loi du divorce en France. (Cf. P. LAMBERT, *Dictionnaire illustré de la Tunisie*, Tunis, 1912, pp. 418-419). La première édition de son étude *Le Sionisme* a fait l'objet d'une recension (*Revue Tunisienne*, 1907, pp. 587-588). Sa traduction en judéo-arabe a été signalée par E. Vassel (*Revue Tunisienne*, 1907, p. 426).

(112) A. VALENSI, *Le Sionisme*, 2e éd., Tunis, 1913.

(113) Nous avons emprunté ces précisions à une correspondance de Tunis, parue dans la revue publiée à Paris, *L'Écho Sioniste*, janvier 1914, p. 16. Cette correspondance, signée des initiales *A.V.*, émanait, à coup sûr, d'Alfred Valensi.

(114) Cf. R. ATTAL, *Périodiques...*, n° 52.

(115) La Tunisie fut représentée au Xe Congrès Sioniste qui se tint à Bâle en 1911 par le rabbin « livournais », Yacov Boccara. (Cf. Sh. BARAD, *Le mouvement sioniste en Tunisie*, Efal, 1980, p. 11.

(116) En vertu du décret du 12 janvier 1892, un contingent annuel est prélevé, chaque année, par tirage au sort, sur une liste comprenant tous les jeunes Tunisiens âgés de plus de dix-huit ans. Cependant, ne prennent pas part au tirage au sort les jeunes gens ayant obtenu le certificat d'études primaires, ou qui justifient d'une connaissance suffisante de la langue arabe, ou qui exercent une charge dans l'administration du pays. De plus, aux termes d'un décret du 5 novembre 1902, tout jeune soldat désigné par le sort peut se libérer du service militaire en versant dans les caisses du Trésor une certaine somme, dite « prix de remplacement ». (Cf. H. LAGRANGE et H. FONTANA, *op. cit.*, t. I, pp. 167-171 et 365-367). Ainsi, les obligations militaires pesaient exclusivement sur les éléments les plus pauvres de la population tunisienne musulmane.

(117) Leur nombre fut de 99 en 1914, 39 en 1915, 25 en 1916, 6 en 1917 et 2 en 1918. D'après un document conservé dans les Archives du Quai d'Orsay.

(118) C. BENATTAR, « Les colonies israélites de Tunisie », dans Ch.-R. DESSORT, *Histoire de la ville de Tunis*, Alger, 1924, pp. 122-151 ; v. p. 150 ; cf. Cl. HAGÈGE, *op. cit.*, pp. 288-290. Dans une lettre au Résident général, en date du 17 novembre 1918, un certain nombre de personnalités juives, de nationalité française et de nationalité tunisienne, demandèrent que les auteurs de violences fussent sévèrement punis, et leurs victimes, indemnisées. (Cf. Sh. BARAD, *op. cit.*, pp. 100-101).

(119) *Ibid.*, p. 290.

(120) H. LAGRANGE et H. FONTANA, *op. cit.*, t. II, pp. 250-251.

(121) C. BENATTAR, *op. cit.*, p. 150 ; Cl. HAGÈGE, *op. cit.*, p. 291.

CHAPITRE VIII

L'ENTRE-DEUX-GUERRES

La fin de la guerre fut suivie d'une expansion de la production et des échanges. Le pays connut des années de prospérité au cours desquelles la bourgeoisie juive vit ses entreprises se développer et ses profits s'accroître. La crise de 1929 mit fin, en Tunisie comme dans les autres pays du monde, à l'euphorie des années folles. Après des années de marasme qui entraînèrent de retentissantes faillites dans tous les secteurs de l'économie, la reprise fut lente et ne permit, ni à la production, ni aux échanges, de retrouver l'ampleur qui avait été la leur avant la crise. Il n'en reste pas moins que, pour l'ensemble de la population juive, l'entre-deux-guerres fut marqué par de multiples progrès. A la faveur d'une élévation du niveau de vie et d'une meilleure organisation sanitaire, on enregistra une diminution de la mortalité qui permit une forte croissance démographique. La généralisation de l'instruction favorisa la pratique de nouvelles professions, le développement des classes moyennes et une incontestable promotion sociale de la population juive. Aussi bien, elle entraîna, dans des couches de plus en plus larges, l'adoption du français comme langue, l'accès à la culture moderne et l'occidentalisation des mœurs. La minorité juive se vit accorder de nouveaux droits. C'est d'un conseil élu au suffrage universel à deux degrés que releva désormais la gestion des affaires de culte et d'assistance au sein de la communauté de la capitale. En même temps, les Juifs tunisiens étaient associés à la gestion des affaires du pays, en ayant leurs représentants dans toutes les assemblées consultatives du Protectorat. Enfin, à la faveur d'une réforme des conditions d'accès à la nationalité française, il leur fut plus facile de devenir français par voie de naturalisation individuelle. Ce sont ces multiples mutations que nous allons nous efforcer d'examiner, en commençant par l'extension de la nationalité française.

1. L'extension de la nationalité française

Peu de temps après la fin de la guerre, une nouvelle réglementation de la naturalisation française permit aux Israélites tunisiens d'accéder plus largement à la nationalité française.

Cette nouvelle réglementation fut adoptée pour faire front à ce que l'on appela alors le « péril italien ». Malgré tous les efforts déployés par le gouvernement français et l'administration du Protectorat pour favoriser le peuplement français, on ne comptait encore qu'un petit nombre de Français établis dans le pays. Lors du dénombrement de la population européenne de 1911, les Français représentaient un tiers de la population européenne — 46 044 sur un total de 148 476 — et ils étaient moins nombreux que les Italiens : 46 044 contre 88 082. Dix ans après, il n'en était pas autrement, puisque lors du dénombrement de la population de 1921, les Français représentaient un peu plus du tiers des Européens — 54 476 sur un total de 156 115, mais étaient toujours moins nombreux que les Italiens : 54 476 contre 84 799.

On ne pouvait pas escompter que la situation se modifierait à bref délai. En vertu des conventions franco-italiennes du 28 septembre 1896, les Italiens de Tunisie conservaient indéfiniment, de père en fils, leur nationalité italienne. De plus, leur nombre ne cessait de s'accroître en raison d'un fort excédent des naissances par rapport aux décès, et de l'arrivée continuelle de nouveaux immigrants. En revanche, le nombre des Français ne pouvait augmenter rapidement par accroissement naturel, vu le faible excédent des naissances sur les décès, et il était difficile que la population française de la Métropole, après la grave saignée qu'elle avait subie pendant la Grande Guerre, pût assumer un effort de peuplement des territoires d'outre-mer. La supériorité numérique des Italiens par rapport aux Français était d'autant plus fâcheuse que l'Italie fasciste de Mussolini en tirait argument pour justifier ses prétentions sur la Tunisie. Il apparut alors qu'il n'était d'autre manière de conjurer le « péril italien » que de favoriser l'acquisition de la nationalité française, tant par les Étrangers que par les Tunisiens (1). C'est ce que fit la loi française du 20 décembre 1923.

En vertu de cette loi, sont désormais de nationalité française tous les individus nés en Tunisie de parents étrangers, dont l'un est lui-même né en Tunisie, à moins qu'ils ne déclinent la qualité de français dans l'année suivant leur majorité. Mais ils n'en ont pas le pouvoir, s'ils sont nés en Tunisie de parents nés en Tunisie, ayant décliné la qualité de français. Ainsi, les individus, nés en Tunisie de parents étrangers, sont étrangers à la première génération ; français avec faculté de décliner la qualité de français à la deuxième génération ; français de droit à la troisième génération (2).

Ces dispositions n'étaient pas applicables aux individus nés en Tunisie de parents italiens, puisque les conventions du 28 septembre 1896 avaient accordé aux Italiens la possibilité de conserver indéfiniment, de père en fils, leur nationalité d'origine. Mais elles s'appliquaient aux individus nés en Tunisie de parents étrangers de toute autre nationalité. Elles assurèrent la naturalisation automatique de nombreux individus nés en Tunisie, de parents maltais, grecs ou espagnols.

En même temps qu'elle instituait la naturalisation automatique des individus nés en Tunisie de parents étrangers, eux-mêmes nés en Tunisie, la loi française du 20 décembre 1923 édicta, pour l'acquisition de la nationalité française par voie de naturalisation individuelle, des dispositions plus libérales que celles qui avaient été retenues par le décret présidentiel du 3 octobre 1910 (3).

Il y a peu de changements en ce qui concerne les conditions auxquelles est soumise la naturalisation des étrangers : « Peuvent être naturalisés après l'âge de vingt et un ans accomplis, les étrangers qui justifient de trois années continues de résidence, soit en Tunisie, soit en France, soit en Algérie, soit dans les colonies ou les pays de protectorat français, et en dernier lieu en Tunisie. Ce délai est réduit à une année en faveur de ceux qui ont rendu à la France des services exceptionnels ». *(art. 3)* En revanche, des modifications notables sont apportées en ce qui concerne les conditions auxquelles est soumise la naturalisation des Tunisiens.

Désormais, les Tunisiens de confession israélite ou musulmane peuvent être naturalisés après l'âge de vingt et un ans accomplis, s'ils remplissent l'une des conditions suivantes :

a) Avoir été admis à contracter, et avoir accompli, un engagement volontaire dans les armées de terre et de mer, suivant les conditions prévues par la loi du 13 avril 1910.

b) Avoir obtenu l'un des diplômes que la loi énumère, parmi lesquels figurent le baccalauréat d'études secondaires, le diplôme de fin d'études de l'École professionnelle Émile Loubet et le diplôme de l'École Normale d'Instituteurs.

c) Avoir épousé, soit une Française, soit une étrangère justiciable des tribunaux français du Protectorat, en cas d'existence d'enfants issus de ce mariage, et pourvu que celui-ci n'ait pas été dissous par la répudiation.

d) Avoir rendu à la France des services « importants » : sous l'empire de la législation précédente, il fallait avoir rendu des services « exceptionnels » *(art. 4)*.

Alors que les étrangers, pour pouvoir être naturalisés, doivent seulement justifier de trois ans de résidence continue en Tunisie, les Tunisiens, pour obtenir leur naturalisation, doivent remplir l'une des quatre conditions fixées par la loi. La naturalisation des Juifs tunisiens est cependant bien plus aisée qu'elle ne l'était aux termes du décret du 3 octobre 1910 (4).

a) Il n'est plus nécessaire d'être titulaire d'un diplôme de l'enseignement supérieur, tel que licence ès sciences, licence ès lettres, doctorat en droit, doctorat en médecine ; il suffit d'avoir un baccalauréat d'études secondaires ou un diplôme du même ordre. La naturalisation française cesse d'être réservée à une intelligentsia titrée pour s'étendre à tous ceux qui ont pu faire des études secondaires.

b) Au mariage avec une Française est assimilé le mariage avec une étrangère justiciable des tribunaux français. Ainsi, la voie de la naturalisation française était ouverte, non seulement au Juif tunisien qui avait épousé une Juive d'Algérie, de nationalité française, mais encore au Juif tunisien qui avait épousé une Juive de nationalité italienne, puisqu'elle était, depuis la suppression des juridictions consulaires, justiciable des tribunaux français.

La loi du 20 décembre 1923 règle la situation de la femme et des enfants du naturalisé. En vertu de l'art. 5 : « La femme majeure ou mineure, mariée à un étranger ou à un sujet tunisien qui se fait naturaliser français, et les enfants majeurs de l'étranger ou du sujet tunisien naturalisé peuvent, s'ils le demandent, obtenir la qualité de Français, sans autres conditions, par le décret qui confère cette qualité au mari, au père ou à la mère ». En vertu de l'art. 6 : « Deviennent français les enfants mineurs d'un père ou d'une mère survivante, étrangers ou tunisiens, qui se font naturaliser français ». Ainsi, un seul et même décret peut suffire à réaliser la naturalisation groupée de toute une famille.

L'adoption d'une nouvelle réglementation de la naturalisation française en Tunisie fut suivie d'un fort accroissement du nombre de naturalisations d'étrangers et de Tunisiens, et entre autres du nombre de naturalisations de Tunisiens israélites. Mais, après une flambée spectaculaire, les naturalisations de Tunisiens israélites se firent moins nombreuses, pour se réduire à deux ou trois dizaines par an :

Naturalisations d'Israélites tunisiens (1922-1939)

1922 =	29	1928 =	780	1934 =	99
1923 =	30	1929 =	747	1935 =	23
1924 =	276	1930 =	397	1936 =	7
1925 =	872	1931 =	388	1937 =	26
1926 =	1 222	1932 =	456	1938 =	25
1927 =	976	1933 =	346	1939 =	27 (5)

De fait, les Israélites tunisiens ont mis moins d'empressement à demander leur naturalisation, et le gouvernement français a fait plus de difficultés à la leur accorder. On ne saurait douter que les Israélites tunisiens aient mis moins d'empressement à demander leur naturalisation. C'était sans doute là l'effet des courants de pensée que l'on pouvait noter alors au sein de la population juive : traditionalisme, sionisme, communisme. Les traditionalistes combattaient la naturalisation parce qu'elle signifiait l'abandon du statut personnel mosaïque et l'adoption du statut personnel défini par le code civil français, et qu'elle leur paraissait devoir accélérer la déjudaïsation de la population juive. Les sionistes la combattaient parce que, pour eux, les Juifs, au lieu de se fondre dans une nation, quelle qu'elle fût, devaient s'employer à la création d'un État juif. Les communistes la combattaient parce que, pour eux, les Tunisiens israélites devaient lier leur sort à celui des Tunisiens musulmans et mettre leurs espoirs dans la promotion de la nation tunisienne. On peut aussi penser que les Israélites tunisiens ont été moins désireux de devenir français parce que, pour la plupart, ils s'accommodaient de leur condition juridique dans la Tunisie de l'entre-deux-guerres (6).

Quant au Gouvernement français, il fit plus de difficultés à accorder la naturalisation française aux Israélites tunisiens qui la demandaient, pour un ensemble de raisons qu'il faut démêler. Les naturalisations d'Italiens étaient alors freinées par l'action engagée par l'Italie fasciste pour combattre la naturalisation française de ses ressortissants. Les naturalisations de Tunisiens musulmans étaient arrêtées par l'action engagée par les nationalistes tunisiens qui assimilaient le changement de nationalité à une apostasie. Dans ce contexte, il dut paraître inopportun de multiplier les naturalisations des seuls Israélites tunisiens. De plus, on estima qu'il était moins urgent de poursuivre à vive allure une politique de francisation des étrangers et des Tunisiens. Lors du dénombrement de la population de 1931, la population française de Tunisie, grossie et par la naturalisation automatique et par la naturalisation volontaire, était aussi nombreuse que la population italienne : 91 427 âmes contre 91 178. Le « péril italien » se faisant moins menaçant, il ne s'agissait plus d'accroître le nombre des Français en multipliant les naturalisations. On peut donc dire que les naturalisations d'Israélites tunisiens se sont faites moins nombreuses parce qu'elles ont paru moins souhaitables, et à ceux qui devaient les demander, et à ceux qui devaient les accorder (7).

Il n'en reste pas moins que dans l'entre-deux-guerres, par le jeu des nouvelles dispositions de la loi française du 20 décembre 1923, nombreux furent les Israélites tunisiens qui acquirent la nationalité française. Sur un total de 28 879 naturalisations accordées de 1924 à 1939, 6 667 l'ont été à des Israélites tunisiens. Ce nombre comprend tous les hommes adultes dont la demande a été satisfaite, ainsi que leurs épouses et leurs enfants mineurs qui ont en même temps, et par le même décret, obtenu leur naturalisation. Il faut y ajouter les enfants nés français après la naturalisation de leurs parents, pour mesurer exactement l'importance des personnes d'origine juive qui ont grossi les effectifs de la population française de Tunisie. L'ampleur des naturalisations ne doit pas être perdue de vue, si l'on veut se faire une idée exacte de la croissance de la population juive au lendemain de la Première Guerre mondiale.

2. Croissance démographique et structure sociale

C'est au lendemain de la guerre de 1914-1918 que l'on a commencé à disposer de données chiffrées sur tous les éléments de la population du pays. Des dénombrements effectués tous les cinq ans ont permis d'établir les effectifs de la population tunisienne comme ceux de la population européenne *(Tableau I)*.

Tableau I
Population de la Tunisie (1921-1936)

Années	Tunisiens		M.N.T.	Européens			Ensemble
	T.M.	T.I.		F.	I.	A.E.	
1921	1 826 545	48 436	62 843	54 476	84 799	16 840	2 093 939
1926	1 864 908	54 243	67 276	71 020	89 216	13 045	2 159 708
1931	2 086 762	56 248	72 389	91 427	91 178	12 688	2 410 692
1936	2 265 750	59 485	69 873	108 168	94 289	10 848	2 608 313

T.M. = Tunisiens musulmans ; T.I. = Tunisiens israélites ; M.N.T. = Musulmans non tunisiens ; F. = Français ; I. = Italiens ; A.E. = Autres étrangers.

D'un dénombrement à l'autre, la population tunisienne israélite s'accroît (8). En passant de 48 436 en 1921 à 59 485 en 1936, elle accuse une augmentation de 22,8 % en quinze ans, ce qui correspond à un accroissement annuel moyen de 1,4 %.

C'est un accroissement du même ordre qui ressort des données dont nous diposons sur les naissances et les décès de la population israélite, et à partir desquelles on peut calculer, sur la base de moyennes quinquennales : taux de natalité, taux de mortalité et taux d'accroissement *(Tableau II)*.

D'une quinquennie à l'autre, le taux de natalité, à la faveur d'un plus large accès à l'instruction et du changement des mentalités qui s'ensuit, accuse une diminution sensible. Mais le taux de mortalité, lui aussi, diminue grâce à une meilleure prophylaxie des maladies et à une assistance médicale plus efficace. Ainsi le taux d'accroissement annuel est-il proche de 1,5 %.

Tableau II
Natalité, mortalité, accroissement (1919-1936)

Années	Naissances		Décès		Accroissement	
	Nb	%₀	Nb	%₀	Nb	%₀
1919-1923	1 807	37,3	1 060	21,9	747	15,4
1924-1928	1 808	33,3	1 074	19,8	734	13,5
1929-1933	1 857	33,0	1 012	18,0	845	15,0
1934-1938	1 795	30,2	1 015	17,1	780	13,1 (9)

L'accroissement de la population juive a été en réalité plus fort qu'il ne ressort de la comparaison des effectifs comptabilisés lors des dénombrements successifs. On ne saurait oublier que dans l'entre-deux-guerres, à la faveur des dispositions de la loi française du 20 décembre 1923, de nombreux Tunisiens israélites ont acquis la nationalité française : 6 648, de 1921 à 1936 (10). Si l'on rapporte les effectifs de 1921, soit 48 436, aux effectifs de 1936 majorés du nombre de naturalisés, soit 59 485 + 6 648 = 66 133, il ressort que la croissance réelle est de 36,5 % en quinze ans, ce qui correspond à une croissance annuelle de plus de 2 %. C'est cette croissance, plus forte qu'elle ne le semble à première vue, qui explique le dynamisme dont fait preuve la population juive de l'entre-deux-guerres (11).

Les dénombrements successifs donnent la répartition de la population juive entre les diverses circonscriptions administratives du pays (Tableau III).

Les Tunisiens israélites constituent une population essentiellement urbaine. Ceux qui vivent dans les centres érigés en commune sont au nombre de : 47 218 (97,5 %) en 1921 ; 52 885 (97,5 %) en 1926 ; 54 765 (97,4 %) en 1931 ; et 57 866 (97,3 %) en 1936. Ceux qui vivent dans des communes de plus de 5 000 habitants sont au nombre de : 41 172 (85 %) en 1921 ; 46 114 (86,9 %) en 1926 ; 47 945 (85,2 %) en 1931 ; et 50 750 (85,3 %) en 1936. Ceux qui vivent dans des communes de plus de 10 000 habitants sont au nombre de : 37 717 (75,8 %) en 1921 ; 42 035 (77,5 %) en 1926 ; 42 889 (76,2 %) en 1931 ; et 46 292 (77,8 %) en 1936.

La population tunisienne israélite est fortement groupée dans Tunis et sa banlieue (13). Elle a tendance à s'y concentrer (Tableau IV).

Les effectifs de la ville-capitale, rapportés à ceux du pays tout entier représentent : 46,7 % en 1921 ; 51,8 % en 1926 ; 52,4 % en 1931 ; et 54,3 % en 1936.

En dehors de l'agglomération tunisoise, les centres érigés en commune comptant une population tunisienne israélite de plus de cent personnes sont : Bizerte, Nabeul, Sousse, Sfax, Gabès, Djerba *(plus de 1 000)* ; Béja, Le Kef, Moknine, Gafsa, Foum-Tatahouine, Médenine *(de 500 à 1 000)* ; Mateur, Souk el-Arba, Kairouan, Mahdia, El-Hamma, Zarzis, Ben Gardane *(de 200 à 500)* ; Ferryville, Ebba-Ksour, Menzel-bou-Zelfa, Soliman, Monastir, Sbeïtla, Hadjeb el-Aïoun, Nefta, Tozeur *(de 100 à 200)*.

Tableau III
Population tunisienne israélite par contrôles civils
(1921-1936)

Contrôles civils	1921	1926	1931	1936
Béja	1 149	1 035	989	998
Bizerte	2 138	1 907	1 771	1 881
Djerba	3 800	3 832	4 128	4 109
Gabès	2 991	2 849	2 954	3 061
Gafsa	821	835	816	811
Grombalia	1 912	2 104	2 119	2 235
Kairouan	306	386	376	348
Le Kef	929	990	1 087	993
Maktar	75	113	107	120
Medjez-el-Bab	104	150	141	162
Sfax	3 500	3 385	3 187	3 579
Souk el-Arba	367	359	333	317
Sousse	4 801	5 000	5 053	4 990
Tabarka	46	30	31	20
Teboursouk	58	222	273	288
Thala	178	64	72	47
Tozeur	327	267	347	316
Tunis	22 680	28 143	29 468	32 384
Zaghouan	15	10	7	17
Territoires du Sud	2 239	2 562	2 989	2 809
TOTAL	48 436	54 243	56 248	59 485
Indice	1 000	1 119	1 161	1 228 (12)

Tableau IV
Population de Tunis et de sa banlieue (1921-1936)

Années	1921	1926	1931	1936
Tunis	19 029	24 131	25 399	27 345
Banlieue	3 618	3 971	4 048	4 961
Total	22 647	28 102	29 447	32 306

Les dénombrements de l'entre-deux guerres apportent les premières informations chiffrées sur la répartition de la population active *(Tableau V)*.

Tableau V
Population active tunisienne israélite (1921-1936)

Activités	1921		1926		1931		1936	
	Nb	%	Nb	%	Nb	%	Nb	%
Agriculteurs	105	0,8	56	0,4	108	0,7	47	0,3
Commerçants	6 150	46,2	7 256	51,7	6 919	46,1	5 181	32,5
Industriels	3 775	28,4	2 913	20,8	4 075	27,2	4 234	26,6
Agts transports	185	1,4	235	1,7	330	2,2	323	2,0
Journaliers	1 079	8,1	2 045	14,6	1 669	11,1	3 114	19,6
Empl. administ.	195	1,5	48	0,3	33	0,2	90	0,6
Prof. libérales	1 096	8,2	921	6,6	1 273	8,5	2 015	12,6
Non classés	718	5,4	559	3,9	601	4,0	924	5,8
Total	13 303	100	14 033	100	15 008	100	15 928	100 (14)

Ces données chiffrées ne nous fournissent qu'une approximation grossière de la répartition de la population active. Si elles nous permettent d'entrevoir sa répartition par secteurs d'activité, elles nous laissent dans l'ignorance de sa répartition en fonction de la branche d'activité et de la situation dans la profession. Mais nous nous efforcerons, par une approche qualitative, de serrer de plus près le rôle de la population tunisienne israélite dans l'économie du pays et d'en analyser la structure sociale.

a) Les Juifs sont nombreux à se livrer au commerce, et ils y occupent des positions de plus en plus fortes au fil des années. Ils jouent un rôle de premier plan dans le commerce et l'exportation des céréales, des huiles, des peaux et des laines. Ils importent et répartissent à travers le pays textiles, denrées coloniales, métaux et machines. Ils sont nombreux à assurer la représentation des grandes firmes françaises et étrangères de voitures automobiles, appareils électroménagers, phonographes et appareils de radio, dont l'usage se répand alors parmi tous les éléments de la population. Ils continuent d'exercer une grande variété de commerces de détail. Dans les médinas des grandes villes, ils proposent à la consommation tous les produits de l'industrie européenne qui supplantent peu à peu les produits de l'artisanat traditionnel. Dans les villes modernes, qui prennent dans l'entre-deux-guerres de nouveaux développements, ils multiplient les magasins à l'instar de Paris et des grandes villes de la Métropole, où l'on trouve tous les articles répondant aux besoins de la population européenne et de la population tunisienne qui en a adopté le mode de vie : nouveautés, mercerie, chemiserie, pelleterie, chaussures, quincaillerie, faïences et cristallerie, orfèvrerie et joaillerie. A ceux qui sont à la tête de maisons de commerce et de magasins, il faut ajouter leurs nombreux employés : vendeurs, caissiers et comptables, qui, eux aussi, sont juifs dans une très forte proportion. Comme par le passé, ils jouent un grand rôle dans le crédit. Il n'y a plus sur la place des grandes villes de banques privées, mais dans les bourgades de l'Intérieur, des négociants prêtent encore de l'argent aux fellahs, en exigeant d'eux des intérêts d'autant plus élevés qu'ils courent de plus grands risques (15). Cependant, le crédit relève surtout d'un petit nombre d'établissements de crédit qui sont des succursales ou des filiales des grandes banques de la Métropole, et leur personnel, recruté sur place, compte une forte proportion d'employés juifs. Enfin, les diverses formes d'assurances se développent, et l'on rencontre de nombreux Juifs à la direction d'agences de compagnies françaises ou étrangères.

b) Les Juifs participent aux activités productives. Ceux qui sont classés sous la rubrique « industriels » comprennent des catégories socioprofessionnelles fort différentes qu'il convient de distinguer :

— Les uns exercent leur activité dans l'une des branches de l'artisanat traditionnel, localisées dans le quartier des souks. Comme par le passé, on en rencontre qui exercent les métiers d'orfèvre, de tailleur-brodeur, de cordonnier, de ferblantier. Ils sont de plus en plus nombreux à se livrer à la ciselure sur cuivre, qui a pris un grand développement dans l'entre-deux-guerres sous l'influence d'habiles artisans venus de Syrie, qui ont introduit dans le pays cette nouvelle industrie d'art.

— D'autres exercent les nouveaux métiers qui ont commencé à s'implanter à la fin du XIXᵉ siècle — tailleur, ébéniste, tapissier, plombier, vitrier, marbrier, peintre, électricien — qui répondent aux besoins de la population européenne, formant à la fois les maîtres et les compagnons d'un nouvel artisanat.

— D'autres sont à proprement parler des industriels, puisqu'ils sont à la tête d'entreprises industrielles. Si les Juifs de nationalité italienne contrôlent les plus vieilles entreprises qui ont été créées au tournant du siècle, les Juifs tunisiens se trouvent à la tête de nombreuses entreprises de création récente, relevant de diverses branches d'activité : minoterie, distillerie, confiserie, conserverie, huilerie, savonnerie, briqueterie, fabrique de carrelages, manufacture de meubles, tannerie, tissage mécanique, papeterie, imprimerie (16).

— D'autres enfin sont des salariés d'entreprises industrielles. On en rencontre dans toutes les branches d'activité, mais il est peu de corporations où ils soient en force, à l'exception de celle du livre.

c) Dans l'agriculture, les Juifs sont représentés par un petit nombre de propriétaires, à la tête de grosses entreprises agricoles, spécialisées dans la culture des céréales, de la vigne ou de l'olivier, mais aussi quelques salariés, employés comme agents de maîtrise, comptables ou commis aux écritures.

d) Les Juifs font preuve alors d'un grand engouement pour les professions libérales. Ils sont de plus en plus nombreux, dans l'entre-deux-guerres, à exercer la profession d'avocat, de médecin, de pharmacien ou d'architecte. Ils ont pour la plupart fait leurs études supérieures dans des universités françaises, et ils y ont obtenu leurs diplômes. Revenus dans leur pays natal, ils n'ont pas tardé à exercer leur profession et à faire de leur carrière une réussite. On a pu observer que sur quatre avocats qui se succédèrent dans les fonctions de bâtonnier, trois étaient juifs, et que sur vingt médecins qui furent portés à la présidence de la Société des Sciences Médicales, il n'y eut pas moins de huit Juifs (17). Les professions libérales ne comprennent pas seulement les avocats, les médecins et les pharmaciens, mais aussi tous leurs auxiliaires salariés : clercs, infirmiers, préparateurs en pharmacie. On y a rattaché les notaires israélites, les rabbins-enseignants comme les rabbins-officiants assurant le service des synagogues.

e) Il y a une partie de la population active que l'on ne peut rattacher ni à l'agriculture, ni à l'indutrie, ni au commerce, ni aux services. Ce sont les journaliers, travaillant à la journée dans les entreprises industrielles ou commerciales ou « n'exerçant pas une profession déterminée ». Les données fournies par les dénombrements successifs donnent à penser que leur nombre s'est accru dans l'entre-deux-guerres.

Les modifications survenues dans la répartition par grands secteurs d'activité ont affecté d'une façon sensible la structure sociale de la population juive.

A côté de la vieille bourgeoisie juive livournaise, le plus souvent de nationalité italienne, une nouvelle bourgeoisie juive, de nationalité tunisienne, s'est développée. Elle tire surtout ses profits de la commercialisation et de l'exportation des produits de l'agriculture et de l'élevage ainsi que de l'importation et de la répartition des produits manufacturés d'importation. Il lui arrive de faire fructifier ses capitaux par des spéculations immobilières, mais elle se livre de moins en moins à des opérations de prêt à intérêt. En revanche, elle se tourne de plus en plus vers des activités productives, en créant et en exploitant des entreprises industrielles ou agricoles. A cette bourgeoisie se rattachent les membres de professions libérales — avocats, médecins, pharmaciens — dont le nombre n'a cessé de s'accroître, dès lors qu'ils en sont le plus souvent issus, et qu'ils lui sont unis par leurs alliances matrimoniales.

Les classes moyennes se sont faites plus nombreuses et plus diversifiées. Aux artisans versés dans les métiers traditionnels, s'ajoutent ceux qui se livrent à des métiers modernes. Les commerçants s'évadent du petit nombre de branches où ils étaient cantonnés dans la société traditionnelle pour répondre aux besoins de la population européenne, sans cesse renouvelés. Les nouvelles générations qui ont reçu une instruction primaire, voire un commencement d'instruction secondaire, sont allés grossir les effectifs des diverses catégories d'employés : de commerce, de bureau, de banque ou de basoche. Ce sont d'ailleurs des catégories socioprofessionnelles où les Juifs sont en majorité, et l'on compte de nombreux Juifs parmi les responsables des syndicats qui en défendent les intérêts corporatifs (18).

La classe ouvrière est encore peu développée, qui se réduit aux compagnons de l'artisanat traditionnel et de l'artisanat moderne, et à un petit nombre d'ouvriers employés dans diverses branches de l'industrie de transformation et des transports.

En marge de ces classes sociales intégrées dans l'économie du pays, il faut encore signaler une masse de petites gens, tirant leurs moyens d'existence d'industries et de commerces dérisoires. Leurs gains minimes ne leur permettent pas de faire vivre leur famille, et ils ne survivent que grâce à l'aide régulière que leur apportent, tant la Communauté israélite que les œuvres sociales créées depuis la fin du siècle dernier par la philanthropie juive. Ce sont ces misérables qui constituent de plus en plus la population des vieux quartiers juifs — ḥâra-s — dont se sont évadés et continuent de s'évader tous ceux qui ont pu accéder à l'aisance. Écrivains et publicistes ont plus d'une fois décrit la ḥâra de Tunis, avec ses maisons délabrées, ses logis surpeuplés et sa misère poignante (19).

Malgré son paupérisme, qui n'a pas disparu, c'est une incontestable promotion sociale que l'on enregistre au sein de la population juive de l'entre-deux-guerres, suite à un plus large accès à l'instruction.

3. Scolarisation et occidentalisation

Le mouvement amorcé depuis la fin du siècle dernier s'est poursuivi au cours de l'entre-deux-guerres. C'est dans des écoles dispensant un enseignement moderne en langue française que les enfants des deux sexes ont été scolarisés. Les publications statistiques du Protectorat donnent, année par année, les effectifs de la population scolaire et sa répartition par ethnie et par sexe. Il est aisé d'en tirer les effectifs des Tunisiens israélites scolarisés dans les établissements d'enseignement primaire et secondaire, public et privé *(Tableau VI)*.

Ces chiffres ne comprennent que les Israélites de nationalité tunisienne, à l'exclusion des Israélites de nationalité française, englobés dans les effectifs des Français, entre lesquels il n'est pas fait de distinction fondée sur la confession. Il en ressort une augmentation continue du nombre de garçons et de filles scolarisés, qui est due non seulement à un accroissement de la population, mais encore à une élévation du taux de scolarisation (21). Si elle s'explique surtout par la croissance

Tableau VI
Tunisiens israélites scolarisés (1921-1939)

Années	Garçons	Filles	Ensemble
1921	4 960	4 690	9 650
1926	5 663	5 434	11 097
1931	5 929	6 021	11 950
1936	6 475	6 193	12 668
1939	6 343	6 313	12 656 (20)

des effectifs de l'enseignement primaire, la croissance des effectifs de l'enseignement secondaire y a concouru. Aussi bien, assiste-t-on, dans l'entre-deux-guerres, à une progression du nombre de bacheliers tunisiens israélites des deux sexes *(Tableau VII)*.

Tableau VII
Tunisiens israélites bacheliers (1921-1939)

Années	Garçons	Filles	Ensemble
1916	15	1	16
1921	35	4	39
1926	43	7	50
1931	58	18	76
1936	64	24	88
1939	93	32	125 (22)

De ce fait, s'est accru le nombre de jeunes qui ont pu entreprendre des études supérieures dans les universités françaises d'Alger, Aix-en-Provence, Lyon, Paris, et avant tout, des études de droit, de médecine ou de pharmacie, pour lesquelles les Israélites tunisiens faisaient preuve alors d'un grand engouement.

Dans l'ensemble des écoles qui assurent la scolarisation de la jeunesse juive des deux sexes, une place importante continue à être occupée par les écoles de l'Alliance Israélite Universelle. Elles sont toujours au nombre de cinq : à Tunis, une école de garçons (1878), une école de filles (1882) et une école mixte (1910) ; à Sousse, une école mixte (1883) et à Sfax, une école mixte (1905). Dans ces écoles, l'enseignement est conforme aux programmes en vigueur dans les écoles publiques françaises ; maîtres et élèves utilisent les mêmes livres scolaires que dans la Métropole. Mais on y enseigne aussi l'hébreu, l'histoire juive et les principes de la religion israélite. Dans l'un de ses rapports annuels, un directeur général des écoles de l'Alliance Israélite Universelle écrit : « L'Alliance Israélite, en introduisant dans ses programmes l'enseignement de l'hébreu, a attiré dans ses écoles, où elle fait connaître et aimer la France, la masse des Israélites tunisiens, profondément attachée à ses traditions religieuses et qui aurait certainement fui une instruction purement laïque, échappant ainsi à la culture française » (23). En fait, l'enseignement qu'elle assure fait l'objet de critiques opposées : trop juif pour les modernistes, il ne l'est pas assez pour les traditionalistes. On a de bonnes raisons de croire qu'il a réalisé une heureuse médiation entre l'enseignement hébraïque traditionnel et l'enseignement moderne français. Il reste que dans la scolarisation de la jeunesse juive, le premier rôle a été joué par les écoles publiques. En 1931, les élèves scolarisés dans les écoles de l'Alliance Israélite étaient au nombre de 1654 sur un total de 5 929 garçons, soit 27,9 % ; de 983 sur un total de 6 021 filles, soit 16,3 % ; 2 637 sur un total de 11 950 garçons et filles, soit 22,1 %. Près des 4/5 des enfants des deux sexes étaient scolarisés dans les écoles publiques.

Le vieux *talmud-torah*, réplique juive du *kuttâb* musulman, n'avait pas tout à fait disparu. Dans les grandes villes, les familles y envoyaient encore leurs enfants, au sortir de l'école primaire moderne, pour leur faire apprendre les rudiments de la langue hébraïque et y recevoir l'instruction religieuse nécessaire à la célébration de la *bar-mitsvah* ou majorité religieuse. Dans les communautés du Sud, et surtout dans l'île de Djerba, il était encore la seule école à laquelle les familles envoyaient leurs enfants, parce qu'elles s'obstinaient à vivre conformément à une tradition strictement observée (24).

Les progrès de la scolarisation ont entraîné de nouveaux progrès de la francisation. La connaissance du français a continué de se répandre au sein de la population juive. Ceux qui appartiennent à la première génération scolarisée sont bilingues, apprenant l'arabe à la maison et apprenant le français à l'école. Ceux qui appartiennent à la deuxième génération peuvent encore être bilingues, si leurs parents leur parlent et en arabe et en français, mais ils ne le sont plus si leurs parents s'appliquent à utiliser exclusivement le français en parlant avec leurs enfants, pour les aider à l'apprendre plus vite et à le mieux maîtriser. Ainsi, pour de nombreux Israélites tunisiens, le français devient l'une des langues maternelles, voire *la* langue maternelle. Du même coup, les Israélites tunisiens parlent de moins en moins l'arabe, et à la limite, ne savent même plus le parler. Seules leur demeurent familières un petit nombre d'expressions rituelles — bénédictions, malédictions, formules conjuratoires — qui échappent à leurs parents sous le coup d'une émotion et qu'ils emploient, eux aussi, parce qu'ils leur attribuent le pouvoir magique des « mots de la tribu ».

La connaissance du français varie au sein de la population juive. Elle est bien imparfaite chez ceux qui ne sont pas passés par une école

Le grand rabbin Moshé Berrebi (1900-1902). Dessin à la plume d'après une photographie, publié dans la *Revue Tunisienne* (1904).

Un savant talmudiste dans sa *yeshivah*, vers 1955 (cl. Studio Africa).

Mardochée Smaja (1864-1923). Fondateur du journal *La Justice* (courtoisie Annie Goldmann).

Numéro spécial: 50 Centimes

LA JUSTICE

JOURNAL HEBDOMADAIRE PARAISSANT LE VENDREDI

Organe des revendications des Israélites de Tunisie

Fondateur : Mardoché SMAJA

INSERTIONS	RÉDACTION & ADMINISTRATION	ABONNEMENTS
Adresser toutes correspondances au journal LA JUSTICE. 57, Avenue Jules-Ferry - TUNIS	**57, Avenue Jules-Ferry - TUNIS** Téléphone : 16.51	TUNISIE - ALGÉRIE - FRANCE ET ÉTRANGER UN AN.......... **15 Francs**

Le Problème de l'Assimilation

Conférence contradictoire de M. J. BUCHMIL, docteur en droit, faite le 14 Juin 1924, à Tunis

A NOS LECTEURS

Pour cette semaine nous faisons tirer un numéro spécial dont l'importance n'échappera pas à nos amis. A partir de vendredi prochain nous reprendrons notre parution normale.

Le 14 Juin dans un des salons du « Tunisia Palace Hôtel » a eu lieu une conférence contradictoire de M. J. Buchmil sur le « Problème de l'Assimilation ».

La conférence convoquée sur l'initiative du Dr. Hayat et M. A. Valensi pour un cercle restreint a réuni un certain nombre de personnes appartenant pour la plupart à la classe des professions libérales.

Le Dr. Hayat, président de la réunion, a aussitôt donné la parole à M. Buchmil, conférencier, pour faire un exposé du problème de l'assimilation, exposé qui devait servir

...

Journal *La Justice*, deuxième série. Numéro du 8 août 1924 (coll. P.S.).

Histoire de Robinson Crusoé, de Daniel de Foë, traduite en judéo-arabe par Haï Eliahu Sitruk, imprimée par l'Imprimerie Uzan et Castro (1900) (coll. R. Attal).

Journal *Al-Horriya*, La Liberté, hebdomadaire publié à Tunis en 1907 et en 1908 (coll. R. Attal).

D. Cazès (1850-1913), directeur de la première école de l'Alliance Israélite, ouverte
à Tunis de 1878 à 1893 : a consacré au
judaïsme tunisien deux ouvrages qui ont
fait date : *Essai sur l'histoire des Israélites de Tunisie*, Paris, 1888 ; *Notes bibliographiques sur la littérature juive tunisienne*, Tunis, 1893 (archives de l'A.I.U.,
Paris).

Maîtres de l'école de l'Alliance Israélite de Tunis, autour de leur directeur, Clément
Ouziel, au cours de l'année 1904 (archives de l'A.I.U., Paris).

Famille bourgeoise de Tunis, vers 1900. Les vêtements européens ont supplanté les vêtements arabes traditionnels (courtoisie famille Galula).

Femmes juives de Gabès, vers 1900, d'après une vieille carte postale (coll. G. Silvain).

Hôpital israélite de Tunis, créé en 1895, d'après une vieille carte postale (coll. G. Silvain).

Nouveau cimetière israélite de Tunis, ouvert en 1898, d'après une vieille carte postale
(coll. G. Silvain).

Tunis : Grande synagogue de la Hâra : La salle de prières (cl. J. Revault).

Tunis, 1900 : rue des Protestants, avec un groupe de femmes juives, reconnaissables à leurs coiffes pointues (coll. P.S.).

Tunis, 1900 : café de la Kasbah. Au premier plan, un juif en costume traditionnel avec un turban bleu foncé, en compagnie de deux musulmans, à turban blanc (coll. P.S.).

Costumes juifs de Tunis, à la fin du siècle dernier (photographies publiées dans la *Revue générale des Sciences pures et appliquées*, 1897).

Samedi soir dans une famille juive de Tunis (d'après une gravure publiée dans le *Journal des Voyages*, 1884).

Marchand juif de Tunisie (d'après une gravure publiée dans le *Journal des Voyages*, 1880).

Haïm, Yosef, David Azoulay, né à Jérusalem en 1724, mort à Livourne en 1806, fut
à la fois un talmudiste, un cabaliste, un bibliographe et un collecteur de fonds pour
les *yeshivot* de Palestine. Au cours de l'année 1773, il a fait un séjour de plusieurs
mois à Tunis, qu'il a relaté dans son ouvrage *Maᶜagal Tov* (= Le Bon chemin).

Cum priuilegio Pontificis maximi Leonis deci
mi: τ Francisci christianissimi Francorum regis.

Omnia opera ysaac in hoc volumine con
tenta: cum quibusdam alijs opusculis.

Liber de definitionibus.
Liber de elementis.
Liber dictaru vniuersaliu: cum comento petri hispani.
Liber dictarum particularium: cum comento eiusdem.
Liber de vrinis cum commento eiusdem.
Liber de febribus.
Pantechni decem libri theorices: et decem practices:

cum tractatu de gradibus medicinarum constantini.
Viaticum ysaac quod constantinus sibi attribuit.
Liber de oculis constantini.
Liber de stomacho constantini.
Liber virtutum de simplici medicina constantini.
Compendium megatechni Galeni a constantino com
positum,

Cum tabula τ repertorio omnium operum
et questionum in comentis contentarum.

Œuvres d'Isaac b. Sulaymân Israelî, traduites de l'arabe en latin par Constantin l'Africain
publiées à Lyon en 1515 (Bibliothèque de la Faculté de Médecine de Montpellier).

Synagogue de Naro. Inscription I. *Sancta (m) synagoga (m) naron (itanam) pro salutem suam ancilla tua Juliana p (uella) de suo proprium tessellavit :* Pour son salut, ta servante, la jeune Juliana a pavé en mosaïque la sainte synagogue de Naro, à ses frais (C.I.L., VIII, 12 458).

Synagogue de Naro. Inscription II. *Asterius filius Rustici arcosynagogi Margarita Riddei (filia) partem portici tessellavit :* Asterius, fils du chef de la synagogue Rusticus, Margarita, fille de Riddeus, ont pavé en mosaïque une partie du portique (C.I.L., VIII, 12 458).

Lampe juive de Carthage (d'après R.P. Delattre, *Gamart*...).

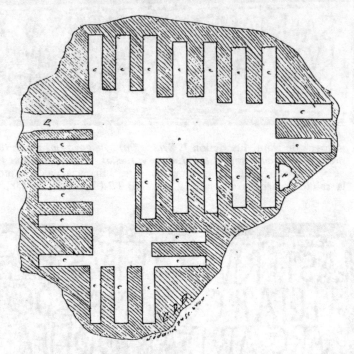

Nécropole juive de Carthage. Plan d'une galerie, comprenant vingt-quatre niches, abritant, chacune, une sépulture (d'après R.P. Delattre, *Gamart ou la nécropole juive de Carthage*, Lyon, 1895).

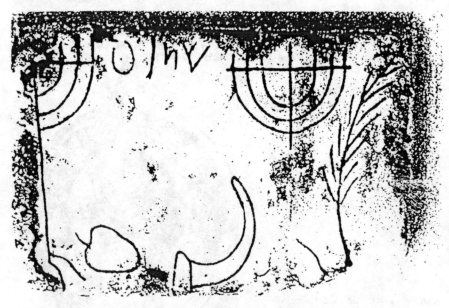

Plaque de marbre trouvée dans la nécropole juive de Carthage : chandeliers à sept branches, *lulav, etrog, shofar*, avec le mot *shalom* (d'après J. Ferron, « Inscriptions juives de Carthage », dans *Cahiers de Byrsa*, 1951).

moderne ou qui n'ont pu pousser bien loin leurs études. Ils parlent l'un des sabirs qui fleurissent alors dans le pays, et qu'un humoriste s'est amusé à observer et à recueillir (25). Ils émaillent leurs phrases françaises de mots arabes et font subir aux mots français de multiples altérations, puisqu'ils prononcent *s* pour *ch*, ou *ch* pour *s* ; *z* pour *j*, ou *j* pour *z* ; *b* pour *p* ; *i* pour *e* ; *ou* pour *u* ou pour *o* ; *on* pour *an* ou *en* et *i* pour *in*. Mais il suffit d'avoir fait de bonnes études primaires pour parler le français sans l'estropier. Quant à ceux qui ont fait des études secondaires, ils parlent le français avec aisance, et mettent un point d'honneur à éviter toute faute de langage. Un bon usage de la langue française leur apparaît à la fois comme la condition et le signe d'une réelle promotion sociale.

Les progrès de la francisation se traduisent par un déclin de la littérature judéo-arabe qui avait connu un remarquable essor à la fin du siècle dernier.

On continue, dans l'entre-deux-guerres, à publier livres, brochures et journaux en judéo-arabe, non seulement à Tunis où l'imprimerie Uzan et Castro poursuit son activité, mais encore à Sousse où Makhlouf Nadjar a créé une imprimerie et édite livres et périodiques. Cependant, les publications judéo-arabes sont à la fois moins nombreuses et moins variées.

Dans la production de cette période, on retiendra des traductions de l'hébreu telles que *Les Devoirs des Cœurs*, de Bahya Ibn Paqûda (1919), ou *Le Péché de Samarie*, d'Abraham Mapou (1938) ; des traductions-adaptations de l'arabe classique, telles que le roman de *Majnûn Layla* (s.d.) ; des traductions-adaptations du français, telles que *Le Cid*, de Corneille (1925) ou les *Fables*, de La Fontaine (1930) ; des œuvres inspirées par le folklore tunisien, telles que le recueil de *Mille proverbes tunisiens*, de Daniel Hagège (1930), et un recueil d'*Histoires de Joḥa*. Sauf erreur de notre part, la seule création originale est constituée par un roman de M. Uzan, *Bayn Ḥiyût Tûnes*. (= « Entre les murs de Tunis »), qui se présente comme un « roman de mœurs » (1926). Il faut y ajouter de nombreuses chansons : *ghnâya*, pl. *ghnâyât*, et de nombreuses élégies : *qînah*, pl. *qînot* (26).

Les journaux sont bien moins nombreux que dans les premières années du siècle. On n'en compte pas moins quelques hebdomadaires, parmi lesquels nous nous limiterons à citer : *Al-Ṣabâḥ* (= « Le Matin ») qui, fondé en 1904, poursuivit sa publication dans l'entre-deux-guerres, sous la direction de D. Hagège ; *Al-Nejma* (= « L'Étoile »), publié à Sousse par Makhlouf Nadjar, à partir de 1920 ; *Al-Yehûdî* (= « Le Juif »), publié à Tunis par les soins de M. Uzan, à partir de 1936 (27).

Un bon observateur notait en 1937 : « La littérature juive en judéo-arabe se meurt » (28). Née à une époque où tous les Juifs lisaient l'hébreu et parlaient l'arabe, cette littérature ne pouvait que décliner avec la diffusion de plus en plus large de la langue française. Mais il y avait encore, dans l'entre-deux-guerres, de nombreux Juifs de la vieille génération pour lesquels le judéo-arabe était la langue la plus accessible ; c'est parmi eux que les publications judéo-arabes trouvaient leurs lecteurs, qu'elles garderont jusqu'à une époque voisine de la nôtre.

Alors que la presse et la littérature judéo-arabe connaissaient un évident déclin, la presse et la littérature en langue française gagnaient en importance.

Dans l'entre-deux-guerres, la presse juive de langue française est représentée par des hebdomadaires correspondant aux principaux courants de pensée qui se partagent l'opinion. Le journal *La Justice*, fondé en 1906 par M. Smaja, et qui avait interrompu sa publication en 1914, a paru de nouveau au lendemain de la guerre. Cette deuxième série, publiée de 1923 à 1934 par une équipe de nouveaux rédacteurs, se présente comme « l'organe des revendications des Israélites de Tunisie », et exprime les aspirations des « modernistes ». Le journal *L'Égalité*, fondé en 1912 par J. Cohen-Ganouna, et qui a poursuivi sa publication de 1919 à 1937, exprime les aspirations des « traditionalistes ». Les journaux, *La Voix juive*, fondée en 1920 par H. Maarek, et publiée de 1920 à 1921 ; *La Voix d'Israël*, fondée en 1920 par J. Bellaïche et publiée de 1920 à 1926 ; *Le Réveil juif*, fondé en 1924 par F. Allouche et publié sans interruption de 1924 à 1934 ; ainsi que *La Gazette d'Israël*, fondée en 1938 par E. Ganem, expriment les idées du mouvement sioniste de Tunisie. En plus de ces hebdomadaires, il existe un quotidien que l'on peut faire figurer dans la presse juive. *Le Petit Matin*, fondé en 1923 par Simon Zana, se présente comme un journal d'information s'adressant à l'ensemble de la population, sans distinction de confession, mais la personnalité de son directeur, l'orientation de ses chroniques et la place qu'il fait aux informations juives lui assurent la faveur de la minorité juive qui le considère comme son journal (29).

La production intellectuelle en langue française ne se limite pas à la publication de périodiques. Elle comprend aussi les ouvrages publiés par des Israélites tunisiens qui ont poursuivi leurs études supérieures jusqu'à l'obtention d'un doctorat en médecine ou d'un doctorat en droit. Il n'y a pas lieu de dresser un inventaire de ces travaux académiques, mais il est juste de dire que nombre d'entre eux ont apporté une contribution utile à la pathologie coloniale, aux études juridiques et à la connaissance du judaïsme tunisien (30).

De plus, on assiste alors à l'éclosion d'une littérature d'inspiration juive d'expression française. Elle est représentée par les œuvres de trois écrivains : J. Vehel, Ryvel et V. Danon, qui, ayant tous les trois enseigné dans les écoles de l'Alliance Israélite Universelle, se sont attachés dans leurs œuvres à évoquer les multiples aspects de la vie traditionnelle des Juifs de Tunisie.

De cette littérature, représentée par un petit nombre de romans, nouvelles et contes, dont la publication s'échelonne sur une dizaine d'années, il ne sera pas inutile de donner une chronologie :

1929, V. Danon, Ryvel, J. Vehel, *La Hara conte*, Tunis, Hadida.
1930, Ryvel, *L'Œillet de Jérusalem*, Tunis, éd. La Kahena.
1931, Ryvel, *L'Enfant de l'oukala*, Tunis, éd. La Kahena.
1933, V. Danon, *Aron le colporteur*, Tunis, éd. La Kahena.
1934, V. Danon, *Dieu a pardonné*, Tunis, éd. La Kahena.
1934, J. Vehel et Ryvel, *Le Bestiaire du Ghetto*, Tunis, éd. La Kahena.
1935, Ryvel, *Les Lumières de La Hara, Nouvelles*, Tunis, Hadida.
1938, V. Danon, *Ninette de la rue du Péché*, Tunis, éd. La Kahena.

J. Vehel, de son vrai nom Victor Lévy, né à Tunis en 1881, a voulu consigner par écrit les récits et les contes qui se transmettaient de génération en génération. Ryvel, de son vrai nom, Raphaël Lévy, né à Tunis en 1898, dont l'imagination se nourrit de mille détails observés, se plaît à évoquer le petit peuple de la ḥâra de Tunis aux prises avec la misère, la maladie et le malheur. V. Danon, né à Andrinople en 1897, fait revivre les juiveries du Sud, dont il a su peindre la détresse et l'attachement obstiné à une religion observée dans toute sa rigueur. Ces trois auteurs, qui ont associé plus d'une fois leurs efforts, nous ont laissé un ensemble d'œuvres écrites d'une plume alerte, avec une ironie malicieuse ou une émotion contenue, dont on ne peut contester la valeur documentaire (31).

L'occidentalisation s'étend à toutes les formes de la culture. La musique et la danse orientales continuent d'être appréciées dans de larges couches de la population juive. Des artistes juifs doivent à leur talent d'atteindre à une large notoriété et même de devenir l'idole des foules, telle la célèbre chanteuse Habiba Messika, morte en 1930, dans des circonstances tragiques, et dont une qînah en judéo-arabe perpétue la mémoire (32). Mais les nouvelles générations goûtent de plus en plus la musique et les danses occidentales. Les jeunes prennent des leçons de piano ou de violon, s'appliquent à déchiffrer les pages des Classiques favoris, courent les récitals donnés par les virtuoses de passage, vont applaudir les opéras et les opérettes joués par des troupes en tournée et dansent fox-trot, charleston et tango. Il faut encore signaler comme une nouveauté et un changement culturel l'apparition d'artistes-peintres d'origine juive, tels que Moses Levi (n. 1885), Maurice Bismouth (n. 1891), Jules Lellouche (n. 1903) (33).

Cependant, se poursuivent et s'amplifient toutes les mutations qui ont affecté la population juive depuis la fin du siècle dernier. Dans la capitale comme dans les grandes villes côtières, les Juifs, dès qu'ils le peuvent, abandonnent leur ḥâra pour aller s'établir dans les villes neuves qui se développent en marge des vieilles médinas. Ce mouvement est particulièrement sensible à Tunis qui connaît alors une grande extension, et l'inauguration en 1937 d'une grande synagogue monumentale dans l'avenue de Paris — l'une des principales artères de la ville moderne — a consacré les changements survenus dans la répartition spatiale de la minorité juive de la capitale. Ce nouvel habitat a facilité les contacts entre la population juive et les divers éléments de la population européenne, en favorisant l'adoption des modèles occidentaux en matière de costume, d'alimentation, d'usages et de mode de vie (34).

4. Les mutations de la famille

De toutes les transformations que connaît la société juive, ce sont celles qui affectent la famille qui frappent le plus les observateurs.

Seuls les Juifs qui ont acquis la nationalité française jouissent du statut personnel défini par le Code civil. Ceux qui ont conservé la nationalité tunisienne, et ils sont le plus grand nombre, continuent à être soumis au statut personnel mosaïque. Néanmoins, si le droit familial est demeuré inchangé, l'évolution des mœurs a entraîné de nombreuses mutations de la famille.

a) L'âge au mariage s'est relevé pour les femmes comme pour les hommes. En vertu du droit mosaïque, le mariage peut avoir lieu dès que l'homme et la femme sont majeurs. Mais la majorité légale se confond avec la puberté fixée à douze ans et six mois, pour la femme, et à treize ans, pour l'homme. Aussi les mariages ont-ils été longtemps très précoces. Mais dès la fin du siècle dernier une évolution s'amorça qui s'accentua dans l'entre-deux-guerres. La scolarisation des filles comme des garçons, l'allongement des études pour l'un et l'autre sexe, ainsi que la diffusion des modèles occidentaux ont rendu le mariage plus tardif : il a lieu maintenant à plus de vingt ans pour la femme et à plus de vingt-cinq ans pour l'homme. L'âge au mariage est bien moins élevé dans les communautés de l'arrière-pays et dans les classes les plus pauvres de la population, qui ont conservé leur comportement traditionnel. Un mariage précoce apparaît aux yeux des Juifs évolués comme le signe d'une mentalité « arriérée ».

b) Les unions consanguines se font plus rares. Le droit mosaïque, on le sait, autorise les mariages entre proches, qui dans nombre de sociétés ne pourraient se marier sans dispense. Mais, encore que licites, les mariages consanguins se font plus rares. Le mariage entre oncle et nièce, encore fréquent au siècle dernier, tombe en désuétude. Les mariages entre cousins germains, longtemps considérés comme naturels, sont de plus en plus évités parce que les médecins les déconseillent, dès lors qu'ils risquent d'accentuer de fâcheux atavismes. L'endogamie, de règle autrefois, cède ainsi la place à une exogamie généralement observée. L'histoire des familles illustre cette mutation : d'une génération à l'autre, le cercle des alliances matrimoniales s'élargit. Le mariage en dehors des limites de la famille étendue conduit à recourir à des courtiers ou des marieuses, *samsâr*, fém. *samsâra*, qui monnayent leurs services.

c) La dot, versée par la femme au mari, connaît alors un développement sans précédent. De tout temps, une dot a été versée au mari. Ce qu'on appelait « apport de la femme », la *neduniyah* du droit mosaïque, était constituée par un trousseau, des bijoux et une certaine somme en espèces. La valeur de ces trois éléments variait d'une union à l'autre, en fonction des moyens dont disposait la famille de l'épousée, mais elle était généralement d'ampleur modeste. De nouveaux usages ont commencé d'apparaître à la fin du siècle dernier, qui dans l'entre-deux-guerres se sont généralisés. Le montant de la dot s'est élevé dans tous les milieux. Désormais, un père ne peut marier sa fille sans lui donner une dot dont le montant varie en fonction de la condition sociale du conjoint. Elle est déjà, dit-on, de cinquante mille francs pour l'épouse d'un modeste employé de commerce. Elle s'élève à plusieurs centaines de milliers de francs pour l'épouse d'un avocat ou d'un médecin (35). Cette évolution était pour une part imputable aux courtiers matrimoniaux qui tiraient avantage de la montée des cours, puisque leur rémunération correspondait à un tant pour cent de la dot versée : ils poussaient les jeunes gens, compte tenu de leur famille, de leurs diplômes et de leur situation, à accroître leurs exigences. Mais la majoration de la dot avait sans doute d'autres causes. Elle constituait pour les pères de famille le moyen d'assurer à leur fille un « bon parti ». Elle donnait aux unions une plus grande stabilité : dès lors que la dot devait être remboursée en cas de répudiation, plus forte était la dot, et plus le mariage avait des chances de durer (36). Enfin, elle permettait de remédier à l'inégalité des sexes en matière d'héritage. La femme mariée étant exclue de la succession de son père lorsqu'elle a des frères, il semble équitable de lui donner une part de la fortune paternelle à l'occasion de son mariage (37). Ainsi, on peut dire que la majoration de la dot est due pour une large part au souci de remédier à certaines dispositions du droit mosaïque. Mais le remède a été peut-être pire que les maux qu'il devait combattre. Que de pères se ruinaient pour doter leurs filles ! Que de mariages négociés comme une affaire ! La bourgeoisie juive n'était pourtant par la seule où les unions pouvaient être empoisonnées par l'argent.

d) Les cérémonies du mariage s'occidentalisent. Amorcés dans la classe aisée, qui est aussi la plus évoluée, les changements s'étendent de proche en proche aux autres classes. La mariée juive abandonne son costume traditionnel, qui était très proche de celui de la mariée musulmane (38), pour porter une robe blanche avec un voile de tulle, à l'exemple de la mariée européenne. La bénédiction nuptiale, qui jusque-là avait lieu à la maison de la mariée, se fait de plus en plus souvent dans une synagogue, pour que le mariage juif revête autant de pompe que le mariage chrétien (39). Les rites nuptiaux qui précédaient et suivaient la célébration du mariage sont encore observés dans les milieux populaires, mais tombent en désuétude chez les Juifs évolués, qui se libèrent peu à peu du carcan des traditions (40).

e) La famille nucléaire se dégage de la famille étendue. Dans la société juive traditionnelle, le mari, la femme et les enfants issus de leur union ne constituaient pas une entité autonome. Ils s'inséraient dans une famille groupant descendants, ascendants et collatéraux, sous l'autorité du chef de famille qui avait conservé les prérogatives des anciens patriarches. Cette insertion se traduisait souvent par la cohabitation de tous les membres de la famille étendue dans une même demeure. La cellule conjugale affirme son autonomie, dès lors que les jeunes ménages se donnent des habitations distinctes de celles de leurs parents, et que la dispersion des ménages à travers la ville met le chef de famille hors d'état d'exercer son autorité. Le lévirat, qui était une institution caractéristique de la famille patriarcale juive, heurte de plus en plus les consciences et tombe en désuétude (41).

f) La taille de la famille s'amenuise. Dans la société juive traditionnelle, les couples avaient un comportement nataliste favorable à la procréation. La femme passait d'une grossesse à l'autre, et à trente ans, elle était prématurément fanée. Une forte natalité s'imposait à une époque où la mort enlevait un enfant sur quatre ou sur cinq dans la première année. Le recul de la mortinatalité et de la mortalité infantile a donné aux mères de plus grandes chances de conserver les enfants qu'elles mettaient au monde, les incitant à réduire le nombre de leurs maternités. Le souci de faire grandir les enfants à l'abri des privations et de leur donner une bonne formation a contribué aussi à amener les couples à limiter leur progéniture. L'histoire des familles fait apparaître que, d'une génération à l'autre, le nombre d'enfants mis au monde s'est réduit. Cette réduction, qui a été favorisée par le relèvement de l'âge au mariage, a été obtenue par un effort conscient de prévention des naissances. Amorcé dans les classes aisées — les plus éclairées — ce mouvement s'est étendu peu à peu aux autres classes de la population (42).

g) L'inégalité des sexes se réduit. La scolarisation des filles comme des garçons sape la prépondérance séculaire du sexe masculin. L'épouse ne limite plus son rôle aux soins du ménage et à la garde des petits. Elle est de plus en plus associée à la direction de la famille et joue un rôle important — quelquefois le premier — dans l'éducation de ses enfants. De nombreuses jeunes filles travaillent au sortir de l'école comme employées de magasin ou employées de bureau. Pour la plupart d'entre elles, il ne s'agit que d'un travail temporaire qui doit leur permettre de réunir les fonds nécessaires à l'achat de leur trousseau, et qui cesse avec le mariage. Mais, dans toutes les classes sociales, commence à se répandre l'idée que la femme, comme l'homme, doit exercer une profession, sa vie durant. Être en mesure de gagner sa vie apparaît aux jeunes filles de la nouvelle génération comme le plus sûr moyen d'échapper à un mariage négocié et de se marier sans dot.

Par toutes les mutations que nous venons d'évoquer, la famille israélite perdait les traits qui avaient été les siens pendant des siècles, pour se rapprocher de plus en plus de la famille chrétienne, sans s'identifier tout à fait avec elle.

5. Déshébraïsation et déjudaïsation

L'acculturation de la population juive — son occidentalisation — a eu pour conséquence un recul de la connaissance de l'hébreu et de la pratique religieuse israélite.

Dans la capitale et les grandes villes, on constate une assez large déshébraïsation de la population juive. Il faut entendre par là que la connaissance de l'hébreu est de moins en moins répandue parmi les nouvelles générations qui ont été scolarisées dans les écoles modernes. S'il est fait une place à l'enseignement de l'hébreu dans les écoles de l'Alliance Israélite, on ne peut l'apprendre dans les écoles publiques ou privées que fréquentent la plupart des jeunes. Les familles soucieuses de donner à leurs enfants une instruction religieuse les envoient dans un *talmud-torah* au sortir de l'école, ou encore leur font donner des leçons particulières par un rabbin. Mais les méthodes d'enseignement de l'hébreu sont celles qui se sont transmises de génération en génération ; elles tranchent avec celles qui sont employées dans les écoles, pour toutes les autres langues ; les enfants s'étonnent qu'on leur apprenne à lire sans leur apprendre à écrire, ou qu'on les entraîne à lire des textes dont la compréhension est remise à plus tard ; et ceux qui ne connaissent plus d'autre langue que le français ont du mal à comprendre un maître qui leur parle en judéo-arabe. Les résultats sont des plus médiocres : dans le meilleur des cas, les enfants arrivent à lire l'hébreu sans le comprendre ; la plupart, pour célébrer leur *bar-mitsvah*, apprennent par cœur des prières transcrites en caractères latins, et font semblant de lire le texte des Écritures en répétant à voix haute ce qu'un rabbin compréhensif leur souffle à mi-voix (43).

Les hommes capables de lire l'hébreu se font plus rares. Pour ceux qui ne sont plus en mesure de le déchiffrer sans peine, on commence à publier des *Haggadah*-s, où le texte hébreu en lettres carrées est accompagné d'un texte hébreu transcrit en caractère latins. La méconnaissance de l'hébreu entraîne celle du judéo-arabe — arabe transcrit en caractères hébreux — et l'on commence à éditer des *Haggadah*-s où le texte hébreu est accompagné et d'une traduction judéo-arabe et d'une traduction française. En raison de leur méconnaissance de l'hébreu, nombreux sont ceux qui assistent aux cérémonies religieuses sans pouvoir comprendre les textes lus à la tribune par le rabbin-officiant et le sens des prières du rituel. A l'intention de ceux qui ignorent l'hébreu, on commence à éditer des livres de prière en français. Cette déshébraïsation n'affecte pas les communautés du sud — de l'île de Djerba notamment — qui sont restées fidèles à leur système traditionnel d'enseignement, mais elle est manifeste dans la capitale et dans les grandes villes côtières.

On assiste, il est vrai, dans l'entre-deux-guerres, à un renouveau des études hébraïques. Des cours d'hébreu moderne sont organisés dans le cadre des mouvements de jeunesse sionistes. Un cours d'hébreu moderne à l'intention des adultes est organisé par les soins de l'Alliance Israélite. Un hébraïsant de mérite entreprend en 1937-1938 la publication d'un journal hébreu : *Ha-Ivri* (= L'Hébreu) (44). Mais cette rehébraïsation vise moins à permettre de renouer avec la culture juive traditionnelle qu'à répandre la connaissance de la langue du futur État juif.

Dans les nouvelles générations, la déshébraïsation se double d'un affaiblissement de la pratique religieuse. On observe de moins en moins le *shabbat* avec rigueur. Le samedi, les Juifs ferment les échoppes de la vieille ville, mais non leurs magasins, leurs bureaux et leurs usines de la ville moderne. Les élèves de l'école de l'Alliance Israélite ont congé le samedi, mais non ceux des écoles publiques et privées, qui travaillent comme leurs camarades chrétiens et musulmans. Les familles ne respectent plus les règles de pureté aussi strictement. Les interdits alimentaires sont de plus en plus souvent transgressés. L'usage se répand de manger de la viande de porc et des crustacés ou de mélanger viande et laitages, à l'exemple des Européens, dont les Juifs adoptent les usages culinaires.

On continue d'entretenir les vieilles synagogues et d'en construire de nouvelles dans toutes les villes. Mais elles sont peu fréquentées par les jeunes qui ne savent pas lire l'hébreu et ne peuvent prendre part aux offices. Les solennités de l'année liturgique sont célébrées d'une façon moins stricte. On en retient plus volontiers les réjouissances que les prières rituelles. Les familles se réunissent encore pour le *seder* de la Pâque, tant qu'il y a un homme en mesure de lire la *Haggadah*, mais que le grand-père vienne à mourir et il n'y a plus de repas pascal. Les cadeaux se font pour la Noël et non plus pour *Pourim*, et la Saint-Sylvestre a plus d'éclat que *Rosh ha-shanah*. En fait, toute la pratique juive tend à se concentrer autour d'une solennité unique : le *Yom Kippour* ou jour de l'Expiation. Ce jour-là, on jeûne, ou à tout le moins on se fait un devoir de ne pas travailler, de ne pas faire de cuisine, de ne pas fumer. On assiste aussi aux offices qui sont célébrés dans les synagogues, remplies de fidèles. Dans ce comportement, il n'est pas aisé de faire la part de ce qui revient à la piété du sujet et à son souci de respecter la piété des autres.

Cependant, les rites qui marquent les grandes étapes de la vie sont généralement observés. Nombre de Juifs ne sont juifs que parce qu'ils ont été circoncis, ont célébré leur majorité religieuse, ont été mariés par un rabbin et seront enterrés dans un cimetière israélite, selon les prescriptions de la religion mosaïque (45). Mais parmi les représentants de l'intelligentsia, on rencontre déjà des agnostiques, voire des athées, qui se refusent à toute pratique religieuse, non sans peiner leurs proches et faire scandale aux yeux du plus grand nombre.

La pratique religieuse varie en fonction du milieu, plus ou moins aisé, plus ou moins instruit, plus ou moins acculturé. Mais elle varie aussi en fonction de l'habitat. Les Juifs sont plus pratiquants dans la vieille ville, où ils sont fortement groupés que dans la ville moderne, où ils se mêlent aux autres éléments de la population. La concentration favorise le contrôle social et la dispersion le rend plus difficile. En s'évadant de leur vieille ḥâra, les familles se soustraient aux normes contraignantes de la communauté. On ne constate guère d'affaiblissement de la pratique religieuse dans les communautés du Sud qui sont restées fidèles à un judaïsme strictement observé, mais il est incontestable dans les communautés de la capitale et des grandes villes qui se sont largement ouvertes aux influences de l'Occident — et l'on y observe une déjudaïsation plus ou moins poussée des nouvelles générations.

Déshébraïsation et déjudaïsation ne sont pas passées inaperçues de ceux qui ont vécu dans l'entre-deux-guerres. Un excellent juriste doublé d'un observateur attentif écrit : « L'instruction religieuse est encore assez développée dans la population juive non évoluée, de langue exclusivement arabe : les enfants fréquentent assidûment les kuttâb-s et les adultes suivent les sermons hebdomadaires des rabbins. Par contre, la population dite évoluée, dès qu'elle commence à user de la langue française, et la grande généralité des Juifs européens montrent l'indifférence la plus absolue en matière de religion, tant au point de vue de l'instruction que de la pratique cultuelle » (46).

En fait, les nouvelles générations sont de plus en plus coupées de la religion de leurs pères par leur nouvelle culture. N'ayant pas appris l'hébreu, et connaissant assez mal les principes du judaïsme, elles ne sont pas en mesure de s'acquitter de leurs obligations religieuses. Elles se détournent de rabbins formés à l'ancienne, qui parlent une langue — l'arabe — qu'ils comprennent mal, et que leur mise, souvent négligée, n'incline pas à respecter. Tout le monde convient de la nécessité de donner à la communauté de nouveaux ministres du culte, mais des tendances opposées se partagent l'opinion. Les uns suggèrent de nommer un grand rabbin français ayant fait ses études en Métropole et de lui confier la tâche de former et de promouvoir un nouveau corps de rabbins. Les autres craignent qu'un grand rabbin français ne heurte les traditions de toute une partie de la population juive, de langue arabe, et affirment que la charge de grand rabbin doit continuer à être confiée à un rabbin de nationalité tunisienne et instruit des traditions du pays. En évitant les extrêmes, on aurait pu laisser le premier rang à un grand rabbin d'origine locale et donner à la population juive évoluée un chef spirituel, formé en France, pour rénover l'enseignement de l'hébreu et des principes de la religion israélite, et pour donner aux cérémonies du culte un plus grand apparat (47). Mais les Autorités du Protectorat ne crurent pas devoir apporter de changement à l'organisation du rabbinat. Eût-elle été décidée, la nomination d'un grand rabbin français n'aurait sans doute pas suffi à arrêter la déshébraïsation et la déjudaïsation des nouvelles générations.

6. Les courants de pensée

La communauté juive est alors traversée par un certain nombre de courants de pensée qui se partagent la faveur des consciences et inspirent des controverses passionnées.

L'assimilationnisme

Il y a des partisans de l'assimilation. Pour eux, les Juifs de Tunisie doivent se hâter d'adopter la langue, la culture et la manière de vivre des Français, en suivant l'exemple des Juifs français de la Métropole qui se présentent volontiers comme des Français de confession juive. Ces assimilationnistes se recrutent principalement parmi ceux qui ont fait des études supérieures dans les universités françaises, y ont obtenu des diplômes et ont pu ainsi accéder aux professions d'avocat, médecin ou pharmacien. Nombre d'entre eux ont acquis la nationalité française par une naturalisation individuelle, en vertu des dispositions du décret du 3 octobre 1910 d'abord, de la loi du 20 décembre 1923 ensuite. La voie qu'ils ont choisie leur semble celle que tous les Juifs de Tunisie devraient suivre.

Les partisans de l'assimilation défendent leurs idées dans La Justice, le journal fondé par M. Smaja, dont ils reprennent la publication, de 1923 à 1934 (48). Cet hebdomadaire fait campagne pour que les Juifs de Tunisie accèdent plus facilement à la nationalité française : en attendant que la naturalisation des Tunisiens israélites se fasse aux mêmes conditions que la naturalisation des étrangers, ils demandent que l'Administration accorde leur naturalisation à tous ceux qui répondent aux conditions fixées par la loi du 20 décembre 1923. Ils ne demandent plus que les Juifs tunisiens deviennent justiciables des Tribunaux français, car une telle extension de la compétence de la justice française porterait atteinte aux principes du Protectorat. Ils se limitent à demander que l'on améliore le fonctionnement du Tribunal rabbinique dont relèvent les Israélites tunisiens pour toutes les questions relatives à leur statut personnel. Enfin, ils s'élèvent contre l'enseignement dispensé dans les écoles de l'Alliance Israélite, en raison de son caractère confessionnel, et prônent l'extension d'un enseignement laïque à tous les degrés, pour tous, sans distinction de confession (49).

Les partisans de l'assimilation se défendent de vouloir rompre avec le judaïsme. Un Juif, à leurs yeux, peut être un excellent citoyen français en demeurant fidèle à la religion de ses pères. Lors d'une conférence contradictoire sur le problème de l'assimilation, l'un des représentants les plus en vue de l'intelligentsia juive, le Dr E. Hayat affirme que l'on peut s'assimiler en restant juif (50). Mais les Juifs qui prônent l'assimilation donnent rarement l'exemple d'un judaïsme strictement observé. Ils voudraient rompre avec la « vie séparée » qui a été la vie des Juifs pendant des siècles, pour se mêler à la vie des Gentils. Ils sont ainsi amenés à abandonner des pratiques qui consacreraient leur particularisme. Ils n'observent pas le *shabbat* et prennent leur repos le dimanche, comme les autres éléments de la population. Ils font de larges emprunts aux usages culinaires européens et ne se font pas faute de transgresser les principes de la *kasherut*. Ils célèbrent à peine les grandes fêtes de l'année liturgique, qui ne sont pas des fêtes chômées. Ils ne font exception que pour le *Yom Kippour*, où ils se conforment aux us et coutumes des ancêtres, ou n'y dérogent qu'avec discrétion. En revanche, ils se trouvent entraînés par la prégnance des modèles européens à prendre part aux réjouissances profanes qui marquent les fêtes de l'année chrétienne, réveillonnent à l'occasion de la Noël, tirent les rois le jour de l'Épiphanie, et s'associent aux festivités du mardi gras. Ils observent encore les rites qui marquent les grandes étapes de la vie — circoncision, majorité religieuse, mariage, obsèques. Mais il est rare qu'ils puissent donner à leurs enfants une instruction religieuse que l'école laïque n'assure pas. Leurs enfants ne sauront pas lire l'hébreu et ignoreront souvent jusqu'aux principes de la religion juive. Comment pourront-ils transmettre un judaïsme qu'ils n'ont pas reçu ? Ainsi, les assimilés donnent à croire que l'on ne saurait assigner des limites à l'assimilation et que celle-ci conduit tôt ou tard à une fusion dans le peuple pris comme modèle, en emportant une complète déjudaïsation.

Le traditionalisme

Contre les partisans de l'assimilation se dressent les traditionalistes. Les représentants de ce courant ont une connaissance plus ou moins poussée de la langue hébraïque et de la culture juive, soit qu'ils aient reçu une formation traditionnelle, soient qu'ils aient pu allier à une formation moderne une connaissance de la langue sacrée et des principes du judaïsme. Ils expriment les aspirations d'une part importante de la population juive encore attachée à ses traditions. Au lendemain de la guerre, ils ont pour organe un journal hebdomadaire en langue française, *L'Égalité*, qui a paru régulièrement de 1919 à 1937 (51). Une suite d'articles publiés dans ce journal au cours de l'année 1937, et réédités sous la forme d'une brochure en 1939, fournissent un exposé complet des positions des traditionalistes dans l'entre-deux-guerres (52).

Les traditionalistes conviennent de la nécessité pour les Juifs de vivre avec leur siècle, de s'ouvrir au progrès et d'adopter le mode de vie des nations les plus avancées. Mais ils considèrent que cette évolution nécessaire ne doit pas les conduire à rompre avec la culture juive et un judaïsme strictement observé. Ils critiquent avec vigueur les partisans de l'assimilation qui, sous couleur de s'ouvrir à la civilisation moderne, abandonnent les unes après les autres toutes les pratiques rituelles. Ils leur reprochent de ne pas observer le repos sabbatique, de ne pas respecter les interdits alimentaires, de ne pas célébrer les solennités de l'année liturgique, de ne pas fréquenter les lieux de culte et de se limiter à observer les rites judaïques à l'occasion des grandes étapes de la vie. Ils leur reprochent encore de négliger la formation religieuse de leurs enfants, qui seront incapables de transmettre un judaïsme qu'ils n'ont pas reçu. Aussi bien, voient-ils dans l'assimilation un « danger mortel » (53).

Ils ne condamnent pas ouvertement les Juifs tunisiens qui demandent leur naturalisation française, mais ils ne les encouragent pas non plus à un changement de nationalité qui signifie pour eux l'abandon de leur statut personnel, car celui-ci a moins de défauts que les partisans de l'assimilation voudraient le faire croire (54). Ils estiment cependant qu'il convient de procéder à une codification concise et claire du droit mosaïque, de multiplier les juridictions rabbiniques et d'en simplifier la procédure (55). Ils défendent l'enseignement dispensé dans les écoles de l'Alliance Israélite, car il fait une place à l'hébreu, à l'histoire d'Israël et à la religion juive et contribue à la sauvegarde de la culture juive, menacée par l'assimilation (56). Mais pour assurer la survie du judaïsme tunisien, ils jugent nécessaire de renouveler son élite religieuse, et ils demandent à cette fin la création d'un séminaire israélite pour former les cadres religieux — juges, notaires, enseignants et ministres du culte — dont la communauté juive a besoin (57).

Les traditionalistes se proposent avant tout de faire échec aux progrès de l'irréligion et de ramener les Juifs de Tunisie à une pratique intégrale du judaïsme, mais, en s'employant au maintien d'une vie juive, ils secondent les efforts de ceux qui militent pour une renaissance de la nation juive et la création d'un État juif en Palestine.

Le sionisme

Le mouvement sioniste, dont les bases ont été jetées avant 1914, connaît de nouveaux développements dans l'entre-deux-guerres. Par la déclaration Balfour, en date du 2 novembre 1917, le gouvernement britannique avait fait savoir qu'il envisageait favorablement l'établissement, en Palestine, d'un Foyer national pour le peuple juif. Les Nations alliées donnèrent bientôt à cette déclaration la consécration du droit international, en chargeant la Grande-Bretagne d'exercer un mandat sur la Palestine, au nom de la S.D.N., lors de la conférence réunie en avril 1920 à San Remo (58). Cette décision devait soulever un grand enthousiasme parmi les Juifs de Tunisie, comme parmi les Juifs de toute l'Afrique du Nord. Un auteur écrit : « Une atmosphère de rédemption régnait, qui se manifestait par des prières d'actions de grâce, des réunions publiques, un réveil du messianisme religieux, une intensification de l'activité sioniste qui se traduisit par la préparation d'une ʿaliyah et un accroissement de la vente de sheqels » (59).

Au cours de l'année 1920, les douze organisations sionistes qui existaient alors se réunirent pour constituer la *Fédération Sioniste de Tunisie*. La nouvelle organisation fut officiellement reconnue par les Autorités tunisiennes. Cette reconnaissance permit au mouvement sioniste de développer son activité et sa propagande en publiant des journaux, tels que *La Voix juive* (1920-1921), *La Voix d'Israël* (1920-1926), et *Le Réveil juif* (1924-1934) (60).

La Fédération sioniste parvint parfois à associer à son action les notables qui avaient été portés à la direction de la Communauté israélite. L'appel lancé en 1922 par la Fédération sioniste pour inviter à participer à la première campagne de souscription en faveur du *Keren ha-yessod* (= « Le Fonds d'équipement ») fut contresigné par tous les dirigeants de la Communauté israélite de Tunis, et entre autres, par le grand rabbin Moshé Sitruk et le président du Conseil de la Communauté, Eugène Bessis (61).

Cependant, le sionisme, à de rares exceptions près, rencontra peu d'échos parmi les membres de l'intelligentsia, qui prônaient l'assimilation. Il n'en rencontra pas davantage parmi ceux qui subissaient l'influence de l'idéologie et des dirigeants de l'Alliance Israélite. On l'a noté : « L'Alliance n'était pas seulement une organisation philanthropique. Son activité avait un fondement idéologique qui proposait aussi une alternative pratique au sionisme. A l'encontre de la centralité du pays d'Israël, l'Alliance défendait la centralité de la France, de sa culture et de ses valeurs. L'Alliance croyait que la question juive pouvait être résolue localement — tout au moins dans les pays placés sous la domination française — à travers l'intégration sociale et culturelle des Juifs à la vie générale de leur pays de résidence » (62). Ainsi, le sionisme fit peu d'adeptes parmi les classes instruites, gagnées aux idées modernes, qui étaient sous l'influence de ce qu'on pouvait appeler le « modèle français » ; et les mouvements sionistes recrutèrent presque tous leurs adhérents parmi les éléments traditionalistes, qui ne pouvaient pas comprendre réellement l'idéal sioniste (63).

Dans le mouvement sioniste de Tunisie, on retrouvait les diverses tendances qui s'étaient fait jour dans le sionisme européen. C'est la tendance révisionniste qui, de bonne heure, s'affirma comme la plus populaire : des articles de V. Jabotinski, publiés dans *Le Réveil juif*, gagnèrent aux thèses révisionnistes un grand nombre de sionistes tunisiens. Ainsi, aux élections des délégués au Congrès sioniste de 1927, la liste révisionniste obtint la majorité absolue. D'où, le télégramme de félicitations adressé par V. Jabotinsky aux révisionnistes de Tunisie, qui ne tardèrent pas à créer à Tunis et à Sfax des sections du parti révisionniste et de son mouvement de jeunesse, le *Betar* (64). Au cours de l'année 1930, sous l'action de deux émissaires venus de Belgique, se constitua une section de l'organisation sioniste socialiste *Ha-Shomer ha-Ts*c*aïr* (= Le Jeune Gardien). Mais la plupart de ses adhérents ne tardèrent pas à rallier les jeunesses communistes, et la section fut dissoute (65). Quant au sionisme religieux, il était représenté par une section du mouvement *Torah ve-Avodah* (= Loi et Travail) et de son organisation de jeunes, *Bnei Akivah* (= Les Enfants d'Akiva), qui ne comptaient qu'un petit nombre d'adhérents. Au sein de la *Fédération sioniste de Tunisie*, la tendance révisionniste était largement dominante, et ce furent des militants révisionnistes qui représentèrent la Tunisie aux congrès sionistes de 1929, 1931 et 1933 (66).

Grâce aux diverses organisations sionistes et aux journaux qu'elles publiaient, l'idée sioniste se répandit au sein de la population juive de Tunisie, mais sans jamais se traduire par un mouvement d'émigration, une c*aliyah* à destination de la terre d'Israël. Ce sionisme était ce qu'on a appelé un « sionisme sans réalisation » (67). Mais on ne saurait s'étonner que les Juifs de Tunisie n'aient pas pris part au mouvement qui devait accroître la population juive de Palestine. Pour les leaders du mouvement sioniste de l'entre-deux-guerres, il s'agissait d'abord d'assurer un refuge aux Juifs d'Europe centrale — de Pologne et de Roumanie — parce qu'ils étaient les plus pauvres et les plus exposés à la persécution. Il n'était pas question de favoriser l'émigration des Juifs des pays de l'Europe de l'ouest et des territoires coloniaux des Grandes Puissances (68). Aucun effort ne fut entrepris par les organisations sionistes centrales pour promouvoir l'émigration des Juifs d'Afrique du Nord. Cependant, plus d'une fois, les colonies juives de Palestine eurent à souffrir des attaques meurtrières de la population arabe hostile au sionisme. La Grande-Bretagne fut amenée à réglementer l'émigration juive d'une façon de plus en plus restrictive. Seuls les Juifs dont la vie était devenue intenable dans leur pays d'origine trouvaient en eux-mêmes une énergie suffisante pour affronter les difficultés de tous ordres qui étaient le lot des pionniers d'Israël. Or les conditions de vie des Juifs de Tunisie ne furent jamais telles qu'ils aient été contraints d'émigrer. Ainsi, pour la plupart d'entre eux, l'adhésion au sionisme signifiait le ralliement à un projet idéal, non l'engagement personnel de prendre part à la renaissance de l'État juif sur le sol de l'ancienne Judée (69).

De nombreux Juifs s'ouvrent aux doctrines politiques qui s'affrontent dans la Métropole, avec une préférence marquée pour les idées défendues par les partis de gauche : radical, socialiste ou communiste.

Des représentants de l'intelligentsia, de nationalité française, adhèrent aux sections locales du parti radical et du parti socialiste, en y exerçant parfois des fonctions dirigeantes (70). Dans le cadre de ces partis, qui ne remettent pas en question le principe du protectorat, ils prennent part à de nombreuses actions visant à établir une plus grande justice sociale et à réduire les tensions entre les divers éléments de la population. Nul doute qu'en militant au sein des partis de gauche, ils ne soient persuadés de servir les intérêts de la communauté dont ils font partie.

Mais il en est qui adoptent des positions plus avancées, en donnant leur adhésion au parti communiste de Tunisie. Il s'agit d'abord de membres des classes moyennes — employés de magasin, employés de bureau, employés de banque — que l'action syndicale a rapprochés des militants ouvriers et qui se laissent gagner par les thèses marxistes-léninistes. Ils sont ainsi amenés à relier la lutte pour le socialisme à la lutte contre l'impérialisme. Aussi bien, adoptent-ils sur la question juive les positions que défend alors le mouvement communiste international : a) Les Juifs dispersés par le monde ne constituent pas une nation parce qu'ils ne présentent pas tous les éléments constitutifs d'une communauté nationale ; b) Le sionisme est un nationalisme et, comme tous les nationalismes, il subordonne les intérêts des classes laborieuses à ceux de la bourgeoisie ; c) L'établissement du peuple juif en Palestine représente une forme de colonisation qui lèse les intérêts des populations arabes du pays ; d) Les Juifs doivent partout s'assimiler au peuple au milieu duquel ils vivent et prendre part à son combat pour une transformation révolutionnaire de la société, qui mettra fin à toute forme d'oppression (71). En se ralliant aux thèses défendues par les communistes, des Juifs tunisiens se trouvèrent amenés à affirmer leur appartenance à la nation tunisienne et à vouloir lier leur destin à celui de leurs compatriotes musulmans, en s'éloignant des vues exprimées tant par les sionistes que par les partisans de l'assimilation française. Ainsi, un certain nombre de militants juifs prirent part à l'action engagée par le parti communiste et firent l'objet de mesures répressives, en même temps que les militants nationalistes du parti néo-destourien (72).

Dans les années qui précédèrent et suivirent l'avènement du gouvernement de Front populaire, le communisme fit des adeptes au sein d'une jeunesse intellectuelle issue de la bourgeoisie juive. On a pu s'étonner de l'attirance exercée par des idées révolutionnaires sur des éléments de la population relativement aisés (73). Mais le fait n'est pas propre à la Tunisie. Dans tous les pays, l'intelligentsia juive a fourni des militants révolutionnaires : Lénine a pu rendre hommage au rôle joué par les intellectuels juifs dans les mouvements sociaux d'avant-garde (74). On peut l'expliquer par les évidentes affinités que présentent les fins dernières du communisme avec les espoirs entretenus pendant des siècles par le vieux messianisme juif. On peut l'expliquer encore par les mérites dont pouvait se prévaloir la « révolution prolétarienne » qui réalisait la libération des peuples coloniaux en maintenant des liens avec le peuple de la Métropole : cette « révolution » semblait préférable à l'indépendance pour laquelle luttaient les partis nationalistes, dont rien n'assurait qu'elle serait favorable aux minorités. Nul doute que le ralliement au communisme de nombreux intellectuels juifs n'ai été dû aussi, pour une large part, à la détermination avec laquelle, dans tous les pays, les partis communistes combattaient le fascisme, qui représentait pour les Juifs, comme pour toute l'humanité, la plus redoutable des menaces.

7. Les Juifs italiens

A la fin de l'année 1938, les lois raciales édictées par l'Italie fasciste, suite à son alliance avec l'Allemagne nazie, devaient frapper les Juifs italiens de Tunisie.

Les Juifs de nationalité italienne étaient au nombre de 3 000 environ dans l'ensemble du pays (75). Ils étaient pour une large part les descendants de Juifs venus de Livourne au XVIIe et au XVIIIe siècle. Aussi les désignait-on souvent sous le nom de « Juifs livournais ». Mais il faut se souvenir que nombre de Juifs d'ascendance livournaise étaient de nationalité tunisienne et que nombre de Juifs italiens descendaient de Juifs venus au XIXe siècle de toutes les régions d'Italie (76). Établis pour la plupart dans la capitale, les Juifs italiens se réduisaient à quelques familles dans les grandes villes de la côte : Bizerte, Sousse et Sfax. Peu nombreux à exercer leur activité dans l'agriculture, ils occupaient des positions importantes dans le commerce de gros, à l'exportation (céréales, huiles, alfa, vieux métaux) et à l'importation (textiles, bois) ; ils étaient à la tête de plusieurs entreprises industrielles (minoteries, conserveries, huileries, savonneries, fabriques de meubles, papeteries) ; certains représentaient des compagnies de navigation ou des compagnies d'assurances italiennes (77). Il y en avait aussi parmi eux qui exerçaient des professions libérales : avocats, médecins et pharmaciens. Ainsi, au sein de la colonie italienne, où dominaient les petits cultivateurs, les artisans et les ouvriers, ils constituaient une bourgeoisie aisée et cultivée.

Résidant dans les nouveaux quartiers qui s'étaient développés en marge des vieilles médinas, vivant mêlés aux Européens dont ils partageaient le mode de vie, ils ne s'en différenciaient que par la religion. Leur pratique se limitait généralement au respect des interdits alimentaires, à l'observance des rites de passage et à la célébration des grandes fêtes de l'année liturgique. De toute manière, ils s'attachaient à pratiquer un judaïsme « évolué », à l'européenne, ayant à cœur de se distinguer de la masse des Juifs tunisiens dont ils considéraient le judaïsme comme « arriéré ». Certaines familles, qui avaient subi l'influence de la franc-maçonnerie, avaient même rompu avec toute pratique. Ayant donné l'exemple sur la voie de l'occidentalisation, les Juifs italiens l'ont donné aussi sur la voie de la déjudaïsation.

Les enfants des Juifs italiens, qui portaient des prénoms italiens, faisaient leurs études dans les écoles italiennes de la Régence. Au terme de leurs études secondaires, ils allaient faire leurs études supérieures de droit, de médecine ou de pharmacie dans les universités italiennes, et nantis de diplômes italiens, revenaient exercer leur profession en Tunisie, où leurs familles étaient établies de longue date, en ajoutant au prestige et au rayonnement de l'élite juive au sein de la colonie italienne.

Liant leurs destinées à celle de la mère-patrie, les Juifs italiens de Tunisie n'ont jamais cessé de donner des preuves de leur patriotisme. A la fin du XIXᵉ siècle, ils s'étaient faits les défenseurs des intérêts italiens en Tunisie et avaient soutenu les revendications de l'impérialisme italien sur le pays. Ils ont accueilli avec satisfaction la signature des conventions franco italiennes du 28 septembre 1896 qui ont assuré aux Italiens, en Tunisie, des droits égaux à ceux des Français, en leur donnant le droit d'y conserver indéfiniment leur nationalité, de père en fils, d'y exercer toutes les professions libérales et d'y avoir leurs écoles comme leurs institutions d'assistance et d'entraide. Dès lors, leur nationalisme s'est fait moins agressif et ils ont fini par concilier parfaitement leur attachement à la nation italienne avec une attitude amicale à l'égard de la Puissance qui exerçait son protectorat. La guerre de 1914-1918, au cours de laquelle les deux sœurs latines se sont retrouvées dans le même camp, a fortement contribué à rapprocher Français et Italiens de toutes confessions.

Après la marche sur Rome et l'arrivée au pouvoir de Mussolini, les Juifs italiens de Tunisie n'ont pas tardé à se rallier, bon gré mal gré, au nouveau régime. Comme la plupart de leurs compatriotes, ils étaient persuadés que l'État fasciste servirait les intérêts de la nation italienne ; il n'ont pu résister à la formidable pression des autorités consulaires, qui les ont contraints à faire preuve de sentiments fascistes, sous peine d'être mis au ban de la collectivité nationale et considérés comme des ennemis. Ainsi, la plupart des Juifs italiens de Tunisie ont donné des gages de loyalisme en adhérant aux organisations fascistes et en portant ostensiblement l'insigne du parti fasciste. Lorsque le Duce, à la fin de l'année 1935, déclencha l'expédition coloniale contre l'Éthiopie, les Juifs italiens n'ont pas été les derniers à faire don de leurs alliances de mariage en or, pour aider à l'effort de guerre de l'Italie fasciste. Il y en a eu même parmi eux qui prirent part à la guerre contre l'Éthiopie en s'engageant comme volontaires dans la légion formée par les Italiens à l'étranger (78).

Le loyalisme dont ils faisaient preuve à l'égard de l'État fasciste leur valait la confiance des autorités consulaires, et de nombreux Juifs italiens exerçaient des fonctions dirigeantes dans les institutions de la colonie italienne. Dans les années trente, on en trouvait dans le conseil d'administration de la *Banca Italiana di Credito*, dans le conseil d'administration du journal *L'Unione*, à la direction d'institutions d'assistance telles que l'*Ospedale Garibaldi* ou l'*Orfanotrofio Principe di Piemonte* ou d'une association culturelle comme la *Dante Alighieri*. On peut ajouter que ce sont des Italiens de confession juive qui étaient les avocats ou les médecins du consulat d'Italie à Tunis (79). L'emprise des représentants de l'État fasciste sur l'ensemble de la colonie italienne était telle qu'elle forçait à la même allégeance les plus tièdes comme les plus convaincus.

On n'en mesure que mieux le courage dont devaient faire preuve ceux qui refusaient de se rallier au régime et allaient jusqu'à le combattre ouvertement. L'opposition au fascisme n'a cessé d'être représentée dans la colonie italienne par de petits noyaux de francs-maçons, de socialistes et d'anarchistes (80), que venaient grossir de loin en loin des militants antifascistes de la péninsule qui réussissaient à passer clandestinement en Tunisie. Cette opposition au fascisme s'est traduite par la création d'une section de la *Lega Italiana dei Diritti dell'Uomo* et par la publication d'un hebdomadaire, *La Voce Nuova* (1930-1933), auquel le consulat a fait une guerre sans merci et qui a fini par disparaître (81). Mais l'antifascisme italien a pris un nouveau départ sous le Front Populaire, avec l'entrée en lice d'un groupe de jeunes intellectuels issus de la bourgeoisie juive de la capitale. Étant venus au communisme par un cheminement de pensée qui fut celui de nombreux intellectuels de l'entre-deux-guerres, ils ont mis en pratique la politique d'union contre le fascisme qui avait été fixée par le VIIᵉ Congrès de l'Internationale Communiste. Ils ont donné leur adhésion à la Ligue Italienne des Droits de l'Homme et ont été les principaux animateurs de son organe de presse, *l'Italiano di Tunisi*, qui a commencé à paraître en octobre 1936 (82). Sérieux et vivant, le journal s'est efforcé de donner la riposte à la propagande fasciste en faisant la lumière sur les « réalisations sociales » du régime et en dénonçant les dangers que la politique de Mussolini — marquée par son intervention armée en Espagne et ses revendications tapageuses de la Savoie, de la Corse et de la Tunisie — faisait courir à la paix. L'action des antifascistes devait déchaîner la colère des autorités consulaires italiennes et des agents des organisations fascistes qui dénoncèrent les antifascistes de Tunisie comme « traîtres à la patrie » (= *traditori della patria*) et organisèrent contre l'*Italiano di Tunisi* et ses militants de véritables expéditions punitives — telle celle du 20 septembre 1937, qui fut marquée par l'assassinat du militant G. Miceli. Mais le journal antifasciste a poursuivi courageusement son activité, et les événements ne devaient pas tarder à lui donner raison (83).

Le rapprochement avec l'Allemagne nazie conduisit Mussolini à édicter, au cours de l'été 1938, un ensemble de lois raciales qui jetèrent la consternation au sein de la population italienne de confession juive. Aux termes de ces lois, les Juifs étaient exclus des établissements d'enseignement public, élémentaire, secondaire et supérieur ; il leur était interdit d'exercer un emploi dans l'Administration ; ils perdaient le droit de posséder une exploitation industrielle employant plus de cent salariés et une propriété agricole de plus de cinquante hectares ; enfin, les mariages mixtes entre Juifs et chrétiens étaient désormais prohibés (84). Sans doute, les Juifs italiens de Tunisie ne pouvaient-il être que partiellement atteints par ces mesures, puisqu'ils résidaient hors du territoire italien ; ils n'en furent pas moins durement éprouvés par la promulgation de lois raciales qui les excluaient de la communauté nationale.

Italiens depuis des générations, de langue et de culture italiennes, profondément attachés à leur « italianité », les Juifs italiens avaient été jusque-là peu nombreux à demander leur naturalisation française. De la fin du XIXe siècle à 1938, il n'y aurait eu que sept familles de Juifs italiens qui se seraient naturalisées (85). Après la promulgation des lois raciales, il y eut quelques Juifs italiens qui sollicitèrent et obtinrent leur naturalisation française. Mais la plupart d'entre eux ne virent pas dans un changement de nationalité un moyen de résoudre le problème posé par la politique raciste de l'Italie fasciste. Ils affirmèrent leur volonté de rester italiens, en mettant tous leurs espoirs dans une restauration de la démocratie en Italie (86). Ils furent ainsi amenés à apporter leur soutien financier à la création d'un quotidien d'information antifasciste pour faire pièce à la propagande fasciste. Ce quotidien, appelé *Il Giornale*, eut pour principaux animateurs trois rédacteurs de l'*Italiano di Tunisi*, et deux personnalités de premier plan du Parti communiste italien, qui vinrent alors renforcer le mouvement antifasciste de Tunisie (87). Il commença à paraître au mois de mars 1939 et il parut régulièrement — concurremment avec l'*Italiano*, qui poursuivit sa publication hebdomadaire — jusqu'au mois de septembre 1939.

Tunis était devenue à la veille de la guerre l'un des centres les plus vivants de l'antifascisme italien hors d'Italie. C'était là le fruit de l'action engagée par un petit nombre de militants courageux, parmi lesquels une poignée d'intellectuels juifs italiens.

8. La vie des communautés

Au lendemain de la guerre de 1914-1918, le moment sembla venu d'assurer une meilleure participation des Juifs de Tunis à la gestion de leurs intérêts communautaires. Au lieu et place du Comité d'administration de l'ancienne Caisse de secours et de bienfaisance, le décret du 30 août 1921 institua un *Conseil de la Communauté israélite,* élu par un suffrage à deux degrés, pour quatre ans (88).

A un collège électoral composé de tous les Israélites, sans distinction de nationalité, âgés de 21 ans accomplis et domiciliés depuis un an dans le contrôle civil de Tunis, revient la tâche d'élire au premier degré soixante délégués âgés de 30 ans accomplis. Aux soixante délégués élus au suffrage universel, revient la tâche de désigner en leur sein douze conseillers formant le Conseil de la communauté.

Aux termes du décret, les élections doivent se faire, au premier comme au second degré, au scrutin de liste, par section, de manière à assurer une représentation proportionnelle des rites. Il faut entendre par là que le rite tunisien et le rite livournais ou portugais doivent avoir une représentation proportionnelle à leur importance respective, tant dans l'assemblée des soixante que dans le Conseil des Douze. Le décret ne définit pas la part qui doit être faite à chaque rite. Mais l'usage sera d'élire 46 délégués tunisiens et 14 délégués portugais, et de désigner 9 conseillers tunisiens et 3 conseillers portugais (89).

Le Conseil des Douze doit élire en son sein un président, secondé par deux vice-présidents. Le président du Conseil de la communauté, dont la voix est prépondérante en cas de partage des voix, a la charge d'exécuter les délibérations du Conseil. Le Conseil tient quatre sessions ordinaires, d'une durée maximum de six jours, aux mois de janvier, avril, juillet et octobre. Il peut aussi tenir une ou plusieurs sessions extraordinaires, pourvu qu'elles aient été autorisées par le Secrétaire général du gouvernement. Il se divise en deux sections de travail, composées l'une et l'autre de six membres. L'une est chargée de l'examen des questions se rattachant au culte ; l'autre de l'examen des questions se rattachant à l'assistance. Quoique ne faisant pas partie du Conseil de la communauté, le grand rabbin a le droit d'assister avec voix consultative à toutes les sessions du Conseil et des sections.

Le Conseil de la communauté a le pouvoir de délibérer, après avis des sections compétentes, sur le nombre et la circonscription des synagogues publiques et privées ; la rémunération des rabbins et des ministres officiants nécessaires à la célébration du culte ; l'administration de l'abattoir rituel et du cimetière ; l'organisation de l'enseignement religieux ; l'acquisition, l'administration et la vente des biens ou des revenus devant profiter à la communauté ; l'acceptation ou le refus des dons et legs ; les demandes de secours et la répartition des fonds affectés à la bienfaisance ; les subventions aux associations juives d'intérêt social ou culturel ; l'adoption d'un budget annuel et le contrôle des comptes de la communauté.

Le Conseil de la communauté ne jouit pas d'une autorité sans contrôle. Ses délibérations ne sont valables qu'après approbation du Secrétaire général du gouvernement, qui nomme auprès de lui un délégué chargé de vérifier et de contrôler les budgets et les comptes de la communauté, et qui assiste aux séances du Conseil avec voix consultative. Il revient au Président de la communauté d'exécuter les décisions prises par le Conseil et approuvées par la Haute Administration.

Les ressources de la Communauté israélite à Tunis sont celles qui ont été concédées par divers décrets à la Caisse de secours et de bienfaisance israélite de Tunis : elles sont constituées par le produit de la taxe sur la viande cacher ; le produit de la taxe sur les pains azymes ; le produit des dons et des quêtes ; les revenus des legs et des fonds de réserve ; les revenus des synagogues ; et enfin des ressources diverses, imprévues et accidentelles.

Il pourrait sembler, à la lecture des textes réglementaires, que le décret du 30 août 1921 a mis fin à la division entre « Tunisiens » et « Portugais », en dotant la Communauté israélite de la capitale d'un conseil élu par les Israélites des deux rites et dont l'autorité s'étendait à tous les Israélites. Mais en fait, les fidèles de rite portugais ont continué à former une communauté distincte, placée sous l'autorité d'un Conseil de la communauté portugaise, dont la composition et les attributions sont restées purement coutumières. De ce Conseil dépendait tout ce qui avait trait au culte et à l'assistance des Israélites de rite portugais. Ainsi, comme par le passé, les Israélites de rite portugais ont continué à avoir leurs synagogues, leurs rabbins, leurs *talmud-torah* et leurs *yeshivot*, et dans le nouveau cimetière israélite de Borgel, un mur séparait le champ de repos des « Portugais » de celui des « Tunisiens » (90).

En application du décret du 30 août 1921, la communauté israélite de Tunis fut dotée pour la première fois d'un conseil issu d'élections, au cours de l'année 1922. Les conseillers étant élus pour quatre ans, des élections eurent lieu pour le renouvellement de la composition du conseil en 1926, en 1930, en 1934 et en 1938, au cours desquelles s'affrontèrent des listes de candidats dont les professions de foi, plus ou moins traditionalistes, plus ou moins modernistes, correspondaient aux tendances entre lesquelles se partageait la population juive de la capitale (91).

Le Conseil de la communauté israélite de Tunis assura désormais tous les services dont s'était acquitté jusque-là le Comité d'administration de la Caisse de secours et de bienfaisance : entretien et fonctionnement des lieux de culte ; organisation de l'enseignement religieux ; rémunération des rabbins officiants et enseignants ; gestion de la section israélite des abattoirs municipaux et contrôle des boucheries cacher ; organisation des pompes funèbres et entretien du cimetière ; distribution de secours aux indigents *(ḥilluq)* et assistance aux malades *(biqur ḥolim)* (92).

Les services de la Communauté israélite étaient secondés par de nombreuses œuvres privées. La société qui, depuis la fin du siècle dernier, assurait le fonctionnement de l'Hôpital israélite de Tunis dut, faute de moyens suffisants, interrompre son activité en 1930 : les malades de confession juive furent alors admis à l'Hôpital civil français (93). Mais toutes les œuvres de bienfaisance créées avant la guerre poursuivirent leur activité. A ces œuvres, plus ou moins anciennes, s'en ajoutèrent de nouvelles : pour venir en aide aux familles nécessiteuses, *l'Œuvre des Couvertures* (1927) ; pour habiller et nourrir les enfants des écoles, *Nos Petits* (1934) ; pour soigner les jeunes atteints de primo-infection tuberculeuse, la *Société du Préventorium de l'Ariana* (1938) ; pour verser des secours aux familles indigentes, *La Bouchée de Pain* (1938). Ces diverses œuvres, grâce à leurs dotations initiales, aux cotisations de leurs animateurs et aux contributions de généreux donateurs, s'employaient de diverses manières à secourir la misère juive.

C'est sur la proposition du Conseil de la Communauté israélite de Tunis qu'est désigné le grand rabbin de Tunisie, dont l'autorité s'étend à l'ensemble du pays et aux fidèles des deux rites. Il continue de présider la commission d'examen des candidats notaires *(soferim)* ; de diriger le corps des rabbins-officiants ; de délivrer les permis d'exercer aux circonciseurs *(mohelim)* et aux abatteurs rituels *(shoḥeṭim)* ; de contrôler les écoles assurant l'enseignement de l'hébreu et de surveiller les études rabbiniques. Il est, de plus, le président honoraire du Tribunal rabbinique de Tunis. Un décret beylical du 2 février 1922 a créé, auprès du grand rabbin de Tunis, un conseil de six rabbins nommés par arrêté du Premier ministre, lequel est chargé de formuler des avis motivés sur toutes les questions d'ordre religieux intéressant les Israélites de Tunisie (94).

Cependant, aucune modification n'a été apportée à l'organisation des communautés israélites de l'intérieur du pays. Elles continuent à être dotées de *Caisses de secours et de bienfaisance*, gérées par des comités d'administration composés de membres nommés par arrêtés. Aux centres déjà dotés de caisses de secours avant la guerre, s'en sont ajoutés de nouveaux : dans le nord : Ebba-Ksour (1921) ; dans le centre : Mahdia (1919) ; dans le sud : El-Hamma (1922), Médenine (1922) (95). Ainsi, toutes les communautés israélites importantes se sont trouvées en mesure de satisfaire aux exigences de leurs fidèles en matière de culte et d'assistance.

Jouissant d'une manière d'autonomie, voire de *self government*, pour tout ce qui avait trait à l'organisation de sa vie communautaire, la population juive a été associée, comme la population musulmane, à la gestion des affaires du pays. a) Des sièges étaient réservés aux Israélites tunisiens dans les diverses chambres économiques chargées d'éclairer la haute administration, de leurs avis sur les questions intéressant l'agriculture, le commerce ou l'industrie (96) ; b) Dans tous les centres érigés en commune ayant une population israélite plus ou moins importante, un siège au conseil municipal était réservé à un Israélite de nationalité tunisienne, nommé par décret (97) ; c) Enfin, dans le Grand Conseil, créé en 1922, pour remplacer l'ancienne Conférence consultative — qui comprenait une section française et une section tunisienne — la population israélite se trouva représentée dans la section tunisienne par quatre conseillers sur un total de quarante et un (98). Par ces diverses dispositions, la population israélite qui avait conservé la nationalité tunisienne participait aux affaires du pays, comme si elle avait constitué une minorité dont les droits avaient été reconnus.

NOTES DU CHAPITRE VIII

(1) Cf. RODD BALEK [= Ch. MONCHICOURT], *La Tunisie après la guerre (1919-1921). Problèmes politiques*, 2e éd. Paris, 1922 ; CAVE [= Ch. MONCHICOURT], *Sur les traces de Rodd Balek. Les problèmes tunisiens après 1921*, Paris, 1929.

(2) H. LAGRANGE et H. FONTANA, *Codes et Lois de la Tunisie. Supplément 1922-1925*, pp. 53-55 ; A. GIRAULT, *Principes de colonisation et de législation coloniale*, sixième éd., Paris, 1936, pp. 144 sqq.

(3) *Ibid.*

(4) Sur ce que l'on entendait dans les sphères dirigeantes par « services importants », cf. CAVE, *op. cit.*, pp. 210-211.

(5) *Statistique générale de la Tunisie*, Années 1921 sqq.

(6) Un auteur bien informé écrit : « Les notables israélites rencontrent dans leur cercle racial les satisfactions d'amour-propre, politiques et économiques qu'ils peuvent souhaiter. Ils sont sans mobiles pour s'évader d'un milieu natal qui vaut à leurs fils l'exemption du service militaire ». (Ch MONCHICOURT, *Les Italiens de Tunisie et l'accord Laval-Mussolini de 1935*, Paris, 1939, p. 169).

(7) Le même auteur écrit : « Les naturalisations musulmanes et juives sont jugées moins désirables que jadis, et par les membres de ces deux communautés et par le gouvernement français ». (*Ibid.*, pp. 169-170).

(8) *Annuaire statistique de la Tunisie*, Année 1947, p. 13.

(9) Les nombres de naissances et de décès, année par année, nous ont été fournis par la *Statistique générale de la Tunisie*, Années 1921 sqq. Les taux que nous avons calculés correspondent exactement à ceux qui ont été établis par le Service Tunisien des Statistiques. Cf. *Bulletin trimestriel du Service des Statistiques*, 1948 (3), p. 66 ; *Annuaire Statistique de la Tunisie*, 1947, p. 32.

(10) Cf. *supra*.

(11) Force est d'admettre que le taux d'accroissement annuel est plus élevé qu'il ne ressort de la comparaison des taux de natalité et de mortalité que nous avons calculés, à partir des naissances et des décès enregistrés, au sein de la population tunisienne israélite.

(12) *Dénombrements de la population civile européenne et tunisienne* de 1921, 1926, 1931 et 1936.

(13) Parmi les communes de la banlieue de Tunis, les seules à compter une population tunisienne israélite étaient : L'Ariana, La Goulette, La Marsa et Hammam-Lif.

(14) *Dénombrements...*

(15) La création en 1934 d'une Caisse Foncière, accordant des prêts à court et moyen terme aux fellahs propriétaires de terres non immatriculées, contribua dans une large mesure à la disparition de l'usure. Cf. E. COHEN-HADRIA, « Les Milieux juifs de Tunisie avant 1914 vus par un témoin », in *Le Mouvement Social*, juillet-septembre 1967, pp. 89-107, v. p. 105.

(16) On se permettra de citer quelques noms : minoterie (Abitbol, Brami, Koskas, Mani, Memmi, Soria) ; distillerie (Bokobza, J. Ktorza) ; confiserie (S. de Paz) ; conserverie (D. Enriquez, E. Nunez) ; huilerie (Darmouni) ; savonnerie (A. Halfon) ; briqueterie (Belaïsch et Gozlan, F. Nataf, D. Sebag) ; carrelages (Bismuth, Boublil) ; meubles (H.-I. et J. Bismut) ; tannerie (S. Lévy) ; tissage mécanique (A. Benmussa) ; papeterie (Calò, Krief) ; imprimerie (M. Nahum).

(17) E. COHEN-HADRIA, « Les Juifs francophones dans la vie intellectuelle et politique... », dans *Le judaïsme d'Afrique du Nord aux XIXe-XXe siècles*, Jérusalem, 1980, p. 62.

(18) Cl. LIAUZU, *Salariat et mouvement ouvrier en Tunisie. Crise et mutations (1931-1939)*, Paris, 1978, pp. 127-129.

(19) P. Hubac, « Voyage au fond de la Hara », dans *L'Univers Israélite*, 1934 ; cf. R. Attal et Cl. Sitbon, *Regards...*, pp. 116-121.

(20) *Statistique générale de la Tunisie*, Années 1921 sqq.

(21) De 1921 à 1936, la population passe de 48 436 à 59 485, soit de 100 à 123, alors que les enfants scolarisés passent de 9 650 à 12 668, soit de 100 à 132.

(22) *Statistique générale de la Tunisie*, Années 1921 sqq.

(23) *R.S.C.E.E.*, 1932, t. III, p. 88.

(24) Cf. A. Udovitch et L. Valensi, « Être Juif à Djerba », dans *Communautés juives des marges sahariennes*, Jérusalem, 1982, pp. 158-225. v. p. 217.

(25) [E. Martin], *Les Sabirs de Kaddour ben Nitram*, Tunis, 1931, *passim*.

(26) D. Hagege, *La littérature judéo-arabe tunisienne*, Sousse, 1939 (en judéo-arabe) ; R. Attal, « Littérature judéo-arabe », dans R. Attal et Cl. Sitbon, *Regards...*, pp. 203-210 ; R. Attal, « Évocation de la France dans la littérature judéo-arabe tunisienne », dans *Le judaïsme d'Afrique du Nord aux XIXᵉ-XXᵉ siècles*, pp. 114-124.

(27) R. Attal, *Périodiques juifs d'Afrique du Nord*, Jérusalem, 1980, cf. nᵒˢ 25, 38 et 48 ; cf. G. Zawadowski, « Index de la presse indigène de Tunisie », dans *Revue des Études Islamiques*, 1937, pp. 357-369. D'après un inventaire dressé par R. Attal, quatorze périodiques en judéo-arabe ont vu le jour de 1920 à 1939, mais la plupart n'ont eu qu'une existence éphémère. (R. Attal « Itonot yahudit be Tunisia », dans *Kesher*, Tel-Aviv University, n° 5, mai 1989.)

(28) Y. Chatelain, *La vie littéraire et intellectuelle en Tunisie de 1900 à 1937*, Paris, 1937, p. 275.

(29) R. Attal, *Périodiques...*, cf. nᵒˢ 70, 72, 77, 86, 95 et 96 ; E. Cohen-Hadria, « Les Juifs francophones »..., pp. 33-36.

(30) Contentons-nous de citer : S. Tibi, *Le statut personnel des Israélites tunisiens*, Tunis, 1921-1923, et R. Darmon, *La situation des cultes en Tunisie*, Paris, 1930.

(31) Y. Chatelain, *op. cit.*, pp. 273-276.

(32) D. Cohen, *Le parler arabe des Juifs de Tunis*, Paris-La Haye, 1964, pp. 121-124.

(33) Y. Chatelain, *op. cit.*, p. 250.

(34) Dans l'entre-deux-guerres, la pratique du sport se généralise dans la jeunesse juive comme dans la jeunesse des autres confessions. C'est sur une base ethnique que se constituent les associations sportives. Ainsi les Juifs ont leurs associations : de football (Union Sportive Tunisienne) ; de natation et de water-polo (La Maccabienne) ; de gymnastique (Alliance Sportive). En 1931, le jeune Young Perez, à peine âgé de vingt ans, remporte le titre de champion du monde de boxe de la catégorie poids plume.

(35) S. Chemla, *Le judaïsme tunisien se meurt*, Tunis, 1939, pp. 25-26.

(36) Il était de l'intérêt de la jeune épousée que la dot fût dépensée au plus vite pour faire face à une célébration fastueuse, un voyage de noce coûteux et une installation luxueuse. Le danger d'une répudiation se trouvait, de ce seul fait, écarté ; cf. S. Chemla, *op. cit.*, pp. 27-29.

(37) Selon le droit mosaïque, la fille non mariée, si elle a des frères, n'hérite pas de son père mais a droit à une dot égale au 1/10ᵉ de la succession (R. Arditti, *op. cit.*, p. 201). On s'est peut-être fondé sur cet usage pour estimer que le père de famille devait, de son vivant, accorder à sa fille une part de sa fortune sous la forme d'une dot.

(38) Cf. J. Jouin, « Iconographie de la mariée citadine dans l'islam nord-africain », dans *Revue des Études Islamiques*, 1932 (4), pp. 313 sqq.

(39) R. Darmon, *La déformation des cultes en Tunisie*, Tunis, 1945, pp. 184-186.

(40) Les rites nuptiaux traditionnels font l'objet d'une description détaillée dans M.-L. Dubouloz-Laffin, *Le Bou-Mergoud*, Paris, 1946, pp. 259-267.

(41) S. Chemla, *op. cit.*, p. 42 ; R. Slama, *Les conflits de loi relatifs aux successions ab intestat en Tunisie*, Paris, 1935, p. 109 : Pour ce juriste, l'institution du

lévirat « heurte singulièrement les conceptions modernes ». L'institution du lévirat a inspiré une nouvelle : S.-C. BENATTAR, *Le Bled en lumière*, Paris, 1923, pp. 119-145.

(42) Ainsi le taux de natalité parmi les Tunisiens israélites passe de 37,3 % en 1919-1923 à 30,2 % en 1934-1938. Cf. *supra*.

(43) R. DARMON, *La déformation...*, pp. 174-175 ; E. ZEITOUN, *Les cadeaux de Pourim*, Paris, 1975, pp. 61-62 ; A. NAHUM, *Partir en kappara*, Paris, 1977, pp. 59-61.

(44) R. ATTAL, *Périodiques...*, n° 46.

(45) Sur cette évolution, cf. R. DARMON, *La déformation...*, *passim*.

(46) R. DARMON, *La situation des cultes en Tunisie*, p. 74, n.

(47) *Ibid.*, p. 79, n.

(48) R. ATTAL, *Périodiques...*, n° 77 ; cf. E. COHEN-HADRIA, « Les Juifs francophones... », pp. 55-56.

(49) D'après un dépouillement du journal *La Justice*, effectué par Mlle Mylène Azria.

(50) *La Justice*, du 8 août 1924.

(51) R. ATTAL, *op. cit.*, n° 70.

(52) S. CHEMLA, *Le judaïsme tunisien se meurt*, Tunis, 1939.

(53) *Ibid.*, pp. 34-36.

(54) *Ibid.*, p. 42.

(55) *Ibid.*, pp. 88-92.

(56) *Ibid.*, pp. 44-46.

(57) *Ibid.*, pp. 83-87.

(58) Cl. FRANCK et M. HERSZLIKOWICZ, *Le Sionisme*, Paris, 1980, p. 26.

(59) M. ABITBOL, « North Africa », dans M. DAVIS, *Zionism in Transition*, New York, 1980, pp. 197-210, v. p. 201.

(60) Cf. *supra*.

(61) M. ABITBOL, *op. cit.*, p. 202.

(62) *Ibid.*, pp. 200-201.

(63) *Ibid.*, p. 201 : « Paradoxically zionism's adherents came almost exclusively from the traditional elements who could not really understand its ideal ».

(64) *Ibid.*, p. 206.

(65) *Ibid.*, p. 207 ; cf. E. COHEN-HADRIA, *art. cit.*, p. 61.

(66) Le développement du sionisme en Tunisie a fait l'objet d'une étude d'ensemble : Sh. BARAD, *Le mouvement sioniste en Tunisie*, Yad Tabenkin, Efal, 1980 (en hébreu). Une monographie détaillée a été consacrée au révisionnisme : H. SAADOUN, *Le mouvement revisionniste et le Betar en Tunisie (1926-1939)*, Mémoire de maîtrise, Jérusalem, 1983 (en hébreu). Signalons aussi : R. BEN ASHER, *Histoire du mouvement Ha-Shomer ha-Tsa^ïr en Tunisie*, Jérusalem, 1980 (en hébreu).

(67) M. ABITBOL, *op. cit.*, p. 204.

(68) Lors d'un exposé fait à Tunis en juin 1924, un conférencier sioniste, J. Buchmil n'hésitait pas à dire : « La question du départ des Juifs français, anglais, italiens, etc. pour la Palestine ne se pose pas pratiquement, du moins à l'époque actuelle. Ils sont heureux dans les pays où ils se trouvent actuellement ? Qu'ils y restent tant qu'ils voudront. La Palestine n'est que pour ceux des Juifs qui veulent y aller librement parce qu'ils sont persuadés que leur salut national et individuel est là ». (*La Justice*, 8 août 1924).

(69) Cf. A. KASSAB, « La communauté israélite de Tunisie entre la francisation et le sionisme (1930-1940) », dans *Les Mouvements politiques et sociaux dans la Tunisie des années trente*, Tunis, MEERS, C. NUDST, 1987, pp. 525-548.

(70) C'est le cas du Dr Benjamin Lévy et de Me A. Karila, à la direction du parti radical ; du Dr Albert Cattan et du Dr E. Cohen-Hadria, à la direction du parti socialiste. (Cf. E. COHEN-HADRIA, *art. cit.*, pp. 58 et 60). Sur A. Cattan, cf. J. CARMI, « Le Dr Cattan, socialiste juif à Tunis au début du siècle », dans *Shorashim bamizrah*, Yad Tabenkin, Efal, 1986, pp. 81-120 (en hébreu).

(71) On trouvera un exposé des thèses marxistes-léninistes dans l'entre-deux-guerres dans : O. HELLER, *La fin du judaïsme*, trad. fr., Paris, 1934.

(72) F. CHALLAYE, *Souvenirs sur la colonisation*, Paris, 1935, p. 182. (L. Valensi, H. Zarka, L. Zana, et E. Bessis).

(73) E. COHEN-HADRIA, *art. cit.*, p. 64.

(74) V.I. LÉNINE, *Notes critiques sur la question nationale* (1913) : « La proportion des Juifs dans les mouvements démocratiques et prolétariens est partout supérieure à celle des Juifs dans la population en général ». (E.S., 1952, p. 12). C'est dans cet ouvrage que Lénine fait état de l'« internationalisme » et du « progressisme » de l'intelligentsia juive du « monde civilisé ».

(75) Lors du recensement de la population juive de Tunisie, effectué en 1941 sur l'ordre de Vichy, on dénombrera 3 208 juifs de nationalité italienne. (Cf. J. SABILLE, *Les Juifs de Tunisie sous Vichy et l'occupation*, Paris, 1954, p. 16).

(76) Cf. *supra*, chap. VI.

(77) Nous nous permettrons, ici aussi, de citer quelques noms : céréales : E. Boccara ; huiles : E. Lumbroso ; alfa : G. Melca ; vieux métaux : G. Boccara ; textiles : G. Attias ; bois : R. Moreno ; minoterie : S. Calò ; conserverie : D. Enriquez ; huilerie : G. et G. Medina ; meubles : A. et E. Coen ; savonnerie : E. Lumbroso ; navigation : O. Modigliani ; assurances : M. Vaïs.

(78) Ch. MONCHICOURT, *Les Italiens de Tunisie...*, pp. 201 sqq.

(79) Cf. A. MORTARA [= L. GALLICO, R. GALLICO, M. VALENZI], *Ebrei italiani di fronte al razzismo*, Tunis, 1938, p. 28, n. 11.

(80) Parmi les antifascistes de la première heure, on rencontre des Juifs comme Guido Levi et Enrico Forti. (Cf. N. PASOTTI, *Italiani e Italia in Tunisia dalle origini al 1970*, Roma, 1970, p. 123).

(81) Ch. MONCHICOURT, *op. cit.*, pp. 86 sqq.

(82) Il s'agissait de Loris Gallico (n. 1910), Ruggero Gallico (n. 1914), Maurizio Valenzi (n. 1909), Alberto Bensasson (n. 1910), Ferruccio Bensasson (n. 1912), Silvano Bensasson (n. 1918), Marco Vaïs (n. 1915), Vittorio Cohen (n. 1908).

(83) Sur le mouvement antifasciste, cf. M. VALENZI, « Il Movimento antifascista italiano in Tunisia alla vigilia della guerra », dans *Rinascita*, du 16 avril 1966 ; L. GALLICO, « Gli Italiani nel Partito comunista tunisino », dans *Il Calendario del Popolo*, août 1971 ; A. MATTONE, *Velio Spano. Vita di un rivoluzionario*, Cagliari, 1978, pp. 45-74 ; J. BESSIS, *La Méditerranée fasciste*, Paris, 1981, pp. 184 sqq.

(84) A. MORTARA, *op. cit.*, pp. 2 3 ; cf. A. MILANO, *Storia degli Ebrei in Italia*, Turin, 1963, pp. 391 sqq.

(85) *Ibid.*, p. 28.

(86) Sur les 1 415 Italiens de Tunisie qui obtinrent leur naturalisation française au cours de l'année 1939, combien y eut-il d'Italiens de confession juive ? Il faudrait procéder à un dépouillement des listes de naturalisés publiées au *Journal Officiel* pour l'établir.

(87) Cf. A. MATTONE, *op. cit.*, pp. 49 sqq. ; P. SPRIANO, *Storia del Partito comunista Italiano*, Rome, 1970, t. III, p. 297 : « Sono gli stessi ambienti della borghesia italiana ebraica che decidono all'inizio del 1939 di fondare un giornale quotidiano da opporre al fascista *Unione*. »

(88) S. TIBI, *Le statut personnel des Israélites tunisiens*, Tunis, 1921-1923, t. IV, pp. 136-139 ; R. DARMON, *La situation des cultes en Tunisie*, Paris, 1930, pp. 90 sqq.

(89) *Bulletin de la Communauté Israélite de Tunis (1934-1935)*, pp. 1-4.

(90) L'existence de fait d'une section portugaise de la Communauté israélite de Tunis a été reconnue par le décret du 17 février 1944 qui en a prononcé la dissolution. Les annuaires tunisiens publiés dans l'entre-deux-guerres donnaient la composition de son conseil.

(91) On trouvera dans les annuaires tunisiens la composition des conseils qui se succédèrent à l'issue des élections de 1922, 1926, 1930, 1934 et 1938 et qui furent présidés par E. Bessis (1922, 1926, 1930), E. Nataf (1934) et F. Samama (1938).

(92) On peut se faire une idée des activités de la Communauté israélite de Tunis grâce aux bulletins qui furent édités par ses soins en 1926, en 1930 et en 1934-5.

(93) S. CHEMLA, *op. cit.*, pp. 47-52. C'est en août 1930 que fut ouvert à l'Hôpital civil français un pavillon réservé aux malades israélites.

(94) D. b. du 6 février 1922 ; cf. R. DARMON, *op. cit.*, p. 79. Les rabbins appelés à exercer les fonctions de grand rabbin ont été successivement : Israël Zeïtoun (1917-1921) ; Moshé Sitruk (1921-1927) ; Nessim Riahi (1927-1928) ; Youssef el-Guez (1928-1934) ; David Ktorza (1934-1939) ; Haïm Bellaïche (1939-1947).

(95) S. TIBI, *op. cit.*, t. IV, pp. 168-171.

(96) Il y avait deux Israélites tunisiens dans la Chambre Mixte de Commerce et d'Agriculture du Centre ; deux Israélites tunisiens dans la Chambre Mixte de Commerce et d'Agriculture du Sud ; quatre Israélites tunisiens dans la Chambre de Commerce tunisienne de Tunis. (Cf. E. FITOUSSI et A. BENAZET, *op. cit.*, t. II, pp. 696-704).

(97) La présence d'un ou deux conseillers israélites a été expressément prévue dans les décrets qui ont arrêté la composition des conseils municipaux de Tunis, La Goulette, Bizerte, Souk el-Arba, Sousse, Gafsa. (Cf. R. ARDITTI, *op. cit.*, p. 244).

(98) D. b. du 13 juillet 1922 modifié par le d. b. du 28 mars 1928 et le d. b. du 6 juin 1934. Cf. F. GIRAULT, *op. cit.*, pp. 66-67 ; Ch. MONCHICOURT, *Les Italiens de Tunisie*, p. 169, n. 1.

CHAPITRE IX

SOUS VICHY ET L'OCCUPATION ALLEMANDE

Dans les premiers jours de septembre 1939, suite à la déclaration de guerre de la France à l'Allemagne nazie, la Tunisie se trouva entraînée dans la guerre. A la différence de ce qui s'était passé au cours de la Première Guerre mondiale, ceux qui furent mobilisés ne furent pas tous dirigés sur les théâtres d'opérations extérieurs. Comme on ignorait encore l'attitude que l'Italie fasciste adopterait dans le conflit, d'importantes forces armées furent affectées à la défense du pays, prêtes à faire face à une attaque aux confins de la Tunisie et de la Libye. La population juive devait prendre une plus large part à cette guerre qu'à la précédente. Si les Juifs de nationalité française furent les seuls à être appelés sous les drapeaux, les Juifs de nationalité tunisienne n'étant pas mobilisables, il n'était pas alors de famille juive qui ne comptât un nombre plus ou moins élevé d'hommes de nationalité française, appelés à faire partie d'une unité combattante. Malgré la confusion créée par la signature du pacte germano-soviétique, tous les Juifs, sans distinction de nationalité, mettaient leurs espoirs dans la défaite des Puissances de l'Axe qui avaient fait de l'extermination de la « juiverie internationale » l'un de leurs principaux buts de guerre. Les Juifs italiens, qui, depuis 1938, avaient pris leurs distances à l'égard de l'Italie fasciste, n'étaient pas les derniers à lier leur sort à celui des armées alliées.

Après une foudroyante campagne à l'est de l'Europe qui lui permit d'occuper une partie de la Pologne — l'autre devant revenir à l'Union Soviétique — l'Allemagne hitlérienne ne se pressa pas d'engager de nouvelles opérations à l'ouest. Les Alliés, qui avaient déclaré la guerre, mais n'étaient pas prêts à la faire, se gardaient de prendre l'initiative. Mais après de longs mois, au cours desquels la guerre marqua le pas, les événements, tout d'un coup, se précipitèrent. Dans les premiers jours de mai 1940, les armées allemandes envahirent la Belgique et les Pays-Bas, et contournant la ligne Maginot, engagèrent la campagne de France. Cependant, l'Italie sortait le 10 juin de sa neutralité pour se ranger dans le conflit aux côtés de l'Allemagne. Du coup, les Italiens devenaient des ennemis qui devaient être internés. Tous les Italiens de Tunisie en âge de prendre les armes — sans distinction de confession — furent dirigés sur des camps d'internement, dressés à la hâte dans l'arrière-pays. Mais ces mesures ne durèrent qu'un temps. En effet, quelques semaines après, l'avance irrésistible des armées allemandes amena l'Assemblée Nationale à donner des pouvoirs spéciaux au maréchal Pétain et celui-ci à signer un armistice avec l'Allemagne et l'Italie.

1. Vichy et les Juifs de Tunisie

L'armistice du 25 juin 1940 n'apporta guère de changements à la situation de la Tunisie, comme des autres territoires de l'Empire français. En dépit des prétentions de l'Italie fasciste, le pays continua de relever exclusivement du gouvernement français établi à Vichy et de son représentant, l'amiral Estéva, nommé Résident général de France à Tunis au lendemain de l'armistice. Celui-ci, homme lige du maréchal Pétain et ami de l'amiral Darlan, devait y suivre fidèlement les directives du gouvernement de Vichy et y appliquer les mesures constitutives de la « Révolution nationale » (1).

Le statut des Juifs

L'un des premiers objectifs que s'assigna le gouvernement de Vichy fut de faire échec aux Juifs, tenus pour responsables de la défaite, en les soumettant à des mesures discriminatoires qui définirent ce que l'on appela le « statut des Juifs ». Des lois qui furent successivement promulguées dans la Métropole, il était bien établi qu'elles devraient être appliquées dans les colonies et pays de protectorat. Mais elles n'auraient pu l'être en Tunisie sans une intervention du législateur tunisien. Ainsi, à toutes les lois édictées par l'État français, correspondirent des décrets beylicaux qui en reprirent les dispositions essentielles en en définissant les modalités d'application dans la Régence :

a) La première loi française portant statut des Juifs fut édictée à la date du 3 octobre 1940. Elle définissait les personnes qui devaient être regardées comme juives. Elle les excluait de la fonction publique et des professions touchant à la presse, à la radio, au théâtre et au cinéma. Elle ne leur permettait d'exercer une profession libérale que dans les limites d'un *numerus clausus* fixé par décret. Ses dispositions furent rendues applicables à la Tunisie par le décret beylical du 30 novembre 1940.

b) Une deuxième loi française, remplaçant la loi du 3 octobre 1940, portant statut des Juifs, fut édictée à la date du 2 juin 1941. Elle définissait les personnes qui devaient être regardées comme juives, avec plus de rigueur. Elle excluait les Juifs non seulement de la fonction publique et des professions touchant à la presse, à la radio, au théâtre et au cinéma, mais encore d'un nombre important de professions commerciales. Ses dispositions furent rendues applicables à la Tunisie par un décret beylical du 26 juin 1941, qui donna des Juifs une nouvelle définition, et par le décret du 12 mars 1942, qui interdit aux Juifs l'exercice d'un nombre important de professions commerciales.

c) Une loi française datée, comme la précédente, du 2 juin 1941, ordonna le recensement des Juifs et leur enjoignit de remettre aux autorités une déclaration faisant mention de leur état civil, de leur situation de famille, de leur profession et de l'état de leurs biens. Cette loi fut rendue applicable à la Tunisie par un décret beylical du 26 juin 1941.

d) Une loi française en date du 22 juillet 1941 permit de nommer un administrateur provisoire pour toute entreprise, bien ou valeur, appartenant à des Juifs, « en vue d'éliminer toute influence juive dans l'économie nationale ». Cette loi fut rendue applicable à la Tunisie par un décret beylical du 12 mars 1942.

Entre les textes qui ont décrété les mesures prises à l'encontre des Juifs, dans la Métropole, et les textes qui en ont assuré l'application en Tunisie, un délai plus ou moins long s'est écoulé. Ce décalage s'explique pour l'essentiel par la nécessité de procéder à une étude préalable pour définir les modalités d'application de chaque mesure. L'amiral Estéva aurait-il exercé une influence modératrice ? Lors du procès de l'ancien Résident général, qui se déroula du 12 au 15 mars 1945, un témoin affirma qu'il avait jugé le statut des Juifs « trop brutal », et qu'il s'était efforcé d'en retarder l'application (2). Que les mesures édictées par Vichy à l'encontre des Juifs aient heurté sa conscience de chrétien, on peut le croire. Qu'il se soit trouvé parmi ses collaborateurs des fonctionnaires libéraux qui n'aient pas mis de hâte à élaborer les textes nécessaires à l'application du statut des Juifs en Tunisie, on ne fera pas de difficulté à l'admettre. Il n'en reste pas moins que le statut des Juifs dans ses dispositions essentielles fut étendu au Protectorat tunisien, et il ne semble pas que le gouvernement de Vichy ait jamais été conduit à reprocher à l'amiral Estéva son manque de zèle ou à lui demander d'aller plus vite en besogne (3). Mais sans nous attarder davantage à l'examen de ce point, il nous faut dresser un tableau succinct et précis de l'application du statut des Juifs en Tunisie. Le seul exposé des textes et de leur application fera apparaître l'incidence réelle, limitée, de « l'influence modératrice » de l'amiral.

Mais qui allait-on considérer comme Juif ? Le décret beylical du 30 novembre 1940, qui étendit à la Tunisie les dispositions de la loi française du 3 octobre 1940, considère comme Juifs : 1°) les Israélites tunisiens ; 2°) les individus d'une nationalité autre que la tunisienne, qui sont, soit issus de trois grands-parents de race juive, soit issus de deux grands-parents de race juive, si leur conjoint est lui-même juif (4). Le décret beylical du 26 juin 1941, qui s'inspire de la loi française du 2 juin 1941, donne une définition plus rigoureuse. Il considère comme Juifs : 1°) Les Israélites tunisiens ; 2°) les individus d'une nationalité autre que la tunisienne qui sont : soit issus d'au moins trois grands-parents de race juive ; soit issus de deux grands-parents de race juive si leur conjoint est issu de deux grands-parents de race juive ; soit issus de deux grands-parents de race juive, s'ils appartenaient encore à la religion juive à la date du 25 juin 1940. Seuls échappaient à l'application de la loi, les individus issus de deux grands-parents juifs qui s'étaient convertis à une autre religion avant le 25 juin 1940, et qui en fournissaient la preuve (5). De toute évidence, le législateur tunisien, comme le législateur français, avait voulu faire tomber sous le coup de la loi des personnes qui ne se seraient converties que pour se soustraire à des mesures antijuives imminentes.

Les dispositions minutieuses visant à appliquer le statut des Juifs aux enfants de mariages mixtes et aux demi-juifs convertis à une autre religion — infiniment moins nombreux en Tunisie que dans la Métropole — ne doivent pas nous faire oublier l'essentiel. Tous les Juifs de la Régence, quelle que fût leur nationalité, devaient être soumis au statut des Juifs. Le législateur tunisien s'était réservé le droit de désigner par décret beylical les personnes qui échapperaient à ce statut en raison de services exceptionnels rendus à la Tunisie ou à la France (6). Mais, à l'exception de ceux qui bénéficièrent d'une discrimination, tous les Juifs établis en Tunisie se verront appliquer les mesures édictées par le gouvernement de Vichy (7).

Professions interdites et numerus clausus

Les décrets qui ont étendu à la Tunisie l'application du statut des Juifs se sont traduits par l'interdiction totale ou partielle d'un certain nombre de professions.

1°) Les Juifs se virent interdire par le décret du 30 novembre 1940 l'accès et l'exercice d'une fonction publique (art. 3). Ils pouvaient exercer dans l'administration des emplois subalternes, s'ils étaient titulaires d'une carte d'ancien combattant de 1914-18, s'ils avaient fait l'objet d'une citation au cours de la campagne de 1939-40, ou s'ils étaient pupilles de la Nation. Il leur était permis encore d'exercer une fonction d'enseignement, à condition que ce fût dans des établissements scolaires réservés aux Juifs. A ces deux exceptions près, tous les Juifs exerçant une fonction dans l'une des administrations du Protectorat devaient cesser leur activité dans les deux mois qui suivaient la promulgation du décret. Ainsi, perdirent leur emploi un certain nombre de fonctionnaires d'origine juive relevant de la Direction des Postes ou de la Direction de l'Enseignement (8).

2°) Le même décret du 30 novembre 1940 interdit aux Juifs les professions de directeur, gérant ou rédacteur de journaux ou périodiques *(art. 7)*. Dans l'esprit du législateur, il s'agissait d'empêcher les Juifs d'exercer par la voie de la presse une influence contraire aux intérêts nationaux de la France. Cette interdiction était toutefois tempérée par un important correctif. Il était prévu que pour les Israélites tunisiens, la publication d'un journal unique serait autorisée, qui devrait comporter en sous-titre la mention « Journal israélite de Tunisie ». En application de ce texte, le journal quotidien *La Presse*, dont le directeur, H. Smadja, était un Israélite de nationalité française, dut cesser de paraître. En revanche, le journal quotidien *Le Petit Matin*, dont le directeur, S. Zana, était un Israélite de nationalité tunisienne, fut autorisé à poursuivre sa publication, à la condition expresse de se présenter comme « Journal israélite de Tunisie », à partir du 15 décembre 1940. Selon les termes d'un communiqué officiel, les Juifs gardaient ainsi le droit de s'exprimer à visage découvert et de défendre leurs intérêts légitimes. Devenu le « Journal israélite de Tunisie », *Le Petit Matin* publia désormais une page consacrée au judaïsme et à l'histoire des Israélites. Mais il va sans dire qu'il ne pouvait songer à prendre la défense des Israélites de Tunisie, en s'élevant contre les mesures édictées par le gouvernement de Vichy. Le journal ne pouvait subsister sans s'astreindre à la plus grande réserve. C'est à ce prix que les Israélites de Tunisie purent avoir leur journal, alors que les Israélites de la Métropole s'étaient vu refuser le droit de publier un journal à caractère confessionnel (9).

3°) C'est ce même décret du 30 novembre 1940 qui interdit aux Juifs d'exercer les professions de directeur, administrateur ou gérant de salle de cinéma *(art. 7)*. Pour donner suite à cette interdiction, un arrêté en date du 7 juin 1941 autorisa le Secrétaire général du gouvernement tunisien à doter les salles de cinéma exploitées par des Juifs d'un administrateur provisoire. En application de ce texte, dix-huit salles de cinéma de la capitale et de l'Intérieur furent dotées d'administrateurs provisoires. Ceux-ci exploitèrent les salles au lieu et place des Juifs évincés et s'employèrent à en céder la propriété à des non-juifs (10).

4°) Aux termes du même décret du 30 novembre 1940, il n'était plus permis aux Juifs d'exercer une profession libérale que dans les limites d'un *numerus clausus*. Pour chaque profession, des arrêtés devaient fixer la proportion de Juifs autorisés à poursuivre leur acti-

225

vité et définir les conditions dans lesquelles aurait lieu l'élimination des Juifs en surnombre *(art. 6)*. Mais il fallut quelque temps avant que ce principe ne fût effectivement appliqué aux médecins et aux avocats.

a — C'est un arrêté du 16 octobre 1941 qui fixa la proportion de Juifs autorisée dans le corps médical à 5 % (11). Comme le nombre total de médecins exerçant en Tunisie s'élevait alors à 425, l'application de cette proportion devait limiter le nombre de médecins juifs autorisés à exercer à une vingtaine, alors qu'il n'y avait pas moins de 123 médecins juifs inscrits à l'Ordre des médecins (12).

L'arrêté du 16 octobre 1941 provoqua un vif émoi au sein de la population israélite. Le président du Comité d'administration de la Communauté s'empressa de faire observer que l'adoption de la proportion envisagée réduirait le nombre des médecins juifs à un effectif si peu important que la santé de la population juive s'en trouverait compromise (13). Les autorités furent sensibles à cet argument. Le 24 novembre 1941, un complément à l'arrêté du 16 octobre disposa que les médecins juifs éliminés par l'application de la nouvelle réglementation seraient autorisés à soigner la population israélite.

La liste des médecins juifs autorisés à dispenser leurs soins à tous les éléments de la population devait être arrêtée dans un délai de deux mois à dater du 16 octobre 1941. Mais les Autorités du Protectorat, sans doute parce qu'elles redoutaient les conséquences désastreuses que pourrait avoir, pour la santé publique, l'élimination d'un quart du corps médical en exercice, ne mirent guère de hâte à appliquer le texte qu'elles avaient promulgué. En fait, la liste des médecins maintenus en exercice ne fut fixée que par un arrêté résidentiel du 20 juillet 1942 (14). Alors, vingt-quatre médecins juifs dont le Conseil de l'Ordre des médecins avait reconnu les mérites professionnels furent autorisés à poursuivre leur activité. Il en fut de même pour deux médecins juifs qui pouvaient se prévaloir de titres militaires. Mais les Autorités du Protectorat s'avisèrent que l'élimination de tous les autres médecins juifs allait priver de nombreuses villes de l'Intérieur de toute assistance médicale. Elles décidèrent alors d'autoriser vingt médecins juifs à continuer d'exercer la médecine, à titre temporaire (15). Ainsi, au total, quarante-six médecins juifs furent maintenus en exercice, alors que l'application stricte de la proportion de 5 % aurait dû n'en laisser qu'une vingtaine.

Les autres médecins juifs devaient mettre fin à leur activité à la date du 15 octobre 1942. Cependant, au terme de ce délai, les responsables du pays redoutèrent les conséquences pour la santé publique de l'élimination de quelque quatre-vingts médecins juifs. Un arrêté du 13 octobre 1942 disposa qu'ils pourraient continuer à exercer jusqu'au 14 janvier 1943 (16). Mais, bien avant l'expiration de ce nouveau délai, le débarquement allié en Afrique du Nord força les Autorités du Protectorat à affronter des problèmes plus urgents. Ainsi, la limitation instituée par le décret du 16 octobre 1941 ne fut jamais appliquée et il n'y eut pas un seul médecin juif de Tunisie qui ait été mis dans l'obligation de cesser son activité (17).

b — C'est un arrêté du 30 mars 1942 qui fixa la proportion de Juifs autorisés à exercer la profession d'avocat à 5 %. Les avocats juifs qui pourraient poursuivre leur activité dans le cadre de ce *numerus clausus* devaient être désignés par la Cour d'Appel de Tunis, réunie en assemblée générale, compte tenu de leurs mérites professionnels. Mais devaient être maintenus, en sus, les avocats juifs qui pourraient se prévaloir de titres militaires — carte de combattant de 1914-18 ou citation au cours de la campagne 1939-40 — ou qui étaient pupilles de la Nation (18). Dans les premiers jours de juin 1942, fut publiée la liste des avocats autorisés à poursuivre leur activité : il y en avait vingt-neuf. Ceux qui devaient cesser d'exercer étaient au nombre de cent soixante-neuf : soit 157, dont 26 stagiaires, à Tunis et 12, dont 2 stagiaires à Sousse (19).

Bien avant cette date, un arrêté résidentiel du 9 octobre 1941, avait réduit le nombre des Juifs autorisés à occuper une charge d'avocat-défenseur. Il ne devait plus y avoir, en principe, qu'un seul avocat-défenseur juif dans le ressort de la Cour d'Appel. Mais il était admis que seraient maintenus en sus tous ceux qui pouvaient se prévaloir de titres militaires. Ainsi, quatre avocats-défenseurs juifs avaient été autorisés à poursuivre leur activité, mais cinq autres avaient dû y mettre fin au cours du deuxième trimestre de l'année 1942 (20).

c — En France, un *numerus clausus* fut institué pour les dentistes, les pharmaciens et les architectes. Mais, en Tunisie, ces diverses professions n'ont pas été touchées par les lois raciales de Vichy (21).

5°) Le décret beylical du 12 mars 1942, qui étendit à la Tunisie les dispositions du deuxième statut des Juifs, défini par la loi du 2 juin 1941, interdit aux Juifs un certain nombre de professions commerciales *(art. 7)*. Pour chacune d'elles, un arrêté devait fixer la date à partir de laquelle les Juifs devaient cesser de l'exercer (22). Ce fut un arrêté du 12 mai 1942, pour les assurances ; un arrêté du 18 mai 1942, pour l'armement ; un arrêté du 18 mai 1942 pour la banque, le change, les bourses de valeurs, les bourses de commerce, le démarchage ; un arrêté du 30 mai 1942 pour la publicité, l'information, la presse périodique, l'édition et l'impression, un arrêté du 2 juin 1942 pour les transactions immobilières et la négociation des fonds de commerce. Ainsi, les Juifs furent évincés de la plupart des professions commerciales qui leur avaient été interdites par le décret du 12 mars 1942, à l'exception de ceux qui pouvaient se prévaloir de titres militaires, lesquels furent autorisés à poursuivre leur activité (23).

Alors qu'un premier décret beylical du 12 mars 1942 étendait à la Tunisie les dispositions de la loi française du 2 juin 1941, un deuxième décret beylical du 12 mars 1942 étendait à la Tunisie les dispositions de la loi française du 22 juillet 1941 (24).

Ce texte avait pour but avoué « d'éliminer toute influence juive » dans l'économie tunisienne, et il donnait pouvoir au Secrétaire général du gouvernement tunisien de nommer un administrateur provisoire à toute entreprise, tout bien ou valeur appartenant à des Juifs : « Afin d'éviter toute influence juive dans l'économie tunisienne, le Secrétaire général du gouvernement tunisien peut nommer à toute entreprise, tout immeuble ou droit immobilier, tout bien meuble, valeur ou droit mobilier, un administrateur provisoire. » Cette disposition représentait une aggravation sensible de la condition juive. Il ne s'agissait pas, notons-le, de réduire l'influence juive, mais de l'éliminer, comme si on déniait aux Juifs le droit d'avoir des biens. Les Autorités du pays pouvaient à tout moment les priver du droit d'en user, en leur donnant un administrateur provisoire qui était habilité à les gérer et à en disposer en faveur de non-juifs (25).

Cette mesure éveilla une vive inquiétude au sein de la colonie française de Tunisie. Dans une lettre à l'amiral Estéva, datée du 25 mars 1942, le président de la Légion française des combattants fit observer que les Juifs menacés par le décret du 12 mars 1942, sans attendre la nomination d'un administrateur provisoire, pouvaient réaliser les biens dont ils avaient encore la disposition, de manière à les transformer en numéraire, en titres au porteur ou en bijoux, aisés à dissimuler : « En principe, la chose n'apparaît pas comme un mal, dans l'esprit qui a inspiré le statut des Juifs. » *(sic)*. Mais il était à craindre que les Juifs ne vendent leurs biens à d'autres que des Français. Il suggérait donc, à l'exemple de ce qui avait été édicté en Algérie, de subordonner toute réalisation à l'assentiment dcs Autorités, pour en assurer le bénéfice à la communauté française de Tunisie (26).

La mesure prévue par le décret du 12 mars 1942 devait aussi inquiéter le gouvernement italien. Il craignait en effet qu'elle ne fût appliquée aux Juifs italiens, et que leurs biens ne fissent l'objet d'un transfert de propriété qui amoindrît les intérêts italiens en Tunisie. Le gouvernement italien, « se prévalant des principes de droit international universellement reconnus », intervint auprès du gouvernement de Vichy afin que la mesure édictée pour « éliminer l'influence juive », ne fût pas applicable aux Juifs italiens. Le gouvernement de Vichy déclara alors qu'il était dans l'obligation de l'appliquer le plus rapidement possible à tous les Juifs, en raison de la pression exercée par le gouvernement allemand pour l'application immédiate des lois raciales en Afrique du Nord. C'est alors que le 2 septembre 1942, l'ambassadeur d'Italie à Berlin intervint auprès du ministre des Affaires Étrangères du IIIᵉ Reich pour qu'il demandât au gouvernement de Vichy de ne pas appliquer les lois raciales en Afrique du Nord d'une façon accélérée, ou à tout le moins de les appliquer le plus tard possible. Mais le ministre des Affaires Étrangères du IIIᵉ Reich ne tarda pas à faire savoir à l'ambassadeur d'Italie à Berlin qu'il lui était difficile d'intervenir dans la politique juive des Autorités françaises en Tunisie (27).

Ainsi, une mesure destinée à « éliminer l'influence juive dans l'économie tunisienne » inquiétait à la fois la colonie française, qui craignait qu'elle ne tournât pas à son avantage, et le gouvernement italien qui craignait qu'elle portât atteinte aux positions italiennes. Voilà pourquoi les autorités tunisiennes ne se sont pas trop pressées de nommer des administrateurs provisoires aux entreprises, biens et valeurs appartenant aux Juifs de toute nationalité.

En fait, il fallut attendre plusieurs mois avant que le décret du 12 mars 1942 reçût une première application. C'est en effet à la fin du mois d'octobre 1942 que des administrateurs provisoires furent nommés aux biens de huit agents immobiliers juifs de Tunis. Des administrateurs provisoires devaient sans doute être nommés à la tête d'autres entreprises juives. Mais le cours des événements força d'interrompre l'application du décret du 12 mars 1942 (28).

De l'action entreprise « pour éliminer l'influence juive dans l'économie tunisienne », on peut rapprocher d'autres mesures. Un décret beylical du 30 avril 1942 soumit à une autorisation du Secrétaire général du gouvernement tunisien toute acquisition de fonds de commerce par un Juif (29). Un décret beylical du 25 juin 1942 soumit à une autorisation du Secrétariat général du gouvernement tunisien toute vente immobilière, pour empêcher que les Juifs n'acquièrent des immeubles en dehors des limites qui leur ont été assignées (30). Un décret beylical du 25 avril 1942 avait en effet établi que les Juifs ne pourraient détenir des immeubles que pour leur habitation et l'exercice de leur profession (31).

Pour leur action contre l'influence juive, les Autorités disposaient, depuis la fin de l'année 1941, d'une précieuse source d'informations. Le « Recensement des Juifs et de leurs biens », ordonné par le décret beylical du 26 juin 1941 et réalisé à la fin de l'année 1941, leur avait permis de dresser un état complet des Juifs de Tunisie, avec leur état civil, leur situation de famille, leur profession et l'inventaire de leurs biens. Dans la déclaration qu'ils étaient invités à remplir, devaient figurer les propriétés immobilières, les commandites qu'ils avaient accordées à des entreprises, les participations qu'ils avaient prises dans des sociétés et les actions qu'ils détenaient (32). Grâce à la documentation réunie, il était aisé, pour les Autorités du pays, d'éliminer l'influence juive de l'économie tunisienne. Encore fallait-il qu'elles en eussent le temps, et le temps devait leur manquer.

Mesures frappant la jeunesse

Cette esquisse de la situation des Juifs de Tunisie sous Vichy ne serait pas complète si nous ne faisions pas une place aux mesures qui frappèrent la jeunesse.

Aucune limitation ne fut apportée à l'accès des Juifs aux établissements d'enseignement primaire. En revanche, on limita leur accès à l'enseignement secondaire à partir de la rentrée d'octobre 1941. Une réglementation, édictée à la date du 6 mai 1941, établit : « La proportion des élèves israélites pouvant être admis dans les classes de sixième ne sera pas supérieure à 20 % de l'effectif global des élèves de sixième » (33). La même proportion fut retenue pour la rentrée scolaire d'octobre 1942. Elle était, il faut le dire, plus élevée que celle qui avait été fixée en Algérie : 14 % à la rentrée d'octobre 1941, et 7 % à la rentrée d'octobre 1942 (34). Malgré la modération avec laquelle les Autorités du pays s'efforcèrent d'appliquer les mesures raciales, de nombreux enfants juifs eurent à souffrir des normes adoptées en matière d'accès à l'enseignement secondaire.

Les Autorités du pays n'eurent pas à fixer de proportion maximale pour l'enseignement supérieur, dès lors que la Tunisie n'avait pas d'université. Mais la jeunesse juive de Tunisie fut affectée par le *numerus clausus* adopté par les universités françaises, et, entre autres, par l'Université d'Alger, qui fixèrent la proportion d'étudiants juifs à 3 % (35).

En promulgant le premier texte portant statut des Juifs, le législateur tunisien affirmait qu'il ne porterait pas atteinte aux institutions et aux organismes propres aux Israélites du pays (36). Mais il devait en être autrement : un décret beylical du 5 juin 1941 a dissous les associations de jeunesse groupant des jeunes de moins de vingt ans, de confession juive. Ainsi durent cesser toute activité des associations de jeunes, telles que les *Éclaireurs Israélites de Tunisie* et les *Éclaireurs Unionistes* (37).

Peu de temps après, les Autorités du pays devaient porter une atteinte plus grave aux institutions juives. Un décret beylical du 29 septembre 1941 abrogea le décret du 30 août 1921 définissant le mode de désignation et le fonctionnement du Conseil de la Communauté israélite de Tunis, et confia à un « Comité d'administration » de douze membres nommés, la tâche de gérer le culte et l'assistance israélites, en assurant la liaison avec les pouvoirs publics et la communauté israélite de la capitale (38). Ce Comité d'administration fit de son mieux pour venir en aide aux victimes des mesures édictées sur l'ordre du gouvernement de Vichy. Il lui arriva même d'intervenir efficacement pour en atténuer les dispositions (39). Il ne pouvait évidemment empêcher le développement d'une législation discriminatoire qui rendit la vie des Juifs de Tunisie de plus en plus difficile.

2. L'occupation allemande et les mesures contre les Juifs

Le 8 novembre 1942, la nouvelle du débarquement allié éveilla dans le pays un grand espoir. On crut qu'il serait suivi, à bref délai, en Tunisie comme au Maroc et en Algérie, de la fin du régime de Vichy. Mais il n'était pas dans les intentions du Haut commandement allié de libérer d'un coup toute l'Afrique du Nord. Il s'agissait, dans un premier temps, d'occuper le Maroc et l'Algérie, en réservant pour une date ultérieure une action en Tunisie. Les Nations Unies avaient écarté un débarquement à l'est, parce qu'elles ne disposaient pas encore de forces suffisantes pour combattre l'aviation de l'Axe (40). Bien que pris au dépourvu par l'opération « Torch », l'État-major allemand réagit « avec la rapidité d'un grand fauve blessé ». Dès le lendemain, des avions de la Luftwaffe atterrirent sur l'aérodrome d'El-Aouina, près de Tunis, et commencèrent à y débarquer des troupes aéroportées.

Les chefs des unités de l'armée française stationnées en Tunisie les laissent faire, car ils ne veulent pas enfreindre ouvertement les ordres du gouvernement de Vichy qui leur enjoint de ne pas s'opposer aux armées de l'Axe, ou n'osent pas engager le combat contre un ennemi suréquipé et surentraîné avec les forces insuffisantes dont ils disposent. Les Allemands et les Italiens en profitent pour consolider, jour après jour, leur tête de pont, en acheminant d'importants renforts qui arrivent par la voie des airs sur l'aérodrome d'El-Aouina et par la voie maritime dans les ports de Tunis-Goulette et de Bizerte.

Le général Barré, feignant de se conformer aux instructions reçues de Vichy, réussit à se replier à l'ouest, avec toutes les forces dont il dispose, et à opérer sa jonction avec les armées alliées venues d'Algérie (41). Dans les derniers jours de novembre 1942, des éléments des armées française, anglaise et américaine sont prêts à engager le combat aux environs de Medjez-el-Bab, à 50 km de Tunis. Mais les Allemands et les Italiens sont déjà solidement implantés dans l'est du pays, et il sera fort difficile de les déloger. A plus d'une reprise, les Alliés tenteront de forcer les défenses allemandes et de se porter vers la capitale : chaque fois leur offensive se soldera par un échec. Le front se stabilise bientôt le long d'une ligne nord-sud, en laissant aux Allemands et aux Italiens toute la Tunisie orientale, qui devra subir pendant six mois l'occupation des armées de l'Axe (42).

L'arrivée des Forces de l'Axe n'apporta pas de changement au statut du pays. Par la voix des commissions d'armistice allemande et italienne, les gouvernements de Berlin et de Rome donnèrent l'assurance que la présence de leurs troupes n'était pas une « occupation », que la France continuerait à exercer son pouvoir de tutelle et que le pays ne cesserait pas de relever de la haute autorité du Résident général de France à Tunis (43). De son côté, le général Nehring, commandant en chef des Forces de l'Axe, proclama que les armées germano-italiennes n'avaient d'autres objectifs que de s'opposer aux agresseurs anglo-américains, défendre le territoire tunisien et protéger ses populations : « Je fais appel aux populations de la Régence afin que, par leur attitude calme et disciplinée, l'ordre interne soit assuré et qu'ainsi les forces militaires puissent rétablir, en Afrique du Nord, cette paix et cette tranquillité troublées par l'agression ennemie » (44). Ce message, qui s'était voulu rassurant, contenait une menace évidente contre la minorité juive puisqu'il dénonçait à la fin les fauteurs de guerre nord-américains et britanniques « et le judaïsme leur allié ». En effet, les Allemands n'allaient pas tarder à montrer que dans ce pays qu'ils étaient venus « protéger », ils avaient dans les Juifs des ennemis qu'ils entendaient traiter en ennemis.

Dans la soirée du 23 novembre, un détachement de S.S. procéda à l'arrestation d'un certain nombre de personnalités juives. Il s'agissait, entre autres, de Moïse Borgel, président du Comité d'administration de la Communauté israélite, et de Félix Samama, ancien président de la Communauté israélite, qui furent aussitôt conduits à la prison militaire de Tunis pour y être incarcérés (45). Les Allemands les avaient sans doute arrêtés pour avoir au plus vite des otages et disposer ainsi d'un moyen de pression sur la population juive. Les dirigeants de la Communauté israélite s'empressèrent d'alerter la Résidence générale. L'amiral Estéva adressa alors à Rudolph Rahn, ministre plénipotentiaire du Reich à Tunis, une protestation énergique contre ces arrestations arbitraires, qui contrevenaient aux accords conclus avec les autorités militaires, en vertu desquels l'Administration française était seule responsable de l'ordre public.

Cette protestation ne fut guère appréciée de R. Rahn qui signifia à l'amiral Estéva que les questions juives ne relèveraient plus de l'Administration française et seraient du ressort exclusif des Allemands (46). Les personnalités arrêtées finirent par être libérées le 29 novembre, mais le président du Comité de la Communauté israélite, M. Borgel, devait se présenter deux fois par jour à la Kommandantur pour y prendre connaissance des mesures qui seraient édictées à l'encontre de la population juive par le Haut commandement allemand (47).

Ces mesures devaient épargner les Juifs italiens. Dans les premiers jours de décembre, en effet, l'ambassadeur d'Italie à Berlin intervint auprès du ministre des Affaires Étrangères du Reich pour que le commandement en chef de l'armée allemande de Tunis fût invité à s'abstenir de toute application de mesures raciales aux Juifs de nationalité italienne. Le commandement supérieur de la Wehrmacht fit alors savoir au ministre plénipotentiaire R. Rahn que le désir de l'Italie devait être satisfait dans la mesure compatible avec les nécessités militaires (48). Ainsi, les Juifs italiens que le gouvernement fasciste s'était attaché à défendre — comme si leur « italianité » était plus importante que leur « judéité » — échapperont aux prises d'otages, au service du travail obligatoire et aux amendes collectives qui allaient bientôt frapper l'ensemble de la population juive de Tunisie.

L'institution du travail obligatoire

C'est le 6 décembre 1942 que le Haut commandement allemand fit connaître les mesures auxquelles il entendait soumettre la population juive de la capitale (49).

Convoqués à la Kommandantur, le président du Comité d'administration de la Communauté, M. Borgel, et le grand rabbin de Tunisie, Haïm Bellaïche se voient signifier par le colonel S.S. Walter Rauff la décision suivante :

> « Par ordre du colonel-général von Nehring, commandant en chef des Forces armées de l'Axe en Afrique du Nord, avec le consentement de S.A. le Bey, l'amiral Estéva étant mis au courant, le Comité d'administration de la Communauté israélite est dissous. Un nouveau comité de neuf membres, présidé par le grand rabbin et comprenant son adjoint, doit le remplacer sans délai. La liste complète des membres du nouveau comité doit être présentée à la Kommandantur le jour même à 17 heures. Aussitôt constitué, ce comité se mettra au travail pour être en mesure de fournir le lendemain, à 8 heures du matin, une liste de 2 000 Juifs qui seront utilisés comme travailleurs pour les besoins des Forces occupantes. Les charges du ravitaillement, de l'habillement et de l'outillage de ces travailleurs, ainsi que celle des allocations à verser à leurs familles incombent au comité qui pourvoira à la réunion des moyens financiers nécessaires. Le comité organisera en outre un service d'interprétariat pour faciliter les relations avec les Autorités occupantes.
> Les membres du comité disposeront du droit de réquisition sur toute personne juive et tout bien appartenant à des Juifs. Ils sont personnellement responsables de l'exécution des ordres devant l'*Einsatzkommando S.S.* avec lequel ils seront en contact quotidien » (50).

Vainement, le président du Comité et le grand rabbin font observer qu'il leur sera difficile de répondre aux exigences allemandes dans un laps de temps si court. Le colonel S.S. leur déclare que s'ils ne se conforment pas aux instructions qu'il vient de leur donner, il se fait fort de rafler en un rien de temps jusqu'à dix mille Juifs ! Il est sans doute aisé de trouver quelques bonnes volontés pour constituer le comité de neuf membres dont la formation avait été requise. Mais comment dresser en moins de vingt-quatre heures la liste de 2 000 Juifs demandée ? M. Borgel et ses proches demandent à la Résidence générale d'intervenir auprès des Autorités allemandes pour modérer leurs exigences. L'amiral Estéva leur conseille de se soumettre aux ordres d'un ennemi tout-puissant et qui entend décider du sort des Juifs souverainement. Il leur promet cependant de s'entremettre pour obtenir qu'il leur soit laissé un plus long délai pour établir la liste demandée. Dans des conditions difficiles, le 6 décembre 1942 était un dimanche, on commence à établir un semblant de liste. Tard dans la nuit, le comité apprend que, suite à l'intervention du Résident général, la Kommandantur consent à proroger le délai fixé. La liste doit être remise le lendemain, non à 8 heures du matin, mais à 20 heures. En revanche, le nombre de travailleurs à fournir est porté de 2 000 à 3 000 (51).

Dans la journée du lundi 7 décembre, le Comité s'emploie à l'établissement de la liste exigée par la Kommandantur à partir des registres de l'état civil et des fichiers de divers services administratifs. A vingt heures, une première liste est remise et une deuxième liste est promise pour le lendemain.

Le lendemain, 8 décembre, quand la deuxième liste est remise, la Kommandantur exige pour le jour suivant 3 000 hommes équipés de pelles, munis de couvertures et pourvus de provisions de route. Le Comité intervient encore une fois auprès du Résident général et de S.A. le Bey pour qu'ils tempèrent les exigences allemandes. Mais ni l'un ni l'autre ne peuvent soustraire la communauté juive à la toute-puissance des Forces d'occupation. Ils lui témoignent leur compassion, en lui conseillant de s'exécuter. Mais comment satisfaire en si peu de temps à une exigence aussi exorbitante ? Le Comité n'a d'autre ressource que de faire appel à des volontaires, en offrant une solde de 100 F par jour à ceux qui, de leur plein gré, se déclareraient prêts à travailler. Ils ne sauraient être très nombreux. Il faudra que la Kommandatur patiente avant que le Comité, par d'autres mesures, puisse réunir la totalité de l'effectif requis. On intervient encore auprès de la Résidence générale pour qu'elle demande aux Allemands de plus longs délais. Mais ceux-ci sont inexorables. Ils maintiennent toutes leurs exigences pour le jour fixé (52).

Le 9 décembre, au matin, on compte les volontaires : ils sont au nombre de 125. Ils se dirigent vers la caserne Foch qui devait servir de lieu de rassemblement pour les travailleurs juifs. Quand le colonel S.S. W. Rauff arrive, sa colère éclate à la vue de ce contingent squelettique. Il ordonne aux volontaires de se mettre à genoux, tête baissée, les mains dans le dos et leur annonce qu'ils seront fusillés dans la journée (53). Puis, il se rend à la Grande synagogue de l'avenue de Paris, fait cerner le bâtiment par un détachement armé, et, accompagné de quelques hommes, fait irruption à l'intérieur de l'édifice. Il en fait sortir tous ceux qui s'y trouvent, du dernier des fidèles au rabbin qui officiait. De plus, on arrête tous les Juifs qui passent à proximité de la synagogue, en n'épargnant ni les vieillards, ni les infirmes, ni les enfants. W. Rauff leur crie : « Pourceaux, chiens, hommes sans parole, je considère votre démarche auprès du Résident général comme un acte de sabotage envers l'armée allemande. En conséquence, vous serez fusillés dans une heure, ainsi que le grand rabbin que j'envoie chercher. Vous allez voir comment les S.S. savent mater les Juifs » (54). C'est dans ce contexte qu'un membre du Comité, Me Paul Ghez, qui accompagne le président M. Borgel, accouru sur les lieux, demande la parole et déclare qu'il s'emploiera à rassembler les hommes demandés, pourvu qu'on lui en laisse le temps (55).

Les Allemands continuent, tout au long de la journée, de procéder à des rafles de Juifs, sans distinguer entre jeunes et vieux, valides et malades. Au siège de la Communauté, où M. Borgel et P. Ghez sont bientôt de retour, tout le monde convient de la nécessité de faire vite pour écarter les menaces qui planent, tant sur les volontaires de la caserne Foch que sur les hommes qui ont été raflés aux abords de la Grande synagogue. La décision est prise d'appeler au travail les Juifs de toute nationalité, âgés de 18 à 27 ans. Une affiche est portée à l'imprimerie, qui dans la journée même sera placardée sur les murs de la ville.

Cette affiche invite tous les individus de sexe masculin « juifs au sens du décret du 12 mars 1942 », nés entre les années 1915 et 1924, à se présenter devant le bureau de recrutement institué par la Communauté israélite dans les locaux de l'école de l'Alliance Israélite, rue Malta-Srira, munis d'un imperméable, d'une grosse paire de souliers et d'une couverture (56).

Informé des dispositions prises par le Comité, le colonel W. Rauff ne donna pas suite aux menaces qu'il avait fait planer sur les volontaires de la caserne Foch et sur les raflés de la synagogue. Le jour même, ils furent dirigés sur divers points du territoire pour y être employés à divers travaux sous les ordres des Allemands. En revanche, il exigea que le Comité de la Communauté israélite lui remît une liste de cent notables juifs destinés à servir d'otages. Cette liste fut établie, à la hâte, en présence du colonel W. Rauff. Les cent notables désignés furent arrêtés dans la journée même, et leur vie répondit désormais de la fidélité et de la promptitude avec lesquelles le Comité de la Communauté exécuterait les ordres des Forces occupantes (57).

Dans la journée du 9 décembre, les jeunes des classes appelées commencèrent à se présenter au Bureau de recrutement créé par la Communauté. Ils étaient au fur et à mesure inscrits sur les rôles, armés de pelles et de pioches, équipés de bleus de chauffe et de couvertures et munis de provisions de bouche. Dans l'après-midi du 9 décembre, il y avait déjà un millier d'hommes, que l'on répartit en groupes de 50 hommes et qui le soir même partirent, sous la direction d'officiers allemands, vers les lieux auxquels on les destinait (58).

Les jeunes appelés continuèrent d'affluer le lendemain et les jours suivants, et le nombre de jeunes recrutés qui devaient travailler sous les ordres des Allemands, fixé d'abord à 3 000, fut porté à 4 000. Au fur et à mesure que la Communauté israélite fournit les travailleurs exigés par les Forces d'occupation, les otages furent libérés. On en élargit six le 14 décembre, trente-six le 16 décembre, quarante et un le 30 décembre, et les derniers otages, au nombre de vingt, furent rendus à leur famille le 17 janvier (59). Le Comité obtint également qu'aux nombreux hommes âgés ou inaptes qui avaient été pris dans des rafles fussent substitués des jeunes gens valides appartenant aux classes appelées (60).

Le rôle du Comité de la Communauté

Contrairement aux instructions du Haut commandement allemand, ce n'est pas le comité de neuf membres, constitué à la hâte dans la journée du 6 décembre, qui a procédé au recrutement et à l'équipement des travailleurs juifs. Cette tâche a été assurée par le Comité d'administration institué par le décret du 29 septembre 1941, de douze membres nommés, auxquels s'ajoutèrent un certain nombre de membres cooptés pour faire face à des responsabilités accrues (61).

L'institution du travail obligatoire, mais aussi les mesures édictées par les Autorités d'occupation à l'encontre de la population juive imposent à la Communauté un immense effort d'organisation. Le Comité d'administration, élargi aux personnalités cooptées, se différencie en services distincts, aux attributions définies. Le président assure la direction générale des affaires, le contrôle des services, la liaison avec les Autorités du pays et le Haut commandement allemand ; le service du recrutement a pour tâche d'appeler les classes de travailleurs et de recruter ceux qui ont été déclarés aptes à l'issue d'une visite médicale ; le service de l'intendance a pour tâche de ravitailler en vivres les jeunes requis, de leur distribuer vêtements de travail et couvertures et de leur fournir le matériel de cantonnement dont ils ont besoin ; le service des transports et messageries a pour tâche d'assurer la liaison entre la capitale et les divers points du territoire où les travailleurs sont amenés à travailler ; le service de santé a pour tâche d'examiner les recrues avant leur incorporation, pour décider de leur affectation, de contrôler l'état sanitaire des camps et de porter assistance aux travailleurs malades ou blessés ; le service des réquisitions a pour tâche de procéder à toutes les réquisitions dont la communauté juive fait l'objet, pour éviter aux familles tout contact avec les Forces d'occupation ; le service financier a pour tâche de fixer, en fonction de leur fortune et de leurs revenus, la contribution financière de tous les membres de la population juive et de la percevoir afin de pouvoir faire face à toutes les dépenses. Jamais l'organisation dont relevait la population juive de la capitale n'a autant ressemblé à un État dans l'État (62).

On s'est demandé si le Comité d'administration de la Communauté israélite de Tunis n'a pas joué un rôle analogue à celui des conseils juifs ou *judenrat*, institués dans tous les pays occupés par les Allemands où ils ont forcé des Juifs à exécuter des mesures contre des Juifs (63). Mais on ne saurait condamner sans un examen attentif l'action déployée par la Communauté israélite de Tunis au cours des six mois de l'occupation allemande.

a) Dès les premiers jours, les Juifs se sont trouvés seuls face à un occupant qui affirmait que les affaires juives étaient de son ressort exclusif. Les autorités légales du pays, ayant perdu tout pouvoir sur les Juifs, n'auraient pu exécuter les mesures que le Haut commandement édictait à leur encontre. Les responsables de la Communauté ont estimé qu'ils devaient prendre sur eux de les appliquer en faisant de leur mieux pour que les sacrifices soient équitablement partagés entre tous.

b) Il eût été bien difficile pour les responsables de la Communauté de se refuser à exécuter les ordres de l'occupant, en donnant l'exemple d'une révolte ouverte. La population juive de Tunis n'avait ni armes ni expérience de la lutte armée. Comment aurait-elle pu se dresser contre un ennemi tout-puissant ? Le moindre essai de résistance aurait été, n'en doutons-pas, férocement réprimé. Dès lors que les armées alliées, pensait-on, devaient arriver d'un jour à l'autre, n'était-il pas plus sage de temporiser et de se soumettre à des épreuves qui ne pouvaient être que de courte durée ?

c) Les responsables de la Communauté, à commencer par le président M. Borgel, étaient pour le Haut commandement allemand des otages qui devaient répondre sur leur tête de l'exécution de tous les ordres qui leur étaient donnés. Pour disposer d'un moyen de pression supplémentaire, le Haut commandement allemand, on s'en souvient, avait fait établir une liste de cent notables qui furent aussitôt arrêtés et retenus, eux aussi, comme otages. De tout évidence, ils auraient été fusillés si les Allemands avaient eu quelque sujet de se plaindre (64). Dès lors, les responsables de la Communauté se sont sentis tenus de ne rien faire qui pût mettre leur vie en péril.

d) S'ils s'étaient refusés à recruter et à livrer les travailleurs que l'occupant réclamait, les responsables de la Communauté n'auraient pas évité à la population juive l'épreuve du travail obligatoire. Les Forces d'occupation se seraient assuré la main-d'œuvre dont elles avaient besoin en procédant, comme elles l'avaient fait dans la journée du 9 décembre 1942, à des rafles aveugles, réservant au même sort jeunes et vieux, aptes et inaptes. Il a pu sembler préférable d'organiser le travail obligatoire en faisant d'abord appel aux plus jeunes, et en soumettant les recrues à une visite médicale préalable, pour affecter à des travaux de force ceux-là seuls qui étaient en mesure de les affronter.

e) En organisant le recrutement des travailleurs, les responsables de la Communauté ont pu alléger leur sort. Ils les ont ravitaillés en assurant l'acheminement des vivres vers les points où ils étaient cantonnés. Ils leur ont versé une solde de 40 F par jour, qui pour une part allait au travailleur et pour l'autre à sa famille. Ils ont veillé à assurer une assistance médicale aux malades et aux blessés grâce aux médecins qui visitaient les camps à intervalles réguliers ou qui y étaient établis en permanence. Enfin, ils se sont attachés à demeurer en liaison avec les travailleurs dispersés à travers le pays, en leur permettant d'échanger lettres et nouvelles avec leurs familles.

f) Les responsables de la Communauté ont dû recourir à la contrainte pour mobiliser les travailleurs exigés par l'Occupant. La population juive, qui, dans les premiers jours, avait fait preuve d'une relative docilité, s'efforça bientôt de se soustraire au travail obligatoire. Nombre de jeunes appelés ne répondent pas aux convocations qui leur sont adressées et prennent le parti de se cacher. Il devient ainsi de plus en plus difficile de fournir aux Allemands les contingents qu'ils réclament. Dans les derniers jours de décembre, on appelle les classes de 1914, 1913 et 1912, mais un nombre infime d'appelés se présentent au bureau de recrutement (65). Les responsables de la Communauté font savoir à la Kommandantur qu'il leur sera impossible de faire face à de nouvelles exigences et obtiennent que le recrutement soit, pour un temps, suspendu. Il n'en faut pas moins disposer de nouvelles recrues pour assurer la relève des travailleurs malades ou pères de famille, qu'il est injuste de laisser dans les camps. Le service du recrutement se trouve ainsi conduit à organiser une police spéciale, composée de policiers professionnels assistés de supplétifs juifs, pour rechercher ceux que l'on appelle les « planqués » (66). Mais les jeunes réfractaires redoublent de prudence, et la police spéciale ne met guère de zèle à accomplir la tâche qui lui a été fixée. Ceux qui depuis de longues semaines déjà supportent la vie des camps et aspirent à une « relève » dénoncent la complaisance dont la Communauté fait preuve à l'égard de ceux qui se sont soustraits au travail obligatoire. C'est alors que le chef du service du recrutement écrit dans son journal : « Pour remédier à cet état de choses, il n'y a qu'un moyen, pénible, répugnant même, la force, la chasse à l'homme. Je viens de m'y résoudre » (67). Mais il ne semble pas que cette « chasse à l'homme » ait été organisée et encore moins entreprise avec rigueur (68). Faute de nouvelles recrues, il fut difficile pour ne pas dire impossible, d'assurer la relève des travailleurs mobilisés dès les premiers jours, et ceux-ci n'eurent d'autre moyen d'échapper aux travaux et aux dangers des camps que de s'évader.

g) Loin de traquer les réfractaires, les responsables de la Communauté se sont efforcés de soustraire à la vie des camps ceux qu'ils avaient été contraints d'y envoyer. Au su du chef du service du recrutement, des hommes de bonne volonté visitaient les camps, l'un après l'autre, et y négociaient la « libération », pour un temps, de travailleurs qui ne devaient jamais plus revenir. Ceux qui se livraient à ce travail de « termites », loin d'être entravés, n'ont cessé d'être soutenus par ceux-là mêmes qui avaient été amenés à organiser le travail obligatoire sous la pression des Forces de l'Axe (69).

La vie dans les camps

Les travailleurs juifs requis par l'occupant ont été employés à des travaux d'intérêt militaire en divers points du territoire, plus ou moins éloignés de la capitale.

Les uns, employés aux abords de Tunis, sur les quais du port au fond de la lagune ou de l'avant-port de La Goulette et sur l'aérodrome d'El-Aouina, revenaient chez eux chaque soir, pour regagner leur poste de travail le lendemain. Il en était de même pour ceux qui étaient employés dans les centres de l'Ariana, Le Bardo, Djebel-Djelloud, La Marsa, Gammarth.

D'autres, employés au nord du pays, dans le secteur occupé par l'armée allemande, dans le port de Bizerte, sur l'aérodrome de Sidi-Ahmed et à proximité du front, dans la région de Mateur, étaient cantonnés à proximité de leur lieu de travail dans des casernes ou des baraquements.

D'autres, envoyés à l'ouest du pays, dans un secteur occupé par l'armée allemande, à proximité des centres de Cheylus et de Ksar-Tyr — il s'agissait pour la plupart des hommes raflés par les S.S. dans la journée du 9 décembre — vécurent quelques jours sous la tente avant d'être libérés dans les derniers jours de décembre.

Les autres, employés au sud de la capitale, dans un secteur occupé par l'armée italienne, d'abord à Zaghouan, Sainte-Marie-du-Zit et Enfidaville, puis à Saouaf, Djougar, Sbikha et Djebiniana, ont dû, eux aussi, vivre dans des camps formés par un nombre plus ou moins élevé de tentes.

Les travailleurs requis étaient affectés à des travaux variés, qui auraient dû incomber aux Forces armées de l'Axe et dont elles furent déchargées par l'institution du travail obligatoire. Nombre d'entre eux furent employés à des travaux de terrassement, tels que creusement de tranchées, déblaiement de décombres, construction d'abris, remise en état des routes et des aérodromes dévastés par les bombardements alliés. Mais nombre d'entre eux l'étaient aussi au déchargement des navires qui amenaient à Bizerte et à Tunis carburants et munitions, ou encore au transport des caisses de munitions, des dépôts de l'armée où elles étaient entreposées jusqu'aux positions occupées par les unités combattantes. Ces travaux ne présentaient pas en eux-mêmes de difficulté majeure, mais ils devaient être accomplis durant de longues heures, sous la surveillance de caporaux qui forçaient les travailleurs à accélérer leurs cadences, et dans des zones continûment pilonnées par l'aviation alliée.

Au terme d'une journée de travail forcé, la vie dans les cantonnements ne permettait pas aux hommes de se restaurer et de reprendre des forces. L'ordinaire, lorsqu'il était fourni par l'intendance allemande, était très insuffisant. Le savon manquait, ainsi que l'eau, et il n'était pas facile de donner aux corps les soins qu'ils réclamaient. Les hommes avaient les poux, la gale... Quant aux vêtements, au bout de quelques semaines, ils ne manquaient pas de se transformer en de sordides haillons. Enfin, les travailleurs avaient à souffrir des mauvais traitements de leurs gardiens, tels ceux qui sévirent dans le camp de Bizerte et que dénoncent un certain nombre de témoignages. Il reste que ce sont surtout les bombardements incessants auxquels ils étaient exposés qui faisaient de leur vie un enfer et amenèrent nombre d'entre eux à s'évader (70).

Une évasion n'allait pas sans risques. Ceux qui montaient la garde n'hésitaient pas à faire usage de leurs armes contre ceux qu'ils surprenaient en train de fuir. Ainsi, trois travailleurs de Bizerte furent tués pour tentative d'évasion (71). Mais le gros des évasions s'est fait avec la complicité des responsables de la Communauté, qui, sous couleur d'évacuer les malades, contribuaient efficacement à vider les camps d'une partie de leur population.

Ainsi s'explique la diminution des effectifs, qui ressort des données assez fiables dont on dispose sur le nombre de travailleurs en service :

Zones	20/XII/1942	13/II/1943	25/IV/1943
Nord	1 050	995	293
Ouest	985	105	—
Tunis	650	1 000	1 198
Sud	974	330	65
Total	3 659	2 430	1 556 (72)

Devant l'amenuisement des effectifs, les Forces d'occupation demandèrent à la Communauté de fournir de nouveaux contingents de travailleurs. Dans la deuxième quinzaine de mars, on appela les hommes nés en 1911, en 1910 et en 1909 (73). Bien rares furent ceux qui répondirent à cet appel. Vers la mi-avril, les S.S. ordonnèrent d'appeler les hommes nés entre 1900 et 1908. Il était bien évident qu'il ne serait pas répondu à ce nouvel appel. Mais le service du recrutement de la Communauté fit mine de se conformer aux instructions reçues, pour gagner du temps (74). Car le temps, alors, travaillait contre les Forces de l'Axe, et la campagne de Tunisie allait bientôt prendre fin avec la victoire des Alliés.

La population juive de la capitale ne fut pas la seule à être astreinte au travail obligatoire. La communauté israélite de Sousse et la communauté israélite de Sfax ont dû, elles aussi, fournir des contingents de travailleurs, qui furent employés, sous les ordres des Forces de l'Axe, à des travaux de terrassement. Mais ils ne furent pas arrachés à leurs familles pour être internés dans des camps (75). Leurs épreuves ont pris fin avant celles des travailleurs de Tunis, puisque Sfax fut libérée le 10 avril et Sousse le 13 avril, vingt-sept jours et vingt-quatre jours avant la capitale.

Réquisitions et amendes collectives

Considérés par les Allemands comme des ennemis et traités comme tels, les Juifs de Tunisie furent à peu près les seuls à faire les frais de leurs exigences.

Dès les premiers jours, les appartements et villas des beaux quartiers appartenant aux Juifs fortunés furent réquisitionnés pour servir de sièges aux divers services des troupes d'occupation ou de résidences aux officiers supérieurs. C'est encore aux Juifs que l'on demanda de fournir meubles, tapis, tissus, que la Communauté, pour soustraire la population aux exigences brutales des S.S., se chargea de réquisitionner au profit des troupes d'occupation (76). De plus, la population juive se vit infliger des amendes collectives qui revêtirent la forme de véritables contributions de guerre.

Dans les derniers jours de décembre 1942, au lendemain de bombardements dévastateurs de l'aviation alliée, le commandant en chef des Forces de l'Axe, le général von Arnim décida d'infliger une amende collective de vingt millions de francs à la population juive de Tunis, pour indemniser les victimes. La décision prise fut signifiée à la Communauté israélite par le colonel S.S., W. Rauff, en date du 21 décembre, avec un délai de vingt-quatre heures pour l'exécuter.

Il était difficile à la Communauté israélite de satisfaire du jour au lendemain à une telle exigence. Le Comité décida d'alerter les Autorités du pays et de solliciter leur concours. Sur l'intervention de l'amiral Estéva, la Communauté israélite obtint que le montant de l'amende lui fût avancé par une institution de crédit public, la Caisse Foncière : celle-ci lui consentit un prêt de 20 millions pour une période de six mois, moyennant un intérêt de 8 % par an. Le prêt devait être garanti par les membres les plus fortunés de la bourgeoisie juive, avec une hypothèque sur leurs biens. Ainsi, la Communauté israélite put remettre le 22 décembre la somme exigée au Haut commandement des Forces de l'Axe, qui, grâce à cette contribution infligée à la population juive, put verser des secours aux autres éléments de la population (77).

Une proclamation en trois langues — français, italien et arabe — fut placardée sur les murs de Tunis, et publiée dans la presse locale, dans laquelle le général von Nehring montrait sa sollicitude aux victimes des bombardements, en tentant d'orienter leur ressentiment contre les Juifs, tenus pour responsables de la guerre et de ses malheurs.

« La guerre a été voulue et préparée par la juiverie internationale. La population de Tunisie, française, italienne et musulmane, souffre

241

durement de la guerre par les bombardements de ces derniers jours. C'est pourquoi j'ai décidé de prélever sur les fortunes juives en Tunisie une amende de vingt millions de francs, destinée à servir de secours immédiat aux victimes civiles des bombardements » (78).

A la mi-février, la Communauté israélite de Tunis fut frappée d'une nouvelle amende de trois millions. Elle lui était infligée à titre de sanction pour ses défaillances dans le recrutement de la main-d'œuvre. Au lieu et place des mille travailleurs juifs supplémentaires que la Communauté aurait dû fournir, les Forces d'occupation avaient été contraintes d'embaucher mille travailleurs libres et de leur verser un salaire de 100 francs par jour. Mille travailleurs à 100 F par jour pendant un mois cela faisait trois millions que les Juifs devaient payer. Ils furent versés par le trésorier de la Communauté (79).

La communauté israélite de la capitale ne fut pas la seule à être frappée par des amendes collectives. Dans la zone occupée par les armées germano-italiennes, d'autres communautés le furent aussi.

La communauté de Sousse fut frappée le 17 mars 1943 d'une amende de 15 millions pour secourir les victimes des bombardements. Le montant en fut avancé par l'Entente bancaire tunisienne qui, sur l'intervention de l'amiral Estéva, consentit à la Communauté israélite de Sousse un prêt hypothécaire. Par la suite, elle dut payer une deuxième amende, de 10 millions cette fois, qui furent versés par les notables les plus fortunés de la ville (80).

La communauté de Sfax fut frappée le 27 mars 1943 d'une amende de 15 millions pour secourir les victimes des bombardements et d'une amende de 5 millions pour l'entretien des travailleurs requis par les Forces d'occupation. Dans les premiers jours d'avril, elle fut frappée d'une troisième amende de 20 millions pour venir en aide aux victimes des bombardements. Sur l'intervention des autorités françaises, le montant de ces impositions fut avancé par la Banque de l'Algérie, en échange de traites signées par les notables les plus fortunés de la ville (81).

Les communautés du Sud, dont les ressources en espèces étaient limitées, furent contraintes de verser des contributions en or. Le 13 février, le Haut commandement allemand demanda aux Juifs de Djerba de verser 50 kg d'or (82). Le 27 mars, il obligea les Juifs de Gabès à verser 20 kg d'or (83). Dans un cas comme dans l'autre, il ne fut pas donné de justification aux exigences de l'occupant.

L'étoile jaune

Contrairement aux Juifs de la plupart des pays qui ont connu l'occupation allemande, les Juifs de Tunisie ne furent pas astreints au port d'une étoile jaune.

Dans les premiers jours de décembre, le Haut commandement allemand voulut l'imposer aux travailleurs requis. Ils auraient dû porter, cousue à leurs vêtements sur la poitrine et dans le dos, une étoile jaune bien apparente. « Pour permettre de les reconnaître, même de loin, et de leur tirer dessus, en cas d'évasion » (84). Mais seuls quelques travailleurs se conformèrent à cette prescription, et elle ne tarda pas à être « oubliée » (85).

Les Allemands voulaient à coup sûr imposer le port d'une étoile jaune à tous les Juifs, et ils demandèrent expressément à l'amiral Estéva de prendre une décision dans ce sens. Mais, pour tenir compte de leurs alliés italiens, qui étaient opposés à l'application des mesures raciales aux Juifs de nationalité italienne, ils demandèrent que le port de l'étoile jaune fût imposé aux Juifs tunisiens et aux Juifs français, à l'exclusion des Juifs italiens (86).

Le juriste français chargé de préparer le texte du décret fit observer dans une lettre à l'amiral Estéva, datée du 20 mars 1943 : d'une part, qu'il était difficile de justifier une discrimination entre Juifs, fondée sur la nationalité ; d'autre part, qu'en imposant aux Juifs un signe distinctif, on les exposait aux vexations et aux brimades de la « populace ». Néanmoins, pour le cas où la mesure devrait être décidée, il avait étudié les modalités de forme et de fond suivant lesquelles elle pourrait être prise.

Aux termes d'un projet d'arrêté, mis au point par le service de législation de la Résidence générale, toutes les personnes, de l'un et de l'autre sexe, âgées de plus de dix-huit ans, et « considérées comme juives au sens de l'article 2 du décret du 12 mars 1942 », devraient obligatoirement porter « un insigne de couleur jaune, représentant une étoile à six branches », à dater du 1er avril 1943 (87).

Nous ne savons pas pour quelle raison cet arrêté ne fut pas promulgué. Est-ce parce que le Haut commandement allemand ne put donner son assentiment à un texte qui imposait le port de l'étoile jaune à tous les Juifs, sans une exception en faveur des Juifs de nationalité italienne (88) ? Est-ce parce que l'évolution de la campagne de Tunisie lui donna des soucis d'un autre ordre ? Il n'en reste pas moins que le texte préparé par le service de législation de la Résidence générale, dans l'esprit qui avait dicté la législation raciale de Vichy, ne fut jamais mis en vigueur.

Ce n'est pas par ce seul point que la condition faite aux Juifs de Tunisie tranche avec celle que connurent les Juifs de tous les pays occupés par les Allemands. On a pu s'étonner qu'ils n'aient pas été exposés à de plus grandes violences. Dans les premiers jours de janvier, des soldats allemands, conduits par des voyous firent irruption dans un certain nombre de maisons de la ḥâra de Tunis, terrorisant leurs occupants, violant des femmes et faisant main basse sur l'argent et les bijoux qu'ils purent trouver. Le Comité de la Communauté israélite éleva une protestation énergique auprès du Haut commandement allemand, en demandant le châtiment des coupables. A la suite de quoi, il fut interdit aux militaires allemands de tout grade de pénétrer dans le quartier juif. A son entrée, on pouvait lire : *Das betreten dieses Stadtviertel ist den Angehoerigen der deutschen Wehrmacht verboten* : « L'entrée de ce quartier est interdite aux militaires de l'armée allemande » (89). Le Haut commandement avait ses raisons, qu'un document nous fait connaître. Dans une note, en date du 24 décembre 1942, le ministre plénipotentiaire Rudolph Rahn affirme « l'inopportunité » des pillages de boutiques et des pogromes « tant que les troupes allemandes n'auront pas atteint la frontière algérienne » (90). On peut en conclure que seule la situation militaire a empêché que les Forces d'occupation allemandes ne se signalent par de plus grandes violences à l'encontre de la population juive.

Le gouvernement allemand n'a pu appliquer en Tunisie la « solution finale » qu'il avait déjà décidé d'apporter à la question juive. L'Allemagne nazie ne pouvait organiser sur place l'extermination de la population juive, sans courir le risque de faire savoir au monde ce qu'elle entendait cacher le plus longtemps possible. Elle ne pouvait non plus songer à transporter les Juifs de Tunisie vers les camps d'extermination établis à l'est de l'Europe, car il aurait fallu y employer des navires et des avions qui devaient répondre à des besoins militaires plus pressants (91).

Juifs, chrétiens et musulmans

Par les mesures qu'ils édictèrent à l'encontre des Juifs de Tunisie, les Allemands ne voulaient pas seulement frapper ceux qu'ils considéraient comme l'incarnation du mal sur la terre, mais encore tourner contre eux le ressentiment des autres éléments de la population qui avaient à souffrir des malheurs de la guerre.

On le vit bien lorsque le Haut commandement allemand infligea à la population juive de Tunis une amende collective de vingt millions pour secourir les victimes chrétiennes et musulmanes des bombardements de l'aviation alliée (92).

Mais malgré les efforts de la propagande allemande, l'idéologie antisémite ne réussit pas à mordre sur les autres éléments de la population. L'amiral Estéva, qui représentait le gouvernement français, laissait entendre qu'il désapprouvait les mesures prises par l'occupant et faisait part à la population juive de sa « compréhension », voire de sa « sympathie » (93). De son côté, le bey Moncef, qui avait succédé au bey Aḥmed, décédé le 19 juin 1942, avait plus d'une fois signifié que tous ses sujets, qu'ils fussent musulmans ou juifs, avaient droit à sa sollicitude (94). Quant au parti néo-destourien, malgré la sympathie de certains de ses dirigeants pour la cause de l'Axe, il montra une évidente répugnance à attiser les haines raciales et à dresser les musulmans contre les Juifs. Ainsi peut-on expliquer que l'antisémitisme n'ait jamais revêtu le caractère d'un mouvement populaire.

Dans son numéro de décembre 1942, *L'Avenir social*, organe du Parti communiste de Tunisie, publié clandestinement, déclarait après l'institution du travail obligatoire pour les Juifs : « Aujourd'hui, le fascisme hitlérien s'acharne sur la population juive. Demain, ce sera le tour des musulmans, de toute la population, d'être frappée » (95). Cette analyse ne tarda pas à recevoir une confirmation remarquable. Dans les premiers jours de janvier, le Haut commandement allemand demanda aux Autorités du Protectorat de fournir, pour être employés au service de l'armée allemande, huit mille travailleurs tunisiens, et cette fois ce furent des travailleurs musulmans qui se trouvèrent requis et furent employés à des travaux d'intérêt militaire, en étant exposés aux bombardements alliés (96). Dans les derniers jours de l'occupation, le Haut commandement allemand demanda même aux Autorités françaises d'organiser le service du travail obligatoire des jeunes Français, et les classes 1922 et 1921 furent invitées à se présenter aux bureaux de recrutement (97). Cette mesure devait aliéner aux nazis les sentiments de toute la population française, jusques et y compris ses éléments les plus réactionnaires.

Il se trouva sans doute, dans toutes les ethnies, des individus qui se mirent au service des Allemands et les aidèrent à appliquer les mesures antijuives qu'ils décrétaient. Il s'en trouva même qui voulurent mettre à profit le régime d'exception imposé aux Juifs. Ainsi, des ouvriers tunisiens musulmans, licenciés par la Compagnie des Tramways, demandèrent aux autorités allemandes de forcer la compagnie à renvoyer tous ses agents de confession juive, afin d'en prendre la place (98). Des Français, embrigadés dans les rangs d'une section du Parti populaire français, firent irruption dans un immeuble occupé par des Juifs pour en réquisitionner les appartements, en faisant main basse sur les meubles, les effets et les bijoux qui s'y trouvaient (99). Mais les manifestations d'hostilité furent somme toute assez rares. Le gros de la population, tant chrétienne que musulmane, fit preuve de la plus grande réserve. Il y eut même, parmi les chrétiens comme parmi les musulmans, des personnes qui eurent à cœur de témoigner aux Juifs leur solidarité agissante, et qui les aidèrent à se soustraire aux mesures édictées par les Allemands en leur offrant un refuge, qui leur permit de vivre dans l'illégalité en attendant la fin des épreuves.

En Tunisie, comme dans tous les pays, les mouvements de résistance ne séparaient pas la lutte contre le racisme de la lutte contre le fascisme, et il ne faut pas s'étonner que les Juifs y aient pris part.

Dès la fin de 1940, des réseaux furent organisés en Tunisie, qui s'employèrent à recueillir et à transmettre des informations d'intérêt militaire aux S.R. de l'armée britannique ou de l'armée américaine, lesquels, après le débarquement du 8 novembre 1942, s'efforcèrent de seconder le combat des armées alliées. Des représentants de l'intelligentsia juive, officiers de réserve de l'armée française, furent des membres actifs de ces réseaux (100).

Plus nombreux furent les Juifs de toute nationalité — tunisiens, français et italiens — qui prirent part à l'action clandestine du Parti communiste de Tunisie, sous Vichy et l'occupation allemande.

Le Parti communiste de Tunisie était un parti pluriconfessionnel et multinational, dont faisaient partie des musulmans, des juifs et des chrétiens, des Tunisiens, des Français et des Italiens, tous imprégnés d'esprit internationaliste. Il n'en reste pas moins qu'il y eut, parmi eux, de nombreux Juifs, tunisiens, français ou italiens, qui prirent une part active à l'action clandestine (101). S'ils appartenaient pour la plupart aux classes moyennes, on comptait parmi eux des intellectuels — avocats, médecins, enseignants — issus de la bourgeoisie. Ils se seraient sans doute âprement défendus alors de s'être engagés dans l'action communiste parce qu'ils étaient juifs. Mais, comme Marx l'a écrit dans un texte célèbre, on ne doit pas juger un individu d'après l'idée qu'il se fait de lui-même. Peu importe qu'ils en aient été conscients ou non. S'ils avaient adhéré au parti communiste, c'était *aussi* parce que celui-ci leur paraissait contribuer efficacement à l'avènement d'un monde où l'antisémitisme serait hors la loi. Ils en étaient d'autant mieux persuadés que dans le cadre du parti régnait une fraternité de combat qui leur faisait oublier et les lois raciales décrétées par le gouvernement de Vichy et les mesures édictées par l'occupant allemand.

3. La Libération et l'abrogation des lois raciales

Pendant des mois, la lutte que se livrèrent sur le sol tunisien les Forces de l'Axe et les armées alliées demeura indécise. Les efforts entrepris par les armées britannique, américaine et française pour forcer les lignes germano-italiennes ne furent pas couronnés de succès. Pis. Lorsque les unités de l'*Afrika Korps*, chassées de Libye par la poussée irrésistible de la VIIIe armée britannique, se furent repliées en Tunisie, les Forces de l'Axe déclenchèrent une offensive qui leur permit d'avancer sur l'ensemble du front et d'étendre leur emprise sur une plus grande partie du territoire (102). Mais, à la fin du mois de mars, la VIIIe armée britannique, poursuivant son avance, franchit la frontière tuniso-libyenne, força les unes après les autres les défenses allemandes, et remonta irrésistiblement vers le nord en libérant successivement Gabès le 28 mars, Sfax le 10 avril, Sousse le 13 avril et Enfidaville le 15 avril. Ce fut alors pour les armées germano-italiennes le commencement de la fin. Cantonnées dans un « réduit » limité au nordest du pays, elles devaient faire face à l'ouest et au sud aux armées alliées. Il s'agissait à l'ouest du IIe corps d'armée américain, de la Ire armée britannique et du 19e corps d'armée français, et au sud, de la

VIIIe armée britannique. Dans les premiers jours de mai, la Ire armée britannique, renforcée par des éléments de la VIIIe armée, réalisa une percée des lignes allemandes qui lui permit de libérer Tunis le 7 mai, alors que le IIe corps d'armée américain libérait Bizerte. De Tunis libérée, les armées alliées descendirent vers le sud pour prendre à revers les armées germano-italiennes qui, encerclées, durent se rendre le 12 mai 1943. La campagne de Tunisie se terminait par la défaite des troupes de l'Axe (103).

La Tunisie se trouvait libérée six mois après le Maroc et l'Algérie. Ces deux pays avaient dû attendre de longs mois avant que les Autorités françaises ne rompent avec les principes qui avaient inspiré la politique de Vichy, et les lois raciales y restèrent en vigueur jusqu'à la fin du mois de mars 1943 (104). Au contraire, en Tunisie, la fin de l'occupation allemande ne tarda pas à être suivie de l'abolition de toutes les mesures qui, sur les ordres de Vichy, avaient été prises à l'encontre des Juifs.

Dès le 11 mai 1943, le général Juin, qui avait été placé à titre intérimaire à la tête de la Résidence générale de France à Tunis, signifia aux représentants de la Communauté israélite de Tunis la dissolution du Comité d'administration institué par le décret du 29 septembre 1941 et le rétablissement du Conseil de la Communauté, issu des élections de 1938. Il s'agissait là d'une mesure analogue à celles qui avaient été déjà prises en Algérie et au Maroc, où l'on avait mis fin aux institutions provisoires créées par Vichy et où l'on avait rétabli les institutions qui existaient à la veille de la guerre (105).

Dans les semaines qui suivirent la libération du pays, les Autorités de la Régence, se conformant aux instructions du gouvernement français mis en place à Alger, s'employèrent à liquider toutes les séquelles de l'occupation allemande. Un emprunt contracté sous la garantie du gouvernement tunisien permit de rembourser aux Juifs les sommes qui leur avaient été extorquées et d'éteindre les dettes qu'ils avaient dû contracter pour s'acquitter des amendes dont le Haut commandement allemand les avait frappés (106). Quant aux mesures législatives qui avaient étendu à la Tunisie le statut des Juifs, elles furent, l'une après l'autre, abrogées. Un décret beylical du 3 juin 1943 ordonna la réintégration de tous les fonctionnaires et agents exclus de leur emploi en raison de leur qualité de Juifs. Deux arrêtés résidentiels du 10 juin 1943, relatifs, l'un à l'exercice de la profession médicale, l'autre à l'inscription aux barreaux de Tunisie, abolirent toutes les dispositions qui avaient institué un *numerus clausus* pour les médecins et les avocats. Enfin, un décret du 5 août 1943 mit fin à toutes les limitations qui avaient été apportées à l'activité économique des Juifs et organisa la restitution des biens dont l'administration leur avait été retirée pour être confiée à des administrateurs provisoires « aryens » (107). Le 8 août 1943, un décret du Comité Français de Libération Nationale abrogeait les lois de Vichy portant statut des Juifs, entraînant l'abolition de toutes les mesures qui en découlaient (108).

Ainsi, toute discrimination fondée sur la race était supprimée, et les Juifs de Tunisie, après une parenthèse de près de trois ans, partagèrent de nouveau la vie des diverses communautés nationales auxquelles ils appartenaient (109).

(1) Sur la politique de Vichy à l'égard des Juifs et son application en Tunisie, on se rapportera à : M.R. MARRUS et R.O. PAXTON, *Vichy et les Juifs*, Paris, 1981 ; J. SABILLE, *Les Juifs de Tunisie sous Vichy et l'occupation*, Paris, 1954 ; D. FARELLA, *Les Juifs de Tunisie sous le gouvernement de Vichy*, (Mémoire de maîtrise, Faculté des Lettres de Nice, 1972) ; M. ABITBOL, *Les Juifs d'Afrique du Nord sous Vichy*, Paris, 1983.

(2) G. LONDON, *L'Amiral Estéva et le général Dentz devant la Haute-Cour de Justice*, Lyon, 1945, p. 66.

(3) J. SABILLE, *op. cit.*, pp. 24-25.

(4) D. b. du 30 novembre 1940, *J.O.T.* du 3 décembre 1940.

(5) D. b. du 26 juin 1941, *J.O.T.* du 28 juin 1941. Cette nouvelle définition sera reprise dans le D. b. du 12 mars 1942.

(6) D. b. du 30 novembre 1940 *(art. 11)*. Un décret beylical devait discriminer le Dr Roger Nataf, eu égard à ses travaux scientifiques, et Me Paul Ghez, eu égard à ses titres militaires. L'un et l'autre étaient de nationalité française ; cf. D. FARELLA, *op. cit.*, p. 31 ; M. ABITBOL, *op. cit.*, p. 82.

(7) Le recensement des Juifs, ordonné par le décret du 26 juin 1941, et réalisé au cours de l'été 1941, fit ressortir le nombre total des Juifs de Tunisie à 89 670, dont 68 268 Juifs tunisiens, 16 496 Juifs français, 3 208 Juifs italiens et 1 698 Juifs d'une autre nationalité. (J. SABILLE, *op. cit.*, p. 16).

(8) D. FARELLA, *op. cit.*, pp. 70-77.

(9) *Ibid.*, pp. 78-82.

(10) *Ibid.*, pp. 82-87.

(11) Arrêté du 16 octobre 1941, *J.O.T.* du 6 novembre 1941. En France, le *numerus clausus* adopté pour la profession de médecin était de 2 %.

(12) *J.O.T.* du 18 décembre 1941.

(13) Lettre de M. Borgel, cf. J. SABILLE, *op. cit.*, pp. 172-173.

(14) Arrêté du 20 juillet 1942, *J.O.T.* du 24 juillet 1942.

(15) *La Dépêche Tunisienne* des 8, 9, 24 septembre et du 26 octobre 1942.

(16) Arrêté du 13 octobre 1942, *J.O.T.* du 22 octobre 1942.

(17) D. FARELLA, *op. cit.*, pp. 88-97.

(18) Arrêté du 30 mars 1942, *J.O.T.* du 31 mars 1942. En France, le *numerus clausus* adopté pour la profession d'avocat était de 2 %.

(19) *La Dépêche Tunisienne* des 4, 6 et 18 juin et du 22 août 1942 ; cf. D. FARELLA, *op. cit.*, pp. 101-104.

(20) Arrêté du 9 octobre 1941, *J.O.T.* du 16 octobre 1941 ; cf. D. FARELLA, *op. cit.*, pp. 98-100. (N.B. Les quatre avocats-défenseurs maintenus sont P. Ghez, V. Sebag et V. Scialom, à Tunis, et G. Binhas, à Sousse).

(21) D. FARELLA, *op. cit.*, p. 146.

(22) D. b. du 12 mars 1942, *J.O.T.* du 14 mars 1942.

(23) *J.O.T.* des 19 et 21 mai, 6 et 11 juin 1942 ; cf. J. SABILLE, *op. cit.*, p. 165 ; D. FARELLA, *op. cit.*, pp. 108-111.

(24) *J.O.T.* du 14 mars 1942.

(25) D. FARELLA, *op. cit.*, pp. 111-116.

(26) J. SABILLE, *op. cit.*, pp. 167-169.

(27) *Ibid.*, pp. 187-188 et p. 185. Voir sur ce point D. CARPI, « L'Atteggiamento italiano nei confronti degli Ebrei della Tunisia durante la seconda guerra mondiale (giugno 1940-maggio 1943) », dans *Storia contemporanea*, a. XX, n° 6, dicembre 1989, pp. 1183-1246, v. pp. 1213 sqq.

(28) *J.O.T.* du 27 octobre 1942.

(29) *J.O.T.* du 2 mai 1942.

(30) *J.O.T.* du 27 juin 1942.

(31) *J.O.T.* du 2 mai 1942.

(32) D. b. du 26 juin 1941, *J.O.T.* du 28 juin 1941 et d. b. du 23 août 1941, *J.O.T.* du 26 août 1942.

(33) *B.O.* de la Direction de l'Instruction Publique, n° 6 ; cf. D. FARELLA, *op. cit.*, pp. 127-128.

(34) M. ABITBOL, *op. cit.*, p. 74.

(35) *Ibid.*, p. 73.

(36) D. b. du 30 novembre 1940 : « Rien n'est modifié aux institutions ou organismes propres aux Israélites de notre Royaume, ni à l'inspection de ces institutions » *(art. 10).*

(37) *J.O.T.* du 14 juin 1942 ; cf. J. SABILLE, *op. cit.*, pp. 170-171 ; D. FARELLA, *op. cit.*, pp. 125-127.

(38) *J.O.T.* du 14 octobre 1941 ; cf. J. SABILLE, *op. cit.*, pp. 27-28 ; D. FARELLA, *op. cit.*, pp. 38-41. Comme membres du Comité d'administration de la Communauté, les Autorités ont désigné les membres du Conseil des Douze issu des élections de 1938, et les membres qui leur avaient été adjoints par le décret du 5 octobre 1939, pour former la Commission provisoire d'administration de la Communauté israélite ; cf. J. SABILLE, *op. cit.*, p. 27.

(39) Pour ces interventions, cf. J. SABILLE, *op. cit.* : sur le recasement des ouvriers juifs licenciés de l'arsenal de Ferryville (p. 166) ; sur l'aide aux membres des organisations de jeunesse dissoutes (pp. 170-171) ; sur l'application du *numerus clausus* aux médecins juifs (pp. 172-173).

(40) J. ESQUER, *Huit novembre 1942, jour premier de la Libération*, Alger, 1946, p. 118 : « La décision de l'État-major américain fut dictée par la menace que la proximité des bombardiers ennemis, basés en Sardaigne et en Sicile, aurait fait peser sur les bases aériennes de la Tunisie et sur les troupes alliées en train de réaliser leur concentration ». Mais on a pu juger « excessive » la prudence américaine : H. MICHEL, *La Seconde Guerre mondiale*, Paris, 1982, p. 81.

(41) L'amiral Derrien qui, en accord avec les ordres de Vichy, a laissé les Allemands débarquer dans le port de Bizerte devra, dans les premiers jours de décembre, céder à l'ultimatum qui lui sera adressé par un envoyé spécial de Hitler et livrer aux Allemands les installations portuaires ainsi que les vaisseaux ancrés dans le port de Bizerte ; cf. L. AUDOUIN-DUBREUIL, *La Guerre de Tunisie (novembre 1942-mai 1943)*, Paris, 1945, pp. 28-29.

(42) Sur l'enchaînement des événements qui aboutirent à l'occupation de la Tunisie par les Forces de l'Axe, cf. GENERAL BARRÉ, *Tunisie 1942-1943*, Paris, 1950 ; A. GOUTARD, « Comment les Allemands prirent pied à Tunis », *Le Monde* des 8 et 9 novembre 1962.

(43) Déclaration du vice-amiral Platon, *Tunis-Journal*, du 16 novembre 1942.

(44) Proclamation du général Nehring, *Tunis-Journal*, du 17 novembre 1942.

(45) R. BORGEL, *Étoile jaune et croix gammée*, Tunis, 1944, p. 24 ; J. SABILLE, *op. cit.*, p. 36 ; M. ABITBOL, *op. cit.*, pp. 134-135.

(46) J. SABILLE, *op. cit.*, pp. 36-37.

(47) P. GHEZ, *Six mois sous la botte*, Tunis, 1943, p. 15 ; R. BORGEL, *op. cit.*, p. 29 ; J. SABILLE, *op. cit.*, p. 37.

(48) J. SABILLE, *op. cit.*, pp. 186-188. Sur ce point, cf. D. CARPI, *art. cit.*, pp. 1229 sqq.

(49) P. GHEZ, *op. cit.*, p. 15 ; R. BORGEL, *op. cit.*, p. 31 ; J. SABILLE, *op. cit.*, p. 38.

(50) J. SABILLE, *op. cit.*, pp. 39-40.

(51) P. GHEZ, *op. cit.*, p. 16 ; R. BORGEL, *op. cit.*, p. 39 ; J. SABILLE, *op. cit.*, p. 42.

(52) P. GHEZ, *op. cit.*, p. 18 ; R. BORGEL, *op. cit.*, pp. 43-44 ; J. SABILLE, *op. cit.*, pp. 43-44.

(53) P. GHEZ, *op. cit.*, p. 20 ; R. BORGEL, *op. cit.*, p. 48 ; J. SABILLE, *op. cit.*, p. 45.

(54) P. GHEZ, *op. cit.*, p. 20 ; R. BORGEL, *op. cit.*, p. 49 ; J. SABILLE, *op. cit.*, p. 46.

(55) P. GHEZ, *op. cit.*, p. 21 ; R. BORGEL, *op. cit.*, p. 50 ; J. SABILLE, *op. cit.*, p. 46.

(56) J. SABILLE, *op. cit.*, pp. 47-48 ; cf. *Tunis-Journal*, du 9 décembre 1942.

(57) P. GHEZ, *op. cit.*, p. 24 ; R. BORGEL, *op. cit.*, pp. 51-52 ; J. SABILLE, *op. cit.*, pp. 50-51.

(58) P. GHEZ, *op. cit.*, p. 25 ; R. BORGEL, *op. cit.*, p. 60 ; J. SABILLE, *op. cit.*, p. 53.

(59) P. GHEZ, *op. cit.*, pp. 35, 37, 47 et 70 ; R. BORGEL, *op. cit.*, pp. 67, 68, 69 et 159 ; J. SABILLE, *op. cit.*, p. 56.

(60) Dès les premiers jours, le Comité avait proposé et obtenu que les otages âgés ou malades soient remplacés par des membres de leur famille, plus jeunes et en bonne santé.

(61) R. BORGEL, *op. cit.*, p. 14 ; J. SABILLE, *op. cit.*, p. 41. A la veille de l'occupation, le Comité d'administration se composait de M. Borgel, R. Valensi, S. Hagège, D. Hassid, M.J. Bonan, Dr Sfez, I. Sebag, M. Abitbol, A. Berdah, P. Ghez, Dr L. Moatti et H. Bessis (cf. R. BORGEL, *ibid.*, p. 14, n. 1 et 2).

(62) R. BORGEL, *op. cit.*, pp. 74-103.

(63) La question a été posée par J. Sabille : « Les chefs juifs responsables du sort de leurs frères doivent-ils être considérés aujourd'hui comme ayant agi en sages ou en traîtres ? » (*op. cit.*, p. 31).

(64) R. DARMON, « Souvenirs d'un otage juif », *La Dépêche Tunisienne* du 7 décembre 1952.

(65) P. GHEZ, *op. cit.*, pp. 38, 42 ; R. BORGEL, *op. cit.*, p. 60.

(66) P. GHEZ, *op. cit.*, p. 70.

(67) P. GHEZ, *op. cit.*, p. 80.

(68) Cf. P. GHEZ, « Notre pseudo-police ne nous ramène qu'un nombre infime de récalcitrants : quinze à vingt par semaine. Il s'en évade cinq fois plus et les fugitifs sont les plus jeunes et les mieux portants. » (*Ibid.*, p. 115).

(69) P. GHEZ, *op. cit.*, pp. 63, 98, 137.

(70) Cf. G. GUEZ, *Nos martyrs sous la botte allemande*, Tunis, 1946 ; J. SABILLE, *op. cit.*, pp. 81-115.

(71) 23 janvier : Hababou ; 8 février : Saadoun ; 26 mars : Lellouche. (Cf. P. GHEZ, *op. cit.*, pp. 75, 102 et 126 ; R. BORGEL, *op. cit.*, pp. 115-118 ; J. SABILLE, *op. cit.*, pp. 100-101.

(72) P. GHEZ, *op. cit.*, pp. 99 et 147 ; R. BORGEL, *op. cit.*, p. 105.

(73) P. GHEZ, *op. cit.*, p. 124 ; R. BORGEL, *op. cit.*, p. 60.

(74) P. GHEZ, *op. cit.*, p. 142 ; R. BORGEL, *op. cit.*, p. 175.

(75) Pour Sousse, rapport de Me G. Binhas, cf. J. SABILLE, *op. cit.*, pp. 147-150 ; pour Sfax, rapport de Sperber, cf. *ibid.*, pp. 146-147.

(76) P. GHEZ, *op. cit.*, p. 12 ; R. BORGEL, *op. cit.*, pp. 93-96 ; J. SABILLE, *op. cit.*, pp. 122-124.

(77) P. GHEZ, *op. cit.*, pp. 43-44 ; R. BORGEL, *op. cit.*, pp. 136-141 ; J. SABILLE, *op. cit.*, pp. 115-119.

(78) *Tunis-Journal* du 23 décembre 1942 ; cf. J. SABILLE, *op. cit.*, p. 118.

(79) P. GHEZ, *op. cit.*, p. 99 ; R. BORGEL, *op. cit.*, p. 174 ; J. SABILLE, *op. cit.*, p. 122.

(80) P. GHEZ, *op. cit.*, p. 141 ; J. SABILLE, *op. cit.*, pp. 149-150.

(81) P. GHEZ, *op. cit.*, p. 141 ; J. SABILLE, *op. cit.*, pp. 146-147.

(82) P. GHEZ, *op. cit.*, p. 141 ; J. SABILLE, *op. cit.*, pp. 151-152.

(83) P. GHEZ, *op. cit.*, p. 141 ; J. SABILLE, *op. cit.*, p. 151.

(84) R. BORGEL, *op. cit.*, p. 35 ; J. SABILLE, *op. cit.*, p. 40.

(85) R. Borgel, *ibid.*, p. 180 : « Seuls, dans le début, quelques travailleurs furent astreints à la porter ». Cependant, le port d'une étoile jaune fut imposé aux Juifs de Sousse et de Sfax. Cf. P. Ghez, *op. cit.*, p. 74 ; R. Borgel, *op. cit.*, pp. 179-180 et J. Sabille, *op. cit.*, pp. 146, 149.

(86) J. Sabille, *op. cit.*, p. 179.

(87) *Ibid.*, pp. 180-181.

(88) Dans une note, le chef du Service de législation écrit : « Les Autorités du Protectorat ne sauraient, sans violer le décret du 12 mars 1942 sur le statut des Juifs, faire de distinction selon la nationalité. (*Ibid.*, p. 181).

(89) P. Ghez, *op. cit.*, p. 61 ; R. Borgel, *op. cit.*, p. 144 ; J. Sabille, *op. cit.*, p. 126.

(90) J. Sabille, *op. cit.*, p. 184.

(91) *Ibid.*, pp. 30-31. Ce sont les Autorités françaises qui, au mois de février 1943, firent arrêter et transporter en France une vingtaine de personnalités françaises, connues pour leur hostilité au régime de Vichy. Deux d'entre elles, de confession juive, Me Victor Cohen-Hadria et le Dr Benjamin Lévy, furent acheminées vers les camps d'extermination et y trouvèrent la mort. (P. Ghez, *op. cit.*, p. 104 ; R. Borgel, *op. cit.*, p. 176 ; J. Sabille, *op. cit.*, pp. 126-127 ; v. aussi E. Cohen-Hadria, *Souvenirs d'un témoin socialiste*, Nice, 1975, pp. 165-166).

(92) Cf. *supra*.

(93) P. Ghez, *op. cit.*, pp. 18-19 ; R. Borgel, *op. cit.*, p. 42.

(94) Au cours de la visite que le Résident général de France fit à Moncef Bey, en son palais de La Marsa, le 24 juin 1942, le souverain tint à affirmer que sa haute sollicitude était acquise à toute la population de la Régence. *Le Petit Matin* du 25 juin 1942, en publiant le communiqué officiel en première page, en caractères gras, lui donna le sens d'une manifestation d'amitié à l'égard des Juifs.

(95) Cf. *La lutte clandestine du P.C.T.*, Tunis, 1944, p. 43.

(96) P. Ghez, *op. cit.*, pp. 52-53 ; R. Borgel, *op. cit.*, pp. 151-152 ; J. Sabille, *op. cit.*, p. 71.

(97) P. Ghez, *op. cit.*, pp. 154-155 ; R. Borgel, *op. cit.*, pp. 193-195.

(98) P. Ghez, *op. cit.*, p. 107.

(99) P. Ghez, *op. cit.*, p. 107 ; R. Borgel, *op. cit.*, pp. 178-179 ; J. Sabille, *op. cit.*, p. 138.

(100) L. Audouin-Dubreuil, *op. cit.*, *passim* ; G. Esquer, *op. cit.*, pp. 115-118 ; J. Sabille, *op. cit.*, pp. 130-136.

(101) *La lutte clandestine...*, introduction.

(102) Cf. L. Audouin-Dubreuil, *op. cit.*, pp. 152-153, voir le front au 1er janvier 1943 et le front au 23 février 1943.

(103) Sur la dernière phase de la campagne de Tunisie, cf. A. Goutard, « La Bataille de Tunis », dans « Histoire de la Deuxième Guerre mondiale », dans *Historia*, n° 49, pp. 1345-1353 ; I.D., « La Victoire de Tunisie », dans *Le Monde*, des 14 et 15 mai 1963.

(104) M. Ansky, *Les Juifs d'Algérie, du décret Crémieux à la Libération*, Paris, 1950 ; cf. M. Abitbol, *op. cit.*, pp. 149 sqq.

(105) R. Borgel, *op. cit.*, pp. 201-202 ; M. Abitbol, *op. cit.*, p. 167.

(106) J. Sabille, *op. cit.*, p. 156 ; M. Abitbol, *op. cit.*, p. 168.

(107) *J.O.T.*, du 8 juin, du 10 juin et du 7 août 1943 ; cf. *Documents juridiques et législatifs tunisiens*, Paris, 1945, p. 4.

(108) J. Sabille, *op. cit.*, p. 156.

(109) C'est en tant qu'Italiens, non en tant que Juifs, que les Juifs italiens eurent à souffrir au lendemain de la libération du pays. Ils furent, en effet, exposés alors à toutes les mesures qui frappèrent les Italiens en tant que ressortissants d'une puissance avec laquelle la France se trouvait de nouveau en guerre. Ils firent l'objet de mesures d'internement, de réquisitions de leurs demeures, ou de mises sous séquestre de leurs biens. Seuls furent épargnés ceux dont l'antifascisme était incontestable ou qui, dès le début des hostilités, avaient sollicité leur naturalisation française. (Cf. J. Sabille, *op. cit.*, p. 144 ; M. Abitbol, *op. cit.*, p. 168).

CHAPITRE X

LES DERNIÈRES ANNÉES DU PROTECTORAT

Au lendemain de la guerre, les Juifs de Tunisie retrouvent très vite des conditions de vie favorables à leur développement. Le rétablissement des échanges avec l'Europe permet aux entreprises commerciales de reprendre leurs activités d'exportation et d'importation, et elles prennent une nouvelle ampleur avec la mise en place d'une société de consommation. Les entreprises industrielles qui se sont créées dans le cadre de l'économie de guerre s'équipent et se rationalisent pour résister à la concurrence des productions de l'industrie métropolitaine qui recommencent à affluer sur le marché. Comme dans le passé, la population juive exerce principalement son activité dans le commerce et l'industrie. Mais, grâce à la diffusion de l'instruction, l'éventail des professions s'élargit. L'abolition des lois raciales édictées par Vichy permet aux nouvelles générations de s'orienter non seulement vers les professions libérales mais encore vers les fonctions publiques auxquelles il leur est désormais possible d'accéder. La scolarisation des garçons et des filles dans des écoles modernes se traduit par de nouveaux progrès du français comme langue de relation et comme langue de culture, et la francisation linguistique s'accompagne d'une acculturation de plus en plus poussée qui porte sur les usages et les mœurs. Cependant, bien qu'il soit de nouveau possible pour les Juifs tunisiens d'acquérir la nationalité française par une mesure de naturalisation individuelle, il y en a relativement peu qui la demandent et qui l'obtiennent. Le sionisme, implanté de longue date dans le pays, voit son audience s'élargir avec la proclamation d'un État juif en 1948, et parmi les éléments les plus pauvres de la population juive, qui sont aussi les

253

plus traditionalistes, s'amorce une émigration vers Israël qui ne cessera de se poursuivre au fil des années. Elle s'accompagne, à partir de la crise que traverse le Protectorat au début des années cinquante, d'une émigration vers la France. Ainsi, la population juive, après avoir atteint, toutes nationalités confondues, quelque cent mille âmes, verra son importance décroître, avant même que le pays n'ait accédé à l'indépendance.

1. L'évolution démographique

Les dernières années du Protectorat ont été d'abord marquées par un nouvel accroissement de la population juive de Tunisie, et principalement de la population juive de nationalité tunisienne.

Nous disposons de données chiffrées sur les naissances et les décès enregistrés parmi les Israélites tunisiens dans les années qui ont précédé et les années qui ont suivi la guerre *(Tableau I)*.

Tableau I
Naissances, décès et accroissement
de la population tunisienne israélite (1934-1948)

Années	Naissances	Décès	Accroissement
1934	1 862	988	874
1935	1 712	957	755
1936	1 886	1 015	871
1937	1 848	1 095	753
1938	1 669	1 022	647
1939	2 074	1 243	831
1940	2 047	1 153	894
1941	2 079	1 395	684
1942	2 165	1 333	832
1943	1 985	2 575	− 590
1944	2 798	1 544	1 254
1945	2 795	1 349	1 446
1946	2 604	1 051	1 553
1947	2 809	1 065	1 744
1948	2 718	950	1 768 (1)

Le calcul de moyennes et de taux quinquennaux fait apparaître une accélération de la croissance qui est due, moins à une diminution de la mortalité qu'à une augmentation de la natalité *(Tableau II)*.

Cette augmentation de la natalité est d'une tout autre ampleur que le *baby-boom* observé après la fin des hostilités dans tous les pays d'Europe, et elle donne alors à la population juive un dynamisme pres-

254

que aussi grand que celui que l'on enregistre à la même époque au sein de la population musulmane : 38,7 ⁰/₀₀ contre 38,9 ⁰/₀₀ (3). Un taux aussi élevé témoigne de l'importance que conservent, au sein de la population juive, les éléments pauvres et peu évolués, aux attitudes natalistes (4).

Tableau II
Moyennes et taux quinquennaux (1934-1948)

Années	Naissances		Décès		Accroissement	
	Nb	⁰/₀₀	Nb	⁰/₀₀	Nb	⁰/₀₀
1934-1938	1 795	30,2	1 015	17,1	780	13,1
1939-1943	2 070	31,7	1 539	23,6	531	8,1
1944-1948	2 745	38,7	1 191	16,8	1 554	21,9 (2)

La croissance démographique, accélérée par la flambée de la natalité, rend compte de l'augmentation des effectifs que l'on enregistre entre le dénombrement du 12 mars 1936 et le recensement du 1ᵉʳ novembre 1946. Les Juifs tunisiens passent de 59 485 en 1936 à 70 971 en 1946 : soit une augmentation de 19,4 % en dix ans, ce qui correspond à un taux d'accroissement annuel *moyen* de 1,8 % au cours de la décennie.

On peut se demander si les effectifs de la population juive n'ont pas été surestimés en 1946. En ajoutant aux effectifs de 1936 le solde des naissances et des décès de 1936 à 1946, on obtient un nombre moins élevé (59 485 + 8 770 = 68 255). Mais il se pourrait aussi que les effectifs de la population juive aient été sous-estimés en 1936, ou encore que les données relatives aux naissances et aux décès ne donnent pas une idée tout à fait exacte du mouvement de la population. Les chiffres fournis par le recensement des Juifs effectué en 1941 sur l'ordre du gouvernement de Vichy porteraient à croire que si les effectifs de la population juive ont été gonflés en 1946, ils ne sauraient l'avoir été de beaucoup (5).

Les données recueillies à la faveur du recensement de la population de 1946 ont permis pour la première fois d'établir avec précision la répartition de la population tunisienne israélite selon le sexe et l'âge, et de la comparer à celle des autres éléments de la population du pays (6) *(Tableau III)*.

La pyramide des âges, avec sa base large et son corps effilé, traduit bien la jeunesse de la population juive. Les moins de vingt ans y représentent 44,2 %, alors qu'ils représentent 38,8 % parmi les Européens et 50,8 % parmi les Tunisiens musulmans (7). Cette structure trouve sa raison dans le dynamisme démographique dont font preuve les Israélites tunisiens au lendemain de la guerre.

Tableau III
Répartition de la population tunisienne israélite
selon le sexe et l'âge (1946)

%o	H	Âges	F	%o
35,8	2 542	+ 60	2 643	37,2
16,5	1 174	55 - 59	1 169	16,5
18,8	1 331	50 - 54	1 822	25,7
20,5	1 456	45 - 49	1 707	24,0
26,6	1 888	40 - 44	2 064	29,1
31,7	2 248	35 - 39	2 610	36,8
37,9	2 695	30 - 34	2 543	35,8
36,4	2 585	25 - 29	2 669	37,6
46,4	3 291	20 - 24	3 142	44,3
50,8	3 602	15 - 19	3 698	52,1
55,5	3 939	10 - 14	3 815	53,7
54,6	3 865	5 - 9	3 740	52,7
62,6	4 446	0 - 4	4 287	60,4
494,1	35 062	Ensemble	35 909	505,9

D'un recensement à l'autre, on enregistre peu de changements dans la répartition territoriale de la population juive, à l'exception d'une concentration des effectifs dans la région de Tunis *(Tableau IV)*.

Tableau IV
Répartition de la population tunisienne israélite par régions

Régions	1936		1946	
	Nb	%	Nb	%
Tunis	32 384	54,4	42 200	59,5
Nord	7 031	11,8	6 371	8,9
Centre	8 964	15,1	9 505	13,4
Sud	8 297	13,9	8 980	12,7
Extrême-Sud	2 809	4,8	3 915	5,5
Total	59 485	100	70 971	100

Comme par le passé, la population juive réside presque tout entière dans des centres érigés en commune. En dehors de l'agglomération tunisoise dont la population s'élève en 1946 à 41 025 âmes (34 193 dans la ville et 6 832 dans les banlieues), les centres comptant une population juive de plus de cent personnes sont les suivants :

Plus de 1 000

Djerba (4 294) ; Sfax (4 223) ; Sousse (3 574) ; Gabès (3 210) ; Nabeul (2 058) ; Bizerte (1 037) ; Zarzis (1 026) ; Béja (1 011).

De 500 à 1 000

Tatahouine (770) ; Ben Gardane (675) ; Gafsa (639) ; Moknine (612).

De 200 à 500

El-Hamma (453) ; Mateur (399) ; Le Kef (357) ; Ferryville (323) ; Mahdia (298) ; Souk el-Arba (234) ; Médenine (228).

De 100 à 200

Kairouan (168) ; Soliman (161) ; Ebba Ksour (145) ; Nefta (131) ; Sbeïtla (128) ; Monastir (124) ; Siliana (120) ; Souk el-Khemis (111) ; Hadjeb el-Aïoun (107) (8).

Comme les dénombrements de l'entre-deux-guerres, le recensement général de la population de 1946 ne fournit de données chiffrées que sur la population juive de nationalité tunisienne. Les effectifs dont nous avons fait état ne comprennent donc pas les Juifs de nationalité française, italienne, britannique ou autre, qui ont été englobés dans les effectifs des diverses fractions de la population européenne, et dont le nombre ne peut être précisé.

Le nombre de Juifs français s'est, à coup sûr, accru dans les années qui ont suivi la fin de la guerre. Leurs effectifs, majorés par un accroissement naturel de l'ordre de 1,2 % par an, ont été grossis par la naturalisation volontaire d'un certain nombre d'Israélites tunisiens :

1944 = 4	1947 = 101	1950 = 48	1953 = 67
1945 = 24	1948 = 69	1951 = 63	1954 = 64
1946 = 27	1949 = 76	1952 = 84	1955 = 283 (9)

Ils l'ont été aussi par la naturalisation volontaire d'un certain nombre de Juifs italiens qui ont alors voulu acquérir la nationalité française, ainsi que par la naturalisation automatique des enfants de Juifs italiens.

Par une ordonnance en date du 22 juin 1944, le gouvernement provisoire de la République française a proclamé la caducité des conventions franco-italiennes du 28 septembre 1896, à compter du 10 juin 1940, date à laquelle l'Italie était entrée en guerre contre la France, et il a soumis les Italiens de Tunisie au droit commun en matière de

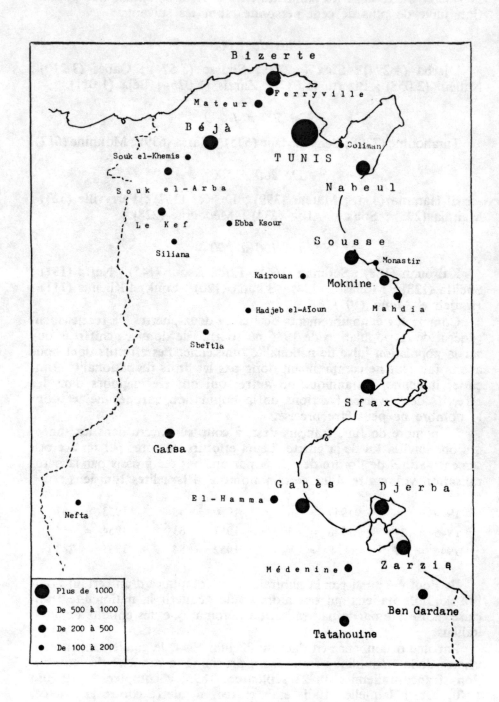

Villes de Tunisie à population juive en 1946

nationalité. Ainsi, furent considérés comme français, *jure soli,* les enfants nés en Tunisie après le 10 juin 1940, de parents italiens dont l'un y était lui-même né (10). Cette disposition, qui a accru le nombre des Israélites de nationalité française, a réduit d'autant le nombre des Israélites de nationalité italienne (11).

Il n'est pas aisé de chiffrer l'ensemble de la population juive de Tunisie, toutes nationalités confondues, au lendemain de la dernière guerre. Mais compte tenu du fait que, lors du recensement des Juifs effectué en 1941 sur l'ordre de Vichy, on y a dénombré 21 402 Juifs français, italiens, britanniques ou autres, vu que sur la base d'une croissance modérée, ils ne sauraient avoir dépassé le nombre de 25 000, il nous semble raisonnable d'estimer que la population juive de Tunisie pouvait être en 1946 de 70 971 + 25 000 = 95 971. Disons, pour rester prudent, que ses effectifs devaient être compris entre 90 000 et 95 000 âmes (12).

2. La répartition de la population active

Après l'abrogation des lois raciales, les Juifs ont pu exercer à nouveau toutes les professions dont le gouvernement de Vichy avait voulu les exclure. De plus, on a assisté à une diversification croissante de leurs activités.

L'un des faits les plus notables est sans doute la place accrue qu'ils prennent alors dans l'industrie. Pendant la guerre, le pays avait manqué de nombre de produits manufacturés que la Tunisie importait de la Métropole. Pour pallier cette carence, des hommes d'affaires de toute origine entreprirent de produire sur place ce qui avait cessé de venir de l'extérieur. Les Juifs ont pris une part notable à cet effort d'industrialisation, alors que la Tunisie relevait encore du gouvernement de Vichy. Les lois raciales qui les excluaient de si nombreux secteurs d'activité ne leur interdisaient pas expressément de se livrer à des industries, exception faite pour celles qui avaient trait à l'expression et à la diffusion des idées. A l'heure où une propagande malveillante accusait les Juifs de se limiter au rôle parasitaire d'intermédiaires, sans participer à la création de richesses, nombre d'entre eux voulurent administrer la preuve qu'ils pouvaient apporter leur contribution au développement des forces productives. Ils furent ainsi à l'origine de la création d'entreprises spécialisées dans la production de conserves alimentaires, de pâtes alimentaires, de cuirs tannés, de chaussures de cuir, de fibres textiles, de draperies et de lainages, de cotonnades, de chaussettes et de tricots, de chemises et de vêtements, d'ustensiles en aluminium, de vernis et peintures, ou de constructions métalliques (13). Si certaines ne devaient pas survivre à la reprise des courants traditionnels d'échanges, d'autres devaient survivre, qui modernisèrent leur outillage et rationalisèrent leurs fabrications. Ces nouvelles activités ont contribué à accroître l'importance, au sein de la bourgeoisie juive, de la bourgeoisie industrielle. De plus, comme de nombreuses entreprises firent appel à une main-d'œuvre juive, le nombre des ouvriers juifs s'en est trouvé accru.

Un autre fait notable est la place que les Juifs tunisiens ont commencé à prendre dans les services de l'État. L'abrogation des lois raciales leur permit de bénéficier des dispositions du décret beylical du 3 juin 1937 qui avait posé le principe de l'égalité d'accès des Français et des Tunisiens à la fonction publique, en soumettant leur recrutement aux mêmes conditions. L'accès des Tunisiens à la fonction publique devait être élargi par le décret beylical du 8 février 1951. Il fut en effet établi alors que les places mises au concours seraient réservées aux Tunisiens dans la proportion de 1/2 pour les emplois supérieurs, 2/3 pour les emplois intermédiaires et 3/4 pour les emplois subalternes (14). C'est ainsi que, dans les dernières années du Protectorat, s'accrut le nombre de fonctionnaires tunisiens, musulmans et israélites. Les nouvelles générations se portèrent, entre autres, vers l'enseignement dans les établissements du premier comme du second degré.

Le recensement général de la population de 1946 a fourni une répartition de la population active tunisienne israélite, en fonction de la branche d'activité *(Tableau V)*.

Tableau V
Répartition de la population active tunisienne israélite (1946)

Branches d'activité	Nombre	%
1 Agriculture	115	0,6
2 Industrie	9 265	46,5
3 Transports et manutention	1 166	5,9
4 Commerce et banques	6 594	33,1
5 Professions libérales	1 781	8,9
6 Soins personnels	687	3,4
7 Services publics	320	1,6
Ensemble	19 928	100 (15)

1. Les Israélites tunisiens ne sont représentés dans l'agriculture que par un petit nombre de personnes qui se livrent à la culture des céréales, de la vigne et des agrumes, dans le nord du pays, et à celle de l'olivier dans le Sahel et la région de Sfax (115 personnes, soit 0,6 %).

2. C'est dans le secteur secondaire que se trouve concentré le gros des effectifs. Les personnes qui se livrent à des activités industrielles

sont au nombre de 9 265, soit 46,5 % (16). Dans ce nombre se trouvent englobés les effectifs de l'artisanat traditionnel (cordonniers, bourreliers, tailleurs, ferblantiers, orfèvres, bijoutiers, ciseleurs, marbriers) ; de l'artisanat moderne (menuisiers, ébénistes, tapissiers, plombiers, vitriers, peintres, mécaniciens, électriciens) et de l'industrie proprement dite : ouvriers des manufactures de confection, des fabriques de chaussures et des imprimeries, où les Juifs étaient en force, et de diverses industries où ils étaient représentés par un petit nombre de contremaîtres et d'ouvriers spécialisés.

3. Les personnes classées sous la rubrique « manutention et transports » sont au nombre de 1 166, soit 5,9 %. Elles englobent une forte proportion de manœuvres et d'ouvriers sans qualification, désignés par le terme de « journaliers ».

4. Les personnes classées sous la rubrique « commerce et banque » sont au nombre de 6 594, soit 33,1 %. Dans ce nombre se trouvent englobés les négociants qui se consacrent à des opérations d'import-export, les propriétaires des grands magasins, les commerçants spécialisés dans les diverses branches du commerce de détail, les employés de magasin, les courtiers et les commissionnaires, ainsi que les employés de banque et des agences de compagnies d'assurances.

5. Les personnes classées sous la rubrique « professions libérales » sont au nombre de 1 781, soit 8,9 %. Elles englobent les avocats et les employés de la basoche, les médecins généralistes et spécialistes, mais aussi les infirmiers du secteur privé, les ministres du culte ainsi que la masse des employés de bureau.

6. Les personnes classées sous la rubrique « soins personnels » sont au nombre de 687, soit 3,4 %, et elles comprennent aussi bien les coiffeurs que les domestiques.

7. Les personnes employées dans les services publics à titre de fonctionnaires ou d'agents de l'État sont au nombre de 320, soit 1,6 %. Pour être modestes, ces effectifs n'en sont pas moins deux fois plus élevés qu'en 1936.

Des données qui ont permis d'établir la répartition de la population active par branches d'activité, les services de statistique n'ont pas tiré une répartition de la population active par catégories socio-professionnelles. De la structure sociale de la population juive, nous devons donc nous contenter d'une approximation. Comme dans le passé, on peut distinguer :

a) Une bourgeoisie fortunée tirant ses profits du commerce d'exportation (céréales, huiles, laines, peaux) et d'importation (textiles, bois, métaux et machines) ; de l'exploitation d'entreprises industrielles (minoteries, fabriques de pâtes alimentaires, conserveries, confiseries, distilleries, huileries, savonneries, briqueteries, fabriques de carrelages, manufactures de chaussures, manufactures de bonneterie et de confection) ; ou encore de la conduite d'exploitations agricoles.

b) Une bourgeoisie libérale composée d'avocats, de médecins, de pharmaciens, d'architectes qui joignent le prestige à l'aisance. Comme dans l'entre-deux-guerres, c'est généralement à cette classe qu'appartiennent les dirigeants élus ou nommés des diverses communautés.

c) Des classes moyennes comprenant commerçants, artisans, employés de magasin, employés de bureau, fonctionnaires et agents de l'État.

d) Une classe ouvrière fortement groupée dans un petit nombre de branches industrielles : fabriques de bonneterie, ateliers de confection, manufactures de chaussures, imprimeries.

En marge de ces diverses classes, dont l'importance s'est sans doute accrue dans les dernières années du Protectorat, il faut encore signaler l'existence d'un sous-prolétariat, composé de journaliers sans qualification et sans emploi régulier, de gagne-petit tirant leurs ressources de l'exercice de métiers infimes, d'hommes et de femmes malades, infirmes ou sans soutien, qui ne survivent qu'à la faveur des subsides que leur verse la communauté (17).

Chaque communauté a ses pauvres. Mais c'est à Tunis que la misère est la plus spectaculaire. Du vieux ghetto où, pendant des siècles, les Juifs de la capitale ont vécu groupés, toutes les familles qui ont accédé à une aisance relative se sont, les unes après les autres, évadées, pour aller s'établir dans les nouveaux quartiers de la ville moderne ou dans les communes de banlieue. Ce sont les moins chanceux qui sont demeurés dans la *ḥâra,* parce que c'est là que l'on peut se loger au meilleur compte. Ainsi, elle est devenue une ville dans la ville, une ville des pauvres dont la détresse a été plus d'une fois évoquée. La guerre a interrompu les efforts d'assainissement qui avaient conduit à la destruction des îlots les plus insalubres et au recasement de leur population dans de grands immeubles aux appartements dotés d'eau courante et d'électricité. Le gros de la population continue d'habiter dans de vieilles maisons à patio dont les murs rongés par les ans menacent ruine. Les logements se réduisent le plus souvent à une seule pièce où s'entassent des familles comptant jusqu'à huit personnes. Il faut aller chercher l'eau à la fontaine publique, et le surpeuplement qui est de règle y fait prévaloir une déplorable absence d'hygiène qui favorise la propagation des maladies infectieuses. Les œuvres d'assistance de la communauté se mobilisent contre la tuberculose, le trachome et la teigne. Mais les fléaux qui menacent la population du ghetto attestent que le vieux paupérisme juif n'a pas disparu (18).

3. École, langue et culture

La croissance démographique enregistrée dans les dernières années du Protectorat s'est traduite par un accroissement du nombre d'enfants scolarisés *(Tableau VI).*

Tableau VI
Scolarisation des Tunisiens israélites (1936-1956)

Années	Garçons	Filles	Ensemble
1936	6 475	6 193	12 668
1940	6 766	6 777	13 543
1946	6 903	7 150	14 053
1951	7 653	7 306	14 959
1955	7 399	7 042	14 441 (19)

Ces chiffres, qui comprenaient les effectifs de l'enseignement primaire, de l'enseignement technique et de l'enseignement secondaire, tant publics que privés, ne concernaient que les Juifs de nationalité tunisienne à l'exclusion des Juifs d'une autre nationalité, englobés dans les diverses fractions de la population européenne.

Au cours de l'année scolaire 1955-1956, ces élèves se répartissent comme suit entre les diverses formes d'enseignement :

Enseignement	Garçons	Filles	Ensemble
Primaire public	5 734	5 286	11 020
Technique public	283	647	930
Secondaire public	1 055	747	1 802
Prim. et Sec. privé	327	362	689
Total	7 399	7 042	14 441 (20)

C'est dans les effectifs de l'enseignement public, primaire et secondaire, que sont compris les effectifs des écoles de l'Alliance Israélite qui ont conservé les caractères qui sont les leurs depuis leur création, mais dont les dépenses de fonctionnement ont été, pour une part, prises en charge par les pouvoirs publics, aux termes d'une convention signée au cours de l'année 1945 (21). Ces écoles, toujours au nombre de cinq, dont trois à Tunis, une à Sousse et une à Sfax, dispensaient au cours de l'année scolaire 1955-1956 un enseignement primaire et secondaire à 4 055 élèves des deux sexes (22).

C'est par contre dans les effectifs de l'enseignement privé que sont compris les effectifs des deux écoles ouvertes, au lendemain de la guerre, par l'organisation juive internationale O.R.T. *(Organisation Reconstruction Travail)* qui se sont attachées à dispenser un enseignement technique de qualité à la jeunesse juive, de l'un et de l'autre sexe (23).

Au terme de leurs études secondaires, nombreux sont les jeunes qui entreprennent des études supérieures. Ils ne sont plus contraints de se rendre dans la Métropole pour préparer le concours d'entrée à une grande école ou pour suivre un enseignement universitaire. La création à Tunis, en 1945, d'un Institut des Hautes Études, a permis de commencer sur place les études en vue d'obtenir une licence en droit, une licence ès sciences ou une licence ès lettres et de préparer le certificat de physique, chimie et biologie qui ouvrait la voie des études médicales dans une Faculté de Médecine. On constate alors une diversification des études supérieures entreprises par la jeunesse juive. Si les études de droit, de médecine et de pharmacie continuent de jouir d'une grande faveur, les nouvelles générations s'engagent dans d'autres voies, en entreprenant des études de sciences (mathématiques, physique, chimie, sciences naturelles), de lettres (français, langues vivantes, histoire et géographie, philosophie), ou en préparant le concours d'entrée à une grande école pour devenir architecte ou ingénieur. En voulant éviter des carrières qui paraissent encombrées, elles élargissent, d'année en année, l'éventail des professions juives. Ce ne sont pas seulement les jeunes gens qui font des études supérieures, mais aussi les jeunes filles. De plus en plus nombreuses sont celles qui se préparent à exercer une profession, et les plus douées s'orientent vers le barreau, la médecine, la pharmacie, l'enseignement, voire la recherche scientifique.

Une scolarisation qui s'étend maintenant à la presque totalité de la population d'âge scolaire des deux sexes développe encore la connaissance du français dans toutes les couches sociales. Pour ceux dont les parents sont passés par une école française, le français se substitue, en partie ou en totalité, à l'arabe comme langue maternelle. L'usage du français se répand et supplante de plus en plus l'arabe comme langue de relation. C'est seulement dans les communautés de l'arrière-pays, dont la vie est étroitement liée à celle de la population musulmane, que l'usage de l'arabe se maintient. Dans celles de la capitale et des grandes villes côtières, dont la vie est plutôt liée à celle de la population européenne, l'usage de l'arabe ne cesse de se restreindre. Il faut dire aussi que nombre de ceux qui parlent encore l'arabe n'en maîtrisent plus les ressources et que leur vocabulaire se réduit de plus en plus aux exigences de la vie quotidienne.

L'adoption du français comme langue et l'assimilation de la culture à laquelle il donne accès entraînent l'adoption des modèles occidentaux par une part de plus en plus importante de la population juive. Les parents francisés donnent à leurs enfants des prénoms en usage dans les pays de langue française, qui se substituent aux prénoms hébreux et arabes. Dans les communautés du Sud, hommes et femmes s'habillent encore souvent à l'arabe et leurs vêtements sont souvent décrits en détail par plus d'un observateur de la vie juive (24). Mais il n'en est pas de même à Tunis et dans les grandes villes de la côte où l'usage du costume européen se généralise. On rencontre encore des rabbins qui portent le costume traditionnel des Juifs de Tunis : pantalons bouffants, gilet serré, veste brodée, burnous bleu ciel, chéchia rouge et turban noir. Mais la plupart des rabbins s'habillent maintenant à l'européenne. Il n'est pas jusqu'à celui qui préside à l'office des morts qui n'ait européanisé sa tenue en portant des pantalons droits et une redingote de serge noire (25).

Exception faite pour celles qui vivent encore dans les ḥâra-s des grandes villes, la plupart des familles habitent dans des appartements et des villas qui ont la structure des demeures européennes, avec un mobilier où l'on retrouve des meubles de tous les styles en honneur depuis la fin du siècle dernier. On observe aussi une évolution des habitudes alimentaires. Les familles juives adoptent, de plus en plus largement, les plats et les recettes de la cuisine européenne, qui présentent le double avantage d'être plus simples et plus digestes. Les spécialités de la cuisine juive traditionnelle, dont les diététiciens dénoncent la trop grande richesse, se font plus rares dans les menus des jours ordinaires, pour être réservés aux repas des jours de fête, et entre autres, à celui du vendredi soir, veille de *shabbat,* dans les familles où le jour du Seigneur est célébré selon les règles (26).

Comme se font de plus en plus nombreux les Juifs qui comprennent et lisent le français, la presse judéo-arabe voit se réduire sa clientèle. Elle n'est plus représentée que par l'hebdomadaire *Al-Nejma* (= L'Étoile) fondé en 1920, qui continue de sortir des presses de l'imprimerie M. Nadjar, à Sousse (27). La littérature populaire en judéo-arabe, qui avait connu un remarquable développement au début de ce siècle, poursuit son irrémédiable déclin. On ne publie guère de nouvelles œuvres, d'inspiration sacrée ou profane. Cependant, la « Feuille de miel », *Warqat al-ᶜasel,* publiée chaque année à la veille de *Rosh ha-shanah,* et qui donne la date de toutes les fêtes de l'année liturgique juive, ne manque pas de fournir une longue liste des publications judéo-arabes que l'on peut acheter à un prix modique, à la librairie Uzan, la grande librairie hébraïque de Tunis. Il s'agit pour la plupart de publications, plus ou moins anciennes, parmi lesquelles figurent en bonne place les œuvres qui ont fait la gloire de la littérature judéo-arabe, à son apogée (28). Mais si elles comptent encore des amateurs au sein des vieilles générations lisant l'hébreu et parlant l'arabe, les nouvelles générations, francisées, ne les lisent guère : elles en ignorent même l'existence.

C'est en français que sont publiés les journaux qui s'adressent à la population juive : journaux d'inspiration sioniste comme *La Voix juive,* de 1943 à 1946, et *La Gazette d'Israël,* de 1945 à 1951, ou journaux d'information comme *L'Écho juif,* de 1950 à 1955 (29). Les Israélites de toutes nationalités lisent maintenant régulièrement les journaux quotidiens ou hebdomadaires de langue française qui s'adressent à tous les éléments de la population sans distinction, et auxquels collaborent souvent des journalistes d'origine juive. En dépit du sionisme qui avive la conscience juive, nombre de Juifs semblent avoir à cœur de rejeter toute forme de particularisme, et la condamnation de l'idéologie raciste favorise leur rapprochement avec les diverses fractions de la population européenne, de plus en plus francisée.

On ne peut faire état d'une littérature juive d'expression française. Les vieux conteurs du ghetto ne publient pas d'œuvres nouvelles, comme si leur inspiration s'était tarie, ou s'ils trouvaient inutile d'évoquer une fois de plus la vie des juiveries du pays, dans la tradition de la littérature régionaliste. Mais voici qu'un jeune écrivain, Albert Memmi, publie en 1953 *La Statue de sel,* dont la critique française s'accorde à reconnaître l'intérêt et la nouveauté. Dans le cadre éprouvé de l'autobiographie romancée, l'auteur dresse un tableau de la condition juive en Afrique du Nord, en ce moment de son histoire. L'ouvrage irrite de nombreux lecteurs parce qu'il fait une critique sans concession de toutes les voies entre lesquelles les nouvelles générations pourraient choisir : renouveau religieux, sionisme, assimilation dans la nation française, ou intégration à la nation tunisienne. Mais sa conclusion désespérée s'accorde bien avec la philosophie du temps qui affirme l'absurdité du monde (30). Au-delà des controverses auxquelles il donne lieu, le livre, couronné en Tunisie par le Prix de Carthage et en France par le Prix Fénéon, témoigne de la francisation irréversible d'une partie des Juifs de Tunisie.

Découvrant les richesses de la culture occidentale, les nouvelles générations affirment leur goût pour la musique classique et la danse moderne. Aussi bien, se détournent-elles de la musique et de la danse orientales qui continuent d'avoir leurs amateurs dans les classes populaires. Mais les familles qui donnent une fête à l'occasion d'une circoncision, d'une majorité religieuse ou d'un mariage, font encore appel à un orchestre oriental pour accompagner un chanteur juif en renom dans l'interprétation des compositions arabes traditionnelles : *Ta^calî-lat al-mṭâhar,* pour une circoncision, *Ta^calîlat al-^carûssa,* pour un mariage, parce qu'il est impossible de se conformer à la tradition sans retrouver ce que, pendant des siècles, Juifs et musulmans tunisiens ont eu en commun (31).

Dans la capitale comme dans les grandes villes côtières, la famille juive continue de se transformer. Toutes les mutations que l'on avait pu constater dans l'entre-deux-guerres se poursuivent et se généralisent : relèvement de l'âge au mariage, réduction du nombre d'enfants par couple, prédominance croissante de la famille nucléaire, établissement d'une plus grande égalité entre les sexes. Les années d'après-guerre sont marquées par de nouveaux changements :

a) Les unions sont de plus en plus l'œuvre des futurs époux : les parents interviennent avec plus de discrétion dans le mariage de leurs enfants ; les courtiers et les marieuses voient se réduire leur champ d'activité ; jeunes gens et jeunes filles rejettent les intermédiaires pour se marier selon leur raison ou selon leur cœur.

b) Un vent de liberté souffle sur les mœurs. Dans les classes moyennes comme dans la classe aisée se répand la vogue des soirées dansantes ; on pousse le flirt de plus en plus loin ; on enregistre les premières unions hors mariage.

c) Sous l'influence des idées féministes, la femme continue de travailler après son mariage, même si les gains du mari peuvent suffire à l'entretien du ménage. Un nouveau type de famille apparaît, qui relègue au deuxième plan le vieux modèle de la femme au foyer.

Ces changements, amorcés dans les milieux les plus évolués, s'étendent peu à peu à l'ensemble de la population juive.

La scolarisation des nouvelles générations dans des écoles modernes s'accompagne d'un nouveau recul de la culture hébraïque traditionnelle. Certes, tout enfant devrait savoir lire couramment l'hébreu pour pouvoir célébrer sa *bar-mitsvah* ou majorité religieuse. Mais, hormis les élèves des écoles de l'Alliance Israélite, dans lesquelles l'hébreu continue d'être enseigné, les enfants n'ont d'autre bagage que ce qu'ils ont appris dans un *kuttâb,* au sortir de l'école, ou ce qu'ils ont retenu des leçons particulières d'un rabbin. Rares sont ceux qui sont en mesure de lire couramment un texte voyellé. On déplore encore l'insuffisance des connaissances du plus grand nombre (32). Cependant, au lendemain de la guerre, sous l'influence du sionisme, des cours d'hébreu sont organisés par la Communauté israélite de Tunis qui mettent en œuvre des méthodes d'enseignement modernes (33). Mais alors il s'agit moins d'assurer une meilleure connaissance de la langue des Écritures et des prières que de répandre la langue du nouvel État juif. S'il y a l'amorce d'une rehébraïsation, elle n'a pas le sens d'un retour à la culture hébraïque traditionnelle (34).

Avec un plus large accès à l'instruction et à la culture modernes, la pratique religieuse recule encore. La stricte observance du *shabbat* se fait plus rare, car la plupart de ceux qui exercent une profession ne peuvent chômer le samedi et s'abstenir de toutes les formes d'activité que la Loi interdit. Le respect des règles de la *kasherut* se fait plus lâche. Les familles les plus évoluées ne se font pas scrupule d'acheter leur viande chez un boucher chrétien. Parmi celles qui continuent à acheter de la viande de bêtes abattues rituellement, il en est qui mélangent viandes et laitages et consomment la chair d'animaux « impurs ». De plus en plus rares sont les fidèles qui se rendent dans une synagogue pour les trois offices quotidiens de *shaḥrit, minḥah* et ^c*arbit.* C'est une minorité qui assiste chaque semaine aux offices du samedi. A peine plus nombreux sont ceux qui assistent aux offices qui marquent les grandes fêtes de l'année liturgique. Pour la plupart des Israélites, la vie religieuse tend à se cristalliser autour de la solennité du *Yom Kippour,* le jour de l'Expiation, et ils assistent aux offices célébrés avec éclat dans les synagogues qui connaissent ce jour-là la plus grande affluence. Ce que l'on observe le plus généralement, et dans tous les milieux, ce sont les rites qui marquent les grandes étapes de l'existence : circoncision, majorité, mariage et obsèques. Mais il y a des Juifs agnostiques, voire athées, qui, pour être conséquents avec eux-mêmes, répudient toute forme de pratique religieuse (35).

Les progrès de la libre pensée contribuent à supprimer les barrières entre les ethnies. Les mariages mixtes se font plus nombreux. Des Juifs épousent des chrétiennes et des chrétiens épousent des Juives. On voit même des Juives épouser des musulmans.

La pratique religieuse varie d'un milieu à l'autre. Plus faible dans les milieux aisés, les plus francisés, elle est plus forte dans les milieux pauvres qui ne se sont pas dégagés de la culture traditionnelle. Ainsi s'explique que la pratique religieuse à Tunis soit moins forte dans les quartiers de la ville moderne que dans le vieux ghetto (36). Il en est de même pour les croyances et les pratiques superstitieuses, dont s'éloignent les nouvelles générations ayant reçu une instruction moderne, mais qui sont encore très répandues parmi ceux qui n'ont pu pousser très loin leurs études et ont conservé une mentalité archaïque (37).

Si les communautés juives de la capitale et des grandes villes se sont plus ou moins profondément acculturées, les communautés juives de l'Extrême-Sud sont restées beaucoup plus proches de leur culture traditionnelle. Les Juifs de Djerba sont même parvenus, à la faveur de leur vie insulaire, à conserver à peu près sans altération leur mode de vie d'autrefois (38).

4. La vie communautaire

Dans les dernières années du Protectorat, un certain nombre de retouches ont été apportées à l'organisation de la communauté de la capitale et des communautés des autres villes.

Peu de temps après la libération du pays des troupes de l'Axe, un décret beylical en date du 17 février 1944 a mis fin aux derniers vestiges de la scission entre *Twânsa* et *Grâna*, entre « Tunisiens » et « Livournais ». Le législateur a considéré que l'existence de fait, au sein de la Communauté israélite de Tunis, d'une section dite « portugaise », gérée par un conseil distinct, et jouissant d'une relative autonomie, ne répondait pas aux intentions qui avaient dicté le décret du 30 août 1921. La section portugaise de la Communauté israélite de Tunis a donc été dissoute et l'administration des biens qui en dépendaient a été attribuée au Conseil de la Communauté israélite de Tunis dont ont relevé désormais tous les Israélites de la région de Tunis, sans distinction de nationalité ni d'origine. De toute évidence, cette disposition a été dictée par la volonté de mettre fin à l'existence d'une institution où les Juifs italiens pouvaient avoir une influence, inadmissible puisqu'ils étaient, comme tous les Italiens, les ressortissants d'une puissance ennemie (39).

Dès lors qu'il n'y avait plus qu'une seule communauté pour tous les Israélites de la capitale, sans distinction de « rite », il a paru préférable d'en confier la gestion à un conseil de dix membres au lieu de douze, désignés par une assemblée de quarante membres au lieu de soixante. C'est ce qui a été établi par un décret beylical du 13 mars 1947 portant refonte de toutes les dispositions relatives à l'organisation et au fonctionnement de la Communauté israélite de Tunis.

La Communauté israélite de Tunis est administrée par un Conseil dont l'autorité s'étend à tous les Israélites domiciliés dans le contrôle civil de Tunis. Il est formé de dix membres, désignés pour quatre ans, par quarante délégués élus au suffrage universel par un collège électoral dont font partie tous les Israélites de sexe masculin, âgés de plus de 21 ans, sans distinction de nationalité. Les délégués doivent être élus parmi les électeurs âgés de 30 ans accomplis, de nationalité tunisienne, française ou autre, à l'exception des ressortissants d'une Puissance en guerre contre les Nations Unies. Les conseillers doivent obligatoirement être choisis parmi les délégués. Les élections aux deux degrés se font au scrutin de liste majoritaire à un tour *(art. 2, 3, 4, 5 et 6)*.

Le Conseil tient quatre sessions ordinaires par an, en janvier, avril, juillet et octobre, d'une durée maximum de six jours. Mais des sessions extraordinaires peuvent être autorisées par le Secrétaire général du gouvernement tunisien. Le Conseil se compose de deux sections, comprenant cinq conseillers chacune, qui sont chargées, l'une des questions relatives au culte, et l'autre des questions relatives à la bienfaisance et à l'assistance. Le Conseil élit en son sein un président et deux vice-présidents. Le grand rabbin a le droit d'assister à toutes les séances du Conseil et des sections avec voix consultative *(art. 7 et 8)*.

Le Conseil, après avis de chacune des sections compétentes, délibère sur le nombre et la circonscription des synagogues publiques et privées ; la rémunération des rabbins et des ministres officiants nécessaires à l'exercice du culte ; l'administration, l'acquisition et la vente de biens ou de revenus devant profiter à un titre quelconque à la communauté ; l'acceptation ou le refus de dons et de legs ; l'administration de l'abattoir, du cimetière et des pompes funèbres ; les demandes de secours et la répartition des fonds de bienfaisance et d'assistance ; l'enseignement religieux ; le budget et les comptes de la Communauté *(art. 9)*.

Les ressources de la Communauté sont constituées comme par le passé par le produit de la taxe sur la viande abattue selon le rite israélite ; par la taxe sur le vin cacher ; par le produit du monopole de la fabrication et de la vente des pains azymes ; par le revenu des cimetières ; par le produit des dons et des quêtes ; par les revenus des legs ainsi que par des ressources diverses imprévues et accidentelles. Elles lui permettent de faire face aux dépenses ayant trait au culte, comme à l'assistance et à la bienfaisance, et de verser des subventions à des œuvres d'intérêt social ou culturel *(art. 10 et 11)*.

Sur l'activité du Conseil de la Communauté, le gouvernement exerce un contrôle strict : « Les délibérations du Conseil ne sont exécutoires à peine de nullité qu'après approbation du Secrétaire général du gouvernement tunisien. » De plus, un délégué du gouvernement — qui assiste avec voix consultative à toutes les séances des sections et du Conseil — est chargé de la vérification et du contrôle du budget et des comptes de la Communauté *(art. 9)* (40).

Hormis l'interdiction faite aux Juifs italiens d'être délégués et conseillers, ainsi que la réduction du nombre de délégués de soixante à quarante et du nombre de conseillers de douze à dix, *le nouveau décret organique a repris, pour l'essentiel, les dispositions du décret beylical du 30 août 1921*, qui, pour la première fois, avait confié la gestion de la Communauté israélite de la capitale à un conseil issu d'une élection à deux degrés, au lieu et place d'un conseil nommé par l'Administration.

C'est en accord avec les dispositions du décret beylical du 13 mars 1947 qu'il a été procédé, par trois fois, à des élections au Conseil de la Communauté israélite de Tunis dans les dernières années du Protectorat (41).

Les conseils qui se sont succédé à la tête de la Communauté israélite de Tunis ont pu se prévaloir de réalisations nombreuses et variées. Le mérite en revient pour une part au dévouement avec lequel les élus de la communauté se sont consacrés à leur tâche. Mais pour une part aussi aux moyens dont ils ont pu disposer. Aux contributions que les membres les plus fortunés de la communauté se faisaient un devoir de verser, se sont ajoutées des subventions régulières inscrites au budget de l'État, mais aussi les importants subsides versés par l'organisation philanthropique américaine *Joint Distribution Committee* qui, au lendemain de la guerre, a apporté son concours à toutes les communautés juives du vieux monde.

Des progrès sensibles ont été accomplis en matière d'assistance. A la bienfaisance traditionnelle, qui prenait la forme de secours en espèces et en nature à la veille du *shabbat* et des grandes solennités de l'année liturgique, s'est substituée une assistance différenciée en fonction des misères à secourir. Un service social, composé d'assistantes sociales formées à bonne école, a été mis sur pied, qui, à partir d'enquêtes, s'est attaché à dresser un fichier des diverses catégories de bénéficiaires. Ainsi ont été organisés sur une base rationnelle : le versement de secours en espèces aux familles indigentes ; la distribution de vêtements et de denrées aux personnes économiquement faibles ; le placement des enfants sans soutien dans un orphelinat ; l'hébergement des personnes âgées dans une maison de vieillards ; la mise en apprentissage des jeunes ayant dépassé l'âge d'être scolarisés et devenus une charge pour les leurs ; l'octroi de prêts d'honneur aux chefs de famille devant faire face à une dépense imprévue. De plus, pour venir en aide aux indigents malades, un dispensaire a été ouvert dans la vieille ville, qui a bénéficié du concours de nombreux médecins, généralistes ou spécialistes, de confession juive.

Le développement de l'assistance s'est traduit par un accroissement des secours en espèces et des secours en nature :

Années	S. en espèces	S. en nature	Total
1950	13 022 302	1 715 683	14 737 985
1951	19 249 238	5 167 714	24 416 952
1952	26 316 851	8 231 167	34 548 018
1953	33 090 174	8 595 984	41 686 158
1954	32 030 174	7 385 138	39 415 312 (42)

Mais plus que l'accroissement du volume des secours, il faut sans doute retenir la nouvelle fin qu'ils s'assignaient. Il s'agissait moins de prendre en charge une masse d'indigents et de les faire vivre de la charité de leurs coreligionnaires que d'arracher à la misère et à la maladie les plus infortunés, pour assurer la santé et la formation des nouvelles générations (43).

Les responsables de la Communauté ont déployé des efforts méritoires sur le plan culturel. Ils se sont employés à faciliter les études des enfants des classes les plus défavorisées en prenant en charge abonnements aux transports en commun, redevances trimestrielles dans les lycées et collèges comme les livres et les fournitures scolaires. Ils ont aussi permis aux plus doués de poursuivre leurs études au-delà du baccalauréat en leur accordant des prêts d'honneur. Les responsables du département culturel notaient avec satisfaction l'élargissement des vocations. Les étudiants se détournaient des branches encombrées pour se tourner vers des branches techniques telles que les travaux publics, le bâtiment, les beaux-arts, l'aéronautique, l'électricité, la radio, la télévision. Il faut aussi faire état d'un gros effort pour développer l'enseignement de la langue et de la culture hébraïques. Pourvue de maîtres d'hébreu relevant de la Communauté israélite et de maîtres de français détachés de l'Alliance Israélite, l'école Or-Thora dispensait un enseignement primaire bilingue en hébreu et en français. De plus, la Communauté israélite a mis sur pied des cours d'hébreu à destination des jeunes et des adultes. Au cours de l'année 1955, à Tunis, il n'y avait pas moins de vingt-cinq classes d'hébreu dont les cours étaient suivis par des centaines d'élèves de tous âges. A coup sûr, il s'agissait de répondre à la demande de ceux qui, se préparant à émigrer en Israël, voulaient apprendre la langue du nouvel État juif. Grâce à l'aide de la Communauté, les enseignants purent améliorer leur connaissance de la langue et de la culture hébraïques, en participant à des séminaires de formation en France, en Suisse et en Israël (44).

Enfin, les responsables de la Communauté israélite se sont attachés à améliorer les conditions d'exercice du culte. De vieilles synagogues ont été restaurées (ex. Dar Gaddid) ; d'autres ont vu leur décoration rafraîchie (ex. Grande synagogue de la Ḥâra) ou leur mobilier rénové (ex. synagogue de la rue de la Loire). On s'est efforcé de donner aux offices un plus grand apparat et d'améliorer les conditions dans lesquelles se déroulaient les cérémonies rituelles à l'occasion des *barmitsvah,* des mariages et des services funèbres. De toute évidence, on a voulu répondre à l'attente des nouvelles générations de fidèles qui souhaitaient que le culte israélite fût célébré avec plus de pompe dans une atmosphère plus recueillie (45).

Dans son action, la Communauté israélite était secondée par de nombreuses œuvres privées qui, en plus de leurs ressources propres, bénéficiaient des subventions régulières du Conseil de la Communauté. Il s'agissait, pour la plupart, d'œuvres nées avant la guerre de 1914-1918, ou dans l'entre-deux-guerres, telles que *Les Cuisines populaires* (1909), l'*Asile de nuit* (1910), *La Garderie israélite* (1912), *Nos Petits* (1934), le *Préventorium de l'Ariana* (1938). Il s'y est ajouté, en 1947, une filiale tunisienne de l'*Œuvre de Secours à l'Enfance.* Le centre de l'O.S.E. de la capitale, qui a bénéficié du concours dévoué de nombreux médecins de confession juive, par ses consultations gratuites, par ses distributions de lait et de médicaments, par ses conseils aux mères, a contribué efficacement à améliorer l'alimentation des nourrissons, à prévenir de dangereuses carences, à dépister et à soigner de nombreuses maladies de l'enfance. C'est pour une large part à son action qu'il faut attribuer la diminution du taux de mortalité infantile parmi la population juive de Tunis (1946 : 101 $\%_{0}$; 1949 : 83 $\%_{0}$; 1952 : 66 $\%_{0}$; 1955 : 62 $\%_{0}$).

Il est plus difficile, faute de documents, d'analyser l'activité des institutions communautaires des autres villes. Certaines d'entre elles ont été dotées, au lendemain de la guerre, de conseils *élus* au suffrage universel à deux degrés. Ce fut le cas de Sfax, et de Sousse (46). Mais il n'a été apporté aucun changement à l'organisation des autres communautés, et leurs *caisses de secours et de bienfaisance* ont continué à relever de comités d'administration dont les membres étaient désignés par l'Administration. A la veille de l'indépendance tunisienne, les centres dotés d'une caisse de secours et de bienfaisance étaient, dans le nord : Béja (1901), Souk el-Arba (1901), Bizerte (1904), Le Kef (1905), Nabeul (1905), Mateur (1909), Testour (1910), Ebba-Ksour (1921), Ferryville (1949) ; dans le centre : Kairouan (1903), Monastir (1903), Moknine (1913), Mahdia (1919) ; dans le sud : Gafsa (1905), Gabès (1909), Hara el-Kebira (1910), Hara el-Seghira (1910), El-Hamma (1922), Médenine (1922), Ben Gardane (1946), Zarzis (1946), Tatahouine (1946). Les annuaires israélites, qui donnent la liste nominative des administrateurs des diverses caisses de secours et de bienfaisance, font état des œuvres privées qui en secondaient parfois l'action. Il y avait des sections de *Nos Petits* à Sousse, à Sfax et à Gabès, des centres de l'*O.S.E.* à Bizerte, Sousse, Sfax, Gabès et Djerba.

Il existait encore des communautés qui n'avaient pas de caisse de secours et dont la vie collective relevait d'une organisation coutumière héritée du passé. Il leur suffisait d'avoir un ou deux rabbins pour présider aux offices, donner une instruction religieuse aux enfants, célébrer les mariages et rendre aux morts les derniers devoirs.

Comme par le passé, il n'existait pas de liens organiques entre les diverses communautés, qui jouissaient d'une large autonomie, à ceci près qu'elles reconnaissaient toutes l'autorité du grand rabbin de la capitale qui était grand rabbin de Tunisie (47).

5. L'essor du mouvement sioniste

Dans les dernières années du Protectorat, le mouvement sioniste a connu un développement sans précédent.

La révélation de l'horreur des camps d'extermination nazis, la détermination avec laquelle les Juifs qui avaient échappé à la catastrophe fuyaient les pays de l'Est, les sympathies qu'éveillait dans tous les pays la tragédie juive, avaient créé dans le monde un mouvement d'opinion favorable au sionisme. Ce qui avait été longtemps considéré comme une généreuse utopie apparut alors à tous comme l'expression d'une aspiration légitime que les Puissances alliées victorieuses devaient satisfaire. Rien de plus significatif, à cet égard, que la déclaration faite en faveur de la création d'un État juif par le représentant de l'Union Soviétique, à la tribune des Nations Unies. L'adoption, le 29 novembre 1947, par l'O.N.U. d'un plan de partage de la Palestine, et la proclamation le 14 mai 1948, à la veille du départ des troupes britanniques, de l'indépendance de l'État d'Israël, devaient donner au sionisme une audience encore plus large.

Peu après la libération de la Tunisie des troupes de l'Axe, une presse juive d'inspiration sioniste a recommencé à paraître. Elle est constituée par *La Voix juive*, dont la publication se poursuivra de 1943 à 1946, et par *La Gazette d'Israël* qui, après cinq ans d'interruption, reprend sa publication en 1945 et la continuera jusqu'en 1951 (48). Ces journaux s'emploient, de semaine en semaine, à informer la population juive de Tunisie sur la lutte des Juifs de Palestine, sur la création de l'État d'Israël, sur sa riposte victorieuse à l'assaut des nations arabes, sur l'afflux de migrants de tous les pays, en assurant une large diffusion aux principes du sionisme.

Assez vite, des organisations sionistes se reconstituent, qui se réclament de toutes les familles spirituelles du sionisme. Le sionisme religieux est représenté par des sections de l'*Agoudat Israël* (Union Israélite) ainsi que par des sections de *Torah ve-Avodah* (Loi et Travail) et de son mouvement de jeunesse *Bnei Akivah* (Les Enfants d'Akiva) ;

le sionisme socialiste par des sections du mouvement de jeunesse *Tserei Tsion* (Les Enfants de Sion) et du mouvement de jeunesse *Ha-Shomer ha-Tsaʿïr* (Le Jeune Gardien) ; le sionisme révisionniste par des sections du *Betar* (Union Mondiale de la Jeunesse Juive Brith Trumpeldor) ; le sionisme libéral de ceux que l'on appelle les « sionistes généraux » a aussi ses partisans, qui se trouvent regroupés dans une *Organisation Sioniste de Tunisie.* La plupart de ces organisations, sinon toutes, ont leurs représentants à la direction de la *Fédération Sioniste de Tunisie,* reconstituée (49).

Les organisations sionistes ne se limitent plus, comme elles le faisaient dans l'entre-deux-guerres, à la collecte de cotisations, *sheqels,* et à l'organisation de souscriptions en faveur des principaux fonds créés par l'Agence Juive pour assurer le développement économique du nouvel État. Elles mettent au premier rang de leurs préoccupations l'*ʿaliyah,* c'est-à-dire l'émigration des Juifs de Tunisie en Israël (50).

Avant la proclamation de l'État juif, le 14 mai 1948, une centaine de jeunes étaient déjà allés s'établir en Palestine et y avaient créé des fermes collectives ou *kibboutzim* (51). Mais c'est surtout après 1948 que la population juive de Tunisie, gagnée par la propagande sioniste, commença à émigrer en masse. Des émissaires de l'Agence juive (*shaliyah,* pl. *shliḥim*), secondés par les militants des organisations sionistes locales, arrivèrent en quelques années à organiser l'émigration à destination d'Israël de milliers de Juifs du pays.

Les candidats à l'émigration ne furent pas aussi nombreux dans toutes les régions et dans toutes les classes sociales. La propagande sioniste rencontra un plus large écho dans les communautés de l'arrière-pays, plus traditionalistes, que dans les communautés de la capitale et des villes côtières, plus « évoluées » ; parmi les couches les plus pauvres, qui n'avaient rien à perdre, que parmi les couches les plus aisées, qui hésitaient à s'engager dans ce qui leur paraissait une aventure. Il n'en reste pas moins que dans le laps de quelques années, plus de 25 000 Juifs de Tunisie émigrèrent en Israël.

Nous disposons de données, semble-t-il, assez fiables sur le nombre de Juifs de Tunisie qui ont émigré en Israël, année par année :

1947	»	1950	4 852	1953	618
1948	3 000	1951	3 491	1954	2 646
1949	3 000	1952	2 709	1955	6 126 (52)

On ne manquera pas d'observer le très net fléchissement accusé par l'émigration vers Israël, au cours de l'année 1953. Il est dû aux difficultés rencontrées par les premières vagues d'immigrants, qui eurent souvent du mal à s'adapter à leur nouvelle vie et qui, par leurs lettres, décourageaient leurs parents et leurs amis de venir les rejoindre (53). Mais l'État d'Israël n'a pas tardé à améliorer sa politique d'accueil et d'intégration de ceux qui affluaient de toutes parts. L'*aliyah* a repris l'année suivante et elle a atteint une ampleur sans précédent en 1955.

L'émigration des Juifs de Tunisie en Israël n'a rencontré aucune opposition de la part des Autorités du Protectorat, et elle n'était rien moins que clandestine. Tout le monde pouvait voir les migrants faire la queue devant les bureaux de l'Agence juive pour se faire inscrire sur les listes des partants, et chaque semaine, dans le port de Tunis, de nombreuses familles prenaient le bateau pour Marseille d'où, après un bref séjour dans un centre de transit, elles devaient s'embarquer à destination d'Israël (54). Il n'en sera plus de même au lendemain de l'Indépendance, lorsque les Autorités tunisiennes adopteront, à l'égard de l'émigration des Juifs en Israël, une attitude de plus en plus réservée et amèneront ceux qui voudront partir à faire preuve d'une plus grande discrétion.

6. La crise du Protectorat

Déstabilisée par la propagande sioniste et l'émigration en Israël, la population juive de Tunisie le fut aussi par la crise dans laquelle entrèrent les relations entre la Tunisie et la France au début des années cinquante.

On en rappellera les principaux moments sous la forme d'une chronologie succincte : nomination de Louis Périllier à la Résidence générale de France à Tunis (31 mai 1950) ; discours de Robert Schuman à Thionville déclarant que la France se propose d'acheminer, par étapes, la Tunisie à l'indépendance (10 juin 1950) ; constitution d'un gouvernement présidé par M. Chenik ayant pour tâche de négocier les modifications institutionnelles qui, par étapes successives, doivent conduire la Tunisie vers l'autonomie interne (17 août 1950) ; promulgation d'un premier train de réformes sur l'organisation du pouvoir exécutif et sur l'accès à la fonction publique (8 février 1951) ; discours prononcé par Lamine Bey à l'occasion du huitième anniversaire de son accession au trône, réclamant la poursuite des réformes (15 mai 1951) ; voyage à Paris de M. Chenik pour convenir avec le gouvernement français des étapes qui doivent conduire le pays à l'autonomie interne (16 octobre 1951) ; note du gouvernement français affirmant le caractère définitif des liens entre la Tunisie et la France, et défendant le principe de la participation des Français de Tunisie à la gestion des affaires publiques (15 décembre 1951) ; rappel de Louis Périllier et nomination à la Résidence générale de France à Tunis de J. de Hauteclocque (24 décembre 1951) ; le gouvernement tunisien saisit de la question tunisienne le Conseil de Sécurité des Nations Unies (13 janvier 1952) ; arrestation des leaders du mouvement national (18 janvier 1952) ; manifestations et grèves, développement de la guérilla urbaine, ratissages du Cap Bon (1ᵉʳ février 1952) ; arrestation des ministres tunisiens (25 mars 1952) ; constitution d'un nouveau gouvernement présidé par M. S. Baccouche (12 avril 1952) ; nouveau plan de réformes proposé par le Résident général à l'agrément du Bey (28 juillet 1952) ; convocation par le souverain d'une assemblée formée de quarante personnalités pour leur soumettre le projet de réformes proposé par J. de Hauteclocque (1ᵉʳ août 1952) ; rejet par l'assemblée des Quarante du plan de réformes de Hauteclocque (9 septembre 1952) ; contrainte exercée sur le souverain pour le forcer à signer un décret sur la réforme des conseils municipaux et des conseils de caïdats (20 décembre 1952) ; boycottage des élections aux conseils municipaux et aux conseils de caïdats organisées par le pouvoir (mai 1953) ; rappel du Résident général de Hauteclocque et nomination à la tête de la Résidence générale de France à Tunis de P. Voizard (2 septembre 1953) ; constitution d'un nouveau ministère présidé par M. S. Mzali (2 mars 1954) ; nouveau plan de réformes proposé à l'agrément du souverain, qui est condamné par l'ensemble des organisations nationales (4 mars 1954) ; développement de l'action armée des fellaghas dans l'arrière-pays (mars-juillet 1954) ; démission du premier ministre M. S. Mzali et de ses ministres (avril 1954) ; discours prononcé par le président P. Mendès-France au palais de Carthage proclamant la volonté de la France d'accorder à la Tunisie son autonomie interne (31 juillet 1954) ; constitution d'un nouveau ministère présidé par Tahar Ben Ammar pour négocier avec la France les conditions de l'autonomie interne (5 août 1954) ; action commune des Autorités françaises et des Autorités tunisiennes pour amener les fellaghas à déposer les armes (mars-avril 1955) ; signature des conventions franco-tunisiennes définissant les conditions d'accès de la Tunisie à l'autonomie interne (3 juin 1955) ; congrès du Néo-Destour saluant l'autonomie interne qui venait d'être accordée à la Tunisie et faisant confiance à la direction du Parti pour poursuivre son action au service de la Nation (15 novembre 1955) ; reconnaissance par la France de l'indépendance tunisienne (20 mars 1956) (55).

Dans la longue crise traversée par les relations franco-tunisiennes, la population israélite de Tunisie ne pouvait avoir une position unique. L'action des partis nationaux, hostiles à toute forme de co-souveraineté, distinguait jusqu'à les opposer les Israélites de nationalité française et les Israélites de nationalité tunisienne. Les Israélites français hésitaient entre les positions extrêmes adoptées alors par la colonie française : se joindre aux défenseurs de la prépondérance française pour faire pièce aux revendications des partis nationaux, ou apporter leur soutien aux revendications des partis nationaux pour jeter les bases d'une union durable entre la Tunisie et la France. Les Israélites tunisiens, eux, se faisaient un devoir de soutenir les revendications présentées par les partis nationaux, les uns par loyalisme à l'égard de S.A. le Bey, leur souverain, les autres parce qu'ils s'alignaient sur les positions du Parti communiste tunisien ou du Néo-Destour. Il reste que, dans sa grande majorité, la population juive répugnait à prendre parti pour les Tunisiens contre la France ou pour la France contre les Tunisiens, appelant de ses vœux un compromis acceptable pour les deux parties (56).

Il était ainsi très difficile pour les leaders de la minorité juive d'adopter une position qui pût faire l'objet d'un accord unanime de tous les Juifs de Tunisie. On s'en rendit bien compte lorsque le Président de la Communauté israélite de Tunis, Me Ch. Haddad fut invité, le 1er août 1952, par Lamine Bey, à donner son avis sur le projet de réformes que le Résident général de Hauteclocque avait proposé à son agrément. Il commença par rappeler que le Conseil de la Communauté israélite de Tunis, en vertu des textes qui en avaient fixé les attributions, avait une compétence strictement limitée aux questions relatives au culte et à l'assistance ; puis il fit observer que ce Conseil représentait des Juifs de nationalité tunisienne, mais aussi des Juifs de nationalité française, italienne ou autre ; et qu'il n'était pas en mesure d'exprimer une position qui répondît aux vœux d'une population partagée entre diverses tendances. Il crut cependant pouvoir affirmer que les Juifs tunisiens faisaient confiance à leur souverain pour obtenir de la France les réformes qu'il avait réclamées dans son discours du 15 mai 1951, en accord avec les traditions libérales de la France, telles que Robert Schuman les avait exprimées dans son discours de Thionville (57).

Mais ceux-là mêmes qui apportaient leur soutien aux partis nationaux, pour ne pas s'exclure de la communauté nationale, ne pouvaient se défendre d'éprouver de vives inquiétudes au sujet de leur avenir. Ils craignaient que la lutte du peuple tunisien pour son indépendance n'aboutît à l'instauration d'un régime politique où les droits et les libertés de la minorité juive seraient écrasés par la toute-puissance de la majorité musulmane, ou encore que la Tunisie ne fût entraînée par les autres États arabes à adopter une attitude hostile à l'égard de l'État d'Israël et à considérer tous les Juifs, sans distinction, comme des ennemis.

Cependant, le souverain, Lamine Bey, ne manquait pas une occasion de rappeler qu'il n'entendait faire aucune distinction entre ses sujets, qu'ils fussent israélites ou musulmans. De leur côté, les dirigeants des partis nationaux affirmaient et réaffirmaient qu'ils s'étaient donné pour but de construire un État démocratique, respectueux des droits de l'homme, dans lequel Juifs et musulmans auraient les mêmes droits comme les mêmes devoirs.

Du camp de Remada, dans l'extrême-sud du pays, où se trouvaient déportés des militants destouriens et communistes, de confession musulmane et de confession juive, le président du Néo-Destour, Habib Bourguiba écrivait le 20 avril 1952 dans une lettre reproduite par la presse locale : « La présence dans ce camp aux portes du désert, de juifs et de musulmans, luttant et souffrant côte à côte pour un même idéal national de justice et de liberté, est particulièrement significative de notre mouvement. Il en sera toujours ainsi, aussi longtemps que le Néo-Destour restera debout » (58).

Dans les mois qui suivirent la déclaration faite par Pierre Mendès-France au palais de Carthage et l'ouverture des négociations pour établir de nouveaux rapports entre la Tunisie et la France, les Autorités tunisiennes témoignèrent plus d'une fois de leur volonté de faire aux Juifs une juste place dans le nouvel État :

a) En date du 16 septembre 1954, sur proposition de son Premier ministre, Tahar Ben Ammar, le souverain Lamine Bey signe un décret faisant du *Yom Kippour* un jour férié (59).

b) Le 17 octobre 1954, le souverain Lamine Bey et son Premier ministre Tahar Ben Ammar assistent aux côtés du Résident général de France à la pose de la première pierre de la Maison de la Communauté israélite de Tunis. Le Premier tunisien se fait un devoir de réaffirmer en cette occasion que le gouvernement tunisien considère les musulmans et les israélites comme des frères tunisiens ayant les mêmes droits et les mêmes devoirs (60).

c) Dans le premier gouvernement tunisien homogène, qui est constitué après la signature des conventions franco-tunisiennes, le portefeuille de ministre de la Reconstruction et de l'Urbanisme est confié à l'un des notables les plus en vue de la communauté israélite, ancien bâtonnier et membre de la section tunisienne du Grand Conseil, Me Albert Bessis (61).

On ne saurait douter que les nouveaux dirigeants du pays n'aient voulu gagner la confiance de la minorité juive pour associer ses élites à la construction de la Tunisie nouvelle (62). Mais si une partie importante de la population juive, profondément attachée à sa terre natale, entendait s'adapter aux temps nouveaux, une autre, non moins importante, ne put envisager sans une vive appréhension la révolution qui s'annonçait, et elle prit la décision de quitter le pays. La crise du Protectorat a certainement contribué à activer l'émigration à destination d'Israël. Elle a aussi donné naissance à une émigration à destination de la France, où il semblait à nombre de Juifs tunisiens qu'il leur serait plus aisé de trouver une activité en rapport avec leurs capacités comme avec leurs habitudes. A la veille de l'Indépendance, on savait déjà que l'émigration des Juifs de Tunisie se faisait en partie vers Israël et en partie vers la France (63).

7. Les débuts de l'exode

Le double mouvement d'émigration vers Israël et vers la France, que l'on observe dans les dernières années du Protectorat, se traduit par une diminution de la population tunisienne israélite, et elle ressort de la comparaison des résultats des recensements du 1er novembre 1946 et du 1er février 1956.

D'un recensement à l'autre, en effet, le nombre des Israélites de nationalité tunisienne passe, dans l'ensemble du pays, de 70 971 à 57 786, soit une diminution de 18,6 %, en moins de dix ans (64).

Si l'on compare les données fournies par les deux recensements, contrôle civil par contrôle civil, on constate que la diminution des effectifs, plus ou moins accusée selon la circonscription, varie d'une région à l'autre *(Tableau VII)*.

Tableau VII
Population tunisienne israélite par régions (1946-1956)

Régions	1946	1956	Différence	%
Tunis	42 200	38 940	− 3 260	− 7,7
Nord	6 371	4 237	− 2 134	− 33,5
Centre	9 505	6 948	− 2 557	− 26,9
Sud	8 980	5 484	− 3 496	− 38,9
Extrême-Sud	3 915	2 177	− 1 738	− 44,4
Ensemble	70 971	57 786	− 13 185	− 18,6

Il ressort de ce tableau que les effectifs de la population tunisienne israélite ont diminué de 7,7 % dans la région de Tunis ; 33,5 % dans le nord ; 26,9 % dans le centre ; 38,9 % dans le sud et 44,4 % dans l'extrême-sud. Il ne faut pourtant pas en induire que le double mouvement d'émigration vers Israël et vers la France aurait affecté bien moins fortement les Juifs de la région de Tunis que ceux des autres régions. Toutes les familles qui avaient pris la décision d'émigrer se portaient vers la capitale et y vivaient quelque temps avant de quitter le pays. Ainsi, la population tunisienne israélite recensée à Tunis le 1er février 1956 était alors gonflée par l'afflux de provinciaux en instance de départ, qui avaient comblé les vides laissés par des milliers de Tunisois, partis avant eux (65).

Cependant, pour apprécier exactement l'ampleur de l'exode qui a affecté la population tunisienne israélite, il ne suffit pas de comparer ses effectifs d'un recensement à l'autre. Il faut aussi tenir compte du mouvement naturel de la population, tel qu'il ressort de l'excédent des naissances sur les décès, que l'on peut chiffrer, année par année, à partir des données fournies par l'état civil. (Cf. *Tableau VIII*).

Tableau VIII
Naissances - Décès - Accroissement (1946-1956)

Années	Naissances	Décès	Accroissement
1946 (a)	434	196	238
1947	2 809	1 065	1 744
1948	2 718	858	1 860
1949	2 444	807	1 637
1950	2 477	765	1 712
1951	2 357	713	1 644
1952	2 332	708	1 624
1953	2 040	679	1 361
1954	2 025	640	1 385
1955	1 807	556	1 251
1956 (b)	126	48	78
Total	21 569	7 035	14 534 (66)

(a) Deux mois   (b) Un mois

En l'absence de tout mouvement d'émigration, les effectifs des Juifs tunisiens auraient dû passer de 70 971 en 1946 à 70 971 + 14 534 = 85 505 en 1956. On peut en conclure que le mouvement d'émigration a porté sur : 85 505 − 57 786 = 27 719, soit, pour s'en tenir à un ordre de grandeur, sur 25 000 à 30 000 âmes (67). Amorcé dans les dernières années du Protectorat, l'exode de la minorité juive allait se poursuivre au lendemain de l'Indépendance.

(1) *Annuaire statistique de la Tunisie*, Années 1940-1946, p. 53 ; 1947, pp. 33 et 34 ; 1948, p. 21.

(2) Le relèvement du taux de mortalité pour les années 1939-1943 est dû à la mortalité exceptionnelle de l'année 1943.

(3) *Bulletin trimestriel du Service des Statistiques*, 1948/3, p. 66 ; cf. *Annuaire statistique*, 1947, p. 32.

(4) Sur la forte natalité des familles les plus pauvres, cf. V. DANON, « Les niveaux de vie dans la Hara de Tunis », dans *Les Cahiers de Tunisie*, 1955, pp. 180-210 ; v. pp. 190-191.

(5) Rappelons que l'on avait recensé en 1941 68 268 Juifs tunisiens, cf. *supra*, chap. IX.

(6) *Annuaire statistique*, 1946, p. 33 ; 1947, pp. 17-18 ; cf. A. CHOURAQUI, *Les Juifs d'Afrique du Nord*, Paris, 1952, pp. 147-161.

(7) *Annuaire statistique*, 1940-1946, pp. 30-33.

(8) *Ibid.*, pp. 34-35. Nous n'avons pas fait figurer dans ce tableau les communes de la banlieue de Tunis qui ont une population tunisienne israélite plus ou moins importante : L'Ariana (3 128), La Goulette (2 577), Hammam-Lif (674) et La Marsa (405).

(9) *Annuaire statistique*, 1940-1946 sqq.

(10) L. SITRUK, *La Condition des Italiens de Tunisie*, Tunis, 1947, pp. 114-120.

(11) L'abrogation des Conventions de 1896 entraînant la fermeture des écoles italiennes, les enfants d'Italiens de toutes confessions furent désormais scolarisés dans des écoles françaises et se francisèrent par la langue et par la culture.

(12) Pour A. Chouraqui, la population juive se serait élevée à 105 000 âmes. Cf. A. CHOURAQUI, *op. cit.*, p. 152. Cette estimation nous semble excessive.

(13) Nous nous permettrons de citer quelques noms : conserveries alimentaires : E. Halfon ; pâtes alimentaires : J. et P. Cohen, M. Moatti , H. Sfez ; cuirs tannés : Giami ; chaussures de cuir : A. Tuil, E. Cohen, F. Fitoussi ; fibres textiles : V. Setbon ; draperies et lainages : V. Setbon ; cotonnades : R. Hayat ; bonneterie : E. Bismuth, R. Bouhnik ; confections : S. Lahmi, H. Taïeb, F. et S. Saragosti ; aluminium : A. Bismuth ; peintures : E. Scemla ; constructions métalliques : A. Boutboul, E. Berrebi.

(14) F. BAEQUE, « L'évolution des institutions publiques », dans *Tunisie 1953*, p. 22.

(15) *Annuaire statistique*, 1948, pp. 12-13 ; cf. A. CHOURAQUI, *op. cit.*, pp. 237-243 et annexe, p. 334.

(16) Nous en connaissons la répartition entre les diverses branches : Industries extractives : 4 ; Industries alimentaires : 587 ; Industries chimiques : 81 ; Caoutchouc, papier et carton : 81 ; Industries polygraphiques : 269 ; Industries textiles : 2 614 ; Cuirs et peaux : 1 750 ; Industrie du bois : 659 ; Métallurgie et mécanique : 878 ; Orfèvrerie et bijouterie : 942 ; Construction, pierres et terres à feu : 1 019 ; Industries mal désignées : 381, soit en tout 9 265 personnes actives.

(17) Dans les dernières années du Protectorat, la Communauté israélite de Tunis versait des secours réguliers à deux mille familles (cf. *Bulletin de la Communauté israélite de Tunis*, 1955, p. 10). En tablant sur une moyenne de 4 à 5 personnes par famille, on peut estimer que dans la ville de Tunis la population secourue était de huit à dix mille personnes.

(18) V. DANON, *art. cit.*, dans *Les Cahiers de Tunisie*, 1955, pp. 180-210 ; cf. A. MEMMI, « Le royaume des pauvres », dans *Juifs et Arabes*, Paris, 1974, pp. 76-85 ; P. SEBAG et R. ATTAL, *La Hara de Tunis*, P.U.F., 1959, pp. 49-62.

(19) *Annuaire statistique*, 1940-1946 sqq.

(20) *Annuaire statistique*, 1955, p. 22.

(21) *Annuaire statistique*, 1946, p. 70, n. « A partir de l'année 1945-6, les élèves des écoles de l'Alliance Israélite Universelle figurent dans l'enseignement primaire public ».

(22) *Les Cahiers de l'Alliance Israélite*, n° 103 ; cf. R. ATTAL, « Tunisian Jewry... », p. 10 et n. 7.

(23) Ces deux écoles, créées à Tunis, donnaient un enseignement à 451 élèves dont 376 garçons et 75 filles, en 1955-6.

(24) Pour Djerba, cf. V. BRAMI, dans *Bull. écon. et soc.*, août 1949, pp. 74-78 ; pour Gafsa, cf. H. CORNET, « Les Juifs de Gafsa », dans *Les Cahiers de Tunisie*, 1955, pp. 292-293 ; pour Tozeur, cf. L. SAADA, *Études sur le parler arabe de Tozeur*, Paris, 1978, pp. 120-121.

(25) Le grand rabbin Haïm Bellaïche (1939-1947) portait, jusque dans les derniè-res années de sa vie, pantalons bouffants, gilet serré, large ceinture, veste brodée, burnous bleu et chéchia rouge. (Cf. *Ann. Isr.*, 1950, p. 74). Le grand rabbin David Bembaron (1947-1955), qui lui succéda, était habillé à l'européenne avec une chemise blanche, un habit noir, un nœud papillon, et n'avait conservé du costume tradition-nel que la chéchia rouge à gland de soie bleue. (Cf. *Ann. Isr.*, 1951, p. 69). Il est vrai qu'il appartenait à la communauté « livournaise ».

(26) Sur la cuisine juive traditionnelle, cf. J. VEHEL, *La cuisine tunisienne*, Tunis, 1934 ; D. COHEN, *Le parler arabe des Juifs de Tunis*, Paris - La Haye, 1964, pp. 151-154. E. ZEITOUN, *Deux cent cinquante recettes classiques de cuisine tuni-sienne*, Paris, 1977, 2ᵉ éd., 1983.

(27) R. ATTAL, *Périodiques...*, n° 38. Ce journal a poursuivi sa publication jusqu'en 1961.

(28) Les créations sont rares. On peut cependant citer la célèbre chanson célébrant la fin de l'occupation allemande : *Khamous jânâ* (= Notre ami est arrivé), ɔu encore le livre de témoignages sur les travailleurs juifs, publié par G. GUEZ : *Tedkeret al-khaddâma al-Yahoûd taḥt jâl al-almâniya fî Tûnis*, Tunis, 1944. N.B. Khamous était le nom secret que les Juifs avaient donné aux armées alliées : Ch. HADDAD, *Les Qua-tre saisons du ghetto*, Aix-en-Provence, 1984, p. 117.

(29) R. ATTAL, *Périodiques...*, nᵒˢ 69, 72 et 97 ; cf. ID., « Tunisian Jewry », p. 7.

(30) G. DUGAS, « Prolégomènes à une étude de la littérature judéo-maghrébine d'expression française », dans *R.O.M.M.*, 1984, pp. 195-213 ; v. p. 204.

(31) Ces chants traditionnels, interprétés par le chanteur juif Raoul Journo, ont fait l'objet d'enregistrements sur disques Médium. (ex. *Taᶜalîlat al-ᶜarûssa* et *Taᶜalî-lat al-mṭâhar*).

(32) R. DARMON, *La déformation des cultes en Tunisie*, Tunis, 1945, p. 174.

(33) *Bull. Comm. Israél.*, 1952, pp. 40-44 et 1955, pp. 14-20.

(34) De l'effort entrepris pour répandre la connaissance de la langue hébraïque, témoigne la publication d'ouvrages : D. BERDAH, *Grammaire hébraïque*, Tunis, 1949 ; J. TAIEB, *Sephat Tsion*, Tunis, 1949.

(35) Il est plus difficile qu'on ne le croit de se soustraire à toute forme de prati-que religieuse. Les Juifs de nationalité française ou italienne peuvent se marier vala-blement en contractant un mariage civil devant un officier de l'État civil. Mais les Juifs de nationalité tunisienne, qui ont conservé le statut personnel régi par le droit mosaïque, ne sauraient contracter de mariage que sous la forme d'un mariage reli-gieux célébré par un rabbin. Cf. S. TIBI, *op. cit.*, t. II, pp. 40-41.

(36) Cf. R. ATTAL, « Note sur une enquête sur la pratique religieuse en milieu israélite », dans *Les Cahiers de Tunisie*, 1955, pp. 247-261 ; ID., « Enquête sur la pra-tique religieuse dans une école juive de Tunis », dans *Archives de sociologie des reli-gions*, n° 14, 1962, pp. 123-130.

(37) Sur les « superstitions » des Juifs tunisiens, cf. M.-L. DUBOULOZ-LAFFIN, *Le Bou-Mergoud*, Paris, 1946 ; D. COHEN, *op. cit.*, pp. 97-118, ou encore R. DARMON, *op. cit.*, pp. 89 sqq.

(38) V. BRAMI, « L'influence de la culture française sur le judaïsme tunisien » dans *Bull. écon. et soc.*, août 1949, pp. 74-78.

(39) *J.O.T.*, 19 février 1944 ; cf. *Bull. Comm. Isr. de Tunis*, 1952, p. 8.

(40) *J.O.T.*, 21 mars 1947 ; cf. *Bull. Comm. Isr. de Tunis*, 1952, pp. 6-8.

(41) La Communauté israélite de Tunis fut successivement administrée par un Conseil des Dix, présidé par Mᵉ E. Nataf, de 1947 à 1950 ; par un Conseil des Dix, présidé par Mᵉ Ch. Haddad, de 1951 à 1954, et par un Conseil des Dix, présidé par Mᵉ Ch. Haddad, de 1955 à 1958. On trouvera la composition des instances dirigeantes de la Communauté dans l'*Annuaire Israélite de Tunisie*, 1948, pp. 5-6 ; 1952, pp. 9-10 ; 1953, pp. 6-8 et 1955, pp. 2-4.

(42) *Bull. Comm. Isr. de Tunis*, 1952, pp. 45-49 ; *ibid.*, 1955, pp. 8-13.

(43) *Ibid.*, 1955, p. 7.

(44) *Ibid.*, 1952, pp. 40-44 ; *ibid.*, 1955, pp. 14-20.

(45) *Ibid.*, 1952, pp. 56-57; *ibid.*, 1955, pp. 26-27.

(46) *Annuaire Israélite de Tunisie*, 1955, pp. 92-93 (Sousse) ; p. 96 (Sfax). Le principe de l'élection a été introduit à Sfax par le décret du 4 août 1949 et à Sousse par le décret du 4 mai 1950.

(47) Il faut cependant signaler dans les dernières années du Protectorat la création d'une Fédération des communautés israélites de Tunisie, qui a tenu sa première assemblée générale les 9 et 10 mai 1951. Elle groupait des représentants des communautés de Tunis, Bizerte, Ferryville, Testour, Ebba-Ksour, Sousse, Moknine, Monastir, Mahdia, Sfax, Gabès, El-Hamma, Hara-Kebira, Hara-Seghira, Tatahouine, Médenine, Zarzis, Ben Gardane, Kairouan, Gafsa (d'après un document communiqué par Mᵉ Claude Nataf).

(48) R. ATTAL, *Périodiques...*, nᵒˢ 72 et 97 ; cf. *supra*, section 3.

(49) En 1950, la composition du bureau de la *Fédération Sioniste de Tunisie* était la suivante : deux représentants de *Torah ve-Avodah* ; deux représentants de l'*Agoudat-Israël* ; deux représentants du *Betar* ; deux représentants de l'*Union Universelle de la Jeunesse Juive* ; deux représentants de l'*Organisation Sioniste de Tunisie* et un représentant de la *Women International Zionist Organisation* (WIZO). Cf. *Annuaire Isr. de Tunisie*, 1950, p. 74.

(50) Cf. Sh. BARAD, *Le mouvement sioniste en Tunisie. Études et documents*, Yad Tabenkin, Efal, 1980 (en hébreu).

(51) Cf. H. AVRAHAMI, « Les débuts du mouvement haloutsique en Afrique du Nord (1943-1948) », dans *Shorashim bamizrah. Racines en Orient. Études et Documents*, Yad Tabenkin, Efal, 1986, pp. 191-240 (en hébreu). H. SAADOUN, « L'Émigration juive de Tunisie à destination d'Israël avant l'Indépendance » dans *Peanîm*, nᵒ 39, 1989 (en hébreu).

(52) Sh. BARAD, *op. cit.*, pp. 60-61

(53) R. ATTAL, « Tunisian Jewry... » : « The Tunisian already established in Israël have themselves by their letters discouraged their friends and relatives, who where preparing to join them » (pp. 9 et 10).

(54) Ch. HADDAD, *Juifs et Arabes au pays de Bourguiba*, Aix-en-Provence, 1977, pp. 49-50.

(55) Ch.-A. JULIEN, *Et la Tunisie devint indépendante... (1951-1957)*, Paris, 1985.

(56) Dans ses mémoires, le président de la Communauté israélite de Tunis écrit : « Je souligne, en ce qui me concerne, qu'en cette période la population juive, à quelques exceptions près, s'était refermée sur elle-même en attendant de la sagesse des responsables du pays qu'une solution fût trouvée qui respectât à la fois la dignité du peuple tunisien et les intérêts de la présence française ». Ch. HADDAD, *op. cit.*, p. 65.

(57) Ch. HADDAD, *op. cit.*, pp. 77-79.

(58) H. BOURGUIBA, *La Tunisie et la France*, Paris, 1954, p. 308.

(59) *J.O.T.*, 21 septembre 1954 ; *Bull. Comm. Isr. de Tunis*, 1955, p. 42 ; cf. Ch. HADDAD, *op. cit.*, pp. 114-116.

(60) *Bull. Comm. Isr. de Tunis*, 1955, pp. 33-41 ; cf. Ch. HADDAD, *op. cit.*, pp. 83-103.

(61) Ch.-A. JULIEN, *op. cit.*, pp. 196-197.

(62) Dans une publication officielle, imprimée à la veille de l'indépendance tunisienne, on peut lire : « Bien que les Israélites ne représentent qu'une force numériquement négligeable, leur élite peut jouer un rôle appréciable dans la construction de la Tunisie nouvelle ». (*La Tunisie devant son avenir*, Tunis, 1956, p. 51).

(63) *Ibid.*, p. 51 : « On ne peut passer sous silence un double mouvement d'émigration vers les démocraties occidentales et vers Israël ».

(64) *Annuaire statistique de la Tunisie*, 1955, pp. 6-7.

(65) Cf. R. ATTAL, « Répartition géographique des Juifs tunisiens », dans *Information juive*, juillet 1956.

(66) *Annuaire statistique*, 1946 sqq.

(67) On parvient à des conclusions voisines en attribuant à la population juive, de 1946 à 1956, le même taux d'accroissement que de 1944 à 1948 : soit 2,2 % par an.

CHAPITRE XI

DE L'INDÉPENDANCE A NOS JOURS

L'indépendance tunisienne a marqué un tournant dans l'histoire des Juifs de Tunisie. L'accession du pays au rang d'État souverain a entraîné de profonds changements dans l'organisation des pouvoirs publics comme dans la condition des personnes. Les Juifs de nationalité française, italienne ou autre, n'ont plus eu désormais que les droits accordés aux ressortissants étrangers, et ils ont été amenés à suivre dans leur exode les diverses colonies européennes. En revanche, les Juifs de nationalité tunisienne se sont vu reconnaître les mêmes droits et les mêmes devoirs que leurs compatriotes de confession musulmane. De plus, les dirigeants de la Tunisie indépendante se sont attachés à réaliser l'intégration de la minorité juive à la communauté nationale : leur statut personnel a cessé d'être régi par le droit mosaïque pour être soumis aux dispositions du nouveau droit civil tunisien ; la suppression des juridictions religieuses musulmanes s'est accompagnée de la suppression des juridictions religieuses israélites ; les institutions communautaires mises en place sous le protectorat, jugées incompatibles avec les normes du nouvel État tunisien, ont été remplacées par de nouvelles institutions communautaires, dont la direction a été réservée aux Juifs de nationalité tunisienne, et la compétence limitée aux questions relatives au culte. Cette politique, qui donnait aux Juifs tunisiens les droits les plus étendus en tant qu'individus, mais leur refusait toute existence en tant que minorité, marquait une rupture radicale avec la condition qui avait été la leur sous le protectorat français. Mais ce changement de statut n'aurait pas amené les Juifs de Tunisie à quitter le pays, s'il ne s'était pas accompagné d'autres changements. L'arabisation progressive du nouvel État, la restructuration radicale de la vie économique, les discriminations, de fait sinon de droit, qui marquaient la pratique administrative, à quoi il faut ajouter la crainte d'une éventuelle explosion de violence, devaient rendre leur vie de plus en plus difficile et les persuader, les uns après les autres, de la nécessité de partir. Les uns sont allés s'établir en Israël qui, depuis la restauration d'un État juif en 1948, exerçait une forte attraction sur les éléments les plus traditionalistes, séduits par l'idéal sioniste. Les autres ont préféré aller s'établir en France, vers laquelle étaient portés les Juifs plus ou moins imprégnés de la langue et de la culture françaises après soixante-dix ans de protectorat.

1. Le temps des choix

L'indépendance tunisienne imposa aux Juifs de Tunisie un choix difficile et douloureux. Ils ne pouvaient plus se satisfaire d'une histoire faite par les autres en souhaitant qu'elle ne leur fût pas trop défavorable. Ils devaient choisir, pour eux et leurs enfants, le pays où ils désiraient vivre, la nation dont ils entendaient partager le destin.

Israël exerçait alors une forte attraction. Plus de vingt-cinq mille Juifs de Tunisie, nous l'avons vu, y ont émigré dans les années qui ont suivi la proclamation de l'État d'Israël (1). L'indépendance tunisienne ne mit pas fin à l'émigration à destination de l'État hébreu. Elle fournit même de nouveaux arguments aux militants sionistes. Les uns faisaient valoir que l'accession de la Tunisie à l'indépendance allait livrer la minorité juive à la toute-puissance de la majorité musulmane, et ils rappelaient les humiliations et les brimades d'un passé plus ou moins éloigné dont le souvenir demeurait gravé dans la mémoire collective. D'autres proclamaient que l'indépendance tunisienne apportait une nouvelle preuve de la justesse de la solution sioniste. Il était aussi légitime pour le peuple juif que pour les autres peuples de constituer un État libre et souverain. Décider de partir en Israël était relativement aisé pour des familles de condition modeste qui n'avaient pas de peine à réaliser en peu de temps une échoppe, une maison et quelques meubles, et que l'*Agence juive* prenait complètement en charge à partir du moment où elles avaient pris la décision de faire leur *ᶜaliyah*, leur montée en Israël. De plus, tous les émigrants avaient l'assurance de retrouver en Israël des parents et des proches qui étaient partis avant eux et qui, par leurs lettres, les avaient préparés à la nouvelle vie qui les attendait.

Les dirigeants du Néo-Destour, qui étaient appelés à prendre la direction du nouvel État, n'étaient pas favorables au sionisme, mais ils ne faisaient rien pour empêcher le départ des Juifs de Tunisie à destination d'Israël. Au lendemain de la constitution du ministère de Tahar Ben Ammar, on demanda à Habib Bourguiba, alors président du Néo-Destour : « Quelle sera la position de votre gouvernement envers l'°aliyah des Juifs tunisiens » ? ; il répondit : « Nous sommes intéressés à ce que nos Juifs restent en Tunisie. Mais il est clair que tous les citoyens seront libres de quitter le pays ». (*La Presse* du 9 septembre 1954). Après la proclamation de l'indépendance tunisienne, on demanda à M. Bechir b. Yahmed, alors secrétaire d'État à l'Information, si le gouvernement tunisien allait prendre des mesures pour arrêter l'émigration des Juifs de Tunisie. Il répondit : « Absolument pas. La Tunisie étant un pays libre, tous ses nationaux sont libres d'y entrer ou d'en sortir à leur guise » (*La Presse* du 24 avril 1956) (2).

Ainsi, de nombreux Juifs purent, au lendemain de l'Indépendance, prendre la décision d'émigrer en Israël. Leur émigration se poursuivit d'autant plus facilement que les émigrants à destination d'Israël partaient pour la France, où ils passaient un temps plus ou moins long dans un centre de transit, avant de s'embarquer à destination d'un port israélien.

La France exerçait, elle aussi, une forte attraction. Pour la plupart des Israélites tunisiens, le français était une langue parlée depuis la première enfance ; des études poursuivies dans les écoles françaises les avaient familiarisés avec les principaux aspects de la culture française ; une coexistence de près de trois quarts de siècle avec les Français établis dans le pays les avaient amenés à adopter nombre de leurs manières et de leurs usages ; une acculturation librement assumée avait disposé nombre de leurs proches à solliciter et à obtenir leur naturalisation et à devenir français. Ils n'avaient certes pas oublié les lois raciales édictées par le gouvernement de Vichy, mais ils ne voulaient plus y voir que le fruit empoisonné de circonstances exceptionnelles. Elles n'avaient pas porté atteinte à l'image prestigieuse d'une France idéale qui avait, pour la première fois, proclamé les Droits de l'Homme et réalisé l'émancipation des Juifs.

Tous ceux qui, après la proclamation de l'indépendance tunisienne, estimèrent, pour une raison ou pour une autre, qu'ils ne pouvaient plus vivre en Tunisie, et qui n'avaient pas été gagnés au sionisme, optèrent pour l'émigration en France. Dès lors qu'il fallait s'arracher à la terre natale pour s'établir dans un autre pays, un bon nombre d'Israélites tunisiens jugèrent qu'il leur serait plus aisé de s'adapter à un pays dont la langue, la culture et les usages leur étaient connus, où ils pourraient trouver une activité en accord avec leur formation et leur savoir-faire, et où ils s'attendaient à rencontrer l'appui d'Israélites tunisiens qui s'y étaient établis avant eux (3). Ils le firent d'autant plus naturellement que le gouvernement de la République française ne dressa aucun obstacle à l'immigration de ceux qui, à la fin du protectorat français sur la Tunisie, choisirent la France, et qu'il s'employa à favoriser leur intégration (4).

Nombre de Juifs ne voulaient, ni émigrer à destination d'Israël ni aller s'établir en France, et ils restaient en Tunisie sans avoir à prendre d'autre décision que celle de ne pas en prendre — pour le moment. Pour les porter à demeurer dans le pays, malgré les changements qui étaient déjà intervenus et ceux auxquels il fallait s'attendre, ont pesé leur attachement à une terre où ils étaient de longue date enracinés et à laquelle leur mode de vie était accordé, et tout autant la crainte d'affronter une vie nouvelle dans un pays inconnu. Mais tous ceux qui restaient ne le faisaient certes pas dans le même esprit. Les uns, qui appartenaient à la grande bourgeoisie, restaient parce qu'ils avaient des biens considérables — exploitations agricoles, entreprises industrielles, propriétés urbaines — qu'ils ne pouvaient réaliser d'un jour à l'autre et qui leur permettaient encore d'envisager l'avenir sans crainte. D'autres, qui appartenaient aux classes moyennes, restaient parce qu'ils étaient persuadés — à tort ou à raison — que le nouveau régime leur permettrait de continuer à exercer leur profession dans les mêmes conditions que par le passé et à bénéficier de la même aisance. Ils s'étaient fort bien accommodés du statut de sujet du beylik qui avait été le leur sous le protectorat, et ils n'étaient pas trop impatients de participer à la gestion des affaires publiques. Ils étaient seulement soucieux de bénéficier des mêmes libertés et des mêmes droits que leurs compatriotes de confession musulmane. Or, ils n'avaient encore aucune raison de mettre en doute les assurances que leur donnaient les plus hautes Autorités du pays que la loi serait la même pour tous. Ainsi, il pouvait leur paraître sage de ne pas partir et de continuer à vivre sous le nouveau régime, en espérant pouvoir y terminer leurs jours. D'autres enfin, qui appartenaient à l'intelligentsia, restaient aussi, mais en affirmant vouloir prendre une part active à la construction nationale. Des Tunisiens, ils entendaient partager tous les droits, mais aussi tous les devoirs. Ils voulaient se comporter en tous points comme des patriotes tunisiens en mettant leurs diverses compétences au service du pays. Ainsi, nombre de juristes, médecins, industriels, banquiers, administrateurs, enseignants, apporteront au nouvel État un concours d'autant plus apprécié que l'accession du pays à l'indépendance s'accompagnait du départ de tous les cadres et techniciens de nationalité française. Il ne s'agissait pas seulement pour eux d'un acte de foi dans le pays où ils étaient nés. Ils voulaient aussi montrer par leur engagement qu'il y avait, pour les Juifs de Tunisie, une voie autre que la participation à la construction de l'État d'Israël ou l'assimilation à la nation française, et qu'elle pouvait être leur intégration dans la nation tunisienne. Les nations arabes accédant à l'indépendance pouvaient-elles intégrer leurs Juifs comme l'avaient fait au XIXᵉ siècle les nations européennes ? On ne pouvait pas l'exclure a priori. Les Juifs de Tunisie se devaient de ne pas refuser la main que leur tendaient leurs compatriotes musulmans et d'apporter leur concours à l'expérience qui s'amorçait. Ainsi, c'est dans des états d'esprit bien différents qu'une large fraction de la population juive, au lendemain de l'indépendance tunisienne, prenait le parti de rester dans le pays.

Des trois voies qui s'offraient aux Juifs de Tunisie — émigrer à destination d'Israël, aller s'établir en France ou demeurer en Tunisie — chacune pouvait se prévaloir de solides raisons. Mais nombre de ceux qui avaient, d'abord, décidé de rester furent amenés, les uns après les autres, à remettre leur choix en question et à aller grossir les effectifs de ceux qui avaient pris le parti d'émigrer en Israël ou d'aller s'établir en France.

2. Les mesures d'intégration

En accédant à l'exercice du pouvoir, le parti destourien s'est employé à doter le pays des institutions d'un État démocratique, en donnant les mêmes droits et les mêmes devoirs à tous ses nationaux, sans distinction de race ni de religion.

Les textes qui ont défini l'organisation des pouvoirs publics ont assuré à tous les Tunisiens, qu'ils fussent musulmans ou juifs, les mêmes droits politiques.

Le décret du 6 janvier 1956, qui définit les modalités d'élection des membres de l'Assemblée Constituante, reconnaît la qualité d'électeur à tous les Tunisiens de sexe masculin, âgés de 21 ans accomplis, résidant en Tunisie à la date de clôture des listes électorales, et la qualité d'éligible à tous les électeurs sachant lire et écrire, âgés de 30 ans accomplis, à l'exception des fonctionnaires d'autorité et des magistrats. Le texte ne fait pas état d'un collège ou de délégués propres aux Juifs (5). C'est en application de ce texte que les Juifs tunisiens prirent part aux élections à l'Assemblée Constituante, et qu'un candidat de confession juive, inscrit sur la liste d'union nationale par le parti destourien, fut élu par un collège électoral dont faisaient partie des musulmans et des Juifs.

La Constitution adoptée par l'Assemblée Nationale Constituante, et qui entra en vigueur à dater du 1er juin 1959, a affirmé le caractère islamique du nouvel État : « La Tunisie est un État libre, indépendant, souverain : sa religion est l'islam, sa langue l'arabe, et son régime la république » (art. 1) (6). Elle prend bien soin de préciser : « Le Président de la République est le chef de l'État, sa religion est l'islam » (art. 37). Mais en affirmant la primauté de l'islam, la Constitution n'en reconnaît pas moins aux autres confessions le droit d'exister : « La République tunisienne garantit la dignité de l'individu et la liberté de conscience, et protège le libre exercice des cultes, sous réserve qu'il ne trouble pas l'ordre public » (art. 6). Ainsi, les Juifs se trouvaient assurés, par le texte de la loi organique de l'État, de pouvoir continuer à professer leur religion et à l'exercer librement. Ils étaient aussi assurés de ne subir aucune discrimination dès lors que la Constitution proclamait l'égalité de tous les citoyens sans distinction de race ou de confession : « Tous les citoyens sont égaux quant à leurs droits et leurs devoirs. Ils sont égaux devant la loi » (*art. 7*). A la seule exception de la charge de chef de l'État, les Juifs pouvaient donc être appelés à exercer tous les mandats, toutes les charges et toutes les fonctions (7). Cependant, il ne s'agissait là que de simples virtualités. Un Juif pouvait être élu à l'Assemblée Nationale s'il figurait sur une liste de candidats ; il pouvait faire partie du gouvernement s'il était désigné par le Président de la République comme secrétaire d'État ou comme ministre ; il pouvait exercer une fonction, à tous les degrés de la hiérarchie administrative, s'il y était appelé par une décision ministérielle. De fait, il y eut un Juif élu à l'Assemblée Nationale Constituante (1956), à la première Assemblée Nationale Législative (1959), ainsi qu'à la seconde (1964). Il y eut un ministre juif dans le gouvernement qui fut constitué au lendemain de l'accession de la Tunisie à l'autonomie interne (juin 1955), ainsi que dans le gouvernement qui fut constitué après la proclamation de l'indépendance tunisienne (mars 1956). Cependant l'exode de nombreux Israélites tunisiens à destination de l'État d'Israël ou de la France, amenuisa assez vite les effectifs de la minorité juive. Dès lors les dirigeants du pays estimèrent que la présence de Juifs dans les plus hautes instances de l'État avait cessé de se justifier. Il n'y eut plus de ministre juif au gouvernement à partir de 1959 et de député juif à l'Assemblée Nationale à partir de 1969. Mais les Juifs continuèrent à exercer les droits que la Constitution tunisienne avait accordés à tous les citoyens, sans distinction de confession.

Assimilés à leurs compatriotes musulmans en matière de droits politiques, les Juifs tunisiens le furent aussi en matière de droits civils.

Quelques mois après l'accession de la Tunisie à l'indépendance, les Autorités du pays décidèrent d'apporter un certain nombre de réformes en matière de statut personnel, et de substituer aux dispositions traditionnelles du droit musulman — variables selon les rites — une réglementation codifiée, applicable à tous. Un Code du Statut personnel de 170 articles réglementant le mariage, la filiation, le divorce et les successions, fut promulgué par un décret du 13 août 1956 (8), et il devait être complété par un décret du 19 juin 1959, qui, en vingt-neuf articles, réglementa le testament et les dispositions testamentaires.

Le nouveau Code du Statut personnel, qui ne s'appliquait initialement qu'aux Tunisiens musulmans, fut, au terme d'une loi du 27 septembre 1957, rendu applicable à tous les Tunisiens, quelle que fût leur confession, et il réglementa, à dater du 1er octobre 1957 le statut personnel des Israélites tunisiens, au lieu et place des dispositions du droit mosaïque.

Il ne saurait être question de s'étendre sur les principales dispositions du Code du Statut personnel tunisien, qui a fait l'objet de nombreuses études. Mais il nous faut marquer les points sur lesquels il a signifié, pour les Juifs tunisiens, un changement notable :

a) L'âge requis pour contracter mariage, selon le droit mosaïque, est celui de la puberté, soit 12 ans pour la femme, et 13 ans pour l'homme. Le Code du Statut personnel du 13 août 1956 l'a fixé à 15 ans pour la femme, et 18 ans pour l'homme *(art. 5)* (9).

b) Encore que la polygamie ait été rare parmi les Juifs, le droit mosaïque autorise le mari à avoir plus d'une épouse. Le Code du Statut personnel met la polygamie hors la loi : « La polygamie est interdite. Quiconque, étant engagé dans les liens d'un mariage, en aura contracté un autre avant la dissolution du précédent, sera passible d'un emprisonnement d'un an et d'une amende de 240 000 F ou de l'une de ces deux peines seulement, même si le nouveau mariage n'a pas été contracté conformément à la loi » *(art. 18)* (10).

c) Le droit mosaïque permet au mari de répudier sa femme pour des motifs qu'il a toute latitude d'apprécier, à la seule condition de lui remettre un acte de divorce, ou *geṭ*, rédigé par un notaire, devant témoins. Le Code du Statut personnel interdit la répudiation et n'admet de dissolution du mariage que par un divorce judiciaire, prononcé, à la demande du mari ou de la femme, par un tribunal, auquel il revient d'apprécier les griefs des deux parties, et de statuer sur le montant d'une indemnité destinée à réparer le préjudice causé *(art. 30, 31 et 32)* (11).

d) Le régime successoral défini par le droit mosaïque exclut les filles de la succession de leur père, si elles sont en concurrence avec un ou plusieurs frères, et il accorde au fils aîné une part double de celle des fils puînés. Le mari qui survit à sa femme, en l'absence d'enfants nés de leur union, recueille la totalité de ses biens ; mais la femme qui survit à son mari n'en hérite pas ; elle n'a droit qu'au versement du douaire dont il est fait état dans sa *ketubah* ou contrat de mariage. Le Code du Statut personnel, qui ne s'éloigne guère des dispositions du droit musulman traditionnel, accorde aux fils une part double de celle des filles ; il attribue au mari survivant à sa femme le quart de ses biens, si elle laisse des enfants, la moitié, si elle n'en laisse pas, et à la femme survivant à son mari, le huitième de ses biens, s'il laisse des enfants, le quart s'il n'en laisse pas *(art. 143)* (12).

La substitution, au statut personnel défini par le droit mosaïque, d'un statut personnel défini par une loi applicable à tous les citoyens sans distinction de confession, a pu heurter les convictions des éléments les plus traditionalistes de la population juive. On ne saurait pourtant oublier que le statut personnel mosaïque faisait l'objet de vives critiques, non seulement de la part de l'intelligentsia éprise de modernisme, mais encore d'une grande partie de la population juive qui en constatait les conséquences sociales fâcheuses. Les dispositions du Code du Statut personnel représentaient un réel progrès pour les musulmans jusque-là régis par le droit musulman. Elles constituaient un progrès aussi réel pour les Juifs jusque-là régis par le droit mosaïque. Des juristes ont pu regretter que le législateur tunisien ait rendu applicable aux Juifs comme aux musulmans une législation d'inspiration musulmane (13). Il ne se trouva personne pour défendre la polygamie, la répudiation unilatérale de la femme par le mari, le droit d'aînesse, l'exclusion des filles de la succession de leurs parents et de la femme de la succession de son mari, ou l'institution du lévirat (14).

La loi du 27 septembre 1957, qui rendit le Code du Statut personnel applicable aux Tunisiens israélites, édicta la suppression du Tribunal rabbinique de Tunis, dont le rôle était d'arbitrer tous les litiges relatifs au statut personnel des Tunisiens israélites, en conformité avec le droit mosaïque. Il partagea ainsi le destin du Tribunal du shara⁽c⁾a, qui arbitrait tous les litiges relatifs au statut personnel des Tunisiens musulmans, en conformité avec le droit musulman, et qui avait été supprimé à la date du 13 août 1956. Ainsi, les affaires relatives au statut personnel des Tunisiens israélites comme des Tunisiens musulmans n'étaient plus de la compétence de juridictions religieuses, mais de celle de juridictions civiles appliquant à tous les nationaux, quelle que fût leur confession, la même loi. La mesure prise par les Autorités tunisiennes jeta l'émoi parmi les membres du Tribunal rabbinique qui, d'un jour à l'autre, perdirent leur emploi et leur statut, pour être intégrés dans les juridictions de droit commun. Elle devait surprendre les dirigeants des communautés israélites du pays, qui étaient tout à fait conscients des défauts de la juridiction rabbinique et qui, en liaison avec ses magistrats, avaient mis à l'étude une réforme de son organisation et de sa procédure, mais ne s'attendaient pas à sa suppression (15). Cependant, la disparition du Tribunal rabbinique était la conséquence logique de l'adoption d'un statut personnel défini par une loi applicable à tous, sans distinction de religion. Aussi bien, il ne se trouva personne pour s'élever contre une mesure qui tendait à l'intégration des Juifs dans la nation tunisienne, et qui fut suivie de la nomination de onze magistrats tunisiens de confession juive (16).

La politique d'intégration des Juifs dans la nation tunisienne ne tarda pas à mettre à l'ordre du jour une réforme des institutions communautaires mises en place depuis la fin du XIXᵉ siècle, et elle fut réalisée par une loi du 11 juillet 1958 (17).

Aux termes de cette loi, dans toutes les circonscriptions administratives — les gouvernorats — du pays, doit être créée une « association cultuelle israélite », constituée par tous les Israélites des deux sexes, âgés de vingt ans accomplis. Chaque association cultuelle sera gérée par un conseil d'administration, issu d'une élection à deux degrés. Au premier degré, les Israélites des deux sexes, âgés de vingt ans accomplis, sans distinction de nationalité, élisent une « assemblée générale » constituée par des Israélites de l'un et de l'autre sexe, âgés de trente ans accomplis et de nationalité tunisienne, au nombre de cinquante à cent. Au deuxième degré, les membres de l'assemblée générale élisent parmi eux les membres du conseil d'administration, au nombre de cinq à quinze (art. 1 et 3-9).

Les associations cultuelles israélites ont pour objet : 1° L'administration du culte israélite et notamment la gestion des biens mobiliers et immobiliers leur appartenant, ainsi que ceux affectés au culte ; l'organisation et l'entretien des synagogues ; le service des inhumations et des pompes funèbres ; le service de l'abattage rituel, du pain azyme et des produits alimentaires cacher, avec le concours des rabbins de leur circonscription et conformément aux normes édictées par le grand rabbin de Tunisie ; 2° L'assistance à caractère cultuel aux indigents de confession israélite ; 3° L'organisation de l'enseignement religieux et la gestion des établissements qui le dispensent, conformément à la législation en vigueur ; 4° L'élaboration d'avis sur toutes les questions intéressant l'exercice du culte israélite sur lesquelles le gouvernement jugera utile de les consulter, et notamment la nomination du grand rabbin de Tunisie (art. 2).

Les ressources des associations cultuelles sont constituées par : les revenus des biens qu'elles gèrent ; le produit des taxes spéciales instituées à leur profit conformément à la réglementation en vigueur ; les dons et les legs ainsi que les offrandes et rétributions des cérémonies et services religieux ; les souscriptions et cotisations de leurs adhérents ; les subventions d'organismes de bienfaisance internationaux et les subventions des collectivités publiques (art. 13).

En attendant la constitution des nouvelles associations cultuelles et l'élection de leurs conseils d'administration, étaient dissous : le Conseil de la Communauté israélite de Tunis, ainsi que les diverses Caisses de bienfaisance et de secours israélite sur tout le territoire de la République. Leur patrimoine et leurs attributions étaient dévolus à des comités provisoires de gestion du culte israélite, composés de membres désignés par arrêté ministériel (art. 17 et 18) (18).

Il n'y avait rien dans la nouvelle législation qui ne fût dicté par le souci d'adapter le régime du culte israélite aux institutions de la Tunisie indépendante et d'assurer à tous les citoyens, quelle que fût leur religion, les mêmes droits et les mêmes devoirs. Elle comportait même de réels progrès sur la législation antérieure puisqu'elle étendait le principe de l'élection à toutes les communautés israélites du pays, et qu'elle faisait participer aux élections les femmes aussi bien que les hommes. Mais la population juive n'accueillit pas avec faveur la nouvelle loi, qui se traduisait dans l'immédiat par le remplacement du Conseil de la communauté israélite de Tunis, issu d'élections, par une commission provisoire de gestion du culte israélite, formée de membres désignés par l'Administration. La réforme des institutions communautaires fit l'objet de réserves d'autant plus nettes que la mise en place des associations cultuelles dotées de conseils d'administration élus fut remise sine die, et que la mission des comités de gestion provisoires — qui devait durer trois mois — fut indéfiniment prorogée.

La transition de l'ancien régime au nouveau se serait sans doute faite dans de meilleures conditions si de sérieuses divergences ne s'étaient fait jour entre les dirigeants de la communauté israélite de Tunis et les autorités tunisiennes, au sujet du vieux cimetière israélite de la capitale. Ce champ de repos, d'une étendue de 6,5 hectares, était considéré de temps immémorial comme la propriété de la communauté israélite de Tunis, et pendant toute la durée du Protectorat, il n'avait pas été porté atteinte à son statut juridique (19). Or, à la date du 25 février 1958, le *Journal Officiel* fit état d'une demande d'immatriculation du vieux cimetière israélite au profit de la Municipalité de la capitale. Le Conseil de la communauté israélite de Tunis s'empressa de faire opposition à la demande d'immatriculation de la Municipalité, en faisant valoir son droit de propriété, fondé sur des titres réguliers et une possession ininterrompue, ainsi que le caractère inviolable de la sépulture aux regards de la loi religieuse israélite. Mais la Municipalité de la capitale n'en continua pas moins à affirmer ses droits sur le cimetière, le fit immatriculer à son nom, en décida la désaffectation, et le transforma en jardin public à la française. Cependant, elle prit soin de transférer les ossements, sinon de tous ceux qui y étaient inhumés, du moins d'un certain nombre de rabbins dont la population juive honorait la mémoire, dans le cimetière israélite de Borgel, aux portes de Tunis (20).

Deux ans après l'accession de la Tunisie à l'indépendance, il apparaissait que la politique d'intégration adoptée par les nouveaux dirigeants du pays donnait aux Juifs comme aux musulmans les mêmes droits politiques, le même statut personnel en les rendant justiciables des mêmes tribunaux. Il ne subsistait entre eux d'autre différence que celle résultant de leur pratique de cultes distincts (21). Mais il était mis fin à l'autonomie relative dont avait bénéficié pendant des siècles la minorité juive dans le cadre de l'État musulman (22).

3. Raisons et rythmes de l'exode

Amorcé dans les dernières années du Protectorat, l'exode des Juifs de Tunisie s'est poursuivi en s'amplifiant dans les années qui ont suivi l'accession de la Tunisie à l'indépendance, et il a touché non seulement les Juifs de nationalité française, mais encore les Juifs de nationalité tunisienne.

Les Juifs de nationalité française furent d'abord affectés par les mesures qui furent prises au lendemain de l'Indépendance pour « tunisifier » la fonction publique. Ceux qui exerçaient un emploi dans une administration ou dans un service public furent invités à demander leur remise à la disposition de la Métropole. Il en fut ainsi pour la totalité des agents des administrations centrales, des postiers et des cheminots. En revanche, tous ceux qui se consacraient à l'enseignement primaire ou secondaire purent continuer à exercer en Tunisie, soit dans les établissements relevant de la Mission universitaire et culturelle française, soit dans les établissements relevant du Secrétariat d'État à l'Éducation Nationale. Quant aux Juifs de nationalité française, exerçant leur activité dans les divers secteurs de l'économie, ils réagirent comme le firent tous les Français. Devenus, du fait de l'indépendance, des étrangers, ils se persuadèrent qu'il leur serait de plus en plus difficile de vivre dans le pays, et que dès lors qu'ils devraient tôt ou tard partir, mieux valait le faire sans tarder. Ainsi, les Juifs français prirent part au mouvement qui, *en moins de trois ans*, réduisit *de moitié* la population française de Tunisie (23).

Les Juifs de nationalité tunisienne n'auraient pas dû être affectés par les multiples changements que connut le pays au lendemain de l'Indépendance, dès lors que les plus hautes autorités proclamaient l'égalité de tous les nationaux devant la loi et que les textes constitutifs de l'ordre nouveau accordaient les mêmes droits à tous les citoyens, quelle que fût leur religion (24). Pourtant, ils ne devaient pas tarder, les uns après les autres, à quitter le pays pour des raisons que nous allons essayer de dégager.

a) *L'arabisation de l'État.* Après l'Indépendance, l'arabe fut promu au rang de langue officielle de l'État. Le français continua à être utilisé comme langue de travail dans la plupart des administrations. Mais l'arabe ne tarda pas à devenir la seule langue en usage dans l'administration régionale comme dans les services de sécurité. Elle devint aussi, du fait de la suppression des juridictions françaises, la seule langue en usage dans les diverses juridictions (25). Dès lors, les avocats durent traduire, ou faire traduire, leurs conclusions et leurs plaidoiries, à l'intention de magistrats qui rendaient leurs jugements en arabe. Un petit nombre d'avocats essayèrent alors de s'adapter à la justice du nouvel État, qui avaient déjà une bonne connaissance de l'arabe dialectal et qui se mirent ou se remirent à l'étude de l'arabe littéral. Il reste que la plupart des avocats tunisiens israélites décidèrent d'aller s'établir en France pour y poursuivre leur activité d'avocat ou pour y employer leurs connaissances juridiques. Le départ des avocats entraîna celui de la plupart des employés de la basoche de confession juive, qui purent retrouver en France ceux qui les avaient jusque-là employés.

b) *L'amenuisement des clientèles.* Les avocats prirent d'autant plus vite la décision de quitter le pays que leur clientèle s'amenuisait de jour en jour avec l'exode de la population européenne. C'est aussi en raison de l'amenuisement de leur clientèle que nombre de médecins, généralistes ou spécialistes, et de chirurgiens-dentistes prirent la décision de partir. Les dernières pratiques de ceux qui partaient allaient grossir la clientèle de ceux qui restaient, en attendant de s'évanouir avec une reprise de l'exode de la population européenne. Ainsi, tous les membres des professions médicales de nationalité tunisienne et de confession israélite finirent par partir, à l'exception de ceux qui s'estimèrent trop avancés en âge pour recommencer leur vie dans un autre pays.

c) *La discrimination confessionnelle*. En dépit des textes législatifs qui accordaient à tous les nationaux les mêmes droits et les mêmes devoirs, les Tunisiens de confession israélite eurent à souffrir d'un certain nombre de discriminations de fait. Ils furent tenus strictement à l'écart de certains départements ministériels, comme les Affaires étrangères, la Défense nationale et la Sûreté de l'État, comme si on mettait en doute leur loyalisme. Dans la plupart des administrations et des services publics nationalisés, les fonctionnaires et agents de confession israélite purent poursuivre leur activité, mais ils ne bénéficièrent pas toujours de la promotion qu'ils méritaient eu égard à leur ancienneté et à leur compétence. Il n'y en eut guère qui se virent attribuer les responsabilités de chefs de service. Toutes les fois qu'il s'agissait de pourvoir à un poste de direction, seules les candidatures musulmanes étaient prises en compte. Comme le départ des fonctionnaires français avait laissé de nombreuses places vacantes, des ingénieurs et techniciens de confession israélite, au terme d'études supérieures en France, crurent pouvoir trouver à s'employer dans leur pays natal. Mais s'ils furent recrutés, ils ne se virent pas confier les postes auxquels leurs diplômes leur permettaient de prétendre. Les uns après les autres, ils finirent par se résoudre à quitter un pays où ils n'étaient pas traités comme des nationaux à part entière. Leur départ justifiait après coup qu'on ne leur eût pas fait confiance et donnait une apparence de fondement à la discrimination dont ils avaient fait l'objet.

Les Juifs n'avaient pas seulement à souffrir de discriminations lorsqu'il s'agissait d'accéder à la fonction publique ou d'y être promu. Dans tous les secteurs d'activité, ils durent bientôt se rendre compte que la nouvelle administration favorisait systématiquement les entreprises musulmanes, par rapport aux entreprises juives. Elle accordait largement aux premières les licences d'importation qu'elle délivrait aux secondes comme à contrecœur. Les autorisations administratives étaient plus aisées à obtenir pour les uns que pour les autres, et il en était de même pour le concours financier des établissements de crédit. Par contre, les agents du fisc contrôlaient d'une façon plus minutieuse et plus stricte les entreprises juives que les entreprises musulmanes, et les taxaient plus lourdement. Le comportement de tous ceux qui exerçaient une parcelle de pouvoir persuadait les Juifs qu'en dépit des déclarations officielles et des lois de la République, ils ne seraient jamais traités comme leurs concitoyens musulmans. Ils prenaient alors la décision de partir et partaient dès qu'ils le pouvaient.

d) *Le complexe minoritaire*. La réduction, d'année en année, des effectifs de la population juive avivait chez ceux qui demeuraient leur complexe de minorité. Dans un pays où les Juifs étaient de moins en moins nombreux, ils se sentaient de plus en plus exposés à une explosion de violence que l'État ne pourrait pas prévenir et à laquelle ils ne seraient pas en mesure de faire front. Cette crainte pouvait paraître privée de tout fondement. Au cours des siècles, les Juifs de Tunisie avaient pu souffrir de vexations et de brimades dérivant de leur statut de *dhimmî*-s, mais ils n'avaient jamais fait l'objet d'une explosion de violence meurtrière. Cependant, nul ne pouvait ignorer que dans d'autres pays arabes, au cours des dernières années, les Juifs avaient été les victimes d'émeutes sanglantes (26). Le peuple tunisien serait-il toujours plus sage que les autres ? Des agitateurs sans scrupules ne pourraient-ils pas un jour l'inciter à quelque manifestation de fanatisme aveugle ? Les tensions nées de l'opposition générale des pays arabes à l'État d'Israël, avivées par la guerre qui mettait aux prises l'Algérie et la France depuis la fin de l'année 1954, ne cessaient de donner à la population juive des raisons de s'inquiéter. Mais, par deux fois, l'inquiétude prit le caractère d'une panique qui fut à l'origine de départs nombreux.

La première fois, ce fut au cours de la crise qui affecta les relations franco-tunisiennes, lorsque le gouvernement tunisien exigea l'évacuation immédiate de la base de Bizerte par l'armée française, au cours de l'été 1961. On se souvient que l'attaque des positions françaises par les forces armées tunisiennes, appuyées par la population tunisienne, entraîna le déclenchement d'une bataille qui se solda du côté tunisien par des centaines, voire des milliers de victimes. Dans les jours qui suivirent ces événements tragiques, le bruit courut qu'au cours des combats, des Juifs s'étaient rangés du côté des Français et leur avaient prêté main-forte. Il n'en fallut pas davantage pour que, dans tout le pays, les Juifs se croient menacés de représailles rigoureuses et ne prennent précipitamment la décision de partir, à l'exemple des milliers de Français qui quittèrent la Tunisie, l'année de Bizerte (27).

La population juive de Tunisie devait être soumise à une nouvelle épreuve dans la journée du 5 juin 1967, alors que commençait la guerre qui, pendant six jours, allait opposer l'État d'Israël aux nations arabes coalisées. Ce jour-là, à Tunis, des milliers de manifestants purent, sans rencontrer la moindre opposition des forces de l'ordre, se répandre dans les rues où se trouvait concentrée la population juive, détruisant à coups de barres de fer les magasins appartenant à des Juifs, mettant le feu aux lieux de culte israélite et, entre autres, à la Grande Synagogue de l'avenue de Paris, dont les livres et les rouleaux de la Loi devinrent la proie des flammes. Il n'y eut cependant pas de violences contre les personnes, et l'on n'eut à déplorer ni morts ni blessés. Le soir même, le Président de la République, Habib Bourguiba, condamna la tournure qu'avait prise une manifestation de solidarité à l'égard des peuples arabes, assurant la population juive qu'elle n'avait pas à craindre de nouvelles violences, lui promettant même qu'elle serait indemnisée de tous les préjudices qu'elle avait subis et que les coupables en seraient arrêtés et condamnés. Il n'en reste pas moins que cette journée dramatique fut suivie d'une nouvelle vague de départs au sein de la population juive, qui aggrava le complexe minoritaire de ceux qui restèrent.

e) *Le socialisme destourien*. Après avoir, pendant quelque temps, fait profession de libéralisme économique, les dirigeants du pays furent amenés, au début des années soixante, à opter pour un développement planifié de l'économie en vue de promouvoir une forme de socialisme. On distingua désormais dans l'économie tunisienne un secteur étatique, dominé par des sociétés nationales, un secteur coopératif, que l'on s'efforça de développer dans l'agriculture, l'artisanat et le commerce, et enfin un secteur privé dont le domaine devait se restreindre avec le développement des deux autres. Écartés des entreprises du secteur public, dont les fonctions de direction furent confiées à de jeunes cadres de confession musulmane, peu enclins à faire partie de coopératives dont la gestion leur échappait, les Tunisiens israélites se trouvaient cantonnés dans le secteur privé. Ceux qui avaient jusque-là occupé des positions de premier plan dans le commerce d'exportation comme dans le commerce d'importation, virent leur activité limitée par la toute-puissance des offices et des groupements professionnels qui fixèrent produits à exporter et importer, pays de destination et pays de provenance, prix d'achat et prix de vente et pour finir marges bénéficiaires. Ceux qui se consacraient au commerce de détail virent leur activité limitée par la toute-puissance de l'État, par les difficultés d'approvisionnement, par la modicité des contingents qui leur étaient alloués, par le contrôle sévère des prix de vente et par les exigences du fisc. Que de commerçants avisés, dont les magasins avaient été parmi les plus courus de la ville, devaient attendre leur clientèle au milieu de rayonnages dégarnis ! Jusqu'au jour où, las d'attendre la fin du marasme, ils décidaient de vendre leur fonds de commerce et de partir. Seuls, quelques hommes d'affaires connurent une réelle prospérité, qui apportèrent leur concours au développement du pays en créant de nouvelles entreprises industrielles. Mais, hormis quelques cas exceptionnels, les entreprises économiques juives se trouvèrent étouffées par cette forme de socialisme autoritaire, qui finit par dresser contre elle toutes les couches de la population. Le pays accueillit avec faveur le retour à une économie libérale au début des années soixante-dix, mais, à cette époque, la plupart des entreprises économiques juives avaient déjà disparu.

f) *La désunion des familles*. Alors que tant de raisons les poussaient à partir, des Juifs — en nombre de plus en plus réduit, il est vrai — continuaient à demeurer dans le pays. Ils étaient restés parce qu'ils possédaient encore des biens qu'ils hésitaient à vendre car ils n'auraient pu en transférer le prix ; parce qu'ils dirigeaient une entreprise somme toute prospère, ou encore parce qu'ils pouvaient continuer à exercer leur profession et à gagner leur vie. Ils étaient restés aussi, bien souvent, parce qu'ils n'étaient plus de la première jeunesse et qu'ils avaient hésité à se lancer dans l'aventure d'une transplantation qui aurait exigé leur complète reconversion, ou parce qu'ils attendaient pour partir que leurs enfants aient fini leurs études secondaires en Tunisie, ou qu'ils aient achevé leurs études supérieures en France, ou qu'ils aient eu le temps de s'y faire une situation. De toute manière, il n'était pas de famille qui ne fût divisée, partie en Tunisie, partie en Israël, partie en France. Mais les familles désunies entendaient bien mettre fin un jour à une séparation dont elles souffraient. Dès que les circonstances s'y prêtaient, ceux qui étaient longtemps restés partaient à leur tour, pour que la famille dispersée fût à nouveau réunie.

S'il est relativement aisé de dégager les raisons multiples qui ont amené les Juifs tunisiens comme les Juifs étrangers à quitter le pays, il est assez difficile d'établir à quel rythme s'est fait leur exode dans les années qui ont suivi l'Indépendance.

Il est permis de penser que l'émigration des Juifs de nationalité française, italienne ou autre s'est faite selon le même calendrier que l'émigration des diverses minorités nationales, dont les effectifs se sont amenuisés d'année en année jusqu'à ne plus représenter que le dixième de ce qu'ils étaient au début de l'année 1956 (Tableau I).

Tableau I
Évolution de la population européenne (en milliers)

Années	Français	Italiens	Autres	Ensemble
1956	182,3	67,6	5,6	255,5
1961	62,4	40,4	3,8	106,6
1966	16,7	10,5	5,9	33,1
1970	16,0	6,8	6,3	29,1 (28)

En revanche, on ne dispose pas de données fiables sur la variation des effectifs de la population juive de nationalité tunisienne, en raison du fait que la distinction entre Tunisiens musulmans et Tunisiens israélites a disparu des statistiques officielles au lendemain de l'Indépendance. Faute de données précises, nous devons nous contenter de conjectures, d'approximations et de vraisemblances.

Lors du recensement général de la population du 1er février 1956, les Tunisiens israélites, on s'en souvient, étaient au nombre de 57 786. Au début de l'année 1970, on estimait généralement que la population tunisienne israélite était de l'ordre de 10 000 âmes (29). Il faut en conclure que, de 1956 à 1970, la population juive de nationalité tunisienne a vu ses effectifs se réduire de plus des quatre cinquièmes.

Mais comment donc s'est fait l'exode de la population tunisienne israélite ? Il est impossible de mesurer avec précision les flux migratoires, année par année, car les statistiques tunisiennes ne distinguent plus, à la sortie comme à l'entrée, Tunisiens israélites et Tunisiens musulmans. Mais on a de bonnes raisons de penser que l'exode des

Juifs vers la France, qu'il est difficile de cerner, s'est fait au même rythme que l'exode des Juifs vers Israël, sur lequel nous disposons de données précises (30). Dès lors il est permis de se représenter le mouvement des départs et l'évolution des effectifs de la manière suivante *(Tableau II)*.

Tableau II
Évolution de la population tunisienne israélite (en milliers)

Années	Effectifs	Départs
1956	57 800	14 000
1957	43 800	5 700
1958	38 100	2 800
1959	35 300	900
1960	34 400	1 100
1961	33 300	3 400
1962	29 900	4 500
1963	25 400	1 900
1964	23 500	1 800
1965	21 700	2 000
1966	19 700	1 400
1967	18 300	1 900
1968	16 400	2 800
1969	13 600	3 600
1970	10 000	»

Au début des années soixante-dix, la population juive de Tunisie s'élevait, pensons-nous, à environ 12 000 âmes, dont 10 000 de nationalité tunisienne et 2 000 de nationalité française, italienne ou autre. Elle était alors fortement concentrée dans la région de Tunis, qui groupait les trois quarts des effectifs. Le reste était réparti entre les villes du Nord (Bizerte, Béja, Mateur, Nabeul), les villes du Centre (Sousse, Moknine, Monastir et Sfax) et les villes de l'Extrême-Sud (Gabès, Djerba, Zarzis, Tatahouine, Médenine et Ben Gardane) (31).

Depuis l'année 1970, les effectifs de la population juive de Tunisie ont continué de s'amenuiser. Sans avoir été jamais contrainte par les circonstances à un départ massif et précipité, elle a fourni chaque année son contingent d'émigrants à destination d'Israël ou de la France.

4. L'émigration en Israël

Les publications statistiques israéliennes permettent de suivre, année par année, l'émigration à destination d'Israël des Juifs de Tunisie, dans les années qui ont suivi l'indépendance tunisienne :

1956 =	6 543	1961 =	1 600	1966 =	677
1957 =	2 667	1962 =	2 093	1967 =	878
1958 =	1 326	1963 =	904	1968 =	1 321
1959 =	425	1964 =	816	1969 =	1 685
1960 =	509	1965 =	933	1970 =	1 363 (32)

Compte tenu de ceux qui avaient émigré avant l'Indépendance, on peut chiffrer à plus de 50 000 le nombre de Juifs de Tunisie qui ont émigré en Israël (33).

Les observations que l'on a pu faire dans le pays d'origine sont corroborées par celles que l'on a faites dans le pays d'accueil. Ce sont les éléments de la population les plus modestes et les plus traditionalistes qui ont émigré en Israël, alors que ce sont les éléments les plus aisés et les plus occidentalisés qui ont émigré en France (34). Aussi bien a-t-on pu dire que l'^{c}aliyah tunisienne, comme l'^{c}aliyah nord-africaine dans son ensemble, a représenté l'émigration d'un « corps social amputé de ses élites » (35).

Les caractéristiques socio-culturelles des ^{c}olim, ou immigrants, originaires de Tunisie rendent compte de la place qui a pu leur être faite dans la société israélienne. Faute d'une formation convenable, ils ont été peu nombreux à fournir des cadres scientifiques, techniques ou administratifs au nouvel État. Comme les autres Juifs orientaux — originaires des pays arabes — ils sont allés grossir la main-d'œuvre employée dans l'agriculture, l'industrie et les services. Ils ont été pour la plus grande part dirigés vers les zones de développement situées au nord et au sud du pays, et notamment vers la Galilée et vers le Néguev, dont la mise en valeur a été l'œuvre des originaires du Maghreb (36). On les rencontre aujourd'hui dans toutes les régions. Ils sont nombreux à Jérusalem et dans les centres industriels de Haïfa et Tel-Aviv. Ils sont aussi largement représentés dans les villes créées dans les zones où ont été implantées les colonies agricoles nord-africaines : Kiryat Shemona et Beth Shean en Galilée, Netivot et Ramla sur la côte, Beer-Sheva et Dimona dans le Néguev (37). Ils constituent une part de la population de certains kibboutzim, ou villages collectivistes, (Regavim, Carmia) et de certains moshavim, ou villages coopératifs, (Guilat, Yanouv) (38).

Les Juifs originaires de Tunisie ont eu des débuts difficiles. Les conditions de vie dans les zones de développement et dans les colonies agricoles, vers lesquelles ils étaient pour la plupart dirigés, étaient assez sévères. Elles se sont progressivement améliorées avec la mise en valeur des terres et l'industrialisation du pays. Il reste que le niveau de vie des Juifs de Tunisie, comme celui de l'ensemble des Juifs orientaux, était plutôt modeste et généralement inférieur à celui des Juifs occidentaux. Ce contraste, qui correspond en gros à la distinction des *sefardim* et des *ashkenazim* a affleuré depuis longtemps à la conscience de la société israélienne. Il est évident qu'il a des causes objectives que les études sociologiques n'ont guère eu de peine à dégager. En raison de la formation qu'ils avaient reçue et de la profession qu'ils avaient exercée — il s'agissait pour une large part de marchands, d'artisans et de manœuvres — les Juifs orientaux ne pouvaient prétendre qu'aux emplois les plus modestes et les moins rémunérés (39). Or, dans la plupart des foyers, le salaire unique du chef de famille devait faire vivre, non seulement une femme au foyer, mais encore de nombreux enfants (40). Comment le niveau de vie des Juifs orientaux aurait-il pu ne pas être inférieur à celui des Juifs occidentaux, qui exerçaient des emplois mieux rémunérés, dont la femme travaillait, et la famille était plus restreinte ? La nouvelle société israélienne avait hérité de toutes les disparités qui pouvaient exister dans la Diaspora, entre Juifs d'Orient et Juifs d'Occident.

Les écarts de niveaux de vie étaient inévitables entre les Juifs orientaux et les Juifs occidentaux qui avaient afflué de tous les pays avant et après la création de l'État d'Israël. Les Orientaux eux-mêmes en auraient pris leur parti, si les inégalités constatées au niveau de la première génération, n'avaient eu tendance à se maintenir au niveau de la deuxième génération. Au début des années soixante-dix, on pouvait observer que, dans leurs études primaires, les Orientaux obtenaient des résultats inférieurs à ceux des Occidentaux ; que les deux tiers des Orientaux ne pouvaient accéder à l'enseignement secondaire ; qu'un sixième à peine était en mesure d'entreprendre des études supérieures et que le nombre de ceux qui pouvaient les achever, en obtenant un diplôme, était infime (41). Les médiocres résultats scolaires des Orientaux devaient être mis au compte de leur milieu familial et des principes qui régissent l'éducation nationale en Israël, auxquels on a pu reprocher, avec quelque raison, de perpétuer les privilèges de la fortune. Mais certains Juifs occidentaux n'ont pas hésité à les expliquer par de prétendus traits ethniques des Juifs orientaux : par « l'insuffisance de leur quotient intellectuel », par leur « inaptitude à la pensée abstraite », en dernière analyse donc, par une infériorité raciale (42) ! Ainsi se manifestait le racisme dont faisaient trop souvent preuve les Juifs occidentaux à l'égard des Juifs orientaux.

Les tensions entre Orientaux et Occidentaux sont apparues dès les premières années de l'État d'Israël. Ainsi, un sociologue américain, A. Shumski, écrivait déjà en 1955 : « L'impression générale est que de nombreux *ashkenazim* considèrent tous les Orientaux avec un sentiment de supériorité ou de mépris et peut-être de pitié, d'étrangeté, ou même de peur, mais rarement avec un esprit fraternel » (43). Ces tensions, loin de s'atténuer à la faveur de la cohabitation de Juifs de toutes origines, sont allées en s'avivant au fil des années, jusqu'à provoquer, au cours de l'année 1971, l'explosion dramatique des « Panthères Noires » (44). Ce sont des Juifs marocains qui ont pris la part la plus active à ce mouvement de protestation contre les inégalités qui se perpétuaient et s'aggravaient dans la nouvelle société israélienne. Sans doute parce que l'ᶜaliyah marocaine, grossie par des vagues successives de migrants, était celle dont l'intégration laissait le plus à désirer. Les Juifs tunisiens ne semblent pas y avoir joué un grand rôle. Est-ce parce qu'un plus large étalement dans le temps des vagues de migrants venus de Tunisie a favorisé leur intégration progressive dans la société israélienne ? Quoi qu'il en soit, depuis les manifestations des « Panthères Noires », l'État d'Israël a accompli de sérieux efforts pour réaliser l'intégration des divers éléments de la population et pour réduire les tensions entre Occidentaux et Orientaux (45).

Comme les autres Juifs orientaux, les Juifs de Tunisie établis en Israël ont été affectés par de multiples changements. Des hommes qui, dans leur pays d'origine, étaient surtout employés dans le commerce et l'artisanat, ont pris place dans les divers secteurs de production d'une économie moderne, pour exercer leur activité dans l'agriculture, l'industrie et les services. Leur vie familiale a connu des mutations sensibles. Un observateur en témoigne : « C'en est fini de la famille de type patriarcal » (46). L'autorité du père vénéré s'exerce difficilement sur des enfants entrés dans la vie active et établis en diverses régions du pays. Il ne revient plus aux parents de marier leurs filles qui choisissent elles-mêmes leur conjoint. De plus en plus souvent, la femme travaille et continue de travailler après le mariage pour concourir à l'entretien du ménage. La pratique du contrôle des naissances permet à chaque couple d'avoir le nombre d'enfants qu'il souhaite. La grande famille traditionnelle cède de plus en plus le pas à la famille nucléaire. La substitution à l'ancien droit mosaïque du nouveau droit civil israélien contribue largement à l'occidentalisation de l'institution familiale (47). Le changement le plus spectaculaire est l'abandon de l'arabe et du français pour l'hébreu que les migrants ont vite appris à maîtriser grâce à l'efficacité des méthodes d'enseignement employées dans les *oulpanim*, cours de formation accélérée, et qui est la langue maternelle des nouvelles générations. Cependant, l'accès à une meilleure connaissance de la langue hébraïque s'est accompagné d'un affaiblissement de la pratique religieuse. Les normes adoptées par l'État d'Israël, l'esprit laïque des enseignants à tous les degrés, l'influence des modèles popularisés par les médias ont amené les nouvelles générations à prendre leurs distances à l'égard des croyances et des rites séculaires (48). La résistance longtemps opposée dans leur pays d'origine par les plus traditionalistes à l'occidentalisation, et à la déjudaïsation qu'elle entraînait, a cessé sur le sol de la Terre retrouvée.

Depuis sa création, l'État d'Israël s'est fait un devoir de sauvegarder le patrimoine culturel des diverses communautés qui ont concouru à former la population israélienne. Celui des Juifs de Tunisie n'a pas été oublié. Le Musée d'ethnologie et de folklore de Haïfa a réuni de riches collections de vêtements traditionnels, de broderies et de dentelles, de cuivres ciselés et de bijoux qui témoignent de leurs industries d'art. En liaison avec le Musée d'ethnologie et de folklore, l'Université hébraïque de Jérusalem s'est attachée à collecter les contes populaires dont la mémoire s'était conservée parmi les immigrés tunisiens (49). On a aussi recueilli leurs chants liturgiques qui ont trouvé place dans des publications de l'Institut israélien de musique liturgique (50). L'Institut Ben-Zvi, qui, depuis plus de trente ans, coordonne les recherches sur les communautés orientales, a rassemblé un nombre considérable de manuscrits hébreux, de livres et journaux judéo-arabes, écrits et publiés par les Juifs de Tunisie (51). La concentration à Jérusalem d'ouvrages et de documents de toutes sortes a créé des conditions favorables au développement de recherches sur l'histoire des communautés juives du Maghreb, et des chercheurs originaires de Tunisie y prennent une part active.

Les Juifs de Tunisie établis en Israël ont conservé à ce jour plus d'un trait de leur culture d'origine : connaissance de l'arabe, entretenue et renouvelée par leurs contacts avec les Arabes — musulmans ou chrétiens — d'Israël ; engouement pour la musique orientale, prédilection pour la cuisine tunisienne avec ses plats rituels pour les diverses solennités de l'année liturgique ; célébration de certaines fêtes à caractère familial, comme la *Seᶜudah Ytro* et *Rosh-ḥodesh le-banot* ; attachement à cette forme traditionnelle de la piété populaire que constitue le culte des saints. Il en est qui continuent de célébrer chaque année avec ferveur l'anniversaire de Rebbi Shemaᶜun Bar Yoḥay ou de Rebbi Meïr Baal ha-Nes, auxquels ils associent souvent les rabbins miraculeux de Tunis, de Testour ou de Nabeul. Les Juifs originaires des communautés du Sud tunisien — les plus traditionalistes — ont remplacé le pèlerinage annuel à la Ghriba de Djerba par un pèlerinage sur la tombe de l'ancien rabbin de Gabès, Haïm Houri, inhumé à Beer Sheva : la fête qui est donnée, chaque année, le jour anniversaire de sa mort, a pris le nom de Hiloula du Neguev (52). Mais ces traits culturels, que l'on rencontre surtout parmi ceux qui sont venus de Tunisie à un âge plus ou moins avancé, sont plus rares et plus effacés chez leurs enfants, nés et formés en Israël. Il est peu probable qu'ils se transmettent, de génération en génération, malgré les mariages qui rapprochent Orientaux et Occidentaux, et le grand pouvoir d'assimilation de la société israélienne.

5. L'émigration en France

Il est difficile de suivre dans le temps, année par année, le mouvement d'émigration des Juifs de Tunisie à destination de la France. Il n'existe pas, en effet, de base statistique pour cette étude, dès lors que, ni dans le pays d'origine, ni dans le pays d'accueil, il n'est fait de distinction fondée sur la religion entre nationaux, comme entre étrangers. On peut seulement affirmer que l'émigration à destination de la France, amorcée dans les dernières années du Protectorat, s'est poursuivie au lendemain de l'Indépendance, en connaissant de fortes poussées, lors de la crise de Bizerte en 1961 et la guerre des Six-Jours en 1967. Cette émigration a porté sur la presque totalité des Juifs de nationalité française ou étrangère, soit vingt à vingt-cinq mille âmes, et un tiers des Juifs de nationalité tunisienne, soit vingt-cinq à trente mille âmes. Ainsi, on peut estimer à près de 50 000 le nombre de Juifs de Tunisie qui ont émigré en France dans les dernières années du Protectorat et après l'indépendance tunisienne, lesquels ont été aussi nombreux que ceux qui ont émigré en Israël (53).

L'origine sociale des Juifs de Tunisie qui ont émigré en France nous est imparfaitement connue. Les Juifs de nationalité française, en raison même des conditions qu'ils avaient dû remplir pour accéder à la nationalité française, appartenaient pour la plupart aux classes aisées : médecins, avocats, pharmaciens, ingénieurs, fonctionnaires. Les Juifs de nationalité tunisienne, eux, appartenaient en partie, aux classes aisées : médecins, avocats, négociants ; en partie aux classes moyennes : commerçants, employés de banque, employés de bureau, employés de magasin ; en partie à la classe ouvrière : tailleurs, plombiers, électriciens, typographes. Si la migration en Israël a représenté la transplantation d'une population amputée de ses élites, la migration en France a représenté la transplantation d'une population socialement différenciée, comprenant, avec la presque totalité de ses élites, des éléments appartenant à toutes les catégories socioprofessionnelles, qui entendait bien s'adapter à un pays dont elle parlait la langue et dont la culture lui était plus ou moins familière.

Les conditions de la migration différaient du tout au tout pour les uns et pour les autres. Les Juifs de nationalité française venaient en France avec les droits des citoyens français et bénéficiaient des mesures adoptées en faveur de tous les Français « rapatriés » : prime d'installation, prêts de reconversion. En quittant la Tunisie, ils avaient eu le droit de procéder au déménagement de leur mobilier, et ils avaient pu transférer leurs fonds, en totalité ou en partie. Les Juifs de nationalité tunisienne, au contraire, ne pouvaient avoir, à leur arrivée en France, que le statut d'étrangers, et pour vivre dans l'Hexagone, ils devaient d'abord obtenir permis de séjour et carte de travail. Mais surtout, ils avaient dû quitter la Tunisie sans pouvoir procéder au déménagement de leur mobilier et sans être autorisés à transférer leurs avoirs.

Vingt kilos de bagages et un dinar en poche, c'est tout ce que le législateur tunisien permettait à ses nationaux d'emporter (54). Ainsi, la reconversion des Français était plus aisée que la reconversion des Tunisiens. Mais elles se firent l'une et l'autre.

Les vagues successives de migrants juifs de nationalité tunisienne furent généralement bien accueillies par l'Administration française, qui leur accorda assez largement permis de séjour et cartes de travail. Les Juifs tunisiens ont obtenu une aide multiple des institutions d'assistance et de solidarité relevant du *Fonds social juif unifié*, dont les efforts ont bénéficié d'importantes subventions de l'*American Joint Distribution Committee* et de l'*Anglo Jewish Association* (55). Après une période de transition plus ou moins difficile, ils finirent par retrouver une activité professionnelle qui leur permît de vivre. Ceux qui, dans leur pays d'origine, exerçaient une profession salariée — comptables, employés de bureau, employés de magasin, ouvriers qualifiés — n'eurent pas trop de peine à retrouver un emploi similaire à celui qu'ils avaient perdu. La reconversion fut plus difficile pour tous ceux qui, en Tunisie, vivaient de commerce, de représentation, de courtages. Force leur fut souvent d'accepter le travail qu'on leur offrait et d'exercer un emploi de « manutentionnaire », c'est-à-dire d'homme de peine. Certains firent le porte-à-porte pour placer des trousseaux, ou bien soldèrent des stocks de vêtements sur les marchés hebdomadaires, ou encore se rendirent de foire en foire pour vendre de la confiserie. Le temps de réunir un petit capital, de trouver un commanditaire ou d'obtenir un prêt, et ils furent en mesure d'acheter un fonds de commerce ou de monter une nouvelle affaire dans le commerce de l'alimentation ou dans l'industrie du prêt-à-porter. Une conjoncture favorable permit à plus d'un de parvenir à une honnête aisance et il y eut même quelques réussites spectaculaires. Nombre de Juifs tunisiens dont la situation, à leur arrivée en France, était des plus précaires n'ont pas tardé à vivre mieux qu'ils n'avaient vécu dans le pays qu'ils avaient quitté. Leurs enfants n'ont eu aucune difficulté à s'adapter au système scolaire français, dont les programmes et les méthodes ne différaient guère de ceux qui étaient en vigueur en Tunisie. Les plus doués ont pu poursuivre leurs études au-delà du baccalauréat pour se préparer à l'exercice des professions les plus variées, et entre autres à celles qui correspondaient aux nouveaux besoins de la société industrielle.

Les Juifs de nationalité tunisienne n'ont pas tardé à demander leur naturalisation française, et ils ont été d'autant plus nombreux à l'obtenir que les conditions d'accession à la nationalité française étaient plus aisées à remplir dans la Métropole qu'elles ne l'étaient en Tunisie au temps du Protectorat. Il suffisait d'exercer une profession, de justifier de ressources suffisantes, de faire la preuve d'une bonne connaissance du français, d'avoir un casier judiciaire vierge, pour que la demande fût recevable, et elle avait d'autant plus de chances d'être satisfaite que le postulant avait des enfants nés en France, lesquels étaient français, *jure soli,* ou qu'il était marié à une Française (56). Ainsi s'est estompée, peu à peu, la distinction qui existait d'abord entre Juifs de nationalité française et Juifs de nationalité tunisienne, puisqu'il n'y a eu désormais que des Juifs d'origine tunisienne, devenus français de plus ou moins longue date.

A condition de renoncer à fournir des précisions numériques, il est aisé d'esquisser à grands traits la répartition des Juifs de Tunisie sur le territoire de l'Hexagone. Comme les Juifs de toutes origines, ils sont fortement concentrés dans la région parisienne. La presse juive a largement contribué à faire connaître les points de Paris où les Tunisiens ont été si nombreux à s'établir qu'ils sont parvenus à donner à tout un quartier une personnalité nouvelle. Le cas de Belleville est le plus connu qui, peuplé d'abord de Juifs ashkenaze venus d'Europe centrale, a été pris d'assaut par les vagues successives de migrants tunisiens, jusqu'à amener les anciens habitants du quartier à partir en leur cédant appartements et boutiques. Ainsi, dès 1965, Belleville était électivement peuplé de Juifs tunisiens qui y avaient reconstitué un quartier vivant et chaleureux où aimaient à venir les Juifs tunisiens des autres quartiers de Paris, quand ils voulaient retrouver l'air du pays (57). La colonisation de Montmartre a été aussi plus d'une fois signalée. Il suffit de se promener dans quelques-unes de ses rues — rue Richer, rue de Trévise, rue Bergère — pour retrouver la Tunis d'autrefois avec ses restaurants, ses boucheries, ses épiceries, ses pâtisseries et la familiarité gouailleuse de ses marchands. Les Juifs de Tunisie ne laissent pas d'être représentés dans tous les arrondissements de Paris (58). Nombre d'entre eux, de condition modeste, ont trouvé à se loger à meilleur compte dans les communes de la banlieue. Citons entre autres communes : Massy, dans l'Essonne ; Antony, dans les Hauts-de-Seine ; La Courneuve, dans la Seine-Saint-Denis ; Créteil, dans le Val-de-Marne, et Sarcelles, dans le Val-d'Oise. En dehors de la région parisienne, les Juifs de Tunisie sont nombreux dans le sud-ouest, où ils ont grossi les communautés de Marseille, de Nice, de Cannes et de Montpellier ; dans la vallée du Rhône, presque tous à Lyon et à Grenoble ; et dans le sud-ouest, surtout à Toulouse. Par contre, ils sont très faiblement représentés dans les régions situées à l'ouest, au nord et à l'est (59).

Partout où ils se sont établis, les Juifs de Tunisie sont parvenus, à la seconde génération sinon à la première, à s'intégrer à la société française. A défaut de données chiffrées, qui ne peuvent être produites en raison de l'absence dans les statistiques françaises de toute indication sur la confession, il faut se contenter des impressions générales que l'on retire de la lecture de nombreuses enquêtes ainsi que des observations que l'on peut faire, jour après jour. On les rencontre dans toutes les branches d'activité, et on s'en convainc en retrouvant leurs noms, aisément identifiables, aux diverses rubriques d'un annuaire des professions. Les mêmes revues juives qui ont entretenu leurs lecteurs des conditions difficiles dans lesquelles ils se sont trouvés, à leur arrivée en France, se félicitent de la place qu'ils occupent aujourd'hui dans la société française, voire de la brillante réussite de nombre d'entre eux (60).

La vie en France a accéléré l'évolution de la famille, plus ou moins avancée, dans le pays d'origine, selon les régions et les classes sociales. La généralisation du travail féminin a entraîné de nouveaux rapports entre l'homme et la femme à l'intérieur des ménages. L'exiguïté des logements exclut la vie sous le même toit des parents et des enfants mariés. La famille indivise doit céder la place à la famille nucléaire. Le patriarche vénéré a du mal à exercer son autorité sur des enfants dispersés. Heureux, quand les membres d'une même famille se retrouvent pour la célébration du *shabbat* ou des fêtes de l'année liturgique. La vie des couples, longtemps informée par une morale exigeante, est affectée par les nouveaux usages qui s'implantent dans la société française. Le mariage cesse d'être considéré comme une union pour la vie, et il y est mis fin, plus souvent, par un divorce. La remise en question du mariage favorise au sein des nouvelles générations ce que l'on a appelé la « cohabitation juvénile ». Mais la famille des Juifs de Tunisie frappe encore de nombreux observateurs par la solidité de ses liens et la chaleur de ses affections.

La vie en France a également affecté les croyances et les pratiques religieuses des Juifs de Tunisie. Nombre d'entre eux, appartenant à des familles traditionalistes, ont continué à pratiquer le judaïsme comme ils le faisaient dans leur pays d'origine : observant plus ou moins strictement les interdits alimentaires, accomplissant les rites canoniques de la naissance à la mort, célébrant les fêtes de l'année liturgique et se rendant plus ou moins assidûment aux offices synagogaux. Il en est qui ont pris part à la création de nouveaux lieux de culte ou centres communautaires dans plus d'une ville. D'autres, aussi nombreux, sans doute, appartenant à des familles évoluées, se sont éloignés de toute forme de pratique, faisant de nouveaux pas dans la voie de la déjudaïsation. Mais il y en a aussi qui, en réaction contre des parents plus ou moins déjudaïsés, ont fait retour à un judaïsme strictement observé, éclairé et conforté par une connaissance renouvelée de la Bible et du Talmud (61). De tels retours au judaïsme contreviennent à la règle d'une déjudaïsation progressive et irréversible.

Les Juifs d'origine tunisienne établis en France sont aujourd'hui, dans une large mesure, en voie d'assimilation. La fréquence des mariages mixtes en témoigne. Un observateur attentif notait déjà au début des années soixante : « Le phénomène touche tous les secteurs de la population, riches ou pauvres, autochtones ou immigrés, et progresse de jour en jour » (62). On estimait alors la proportion des unions mixtes à 33 %. La fréquence des mariages entre Juifs et non-Juifs s'est accrue au cours des dernières années, puisqu'elle serait aujourd'hui de un sur deux, et dans certaines régions de deux sur trois (63). Nous ne sommes pas en mesure de faire état de taux distincts, pour les Juifs d'origine ashkenaze et pour les Juifs d'origine sépharade, qui aient été calculés sur une base sérieuse. On ne saurait pourtant douter que, parmi les Juifs sépharades, et entre autres parmi les Juifs tunisiens, les mariages mixtes ne soient nombreux. La lecture du carnet mondain des quotidiens suffit pour s'en convaincre. Ces mariages mixtes sont mal vus des tenants de l'orthodoxie, mais ils ne laissent pas de se multiplier. Certains s'inquiètent de l'assimilation dont les Juifs nord-africains se trouvent menacés. Ils en arrivent ainsi à espérer que la France ne soit pour eux qu'une étape et qu'ils finissent par émigrer en Israël (64). Mais malgré l'attachement — spirituel ou sentimental — à l'État d'Israël de tous les Juifs nord-africains établis en France, il en est relativement peu qui songent à quitter leur première terre d'accueil et à faire leur ᶜaliyah (65).

Vivant en France, les Juifs de Tunisie n'ont pas tardé à être atteints par les courants de pensée qui traversent la judaïcité française. Le temps n'est plus où les Juifs de France, se pliant aux exigences d'un État centralisateur, ne voulaient être que des Français de confession ou d'origine israélite. Nombre d'entre eux, sinon tous, ont été amenés à revendiquer leur droit à la différence et à affirmer leur identité juive. La chose est aisée pour un Juif pratiquant, même si sa pratique se réduit à l'observance de quelques rites de passage et à la célébration d'une seule solennité de l'année liturgique. Mais comment affirmer son identité juive si l'on ne se conforme à aucune des prescriptions de la religion juive ? Certains en sont arrivés à fonder leur identité sur leur culture d'origine, dont ils ont pris conscience et qu'ils se sont attachés à défendre et à illustrer. Alors que les Juifs établis dans l'Hexagone depuis plusieurs générations se sont réclamés de leur ascendance alsacienne, comtadine ou bordelaise, ceux qui sont venus s'y établir au cours des dernières décennies se sont engagés dans la recherche de leurs sources et renouent avec la culture de leurs pères. Certains d'entre eux se sont même proposé de développer la culture yiddish, la culture judéo-espagnole ou la culture judéo-arabe (66).

Les Juifs de Tunisie ont acquis, au cours de leur existence pluriséculaire sur la terre tunisienne, un certain nombre de traits culturels, dont il est aisé de faire l'inventaire : langue parlée, folklore, superstitions, musique, danse, cuisine. Mais on ne saurait oublier que, depuis la fin du siècle dernier, ils ont commencé à les perdre l'un après l'autre ; ces traits sont de moins en moins accusés chez tous ceux qui ont quitté la Tunisie, déjà adultes ou en bas âge ; on n'en trouve que des lambeaux chez leurs enfants, nés et formés en France. Comment croire que des traits culturels en voie de disparition puissent constituer le fondement d'une identité culturelle digne de ce nom ? Les Juifs de Tunisie établis en France peuvent fort bien affirmer leur identité en demeurant fidèles aux croyances et aux pratiques de la religion juive, mais vouloir le faire en se réclamant d'une culture judéo-tunisienne évanescente ne saurait être que la poursuite d'un fantasme (67). De fait, quelle que soit leur manière de vivre leur judaïsme, la plupart semblent avant tout soucieux de parfaire leur intégration, et d'assurer celle de leurs enfants sur la terre qui les a accueillis (68).

6. Les Juifs dans la Tunisie d'aujourd'hui

Malgré l'exode de milliers de familles juives qui sont allées s'établir en Israël ou en France, il y a encore des Juifs dans la Tunisie d'aujourd'hui. Leur nombre, amenuisé d'année en année, ne s'élève guère au-dessus de trois mille. Les diverses communautés qui existaient dans le pays à la veille de l'Indépendance ont disparu l'une après l'autre. Si l'on fait abstraction de quelques individus isolés, il n'est plus de Juifs que dans l'île de Djerba et dans l'agglomération tunisoise. Ce sont, pour la plupart, des personnes âgées, qui sont restées en Tunisie parce qu'elles pouvaient y poursuivre une activité ou parce qu'elles y disposaient de biens ou de revenus difficilement transférables. Malgré le départ de leurs proches, elles n'ont pas pris à ce jour la décision de partir, parce qu'elles n'ont pas osé affronter les épreuves d'une transplantation difficile et parce qu'elles ont pu, somme toute, continuer à vivre dans le pays, en dépit de tous les changements qui s'y sont produits depuis la fin du Protectorat.

Quelles qu'aient pu être leurs appréhensions, leur vie n'y a jamais été menacée. Les Autorités tunisiennes n'ont jamais cessé d'affirmer leur attachement à une politique de tolérance et de condamner toute manifestation de racisme (68). Le soutien apporté par le gouvernement tunisien à la cause du peuple palestinien ne l'a jamais conduit à adopter à l'égard de la population juive du pays une attitude hostile, qui l'eût contrainte à un départ précipité. A la fin de l'année 1985, après le raid de l'aviation israélienne contre le quartier général de l'Organisation de Libération de la Palestine, près de Tunis, qui fit de nombreuses victimes, non seulement parmi les Palestiniens, mais encore parmi la population civile tunisienne, les Juifs de Tunisie n'ont pas eu à souffrir d'aveugles représailles. Une vie juive se maintient par les soins des comités de gestion du culte, à Tunis comme à Djerba, sous l'autorité d'un grand rabbin de Tunisie, qui se trouve à la tête de l'une des dernières communautés juives du Monde arabe (69).

(1) Cf. chap. X.

(2) Ces deux citations sont empruntées à Ch. HADDAD, *Juifs et Arabes...*, pp. 51-52.

(3) Cf. chap. X.

(4) Sur la politique de la France en matière d'immigration, cf. G. LE MOIGNE, *L'immigration en France*, Paris, 1986 ; L. RICHER, *Le Droit de l'immigration*, Paris, 1986.

(5) *J.O.* du 6 janvier 1956 ; cf. E.N.A., *Organisation de l'Administration tunisienne*, Tunis, 1972, pp. 21-23.

(6) *Constitution de la République Tunisienne*, Tunis (s.d.).

(7) Une nouvelle loi électorale, promulguée à la date du 8 avril 1969, a étendu le droit de vote aux femmes et abaissé l'âge de la majorité politique, de vingt et un à vingt ans : « Sont électeurs tous les Tunisiens et Tunisiennes âgés de vingt ans accomplis ». (Cf. E.N.A, *op. cit.*, p. 32).

(8) M.T. ES-SENOUSSI, *Code du Statut personnel annoté*, 2e éd., Tunis, 1958 ; cf. M. BORRMANS, « Codes de Statut personnel et évolution sociale en certains pays musulmans », dans *IBLA*, 1963, pp. 205-260.

(9) D.b. du 13 août 1956 ; cf. M. BORRMANS, *art. cit.*, p. 215. Un décret-loi en date du 20 février 1964 a modifié l'art. 5, et porté l'âge requis pour contracter mariage à 17 ans pour la femme et 20 ans pour l'homme ; cf. M. BORRMANS, dans *IBLA*, 1964, p. 64.

(10) M. BORRMANS, *art. cit.*, p. 222.

(11) *Ibid.*, pp. 225-245.

(12) *Ibid.*, pp. 245-249.

(13) Cf. Ch. HADDAD, *Juifs et Arabes...*, p. 190. En matière de successions, le Code du Statut personnel ne s'écarte guère des dispositions du droit musulman, qui dérivent du message coranique. Cf. *Le Coran*, IV, 12, 13, 14 et 15.

(14) M. BORRMANS, *art. cit.*, p. 211 ; cf. Ch. HADDAD, *op. cit.*, pp. 183 sqq.

(15) Cf. Ch. HADDAD, *op. cit.*, p. 188. Il s'agissait « de réformer le Tribunal rabbinique, non de le supprimer ».

(16) R. ATTAL, « Tunisian Jewry... », p. 13 ; cf. W. RABI, *Anatomie du Judaïsme français*, Paris, 1962, p. 218, n. 16.

(17) *J.O.R.T.* du 11 juillet 1958 ; cf. *La Presse*, du 15 juillet 1958.

(18) La loi du 11 juillet 1958 fait état du « Conseil de la Communauté israélite de Tunis » et des « Caisses de secours et de bienfaisance » qui existent dans les diverses circonscriptions administratives. Elle ignore les conseils élus dont ont été dotées, au lendemain de la dernière guerre, les communautés israélites de Sousse et de Sfax ; cf. *supra*, chap. X.

(19) C'est ainsi que lorsque fut élargie l'ancienne avenue Roustan, qui longeait le vieux cimetière, la Commune engagea une procédure d'expropriation pour cause d'utilité publique et versa à la Communauté israélite une indemnité dont le montant fut fixé par des experts. (Cf. Ch. HADDAD, *op. cit.*, p. 210).

(20) Sur cette question, cf. Ch. HADDAD, *op. cit.*, pp. 193-218 et pp. 281-282 ; ID, *Les Juifs de Tunisie à Bible vécue*, Aix-en-Provence, 1989, pp. 312-323.

(21) Les dirigeants de la Tunisie indépendante, en s'efforçant d'intégrer la minorité de confession israélite, s'inspiraient des principes retenus par tous les États modernes. C'est en France, sous la Révolution, que le député Clermont-Tonnerre a déclaré : « Il faut tout refuser aux Juifs comme nation et tout accorder aux Juifs comme individus ». Cf. B. PHILIPPE, *Être juif dans la société française*, Paris, 1979, p. 142.

(22) Les responsables de la Tunisie moderne rejetaient jusqu'à l'idée d'une communauté juive : « Dans la Tunisie d'aujourd'hui, il ne peut y avoir d'autre communauté que la communauté nationale ». (A. Mestiri).

(23) La population française de Tunisie, qui s'élevait au début de l'année 1956 à 182 300 âmes, n'était plus que de 90 000 âmes au début de l'année 1959. Cf. A. MARCOUX, « La population étrangère de Tunisie (1956-1971) », dans *Revue Tunisienne de Sciences Sociales*, n° 25, mai 1971, pp. 225-233.

(24) Lors de l'expédition de Suez, en octobre 1956, le colonel Gamal Abdel Nasser prit la décision d'expulser tous les Juifs d'Égypte, en leur faisant abandonner tous leurs biens. Habib Bourguiba n'hésita pas à intervenir auprès du chef de l'État égyptien pour que les Juifs tunisiens établis au Caire ne fussent pas atteints par les mesures d'expulsion, affirmant en cette occasion qu'il n'entendait pas faire de distinction entre nationaux et qu'ils avaient tous les mêmes droits à la protection de l'État tunisien. (Ch. HADDAD, *Juifs et Arabes...*, pp. 128-129).

(25) E.N.A., *Organisation de l'Administration tunisienne*, pp. 159 sqq.

(26) Contentons-nous de citer : novembre 1945 : Tripoli ; mai 1948 : Oujda, Djerada ; juin 1948 : Tripoli ; décembre 1960 : Alger, Oran. (Cf. A. CHOURAQUI, *La Saga...*, pp. 281, 283, 284).

(27) Suite à la crise de Bizerte, la population française qui s'élevait encore à 62 400 personnes au début de l'année 1961, tombe à 33 200 au début de l'année 1962. (Cf. A. MARCOUX, *art. cit.*, p. 228).

(28) *Ibid.*, p. 228.

(29) Cette évaluation se fonde sur le nombre de rations de pains azymes distribuées par les soins du Comité de gestion du culte israélite. (Cf. *infra*).

(30) Cf. *infra*.

(31) Au cours de l'année 1970, les rations de pains azymes distribuées par les soins des services du Comité de gestion du culte israélite, s'élevaient à 12 255 ainsi réparties : Tunis : 8 961 ; Bizerte : 41 ; Béja : 31 ; Mateur : 12 ; Nabeul : 294 ; Sousse, Moknine et Monastir : 541 ; Sfax : 543 ; Gabès : 58 ; Djerba : 1 166 ; Zarzis : 281 ; Tatahouine : 132 ; Médenine : 100 ; Ben Gardane : 95. Mlle Paula Stern nous a très obligeamment communiqué les chiffres qu'elle a recueillis lors de son passage à Tunis : cf. P. STERN, *Obituary for a people : the Jews of Tunisia*, New York, 1971.

(32) BUREAU CENTRAL DE STATISTIQUES, *L'Émigration en Israël 1948-1972*, Jérusalem, 1975, cité par Sh. BARAD, *Le mouvement sioniste en Tunisie*, Yad Tabenkin, Efal, 1980 (en hébreu), pp. 60-61.

(33) Selon les évaluations les plus récentes, l'émigration tunisienne en Israël se serait élevée à 52 000 personnes contre 265 300 pour l'émigration marocaine et 23 700 pour l'émigration algérienne. (D. BENSIMON et E. ERRERA, *Israéliens. Des Juifs et des Arabes*, Paris, 1989, pp. 74-75).

(34) Sur l'émigration tunisienne en Israël, cf. D. BENSIMON-DONATH, *Immigrants d'Afrique du Nord en Israël*, Paris, 1970 ; A. CHOURAQUI, *La Saga...*, pp. 295 sqq.

(35) A. CHOURAQUI, *op. cit.*, p. 306.

(36) *Ibid.*, p. 311 : « Le Neguev, la Galilée, ont reçu le plus important apport à leur essor des originaires du Maghreb ».

(37) En 1970, sur un total de 251 colonies agricoles, il y en avait 82 qui avaient été créées par des Nord-africains, dont 13 dans le nord, 16 sur la côte méditerranéenne, 11 dans le couloir de Jérusalem, 15 en Galilée, 13 dans la zone de Lakish et 14 dans le Neguev. (*Ibid.*, p. 312).

(38) *Ibid.*, p. 312.

(39) *Ibid.*, p. 326.

(40) *Ibid.*, p. 317.

(41) *Ibid.*, pp. 324-325.

(42) *Ibid.*, p. 332.

(43) A. SHUMSKI, *The Clash of cultures in Israël*, New York, 1955, cité par A. CHOURAQUI, *op. cit.*, p. 332.

(44) *Ibid.*, pp. 336-337.

(45) Les tensions entre Occidentaux et Orientaux n'ont pas disparu : cf. V. MALKA, *Les Juifs sépharades*, Paris, 1986, pp. 83-108 : plaidoyer passionné en faveur

des Juifs orientaux ; D. Bensimon et E. Errera, *op. cit.*, pp. 158-179 : étude objective et mesurée.

(46) A. Chouraqui, *op. cit.*, p. 327.

(47) La loi du 28 juillet 1953 a élevé l'âge légal au mariage, interdit la polygamie, garanti l'égalité de l'homme et de la femme dans le mariage.

(48) Il ressort d'une enquête de sociologie religieuse sur les Juifs d'Afrique du Nord que, dans 64,9 % des cas, le fils est moins religieux que le père, dans 34,4 % des cas, aussi religieux et dans 0,7 % des cas, plus religieux. Cf. A. Chouraqui, *La Saga...*, p. 329.

(49) Dov Noy, *Contes populaires racontés par des Juifs de Tunisie*, Jérusalem, 1968.

(50) A. Herzog, *Renanot*, Institut israélien de musique liturgique, Jérusalem, 1963, Dix recueils publiés à ce jour ; cf. Dov Noy, *op. cit.*, p. 355, n.

(51) Quelques échantillons ont été présentés lors de l'exposition organisée à l'occasion du Congrès International sur les Juifs d'Afrique du Nord à l'époque coloniale (5-8 avril 1977).

(52) Dov Noy, *op. cit.*, pp. 359-361.

(53) Cf. J. Taieb, « Histoire d'un exode », dans *Yod*, 1979 ; Id, « Le grand exode des Juifs de Tunisie (1949-1975) », dans *Cultures juives méditerranéennes et orientales*, Paris, 1980, pp. 201-208. Cet auteur estime à 60 000 le nombre total de Juifs de Tunisie établis en France (v. p. 203).

(54) Cf. E. Touati, « Avec un dinar en poche », dans *L'Arche*, n° 57, octobre 1961, pp. 30-35 ; A. Memmi, « Une tragédie si quotidienne », dans *L'Arche*, n° 61, février 1962 ; cf. Id, *Juifs et Arabes*, Paris, 1974, pp. 86-98.

(55) Le F.S.J.U. a créé un Bureau d'information et d'orientation pour aider les rapatriés et réfugiés d'Afrique du Nord à remplir toutes les formalités administratives, à se donner un logement et à trouver un emploi ; cf. *Information juive*. Guide des institutions juives de Paris, p. 8.

(56) Les conditions d'accès à la nationalité française sur le territoire français, d'abord définies par l'ordonnance du 19 octobre 1945, l'ont été ensuite par la loi du 9 janvier 1973.

(57) Ch. Rolland, « Les Juifs de Belleville », dans *L'Arche*, n° 4, mai 1957 ; Cl. Tapia, « Les enfants de Belleville », dans *L'Arche*, n° 156, janvier 1970 ; Id, *Les Juifs sépharades en France (1965-1985)*, Paris, 1986, pp. 105-169.

(58) Cf. D. Bensimon-Donath, « Géographie urbaine des Juifs de Paris », Communication au Congrès des Études juives, 16-21 août 1981, cité par R. Ayoun et B. Cohen, *Les Juifs d'Algérie*, Paris, 1982, p. 233.

(59) W. Rabi, *Anatomie du Judaïsme français*, Paris, 1962, p. 148 ; D. Bensimon et S. Della Pergola, *La population juive de France. Aspects socio-démographiques et identité*, C.N.R.S., Paris, 1984 ; P. Girard, *Vingt siècles d'Histoire juive en France*, Paris, 1986, pp. 477 sqq.

(60) D. Bensimon-Donath, *L'intégration des Juifs nord-africains en France*, Paris - La Haye, 1971.

(61) Sur ces nouveaux pratiquants, cf. D. Schnapper, *Juifs et Israélites*, Paris, 1980, pp. 68 sqq.

(62) W. Rabi, *op. cit.*, p. 259.

(63) E. Conan, « Être Juif en France aujourd'hui », dans *L'Express*, n° 1722, 20-26 janvier 1989.

(64) A. Chouraqui écrit : « Les circonstances pourraient amener une précipitation des événements qui contraindraient les Juifs maghrébins à quitter la France pour devoir chercher un havre plus définitif en Israël ». (*La Saga...*, p. 352).

(65) Cf. D. Schnapper, « Les transplantés en voie d'assimilation affirment, malgré leur sympathie pour Israël, leur lien indéfectible avec la France ». (*op. cit.*, p. 116).

(66) Dans son texte constitutif, l'*Association des Juifs de gauche* déclare qu'elle « se propose de regrouper les Juifs qui veulent affirmer leur identité sans faire référence nécessairement à la religion ». Elle entend, entre autres, « contribuer à la défense

et au développement des cultures juives, yiddish, judéo-espagnole, judéo-arabe, etc. qui sont constitutives de la judéité française ». (*Combats pour la Diaspora*, n° 6, 1981, p. 89).

(67) Sur les identités juives dans la France d'aujourd'hui, cf. D. BENSIMON, *Les Juifs de France et leurs relations avec Israël (1945-1988)*, Paris, 1989, pp. 177-198.

(68) Pour compléter ce tableau de l'émigration juive au lendemain de l'indépendance tunisienne, nous ajouterons que nombre de Juifs italiens ont suivi en France leurs enfants, nés français, parce que nés après le 10 juin 1940, et ayant fait toutes leurs études en français.

(69) Au cours de l'année 1979, une maison d'édition de Tunis a jugé bon d'imprimer et de diffuser une nouvelle édition des *Protocoles des Sages de Sion*. Les Autorités tunisiennes, alertées, ont condamné la publication de ce célèbre faux antisémite dont la vente fut interdite. (*Le Monde* du 25 octobre 1979).

(70) A la fin de l'année 1984, il y avait 13 000 Juifs au Maroc, 4 000 en Syrie, 3 500 en Tunisie et 1 000 au Yémen (*American Jewish Yearbook*, n° 86, 1986, p. 361).

GLOSSAIRE

h = hébreu ; j.a. = judéo-arabe ; a = arabe

ᶜAliyah, pl. *ot* (h) = Montée, émigration en Israël.

ᶜArbit (h) = Prières, office du soir.

ᶜAyn (a) = Œil, mauvais œil.

ᶜOmer (h) = Période de sept semaines, entre *Pesaḥ* et *Shavuᶜot.*

ᶜOleh, pl. *im* (h) = Immigrant.

Ab bet-dîn (h) = M. à m., « père de la maison de justice », rabbin assurant la présidence du tribunal rabbinique.

Aggayn (j.a) de l'hébreu *ha-gayim* = lamentations. Commémoration des deux destructions du Temple de Jérusalem, célébrée le 9 du mois d'Ab.

Ahl al-dhimma (a) = Gens protégés. Nom donné en pays d'islam aux Juifs et aux chrétiens, bénéficiant de la protection de l'État musulman.

Ahl al-kitâb (a) = Gens du Livre. Nom donné en pays d'islam aux Juifs et aux chrétiens, dont la religion dérive de la Bible.

Aron ha-qodesh (h) = M. à m., « l'armoire sainte », armoire dans laquelle sont rangés les rouleaux de la Loi.

Baḥutsim (h) = de l'hébreu *ba-ḥuts* = du dehors, Juifs nomades vivant sous la tente.

Bar-mitsvah (h) = Cérémonie consacrant la majorité religieuse d'un enfant mâle.

Bet-dîn (h) = M. à m., « maison de justice », tribunal rabbinique.

Bet ha-ḥayyim (h) = M. à m., « maison des vivants », cimetière juif.

Bet ha-kneset (h) = Maison de l'assemblée, synagogue.

Bimah, pl. *ot* (h) = Estrade, tribune sur laquelle se dresse le pupitre du rabbin-officiant.

Biqur ḥolim (h) = Assistance aux malades.

Daggâz, fém. *a* (a) = Devin, diseur de bonne aventure.

Dayyan, pl. *im* (h) = Juge, membre du tribunal rabbinique.

Dhimma (a) = Protection accordée aux Juifs et aux chrétiens dans les États musulmans.

Dhimmî (a) = Membre d'une minorité juive ou chrétienne, soumis dans un État musulman à un statut spécial.

Drash (j.a) = Sermon, oraison funèbre, cérémonie organisée à la mémoire d'un défunt, une semaine, un mois, un an après le décès.

Etrog (h) = Cédrat que l'on brandit rituellement avec un *lulav*, lors de la fête de *Sukkot*.

Gaon, pl. *im* (h) = M. à m., « grandeur, excellence ». Titre donné au Moyen Age aux chefs des Académies de Babylonie.

Gemarah (h) = Commentaire de la *Mishnah*, l'une des deux parties constitutives du Talmud.

Genizah, pl. *ot* (h) = Réduit où sont déposés tous les papiers, couverts de textes écrits en caractères hébraïques, hors d'usage.

Ger toshav (h) = Demi-prosélyte.

Ger tsedeq (h) = Prosélyte.

Geṭ, pl. *im* (h) = Acte de divorce, établi par un notaire et remis par le mari à la femme répudiée.

Gurnî, pl. *Grâna* (a) = Livournais. Membre de la communauté dite « livournaise » ou « portugaise ».

Ghnâya, pl. *ât* (a) = Chanson.

Haggadah, pl. *ot* (h) = Livre contenant le récit traditionnel de la sortie d'Égypte, accompagné de commentaires rabbiniques et de psaumes, que l'on lit le premier et le deuxième soir de la Pâque.

Ḥakham, pl. *im* (h) = Savant, sage. Nom donné au doyen du corps rabbinique assurant la présidence du *bet-din*.

Ḥalitsa, pl. *ot* (h) = M. à m. « déchaussement ». Cérémonie rituelle par laquelle une femme dont le mari est décédé sans laisser d'enfant, se soustrait à l'obligation d'épouser son beau-frère.

Ḥanukkah (h) = M. à m. « inauguration ». Fête célébrée à partir du 25 Kislev, commémorant le rétablissement du culte juif dans le Temple de Jérusalem, après la persécution d'Antiochus Epiphane (168-165 av. J.-C.).

Ḥâra (a) = Quartier en général, et plus particulièrement le quartier juif.

Ḥazakah (h) = Possession.

Ḥerem (h) = Excommunication. Peine prononcée par un tribunal rabbinique mettant un Juif au ban de la communauté.

Ḥilluq (h) = Distribution hebdomadaire de secours en argent et en vivres aux familles indigentes.

Ḥobra (j.a) = de l'hébreu *ḥevrah*, confrérie. Autrefois, confrérie de personnes charitables s'employant à rendre aux morts les derniers devoirs, à titre bénévole. Puis, service des pompes funèbres, assuré par un personnel salarié.

Jann, pl. *jnûn* (a) = Génie, démon, dont il faut prévenir et combattre l'action malfaisante.

Jezya (a) = Impôt de capitation auquel étaient soumis Juifs et chrétiens dans les États musulmans.

Kapparah, pl. *ot* (h) = Sacrifice de substitution accompli la veille du *Yom Kippour*.

Kasher (h) = Conforme aux prescriptions de la loi religieuse, en parlant de nourriture.

Kasherut (h) = Ensemble des prescriptions de la loi religieuse, en matière de nourriture.

Ketubah, pl. *ot* (h) = Texte rédigé par un notaire, correspondant à la fois à un contrat de mariage et à un acte de mariage.

Kibbutz, pl. *im* (h) = Exploitation agricole collective.

Kuttâb, pl. *ktâteb* (a) = École coranique, école hébraïque élémentaire.

Khaffâf, fém. *a* (a) = Guérisseur, exorciseur.

Khomsa, pl. *ât* (a) = Amulette en forme de main stylisée, censée protéger du mauvais œil.

Lag ba ʿOmer (h) = Trente-troisième jour de la période dite ʿ*Omer*, correspondant au 18 Iyyar.

Lulav, pl. *im* (h) = Branche de palmier, associée à une branche de saule et à une branche de myrte, brandie à l'office de *Sukkot*.

Maʿallaq (j.a) = Au sens propre, « accroché », cursive hébraïque.

Matsah, pl. *ot* (h) = Pain azyme, galette sans levain.

Megillah, pl. *ot* (h) = Livre roulé, volume.

Menorah, pl. *ot* (h) = Chandelier à sept branches.

Mezuzah, pl. *ot* (h) = Étui fixé aux montants des portes, contenant un petit rouleau de parchemin avec la profession de foi juive.

Milah, pl. *ot* (h) = Circoncision, cérémonie organisée à l'occasion d'une circoncision.

Minḥah (h) = Prières, office de l'après-midi.

Minyan (h) = Minimum de dix hommes religieusement majeurs, indispensable à la célébration du culte.

Mishnah (h) = Première codification de la Tradition orale. L'une des deux parties constitutives du Talmud.

Mitsvah, pl. *ot* (h) = Précepte, commandement positif ou négatif, de la loi religieuse.

Mohel, pl. *im* (h) = Circonciseur, péritomiste.

Moshav, pl. *im* (h) = Village formé par des exploitations agricoles familiales associées pour la production comme pour la commercialisation des produits.

Nagid, pl. *im* (h) = Prince, chef d'une communauté dans la Diaspora.

Nasi, pl. *im* (h) = Prince, chef d'une communauté dans la Diaspora.

Neduniyah, pl. *ot* (h) = Apport, réel ou fictif, de la femme, consigné dans le contrat de mariage.

Parashah, pl. *ot* (h) = Section du Pentateuque, lue le samedi à la synagogue, au cours de l'office du matin.

Pessaḥ, pl. *im* (h) = Fête de Pâque, célébrée le 14 Nissan, en mémoire de la sortie d'Égypte.

Piyyuṭ, pl. *im* (h) = Poème liturgique, cantique.

Purim (h) = Fête célébrée le 14 Adar, en mémoire de l'heureuse intervention de la reine Esther en faveur des Juifs.

Qaddish (h) = Prière glorifiant le Très-Haut et implorant la venue de son règne.

Qahal (h) = Assemblée. Conseil assurant la gestion d'une communauté.

Qandîl, pl. *qnâdel* (a) = Lampe à huile, veilleuse que l'on allume à la mémoire des défunts.

Qehillah, pl. *ot* (h) = Assemblée, communauté des fidèles.

Qiddush (h) = Prière de sanctification à l'entrée du *shabbat.*

Qînah, pl. *ot* (h) = Élégie, complainte.

Qufiyya, pl. *qwâfî* (a) = Coiffe, en forme de pain de sucre, portée autrefois par les femmes juives.

Rebaybiya, pl. *ât* (j.a) = Séance de musique et de danse organisée à des fins d'exorcisme.

Rosh ha-shanah (h) = Premier jour de l'année juive, à la date du 1er Tishri.

Rosh-ḥodesh (h) = Néoménie, premier jour du mois. Le premier jour du mois de Ṭebet est célébré, parmi les Juifs de Tunis, comme la fête des jeunes filles : *Rosh ḥodesh le-banot.*

Seder (h) = Ordonnance rituelle du repas lors des solennités de l'année liturgique. Ex : seder de *Pesaḥ.*

Sefer, pl. *im* (h) = Livre roulé, volume.

Sefer-Torah (h) = Le Livre de la Loi. Texte des cinq livres du Pentateuque, écrit sur un rouleau de parchemin.

Seᶜudah, pl. *ot* (h) = Festin de commémoration en l'honneur d'un saint.

Seᶜudah Ytro (h) = Fête en l'honneur des garçons, célébrée le jeudi de la semaine marquée par la lecture de la parashah de Jethro (Exode XX, 2-17) entre le 15 et le 22 Shevat.

Sofer, pl. *im* (h) = Scribe, écrivain, notaire.

Sukkah, pl. *ot* (h) = Cabane, tabernacle.

Sukkot (h) = Fête des Cabanes, célébrée du 15 au 22 Tishri, en mémoire de l'Exode.

Shadday (h) = Tout-Puissant. Amulette constituée par une plaque d'or ou d'argent sur laquelle a été gravé le mot *Shadday.*

Shaḥrit (h) = Prières, office du matin.

Shaliyaḥ, pl. *im* (h) = Rabbin-missionnaire chargé de collecter des subsides pour les communautés juives de la Terre Sainte. Représentant en mission de l'Agence Juive.

Shammâsh (j.a) = Bedeau assurant la garde et l'entretien d'une synagogue.

Sharaᶜa (a) = Juridiction religieuse musulmane.

Shavuᶜot (h) = M. à m., « les semaines ». Fête de la Pentecôte, célébrée le 6 Siwan, commémorant la promulgation de la Loi.

Shehiṭah (h) = Ensemble des règles à observer dans l'abattage du bétail.

Shemaᶜ (h) = M. à m., « Écoute ». Profession de foi juive, commençant par le verset : « Écoute, Israël, l'Éternel est ton Dieu, l'Éternel est Un ».

Sheqel, pl. *im* (h) = Sicle, monnaie de l'ancienne Judée. Cotisation annuelle des membres de l'Organisation Sioniste Mondiale.

Shofar (h) = Cor rituel, constitué par une corne de bélier.

Shoḥeṭ, pl. *im* (h) = Préposé à l'abattage rituel.

Taᶜalîl (a) = Chant de louange en l'honneur de celui dont on célèbre la circoncision, la majorité religieuse ou le mariage.

Talmud-Torah (h) = M. à m., « enseignement de la Loi ». École hébraïque élémentaire, appelée aussi *kuttâb*.

Tefillin (h) = Phylactères, étuis contenant des extraits du Pentateuque, que l'on attache au front et au bras gauche au cours de la prière du matin.

Tevah, pl. *ot* (h) = Pupitre sur lequel est placé le *Sefer-Torah*.

Tfîna (j.a) = Nom de divers plats préparés la veille du *shabbat* et maintenus au chaud sur un fourneau contenant des braises enfouies sous la cendre.

Tishaᶜh be-Ab (h) = 9 du mois d'Ab, jour de l'année au cours duquel on commémore les deux destructions du Temple de Jérusalem ; cf. *Aggayn*.

Tûnsî, pl. *Twânsa* (a) = Tunisien. Membre de la communauté tunisienne par opposition à la communauté, dite « livournaise » ou « portugaise ».

Ṭallit (h) = Châle de prière.

Ṭaref (h) = Contraire aux prescriptions de la loi religieuse, en parlant de nourriture, opposé à *kasher*.

Yeshivah, pl. *ot* (h) = École hébraïque secondaire. Séminaire d'études talmudiques.

Ybum (h) = Lévirat. Obligation faite au beau-frère d'épouser la veuve de son frère, décédé sans laisser d'enfants. (cf. *Deutéronome,* XXV, 7).

Yom Kippour (h) = Jour de l'Expiation, célébré le 10 Tishri.

BIBLIOGRAPHIE

ABDULWAHAB (H.-H.), « Coup d'œil sur les apports ethniques étrangers en Tunisie », dans *Revue Tunisienne*, 1917, pp. 305-316 et 371-379.

ABITBOL (Michel), *Les Juifs d'Afrique du Nord sous Vichy*, Paris, 1983, 224 p.

ARDITTI (Raphaël), *Recueil des textes législatifs et juridiques concernant les Israélites de Tunisie de 1857 à 1913*, Tunis, 1915, 164 p.

ARDITTI (Raphaël), « Les épitaphes rabbiniques de l'ancien cimetière israélite de Tunis », dans *Revue Tunisienne*, 1931, pp. 105-119 et 405-411, 1932, pp. 99-111.

ATTAL (Robert), « Tunisian Jewry during the last twenty years », dans *Jewish Journal of Sociology*, june 1960, pp. 4-15.

ATTAL (Robert), *Les Juifs d'Afrique du Nord. Bibliographie*, 1973, XXXIV-248 p.

ATTAL (Robert), « Deux rapports de Salomon Reinach sur les Juifs de Tunisie au début du Protectorat », dans *Revue des Études Juives*, janvier-juin 1979, pp. 117-126.

ATTAL (Robert), *Périodiques juifs d'Afrique du Nord*, Institut Ben-Zvi, Jérusalem, 1980, 66 p.

ATTAL (R.) et SITBON (Cl.), *Regards sur les Juifs de Tunisie*, Paris, 1979, 315 p.

AVRAHAMI (Itshaq), *La communauté portugaise de Tunis et son mémorial*, Thèse de doctorat, Université de Bar-Ilan, 1981-1982, 2 vol., 354 et 210 p. (en hébreu).

AZIZA (Claude), « La communauté juive de Carthage au IIe siècle d'après Tertullien », dans *Revue des Études Juives* (137), 1978, pp. 491-494.

BARAD (Shlomo), *Le mouvement sioniste en Tunisie. Études et documents*, Yad Tabenkin, Efal, 1980, 155 p. (en hébreu).

BENJAMIN II (J.-J.), *Eight Years in Asia and Africa from 1846 to 1855*, Hanover, 1859.

BEN SASSON (M.), « The Jewish community of Gabes in the 11th century », dans Institut Ben-Zvi, *Communautés juives des marges sahariennes*, Jérusalem, 1982, pp. 265-284.

321

BENSIMON-DONATH (Doris), *Immigrants d'Afrique du Nord en Israël*, Paris, 1970, 615 p.

BENSIMON-DONATH (Doris), *L'intégration des Juifs nord-africains en France*, Paris-La Haye, 1971, 263 p.

BORGEL (Robert), *Étoile jaune et croix gammée. Récit d'une servitude*, Tunis, 1944, 205 p.

BRUNSCHVIG (Robert), *La Berbérie orientale sous les Hafsides, des origines à la fin du XVᵉ siècle*, Paris, 1940-1947, 2 vol., XLI-476 et XII-503 p.

CAHEN (Abraham), « Les Juifs dans l'Afrique septentrionale », dans *Recueil de la Société Archéologique de Constantine*, 1867, Extrait, 112 p.

CAZES (David), *Essai sur l'histoire des Israélites de Tunisie*, Paris, 1889, 211 p.

CAZES (David), *Notes bibliographiques sur la littérature juive tunisienne*, Tunis, 1893, 370 p.

CHALOM (Jacques), *Les Israélites de la Tunisie, leur condition civile et politique*, Paris, 1908, 199 p.

CHEMLA (Dr Saül), *Le judaïsme tunisien se meurt. Un cri d'alarme*, Tunis, 1939, 98 p.

CHOURAQUI (André), *Les Juifs d'Afrique du Nord*, Paris, 1952, 398 p.

CHOURAQUI (André), *La Saga des Juifs en Afrique du Nord*, Paris, 1970, 395 p.

CHOURAQUI (André), *Histoire des Juifs en Afrique du Nord*, Paris, 1985, 620 p.

COHEN (David), *Le parler arabe des Juifs de Tunis, I, Textes et documents ethnographiques et linguistiques*, Paris-La Haye, 1964, 177 p. ; *II, Étude linguistique*, Paris-La Haye, 1975, 318 p.

COHEN-HADRIA (Dr Elie), « Les milieux juifs de Tunisie avant 1914 », dans *Le Mouvement Social*, juillet-septembre, 1967, pp. 89-107.

COHEN-HADRIA (Dr Elie), « Les Juifs francophones dans la vie intellectuelle et politique en Tunisie entre les deux guerres », dans *Judaïsme d'Afrique du Nord aux XIXᵉ-XXᵉ siècles*, Institut Ben-Zvi, Jérusalem, 1980, pp. 49-66.

CORNET (Hubert), « Les Juifs de Gafsa », dans *Les Cahiers de Tunisie*, 1955, pp. 276-315.

DANON (Vitalis), « Les niveaux de vie dans la ḥâra de Tunis », dans *Les Cahiers de Tunisie*, 1955, pp. 180-210.

DARMON (Raoul), *La situation des cultes en Tunisie*, Paris, 1930, 160 p.

DARMON (Raoul), *La déformation des cultes en Tunisie*, Tunis, 1945, 249 p.

DELATTRE (Alexis), *Gamart ou la nécropole juive de Carthage*, Extrait des *Missions Catholiques*, Lyon, 1895, 51 p.

DOV NOY, *Contes populaires racontés par des Juifs de Tunisie*, Jérusalem, 1968, 380 p.

DUBOULOZ-LAFFIN (M.-L.), *Le Bou-Mergoud. Folklore tunisien. Croyances et coutumes populaires de Sfax et de sa région*, Paris, 1946, 316 p.

DUNANT (Henry), *Notice sur la Régence de Tunis*, Genève, 1858, 261 p.

EISENBETH (Maurice), *Les Juifs d'Afrique du Nord. Démographie et onomastique*, Alger, 1936, 189 p.

EISENBETH (Maurice), « Les Juifs en Algérie et en Tunisie à l'époque turque (1516-1830) », dans *Revue Africaine*, 1952, pp. 114-187 et 343-384.

FAGNAN (E.), « Le signe distinctif des Juifs au Maghreb », dans *Revue des Études Juives*, 1894, pp. 294-298.

FARELLA (Dina), *Les Juifs de Tunisie sous le gouvernement de Vichy, de juin 1940 à novembre 1942*, Mémoire de maîtrise, Nice, 1972, 162 p.

FERRON (Jean), « Inscriptions juives de Carthage », dans *Cahiers de Byrsa* (I), 1950, pp. 175-206.

FERRON (Jean), « Épigraphie juive », dans *Cahiers de Byrsa* (VI), 1956, pp. 99-103.

FERRON (Jean), « Un hypogée juif », dans *Cahiers de Byrsa* (VI), 1956, pp. 105-152.

FRANK (Louis), *Tunis. Description de cette Régence*, Univers Pittoresque, VII, Paris, 1850, 143 p.

GANIAGE (Jean), « La crise des finances tunisiennes et l'ascension des Juifs de Tunis », dans *Revue Africaine*, 1955, pp. 153-173.

GHEZ (Paul), *Six mois sous la botte*, Tunis, 1943, 163 p.

GOITEIN (S.D.), « La Tunisie du XIe siècle à la lumière des documents de la geniza du Caire », dans *Mélanges E. Levi-Provençal*, Paris, 1962, pp. 559-579.

GOITEIN (S.D.), *A Mediterranean Society, The Jewish Communities of Arab World, as portrayed in the documents of the Cairo Geniza. I. Economic foundations ; II. The Community ; III. The Family, IV Daily life ; V The Individual*, University of California Press, 1971-1988.

GOITEIN (S.D.), *Letters of Medieval Jewish Traders*, Princeton University Press, 1973, 359 p.

GOLDMANN (Annie), *Les Filles de Mardochée*, Paris, 1984, 153 p.

GUELLATY (H.), *La justice tunisienne*, suivi de ZAOUCHE (A.), *Les Israéli- tes et la justice*, et BACH-HAMBA (A.), *Les Israélites tunisiens*, Tunis, 1909, 95 p.

GUEZ (Gaston), *Nos martyrs sous la botte allemande*, Tunis, 1946, 104 p.

HADDAD (Charles), *Juifs et Arabes au pays de Bourguiba*, Aix-en-Provence, 1977, 287 p.

HAGEGE (Claude), *Les Juifs de Tunisie et la colonisation française*, Thèse de Troisième cycle, Paris, 1973 (dactylographiée).

HESSE-WARTEGG (de), *Tunis. The Land and the People*, London, 1899, 302 p.

HIRSCHBERG (H.Z.), « The Problem of the judaïzed Berbers », dans *Jour- nal of African History* (IV), 1963, pp. 313-339.

HIRSCHBERG (H.Z.), *A History of the Jews in North Africa*, Leiden, 1974-1981, 2 vol., XI-518 et XI-351 p.

IANCU (Carol) et LASSERE (Jean-Marie), *Juifs et Judaïsme en Afrique du Nord dans l'Antiquité et le Haut Moyen Age*, Montpellier, 1985, 113 p.

IDRIS (Hady-Roger), *La Berbérie orientale sous les Zîrîdes (Xe-XIIe siècles)*, Paris, 1962, 2 vol., 896 p.

ISAAC (Jules), *Genèse de l'antisémitisme, Essai historique*, Paris, 1956, 352 p.

JUSTER (Jean), *Les Juifs dans l'Empire romain*, Paris, 1914, 2 vol., 510 et 328 p.

LAPIE (Paul), *Les Civilisations tunisiennes. Musulmans, Israélites, Européens*, Paris, 1898, 304 p.

LASSERE (Jean-Marie), *Ubique populus. Peuplement et mouvements de popu- lation dans l'Afrique romaine, de la chute de Carthage à la fin de la dynas- tie des Sévères (146 a. C. - 235 p. C.)*, Paris, 1977, 715 p.

LE BOHEC (Yann), « Inscriptions juives et judaïsantes de l'Afrique romaine » dans *Antiquités Africaines* (XVII), 1981, pp. 165-207.

LE BOHEC (Yann), « Juifs et judaïsants dans l'Afrique romaine. Remarques onomastiques », dans *Antiquités Africaines* (XVII), 1981, pp. 209-229.

LE BOHEC (Yann), « Les sources archéologiques du judaïsme africain sous l'Empire romain », dans C. IANCU et J.-M. LASSERE, *op. cit.*, pp. 13-47.

LEVEN (Narcisse), *Cinquante ans d'histoire. L'Alliance Israélite Universelle*, (1860-1910), Paris, 1911-1920.

LEWIS (Bernard), *Juifs en Terre d'Islam*, trad. fr., Paris, 1986, 258 p.

LUMBROSO (Dr Abraham), *Lettres médico-statistiques sur la Régence de Tunis*, Marseille, 1860, 126 p.

MAAREK (Armand), *Le problème des revendications des Israélites tunisiens, du début du Protectorat au décret du 3 octobre 1910*, Maîtrise d'Histoire, Paris, 1970, 252 p.

MASI (Corrado), « La Fixation du statut des sujets toscans israélites dans la Régence de Tunis », dans *Revue Tunisienne*, 1938, pp. 155-179 et 323-342.

MONCEAUX (Paul), « Les colonies juives de l'Afrique romaine », dans *Revue des Études Juives*, 1902, pp. 1-28. Réimprimé dans *Les Cahiers de Tunisie*, 1970, pp. 157-184.

MONCHICOURT (Ch.), *Relations inédites de Nyssen. Filippi et Calligaris (1788, 1829, 1834)*, Paris, 1929, 367 p.

MORTARA (Andrea) [= L. GALLICO, R. GALLICO, M. VALENZI], *Ebrei italiani di fronte al razzismo*, Tunis, 1938, 28 p.

PEYSSONNEL et DESFONTAINES, *Voyages dans les régences de Tunis et d'Alger*, publiés par M. Dureau de la Malle, Paris, 1838, 2 vol., 485 et 385 p.

RODRIGUE (Aron), *De l'instruction à l'émancipation. Les enseignants de l'Alliance Israélite Universelle*, Paris, 1989, 236 p.

ROTH (Cecil), « Notes sur les Marranes de Livourne », dans *Revue des Études Juives*, 1930, pp. 1-27.

SABILLE (Jacques), *Les Juifs de Tunisie sous Vichy et l'occupation*, avec une préface de Daniel Mayer, Paris, 1954, 192 p.

SCHNAPPER (Dominique), *Juifs et Israélites*, Paris, 1980, 281 p.

SEBAG (P.) et ATTAL (R.), *L'évolution d'un ghetto nord-africain. La Hara de Tunis*, Paris, 1959, 101 p.

SIMON (Marcel), « Le judaïsme berbère dans l'Afrique ancienne », dans *Recherches d'Histoire judéo-chrétienne*, Paris-La Haye, 1962, pp. 30-87.

SIMON (Marcel), *Verus Israël. Les relations entre juifs et chrétiens sous l'Empire romain*, 3e éd., Paris, 1983, 518 p.

SLOUSCHZ (Nahum), « Hébréo-phéniciens et Judéo-berbères. Introduction à l'Histoire des Juifs et du judaïsme en Afrique », dans *Archives Marocaines* (XIV), 1908, 473 p.

SLOUSCHZ (Nahum), *Un voyage d'études juives en Afrique du Nord*, Paris, 1909, 88 p.

SLOUSCHZ (Nahum), *Travels in North-Africa*, Philadelphie, 1927, 488 p.

SMAJA (Mardochée), *De l'extension de la juridiction et de la nationalité françaises en Tunisie*, Tunis, 1905, 52 p.

SOUMILLE (Pierre), *Européens de Tunisie et questions religieuses (1892-1901)*, Aix-en-Provence, 1975, 264 p.

TAPIA (Claude), *Les Juifs sépharades en France (1965-1985)*, Paris, 1986, 410 p.

TIBI (Salomon), *Le statut personnel des Israélites et spécialement des Israélites tunisiens*, Tunis, 1921-1923, 4 vol.

TSUR (Yaron), *La France et les Juifs de Tunisie (1873-1888)*, Thèse de doctorat, Jérusalem, 1988, XXXII-399 p. (en hébreu).

VAJDA (Georges), « Le commentaire kairouanais du Livre de la Création », dans *Revue des Études Juives*, 1940, pp. 132-140 ; 1946-1947, pp. 99-156 ; 1949-1950, pp. 67-92 et 1953, pp. 5-39.

VALENSI (Lucette) et UDOVITCH (Avram), *Juifs en Terre d'Islam. Les communautés de Djerba*, Paris, 1984, 174 p.

VASSEL (Eusèbe), « La littérature populaire des Israélites tunisiens », dans *Revue Tunisienne*, 1904-1907, et en volume séparé, Paris, 1908.

VASSEL (Eusèbe), « Les Juifs à l'intérieur de la Tunisie », dans *La Revue indigène*, 1909. Extrait, 15 p.

WEILL (Georges), « Une tentative de colonisation de l'Alliance Israélite Universelle. La Ferme-école de Djedeïda », *Ve Colloque international Maghreb-Mashreq*, Institut Ben-Zvi, Jérusalem, 1984.

TABLE DES MATIÈRES

MONDE JUIF

LES JUIFS DU MAGHREB — Diasporas contemporaines

Jean-Claude LASRY et Claude TAPIA

A la fin des années cinquante, l'indépendance politique des pays d'Afrique du Nord entraîne l'exode d'un demi million de Juifs maghrébins qui se pressent vers Israël, la France, les Amériques et le Canada, particulièrement le Québec. L'objet du présent ouvrage est de brosser un tableau de la situation contemporaine des Juifs du Maghreb, de leur intégration ou de leur marginalisation dans des sociétés d'accueil qui modèlent diversement leur personnalité culturelle, leur identité.

Collection « Histoire et perspectives méditerranéennes » — 480 pages — **280 F**

LES JUIFS DE MOSTAGANEM

Norbert BEL-ANGE

L'histoire de la communauté juive de Mostaganem est millénaire. Cette étude historique montre comment elle s'est affirmée depuis la monarchie des rois de Tlemcen jusqu'à l'exode de 1962. Le judaïsme, groupe culturel au sein du Maghreb, a-t-il disparu en 1962 ?

Collection « Histoire et perspectives méditerranéennes » — 300 pages — **190 F**

LES JUIFS DE FRANCE ET LEURS RELATIONS AVEC ISRAËL 1945-1988

Doris BENSIMON

Hétérogène par ses origines, la judaïcité française l'est aussi par sa stratification sociale et sa quête d'identité. Après le drame de la Seconde Guerre mondiale, elle s'est lentement reconstruite et réorganisée.

Aujourd'hui, l'État d'Israël constitue un nouveau pôle d'affirmation de son identité. Cet ouvrage analyse l'évolution de cette communauté depuis 1945.

Collection « Comprendre le Moyen-Orient » — 288 pages — **140 F**

ALBERT MEMMI — Écrivain et sociologue

Textes réunis par Jeanyves GUÉRIN

« Albert Memmi, c'est d'abord un juif qui affirme son identité mais refuse l'enfermement de celle-ci dans les limites d'une religion dont il s'est détaché. C'est aussi un homme de dialogue. Le partisan de la solution sioniste est un avocat de la littérature maghrébine, le pionnier des études francophones et l'analyste clairvoyant du racisme, de la colonisation et de la dépendance », écrit Jeanyves Guérin.

Cet ouvrage collectif nous fait découvrir l'œuvre et l'homme sous des points de vue multiples.

180 pages — **90 F**

LA CRISE ANTI-JUIVE ORANAISE (1895-1905)
(Antisémitisme dans l'Algérie coloniale)

Geneviève DERMENJIAN

La crise anti-juive débuta à Oran plus tôt qu'à Alger et Constantine et dura plus longtemps. Elle culmina dans les émeutes de mai 1897 et s'accompagna de persécutions diverses dans la vie quotidienne et officielle. La fièvre retomba progressivement après 1878 lorsque l'Algérie obtint certains avantages politiques. Mais les antisémites oranais se maintinrent jusqu'à 1905 alors que leurs homologues algérois et constantinois quittèrent la scène politique en 1902.

Format 16 × 24 — 1986 — 272 pages — **120 F**

LES JUIFS SÉPHARADES EN FRANCE
Études psychologiques et historiques

Claude TAPIA

Comment les juifs d'Afrique du Nord transplantés en France, reconstituent des communautés cohérentes, reposant sur des valeurs les protégeant d'une modernité corrosive ? La restitution de résultats d'enquêtes apporte ici des éléments de réponses.

Format 16 × 24 — 1986 — 410 pages — **195 F**

LES ENFANTS DU JUIF ERRANT

Fernande SCHULMANN

« Vous êtes nés en France ou en Afrique du Nord et vous voilà établi à Jérusalem ; quel fut votre itinéraire ? » Telle est la question que Fernande Schulmann posa en Israël à trente-quatre juifs francophones, d'âge, de condition, d'origine et de pratique religieuse variés ; certains étant même récemment passés du christianisme au judaïsme.

Le résultat de ces rencontres fut une série d'entretiens qui constituent aussi une réflexion sur la mémoire et le destin d'un peuple.

Collection « *Comprendre le Moyen-Orient* » — 356 pages — **180 F**

LES NUITS

Gilles ZENOU

Treize nuits, treize histoires, fragments d'une vie rêvée que l'enfant prisonnier de la mort raconte à sa geôlière jusqu'à sombrer dans le silence. A la fois conte baroque et méditation sur l'écriture, ce récit archéologique explore les limites d'une identité problématique et une mémoire longtemps occultée : la mémoire judéo-arabe.

N° 49 — 176 pages — **85 F**

MIRAGE A 3

Albert BENSOUSSAN

Un homme affronte en son exil trois femmes qui, chacune pour sa part, vont déterminer son destin et en infléchir le cours : l'épouse, l'amante et l'amoureuse.

Trois visages féminins sur lesquels ricoche le regard du protagoniste, un « exclu » d'Algérie, un « homme à part ».

164 pages — **85 F**

REVUE L'HOMME ET LA SOCIÉTÉ

N° 93

LA GAUCHE CONTEMPORAINE AUX ÉTATS-UNIS
Mouvements d'hier et pensée d'aujourd'hui

Un aperçu de la réflexion et des débats menés par la gauche américaine actuelle sur elle-même, tant sur son passé récent que sur son présent en tant que courant intellectuel.

N° 3/1989 — 128 pages — **80 F**

N° 94

DISSONANCES DANS LA RÉVOLUTION

Que restera-t-il de la commémoration du Bicentenaire ? La défense et l'illustration des droits de l'homme — ce qui est bien. Mais de la Révolution elle-même, des aspirations et des mobilisations populaires, on nous a peu parlé. Et cet oubli a un sens politique. Ce numéro se propose d'en analyser les raisons.

N° 4/1989 — 128 pages — **80 F**

N° 95-96

MISSION ET DÉMISSION DES SCIENCES SOCIALES

Ce numéro permet de déplacer le centre des préoccupations des sciences sociales. En se mettant au service d'une société en mal d'expertise, la sociologie n'a-t-elle pas perdu son dynamisme critique ?

200 pages — **110 F**

N° 97

EST-OUEST : VIEUX VOYANTS, NOUVEAUX AVEUGLES

Un numéro qui aide à ouvrir les yeux sur ce qui se défait à l'Est et sur ce qui s'y fait, sur les transformations de sociétés en manque et sur les contradictions des sociétés qui seraient vouées à la post-modernité.

160 pages — **90 F**

Conditions d'Abonnement :

4 numéros par an

Prix France   : **280 F**
Prix Étranger : **300 F**

44754 - juin 2012
Achevé d'imprimer par

1livre.com